POMNIK CESARZOWEJ ACHAI

Andrzej
Ziemiański

Pomnik Cesarzowej Achai

Tom I

Ilustracje
Dominik Broniek

fabryka słów

Lublin 2012

Rozdział I

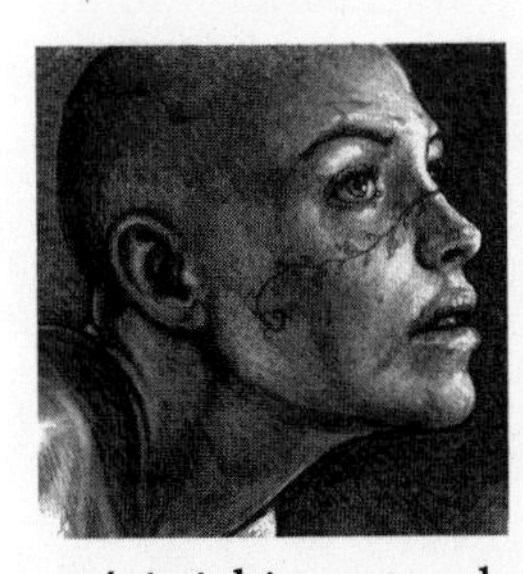

Pomnik cesarzowej Achai był tak wielki, że wyrastał nawet nad okoliczne skały. Kai skrzywiła się, patrząc na wykute w kamieniu wyobrażenie dziewczyny sprzed paruset lat. Achaja miała dziwną twarz o wyrazie arogancji i pewności siebie, patrzyła gdzieś w przestrzeń, ponad piaskami pustyni otaczającymi szkołę czarowników. Ciekawe, czy naprawdę była taka brzydka, czy to tylko wyobrażenie nieznanego rzeźbiarza, który uważał, że cesarzowa powinna wyglądać prostacko i butnie? Chwała cesarstwa przede wszystkim, ponad kobiecość? Podobno baba była tak dobra w mieczu, że pokonała samego Viriona. Kai pamiętała to z nudnych wykładów w szkole. Kurza dupa! Wzruszyła ramionami. A kto to był Virion? Usiłowała sobie przypomnieć jakiekolwiek inne nazwisko z tamtej zamierzchłej epoki. No... Ten, no... Nie. Ta... Ach. Czarownica Arnne. Sponsorka szkoły. Jej pomnik, dużo mniejszy oczywiście, bo nie miała takich możliwości jak pani cesarz, również gdzieś tu stał, wśród kamieni na wysypisku śmieci.

Śmieci. Właśnie. Przypomniała sobie. Opróżniła trzymany w ręku kosz z odpadkami, który kazano jej taskać aż z kuchni. No i ją ukarali. Ją, Kai, szlachecką córkę! Nie mogła się z tym pogodzić. Niemniej jednak tak się stało. I to za co! Poszło o zakład tak durny, że nic głupszego nie dałoby się już wymyślić. Praprzyczyną była kłótnia z koleżankami, które oczywiście nie wierzyły Kai, że ten przystojny, umięśniony brunet Pensa jest w niej zakochany. Nawiasem mówiąc, ona sama w to nie wierzyła, no ale przecież nie po to Bogowie dali jej rozum, żeby z niego nie korzystała. Pensa się nie liczył. Liczyło się wrażenie, jakie wywoła wśród koleżanek. Plan był taki: jeśli podczas corocznych szkolnych zawodów zapaśniczych chłopak z pewnych oczywistych i wszystkim widocznych względów nie będzie mógł wystąpić, to ona wygrywa. Jeśli wystąpi, bo nic się z nim nie stanie – zakład jest przegrany. Trudna sprawa.

Kai jednak miała pewien atut, o którym koleżanki nie wiedziały. Dobra jej rodziny leżały w lesistych rejonach Arkach. Gęste knieje otaczały wszystko: dwór, zabudowania gospodarcze, wszystkie trakty. A przecież dziecka samego do lasu nikt nie ośmielił się puszczać. Kiedy tylko więc wyrywała się z rąk salonowych nauczycieli, we wszelkich wyprawach towarzyszyli jej gajowy z pomocnikiem oraz... stara zielarka. Pilnowała, by Kai nie zjadła czegoś trującego, umiała zrobić opatrunek, gdyby się skaleczyła, umiała wyleczyć, gdyby ukąsił ją jadowity wąż. A podczas tych wypraw z kim miała rozmawiać mała dziewczynka? Z dwoma gburowatymi mężczyznami? Nie. Zaprzyjaźniła się ze starą, by po kilku latach stać się specjalistką w przygotowywaniu różnych mikstur.

W dniu zawodów Kai była bardzo pewna siebie. W nocy przyrządziła napar z ziół, jakie zielarka sprzedawała mężczyznom w podeszłym wieku biorącym młode żony. Za drobną łapówkę załatwiła sobie funkcję pomocnicy w szatni. Kiedy zawodnicy zaczęli się zbierać, podeszła do Pensy i podała mu dzbanek z ziołami. Bardzo sprytnie przestrzegła, żeby nie pił zimnej wody, bo można od tego dostać kolki, a ona ma przecież specjalny wzmacniający napój. Dał się przekonać bez problemów.

Gdy zaczęły się zawody, stała w pierwszym rzędzie, tuż przy placu zmagań, zawzięcie machając rękoma. Zauważył ją, skinął głową, co zostało odnotowane przez koleżanki. A potem się zaczęło... Dwóch zapaśników stanęło naprzeciw siebie, sędzia ogłosił początek starcia, zawodnicy starożytnym obyczajem zrzucili szaty, by ruszyć do boju nago, i...

Napój miłosny działał. Psiakrew! A Pensa w dodatku okazał się człowiekiem honoru! Skoro dostał „wzmacniający napój", to po rycersku podzielił się nim z przeciwnikiem. Widać więc było dwa dowody na skuteczność naparu z ziół. Skandal.

Nikt nie miał pojęcia, co zrobić. Teoretycznie mężczyzna przecież nie włada tą częścią ciała w sposób do końca świadomy. Ale dwóch mężczyzn naprzeciw siebie i...? Kai struchlała. Awantura, która wybuchła chwilę później, prawie rozniosła uczelnię w drzazgi. Oczywiście wbrew jej naiwnym nadziejom momentalnie stało się jasne, że w grę nie wchodzi żaden rodzaj magii, zaczęto więc szukać kogoś, kto zna się na lubczykach. Oj, naiwna, naiwna... Śledztwo nie trwało nawet dziesięciu modlitw, a orzeczenie kary mniej niż jedna. Wychłostano ją, ale pal to piorun. W rolę kata musiał się wcielić chłop z pobliskiej wsi, a on przecież nie śmiał tknąć jaśnie panienki tak, żeby uszkodzić skórę. Całe to bicie przypominało, poza teatralną formą, mniej więcej to, jak chłostała ją matka. Tyle że się najadła strachu i chyba o to przede wszystkim chodziło. Gorsza okazała się karna służba w kuchni. Żeby nie mogła się mścić truciznami, odsunięto Kai od przygotowywania potraw. Musiała czyścić stare gary i zajmować się śmierdzącymi odpadkami! Dno poniżenia dla szlachcianki.

Usiadła na skalnym piargu. Wściekła rozejrzała się wokół. Nieprawdopodobny krajobraz. Skłony wyglądały, jakby były zalane piachem. Wyrastały nagle w różnych miejscach bez żadnych pofałdowań – wprost z idealnie równego terenu. Na szczęście dawały trochę cienia w sercu pustyni. Za to niewielką osłonę przed smrodem z wysypiska. Jak długo jeszcze będzie musiała dźwigać te ohydztwa? Wzruszyła ramionami. O tym zadecyduje mistrz szkoły. Podobno kara jest bardziej dotkliwa, kiedy skazany nie wie, jak długo będzie trwała. Szlag! Psiakrew!

Zrezygnowana podniosła kosz i ruszyła w drogę powrotną. Czuła się jednak jakoś dziwnie. Coś działo się wokół. Nie mogła zaszeregować tego odczucia. Błysk? Nie. Krople potu gromadziły się na gęstych brwiach Kai. Szlag! Co to jest? Zaniepokojona zatrzymała się i wytarła czoło rękawem. Czuła, że coś się stanie. Ale to na pewno nie był zwykły błysk. To było jak... jak... jak drganie całego wszechświata. Zatoczyła się pod skałę. Upuściła kosz, pulsowały jej skronie. Chwiejnie, na drżących nogach, zupełnie odruchowo zrobiła jeszcze kilka kroków. I wtedy to zobaczyła. Ciało mężczyzny w ciemnym płaszczu leżące w załomie piargu. Szarpnęła się w nagłym paroksyzmie strachu. Nie było go przecież, kiedy szła w przeciwną stronę. Opanowała się z najwyższym trudem. Wiedziała... Wiedziała, kto to jest. Ciemny, bardzo zniszczony płaszcz, obcięty najmniejszy palec lewej dłoni, z którego sączyła się krew. Pieprzona zamierzchła tajemnica. Po plecach przebiegły jej ciarki.

Zacisnęła mocno powieki. Kiedy otworzyła oczy, poza mroczkami w polu widzenia nic się nie zmieniło. Ciało tajemniczego mężczyzny leżało tam dalej. Znała jego historię. Przed setkami lat, a to przecież jakaś niewyobrażalna otchłań czasu, czarownik Meredith związał się z tajemniczą rzeczą, przedmiotem stworzonym przez Boga Zdrajcę. Ta rzecz, to coś, ofiarowała mu nieśmiertelność. Ilekroć Meredith ginął, jego ciało pojawiało się w różnych miejscach na świecie, wszędzie tam, gdzie panowała zaraza, okropna choroba zabijająca ludzi, na którą nie znaleziono żadnego lekarstwa. Ciało znajdowało się w stanie pierwszej śmierci. Łatwo je było powołać na powrót do życia. Mógł to zrobić nawet zwykły wiejski zaklinacz.

Kai, pokonując drżenie nóg, zrobiła dwa kroki i nachyliła się. Meredith wyglądał, jakby umarł dosłownie przed chwilą. A przecież mogło to się zdarzyć setki lat temu. Na przykład w czasach, kiedy Rada Czarowników ogłosiła zakaz powoływania go do życia na powrót. Zamierzchła tajemnica, o której uczono w każdej szkole na pustyni, a właściwie przed którą ostrzegano na samym wstępie każdego nowego ucznia. Kai przygryzła wargi.

Z jednej strony się bała, z drugiej powodowała nią nieprzeparta ciekawość. Nie zamierzała oczywiście ożywiać trupa, ale... Zrobiła jeszcze dwa kroki, przełknęła ślinę, dotknęła policzka zmarłego i odskoczyła natychmiast na bezpieczną odległość. Bogowie! Jeszcze ciepły! A przecież martwy od setek lat. Ciepły!

Nie mogła pokonać dziwnego dygotania, które targało nią wewnątrz. To był nie tylko strach. Także fascynacja. O szlag! O szlag jasny! Ciało Mereditha pojawiało się tam, gdzie szalała zaraza. A przecież tutaj nikt nie chorował. No zaraz... Słyszała, że w wiosce na skraju pustyni zmarło kilku chłopów. Ale kto by się tam chłopami przejmował. Zaraz. Wioski, które obsługiwały szkołę, były oddzielone piaskami od jakichkolwiek innych ludzkich siedzib. Rzeczywiście chorowali od pewnego czasu. Zarazę można przeoczyć z powodu separacji – to nie wybuch epidemii, jak w wielkich skupiskach ludzi, tylko powolne tlenie się. A czarownikom i tak nic nie groziło, bo zostali nauczeni panowania nad własnym ciałem.

Kai czuła jednocześnie strach i fascynację. Ponownie podeszła na dwa kroki. Ostrożnie, jakby obawiając

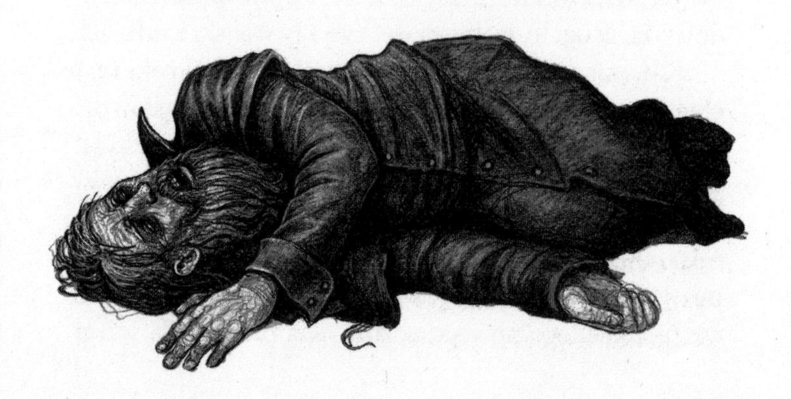

się, że martwy może się jakoś ocknąć sam z siebie, dotknęła jego warg. Ciepłe. Cofnęła rękę. Ciekawe, co on ma w kieszeniach płaszcza? Przedmioty sprzed setek lat...

– Ani mi się waż!!!

Aż ją poderwało. Dysząc, odskoczyła gwałtownie, czując walące w piersiach serce. Nie mogła opanować drżących rąk.

Mistrz szkoły schodził właśnie wąską ścieżką wijącą się pośród skał.

– Ani mi się waż! – wrzasnął gniewnie jeszcze raz.

– Ale, panie, ja... Ja nie zamierzałam go ożywiać – usiłowała się tłumaczyć.

– Jego nie wolno nawet dotykać.

– Wiem, ja... – Kai nagle zdała sobie sprawę, że dotknęła zwłok. Nawet dwa razy. Szlag! – Przecież go nie dotykałam. Nie miałam nawet zamiaru!

– Głupia. – Mistrz przystanął tuż obok, usiłując uspokoić oddech. Był już bardzo stary i droga przez skały musiała nadwerężyć jego siły. – Głupia. – Dyszał ciężko, wsparty na swoim długim kiju. – To śmierć. – Wskazał leżące ciało. – To sama śmierć. Chłopi w wiosce umierają w gorączce. Zaraza. Zwiastun pojawienia się Wyklętego!

– Ja wiem, mistrzu. Ja wiem. Nie dotykałam – kłamała rozpaczliwie. – Nie chciałam go powołać do życia.

– Głupia! – Mistrz powoli odzyskiwał oddech. – Jeśli go dotkniesz, opadnie cię chmara małych okropieństw, które powodują śmierć. Tobie nic nie grozi. Jesteś już prawie czarownikiem. Ale... – Starzec pokiwał smętnie głową. – Ale ile osób zabijesz dzisiaj, dziewczyno? Ile jutro? Ilu ludzi w ogóle poślesz do grobu?

Kai przełknęła ślinę. Nie miała niczego do powiedzenia.

– Dobrze... – Mistrz na szczęście nie wnikał w to, co miało miejsce. – I tak nie wolno ci chodzić do wioski. Zresztą to w tej chwili nieważne. Dzisiaj poślę cię z misją, więc może nikogo nie zabijesz...

– Z misją?! – Kai aż podskoczyła.

– Zamknij się i słuchaj. – Starzec ruszył w drogę powrotną. – Trzeba zawołać chłopów. Niech wykopią grób i drągami zepchną tam ciało. Niech przysypią je ziemią. – Mistrz znowu się zasapał. – Nie pierwszy to grób Wyklętego na terenie tej szkoły. I pewnie nie ostatni...

– Panie, powiedziałeś, że wyślesz mnie z misją. Panie...

– Milcz. To jest sama śmierć. – Wskazał kciukiem za plecy. – To jest upiorna broń, która może komuś dać władzę nad światem. Tak kapryśna jednak, tak dziwna, tak tajemnicza, że setki lat temu czarownicy zabronili powoływania go do życia. Wyklęty związał się z Bogiem Zdrajcą. Z niesamowitą rzeczą, którą ten Bóg powołał do życia. Nie wolno dotykać tej tajemnicy.

Kai o mało nie eksplodowała z podniecenia. Co ta stara pierdoła wygaduje o jakichś tam zamierzchłych tajemnicach? Przecież to nieważne brednie.

– Wiem, panie. Wykładali nam to na samym początku. – Kai nie wiedziała, jak nakierować mistrza na właściwy tok rozmowy. – Powiedziałeś, panie, że wyślesz...

– To upiorna broń. – Starzec zdawał się nie zwracać na dziewczynę uwagi. – Może się jednak zwrócić przeciwko temu, który chce jej użyć. Jest straszna, jest zbyt dziwna, żeby dało się zrozumieć jej istotę. Nie wolno powoływać Wyklętego na powrót do życia. Nie wolno pod żadnym pozorem.

Kai wiła się, nie wiedząc, jak spytać o to, co dla niej najważniejsze. Zamierzchłe tajemnice miała, delikatnie mówiąc, gdzieś. Teraz najważniejsze było, że dostała szansę założenia na głowę czarnej opaski. Koledzy i koleżanki zzieleniеją z zazdrości. Nawet ten Pensa powinien spojrzeć na nią łaskawszym okiem. W końcu nie po to narażała dla niego swoją karierę w szkole, robiąc to, co zrobiła. A, trudno... Dostała karę. Zaliczyła już chyba wszystkie upokorzenia, jakie mogła zaliczyć. Nie było warto. Ale teraz... misja!

– Mistrzu – szepnęła – mówi...

– Mówiłem, mówiłem – przerwał jej czarownik w pół słowa. – Ach tak, misja.

Kai jakby urosła.

– Jakaś idiotka, księżna Arkach, złożyła ślubowania, że wyśle statek do Gór Bogów. Wyprawa wotywna! – Starzec prychnął z pogardą. – No i chce mieć czarownika w składzie załogi. No nie, powiedziałem, czarownik dla zaspokojenia czyjegoś kaprysu? Nie. Nigdy w życiu. Ale... Ona jest sponsorem szkoły. Więc pomyślałem, wyślę jakiegoś szczyla, niech się cieszy, głupia. A szczaw niech udaje, że jest czarownikiem. Wszyscy będą zadowoleni.

– Mistrzu...

– Milcz niepytana. Padło na ciebie, bo po pierwsze, i tak masz karę, więc nie możesz brać udziału w zajęciach. A po drugie, jesteś szlacheckim dzieckiem. Bywałym w świecie. Uczonym. Wysławiać się umiesz, znasz konwenanse. A poza tym umiesz jeździć konno. A do portu trzeba szybko dotrzeć, bo statek wypłynie lada dzień.

Kai czuła, że poczucie powagi zaraz zamieni ją w granitowy głaz, a jednocześnie rzeka pychy porwie gdzieś daleko, poza horyzont.

– Mistrzu – zapytała, usiłując przynajmniej udawać, że jej głos jest pozbawiony nutek samouwielbienia – co mam robić w trakcie wyprawy?

– Najlepiej nic – odparł szczerze. – Ale wiem, że i tak nie posłuchasz. – Starzec zasapał się znowu i stanął. – Mimo tego całego twojego wykształcenia jesteś okropnie durna.

– Ja...

– Ty, dziecko, biegnij teraz po sprzęt i ruszaj. – Mistrz oparł się na swoim kiju. Wyjął z rękawa dość sporą chustę i otarł nią twarz. – A ja tu zostanę, żeby odzyskać oddech.

Kai nie trzeba było powtarzać dwa razy. Wykonała coś, co przy dużej dozie dobrej woli można by uznać za ukłon, warunkowo darowała mistrzowi to „dziecko" i runęła pędem w kierunku szkoły. Cudownym zrządzeniem losu już nie czuła upału, który dotąd tak jej się dawał we znaki. Nawet nie była spocona, kiedy wpadła do intendentury.

– Mam pobrać sprzęt! – wrzasnęła. – Jadę z misją!

Trzech pomocników ryknęło śmiechem.

– Ciszej, ciszej... – Mistrz administrator tylko pokręcił głową. – Bo nam uszy odpadną od tych ryków.

– Mam pobrać sprzęt – powtórzyła Kai spokojniej. – To misja najwyższej wagi.

Pomocnicy zaczęli wyć ze śmiechu. Szturchali się nawzajem i robili porozumiewawcze miny. Mistrz sam z trudem panował nad sobą. Jednak przyniósł dwie sakwy i siodło. A potem... Potem, choć w jego oczach błyskały wesołe ogniki, zawiązał dziewczynie na głowie czarną opaskę. Prawdziwą.

– Czarownico! – Omal nie parsknął śmiechem, ale się opanował. – Idź i czyń swoją powinność. Bądź wierna jak pies, gryź jak jadowity wąż, bądź mądra jak mistrzyni! Czarownico – musiał odkaszlnąć, żeby utrzymać poważny wyraz twarzy – czy wiesz, po co istniejemy?

– Żeby utrzymać istniejący porządek rzeczy – odpowiedziała Kai odruchowo. Wtłaczano im to do głowy dwieście razy dziennie. Taka sama inskrypcja widniała nad główną bramą szkoły.

– Idź więc. – Mistrz administrator wskazał palcem drzwi. – Wysyłam cię z misją!

Kai, nie zwracając uwagi na chichoty pomocników, wzięła siodło i sakwy. Ruszyła do wyjścia. Powoli. A właściwie to nawet coraz wolniej. Pieprzyć tych z intendentury. Oni nie byli ważni. Teraz dopiero pokaże tym naprawdę ważnym ludziom, kim ona jest.

Teoretycznie mogła wąską drewnianą galeryjką dotrzeć od razu do swojej sypialni. Ale przecież nie o to chodziło. Spiralnymi schodami zeszła na dziedziniec. Przełożyła sakwy przez ramię, a siodło, choć ciężkie, umieściła na własnym karku. Teraz powoli. Powoli. Jej koleżanki skupione wokół wykładowcy gremialnie odwracały głowy. W ich oczach pojawiła się tak skondensowana zazdrość, że rzeka dumy Kai zamieniła się właśnie w nieprzebyty ocean. Czarna opaska! Czarna opaska na czole... Nie mogła bardziej dobić tych durnych dziewuch. Ale to jeszcze nie wszystko. Przeszła, jeszcze wolniej, tuż obok męskiej grupy. Choć usiłowała się nie rozglądać, pochwyciła kilka ciekawskich spojrzeń. I kilka bardzo „męskich". Tak, „męskich" – to chyba najlepsze określenie – zazdrosnych, zainteresowanych, podziwiających, rozmarzonych. Nie mogła się odwrócić, ale czuła, jak zazdrość w oczach kolegów dosłownie kłuje ją teraz w plecy. Bogowie! To najpiękniejszy dzień w jej życiu.

Powoli! Powoli! Krok za krokiem dotarła do drugich spiralnych schodów. Siodło zostawiła tutaj. Z sakwami na ramieniu wspięła się znowu na galeryjkę. Bardzo uważała, żeby ani razu nie zerknąć w bok. Wystarczała jej ta totalna zazdrosna cisza poniżej.

Udało jej się nie odwrócić głowy, chociaż korciło jak szlag. Dotarła do swojej sypialni. Tu nareszcie mogła odrzucić sakwy. Skoczyła do ściany i odsunęła dwie spróchniałe deski. Garniec z winem był. Kai wyjęła i powąchała ostrożnie. Koleżanki mogły przecież wychlać wino i normalnie nasikać do środka. Ale nie. Skosztowała drobinkę. Uch! Nie znalazły, świnie, jej wygranej w zakładzie. Nie znalazły. Upiła trochę, bo nagle poczuła pragnienie. Resztę wlała do ogromnego bukłaka, a i tak zostało jeszcze tyle, żeby napełnić stojący na szafce kubek. Właśnie miała go osuszyć, kiedy poczuła czyjąś obecność. Spokojnie! Nawet nie drgnęła. Jest przecież teraz czarownicą w misji. Spokojnie... Upiła łyk, a potem powoli, jak stary żołnierz weteran, spojrzała w okno. Pokiwała głową, jakby roztrząsając bardzo ważne sprawy, i dopiero potem spojrzała w kierunku drzwi. Stała w nich „Mała" Lee, dziewczyna będąca kimś w rodzaju przywódcy żeńskiej grupy – najstarsza i najbardziej zaawansowana. Przydomek „Mała" był zresztą raczej przyjacielską kpiną. Lee należała do najwyższych w szkole.

– Cześć, Kai – powiedziała. – Przyszłam się z tobą pożegnać.

O dziwo, Lee pamiętała jej imię. A teraz nawet nie wynosiła się ponad „młodą". I co jeszcze dziwniejsze, ton jej głosu sprawił, że Kai nagle przestała się nadymać z powodu swojej misji. Zrobiło się tak jakoś normalnie.

– Dzięki, że przyszłaś.

– Przyniosłam ci ciasteczka na drogę. – Dziewczyna położyła na stole niewielki płócienny worek. – Bardzo kwaśne. Dobre na podróż w upale, bo sprawiają, że w ustach robi się dużo śliny.

– Siądź, napij się wina. – Kai podsunęła stołek spod okna.

– Wygrana z zakładu? – uśmiechnęła się Lee. – Z przyjemnością. – Usiadła, masując sobie skronie. – Dzisiaj jest jakiś straszny dzień. Dziewczyny wariują, co chwila któraś ma błysk.

Dobre sobie. Niektóre dziewczęta mają błyski, bo właśnie jest sprzyjająca aura, niektóre zaś muszą czyścić gary, babrać się w nieczystościach i nie mają czasu na przewidywanie przyszłości, bo są zbyt zajęte śmierdzącą teraźniejszością. Ach, dobrze, że Kai miała to już za sobą.

– Pewnie wina pogody – powiedziała głośno. – Ten wiatr od pustyni zawsze sprawia, że wszystkie wariują.

„Mała" Lee skinęła głową. Suchy wiatr był przekleństwem szkoły. Mówiono, że przynosi złe myśli i zalążki nieszczęść, które szukają złej gleby. Kiedy wiał, uczniowie wieczorami często dostawali gorączki, majaczyli, byli doświadczani przez chore odbicia drobnych fragmentów przyszłości.

– Tia... Nie tłumaczy to jednak twojej kary. – Lee upiła łyk wina. Sądząc po cichym mlaśnięciu, bardzo jej smakowało. – Rozmawiałyśmy o tym.

– Przecież kara właśnie się skończyła.

– Wiesz... – Tym razem dziewczyna westchnęła cicho. – Tobie, córce szlachcianki, to on – wskazała kciukiem kierunek, gdzie prawdopodobnie znajdowała się komnata mistrza szkoły – może co najwyżej nasikać do łóżka, a i to jedynie wtedy, gdy nie widzisz. Ten teatr z chłostą i robotą w kuchni pomińmy. Tak naprawdę to on ci nic nie może zrobić, a afera nie była znowu aż taka wielka. Nie przeginajmy.

– O czym mówisz?

– Widzisz, tak żeśmy sobie z koleżankami wydumały, że skoro on jest bezsilny, to po prostu chce się ciebie pozbyć ze szkoły na zawsze. No i znalazł rozwiązanie idealne. Księżniczka chce czarownicę na wyprawę wotywną? Dostanie. Ty chcesz końca kary? Dostajesz nagrodę. Mistrz chce ci dać kopa w tyłek? Daje. I co gorsza, wszyscy zadowoleni. Księżniczka wysupła pieniądze na wsparcie szkoły, ty już tu nie wrócisz, a mistrz nie uszczupli kadry, wysyłając na wyprawę fachowca.

– Prawda. – Kai przysiadła na parapecie. – To brzmi rozsądnie. Ale... skąd wiesz, że już tu nie wrócę?

– Jedna z twoich współlokatorek w celi miała błysk i powiedziała, że twoje łóżko na zawsze pozostanie puste.

Kai poczuła lekkie ukłucie strachu.

– Umrę?

– Jak każdy – westchnęła Lee. – Ale kiedy konkretnie, to nikt nie wie.

– Ten wiatr...

– Ta. Wiatr, wszyscy odchodzą od zmysłów, falowanie świata, w wiosce zaraza, a to może sprawić, że ukaże się Wyklęty. „Zobaczysz Wyklętego, szykuj się na złe wieści" – „Mała" Lee zacytowała Księgę Trwania.

Kai chciała coś powiedzieć, lecz tylko przełknęła ślinę. Uznała, że tak będzie lepiej. Miała zaraz wyjechać. Po co wspominać o przygodzie na piargach.

– No i coście tam wymyśliły? – spytała w zamian.

– Że takie szczęśliwe koincydencje, jakie rzekomo sprawia mistrz, jednak się nie zdarzają naprawdę. Tu się dzieje coś znacznie bardziej ważnego. I on to musi czuć.

– Ale nam ściemnia?

– Nie inaczej. – „Mała" Lee uśmiechnęła się wrednie. – I dlatego chce cię stąd szybko usunąć.

– Dlaczego?

– Żebyśmy się nie dowiedziały, o co chodzi.

Kai palnęła się w czoło ze zrozumieniem. Nie miała zielonego pojęcia, czemu akurat ona wydała się mistrzowi szkoły zagrożeniem, nie miała żadnego pomysłu, o co mogło tu chodzić, ale w jednym dziewczyny miały rację. To była absolutnie ostatnia chwila, żeby się czegoś dowiedzieć. „Mała" Lee, najstarsza, najbardziej doświadczona i zaawansowana w nauce, w obecności Kai pokieruje swoim błyskiem i być może czegoś się dowie o przyszłości. Zobaczy jakiś mętny obraz, usłyszy czyjś głos, być może poczuje coś, co będzie udziałem człowieka, który jeszcze się nie narodził. Okruchy przyszłości były narowiste i niepokorne, prawie nie dało się nimi kierować. Ale teraz, przy wietrze z pustyni, w obecności osoby, o którą chodzi, i w wykonaniu dwóch czarownic... Dwóch prawie czarownic? Może.

Lee wyjęła z sakiewki mały flakonik. Odkorkowała i wlała zawartość do kubka z resztą wina.

– Gotowa?

Kai skinęła głową i podała koleżance rękę. „Mała" Lee wychyliła wino. Środek, który dodała, musiał być ohydny w smaku, bo skrzywiła się niemiłosiernie. Po chwili uspokoiła się i zamknęła oczy. Efekt przyjętego ekstraktu z ziół uwidaczniał się szybko. Dziewczynie zaczęły drżeć dłonie, chwilę później na czoło wystąpił pot. Ale były to tylko efekty uboczne. Lee jęknęła cicho, potem trochę głośniej. Kai trzymała ją za dłonie, nie chcąc, żeby w nagłym wymachu ramion uderzyła się o coś. Na razie jednak nic nie wskazywało na jakąkolwiek gwałtowną reakcję. A może nic się nie stanie? Lee krzyknęła głośno. Pod zamkniętymi powiekami Kai widziała jej gwałtownie poruszające się gałki oczne. I nagle... Jest!

Gdyby Kai nie była przygotowana, wrzask mógłby ją ogłuszyć. Trzymała mocno, usiłując zapanować nad drgawkami „Małej" Lee. Kolejny wrzask. Ściany nie były na tyle grube, żeby go zagłuszyć, ale w szkole czarowników, i to w dniach, kiedy wiał pustynny wiatr...? Nikogo to nie zdziwi. Lee szarpnęła się gwałtownie, prawie uwalniając dłonie, krzyknęła coś niezrozumiałego, przez chwilę szeptała do kogoś niewidzialnego, a potem z głuchym plaśnięciem opadła na stołek.

– I co? I co, widziałaś coś?

„Mała" Lee otworzyła oczy.

– Kurde, o mało mi nadgarstków nie połamałaś. – Zaczęła masować przeguby.

– Nie chciałam, żebyś sobie zrobiła krzywdę.

– Teraz będę miała siniaki.

– Szlag! Widziałaś coś czy nie?

„Mała" Lee oparła głowę o ścianę. Usiłowała uspokoić oddech. Jej mina nie wróżyła niczego dobrego, ale widać też było, że dziewczyna czegoś nie rozumie. Albo nie chce się z czymś pogodzić.

– Będziesz pływać na okręcie – szepnęła wreszcie.

Ale wymyśliła! No tak, Kai miała się udać na wyprawę wotywną, a to oznaczało, że w jakimś odległym zakątku świata ma złożyć wota. Musiała tam jakoś dotrzeć. Dojechać albo dopłynąć, zatem można wybrać jedną z dwóch równoważnych możliwości. Ale i tak Lee mylnie odczytała błysk. Kai nie może się znaleźć na okręcie, bo ta nazwa oznacza kosztowną jednostkę wojenną, na którą nie stać byle księżniczki. Mogła co najwyżej płynąć statkiem, może i uzbrojonym, ale co najwyżej statkiem! Nie okrętem, bo na takie fanaberie stać jedynie panią cesarz!

– Widziałam potwory wokół. – Lee wbrew temu, co mówiła, nie wyglądała na przestraszoną. Raczej zrezygnowaną. – Stanie się coś, co zadecyduje o przyszłości. Wokół potwory. Będziesz... będziesz...

– Gdzie?

– Będziesz na okręcie, który pływa pod wodą.

Kai westchnęła ciężko. Całe napięcie prysło momentalnie. No nie, no co za brednie. Będzie pływać pod wodą. No szlag! Przecież żaden okręt na świecie nie może pływać pod wodą!

ORP „Dragon" wynurzał się awaryjnie z głębokości pięćdziesięciu metrów.

– Psiakrew! – Kozłowski oderwał wzrok od wskazań krokomierza. – Czy ktoś może wyłączyć te mrugające światła?

– Przy awaryjnym zawsze się zapalają – wyjaśnił inżynier Węgrzyn.

– Przecież to tylko ćwiczenia!

– Proszę to wytłumaczyć tej głupiej elektrycznej skrzynce, panie kapitanie.

– Wolałbym, żeby pan je wyłączył.

– Siekierą po kablach?

Tomaszewski aż syknął. Pieprzeni cywile. Durnowaty eksperymentalny rejs na okręcie podwodnym nowej generacji. Nie mógł sobie wyobrazić, żeby jakikolwiek marynarz śmiał się tak odezwać do dowódcy. Kapitan Kozłowski jednak wykazał się dużą dozą tolerancji.

– Jak rozumiem, wszystko się popsuło, tak?

– Wszystko? – Węgrzyn był mniej opanowany. – Kadłub chyba jeszcze nie przecieka – usiłował być złośliwy.

– To co wskazuje krokomierz?

– Mmm... – Punkt dla dowódcy. – Nie wiem.

– Trzeba go było wyzerować! – wtrąciła Wyszyńska. Pani inżynier Wyszyńska. Szlag! Jedyna baba na okręcie podwodnym, główny specjalista stoczni. O kurdebalans! Czy ktoś słyszał o kobiecie inżynierze? Kiedykolwiek w historii?

– Był wyzerowany!

– Akurat! Widziałam, jak to robiliście, i mówiłam...

– Czy moglibyśmy uniknąć cywilnych kłótni na mojej jednostce? – Kozłowski już z trudem panował nad sobą. – Tu się wszystko sypie, drodzy państwo inżynierostwo.

– Ja nie projektowałem krokomierza. – Węgrzyn z kurtuazją ukłonił się Wyszyńskiej.

– Ja też nie. – Uśmiechnęła się miło. – Ale w przeciwieństwie do pana wiem, jak go obsługiwać.

Tomaszewski teraz już musiał wkroczyć. Wolał nie narażać się na wściekłość kapitana, który jemu mógł zrobić dużo złego. Choćby w zemście za cywilów.

– Wachta sztormowa, przygotowanie do góry! – wrzasnął, usiłując zagłuszyć pyskówkę. – Czaty, obsługa kiosku, bosman, rozprowadzający... gotowość.

W pośpiechu dopinał ostatnie guziki sztormowego płaszcza, wkładał słuchawki z tubą, hełm, kaptur i sztormowe żółte okulary. Pogoda na powierzchni nie była najlepsza.

– Tak jest! Tak jest! Tak jest!...

Marynarze w przeciwieństwie do inżynierów nie sprawiali kłopotów. Każdy chwycił się czegoś, kiedy okrętem zaczęło kołysać. Światło zmieniło kolor na czerwony, marynarze zaciągali na twarze swoje blendy.

– Góra! – krzyknięto od trymów.

Rozległ się trzask zamków odbezpieczających górny właz na kiosku.

– Jest góra! – wrzasnął bosman Mielczarek.

– Potwierdzam górę – dodał porucznik Siwecki.

Mielczarek szarpnięciem odblokował dźwignie włazu wewnętrznego.

– Kiosk, góra!!! – ryknął Tomaszewski jak mógł najgłośniej.

Jeden z marynarzy otworzył właz. Chlusnęło na nich lodowatą wodą. Zimne, porywiste podmuchy wtargnęły do wnętrza. Bosman pierwszy wspiął się po szczeblach.

Potem Tomaszewski. Nie wiedział, skąd leje się na niego woda, z nieba czy z oceanu targanego szkwałem. Totalna ciemność. Pod powiekami miał jedynie powidoki czerwonych świateł punktu dowodzenia. Po omacku dotarł do swojego stanowiska.

– Obserwacja! – krzyknął gdzieś w mrok. Nie widział swoich marynarzy, którzy pewnie gramolili się właśnie z włazu. Wiedział jednak, że prawie pełzając w strugach wody, dłońmi odnajdowali drogę do swoich punktów na koronie kiosku. Zapewne przykładali do oczu okulary lornetek. Równie dobrze mogli stosować szkło powiększające. On sam w tych warunkach nie wiedział nawet, gdzie są jego ludzie. Podest był ogromny, a każdy nieostrożny krok mógł się skończyć wybiciem oka choćby o zamki przeciwlotniczych karabinów maszynowych, albo jeszcze lepiej, krótkim lotem w dół, odbiciem od kadłuba i fantastyczną kąpielą w pianie, z której jednak już się nie wychodziło na brzeg wanny. Jakieś czterdzieści metrów za nim inni marynarze, którzy wyszli z drugiego włazu na pokładzie, przygotowywali obronę przeciwlotniczą na rufie. Odbezpieczali dwa zespoły sprzężonych czterolufowych działek i mierzyli, gdzie chcieli. Może nawet w niego. Wynurzenie awaryjne. Co za szajs. Tamci z tyłu, jak i on, nie widzieli niczego. Ale procedura jest procedurą. Nawet gdyby jakiś samolot mógł tu przylecieć, nie dałby rady zaszkodzić okrętowi, ponieważ załoga samolotu zbyt byłaby zajęta odmawianiem modlitw o zachowanie własnego życia. Pieprzone procedury. Nawet jeśli to tylko ćwiczenia. Musiał jednak odprawić rytuał. Krzyknął jak mógł najgłośniej:

– Wyniki obserwacji sferycznej, meldować!

Po chwili, kiedy jedynymi dźwiękami, które do niego docierały, było walenie kropli o kadłub i ryk oceanu, uznał, że jego ludzie zameldowali: „Półsfera czysta".

– Wyniki obserwacji horyzontalnej, meldować! – wrzasnął jeszcze głośnej.

Teraz musiał czekać na cztery wyimaginowane meldunki. Pomyślał jednak, że jego ludzie nie chleją właśnie wódy pod okapem działka, tylko zameldowali: „Pierwsza, druga, trzecia, czwarta ćwiartka koła – czyste!". Na pewno tak zrobili. Przecież musieli się domyślić, że on też coś do nich krzyczał. Tak przewidywał regulamin, który znali równie dobrze. Zapisał więc w notesie po omacku: „Półsfera czysta, horyzont czysty". Ołówek darł mokrą kartkę, do grafitu przyklejały się kawałki papieru.

– Góra klar! – krzyknął do tuby.

Ci na dole może słyszeli, co mówił. On nie słyszał ich odpowiedzi. Jeśli w ogóle były. Ale wiało. Zgrabiałymi palcami wyjął z kieszeni sztormówki latarkę i oświetlił busolę oraz żyrokompas. Nie miał możliwości zanotowania niczego, bo notes mu się właśnie rozpadał. Z drugiej kieszeni wyjął miękką świecową kredkę zwaną przez marynarzy „szminką" i zapisał wszystko na małej planszecie przymocowanej do dłoni. Wypluł latarkę z ust dokładnie w momencie, kiedy ktoś chwycił go za nogę. Dobiegło do niego niezrozumiałe mamrotanie.

– Co? – krzyknął do rozmazanej postaci.

Jeszcze jedno szarpnięcie. Nachylił się więc, wylewając z kaptura kilkanaście litrów wody na tamtego. Znowu nic nie usłyszał. Okręt, mimo że olbrzymi, chwiał się na falach, gwałtownie stawał dęba, by potem jeszcze szybciej opaść w dół.

– Co?

Oświetlony od dołu człowiek zrozumiał, że Tomaszewski nic nie słyszy. Zaczął pokazywać gestami. Ucho-usta – „łączność radiowa", dwie ręce przy klatce piersiowej, potem jedna do góry – „rozstawić maszt", dwie dłonie ustawione w literę T, palec na wprost, dłonie w dół – „kiedy skończysz, oficer schodzi", pięść uderzająca w drugą rękę, dwa palce w kierunku pokładu, salut do nieistniejącej czapki – „bosman przejmie kiosk".

Właz zamknął się momentalnie, ale Tomaszewski pojął wszystko. O Boże. Ilu ludzi miał wysłać na śmierć? Przy tej pogodzie mieli marne szanse nawet przypięci szelkami. Zaczął sunąć na czworakach, aż napotkał pierwszą przeszkodę. Macał gorączkowo, chyba człowiek, bo miękki. Po dłuższej chwili dotarł do głowy marynarza.

– Mielczarek? – wrzasnął.

– Tak – usłyszał, kiedy tamten przytknął mu usta do ucha.

– Musimy rozstawić maszt!

– Zginiemy!

– My nie – tłumaczył krzykiem Tomaszewski. – Oficer i podoficer nie muszą wchodzić wyżej.

– A oni? – Bosman pokazywał coś palcem w ciemności.

Cisza przerywana hukiem huraganu.

– To co mam zrobić? – porucznik pozwolił sobie na okazanie wahania, bo znał bosmana od dziecka. Tamten za młodu był parobkiem w majątku jego rodziców, uciekł i pojechał do miasta. Potem został złodziejem i trafił do kryminału. Tomaszewski wyciągnął go jakimś cudem i sporą kwotą przeznaczoną na adwokatów. O dziwo,

Mielczarek zasmakował w żołnierskim życiu. Co prawda dalej uchlewał się na umór, ale nigdy na służbie ani przed wachtą. Kradł dalej, dla sportu, z reguły oddawał później „zaginione" przedmioty. Był bezwzględny, stanowczy, aczkolwiek do bólu sprawiedliwy. Kiedy awansował do rangi bosmana, stał się systematyczny, skrupulatny, fachowy. Nikt nie wiedział, czy marynarze bardziej się go bali, czy bardziej lubili, bo nie był złośliwy i znał życie. Teraz krzyknął:

– Może rozłożymy im awaryjny?

Tomaszewski zaklął. Maszt awaryjny. Łatwy w rozkładaniu, wystarczyło pociągnąć za dwie dźwignie i sam się rozkładał za pomocą sprężyn i gazu. Problem był tylko taki, że nie dawał się już złożyć. Należało go odstrzelić małym ładunkiem wybuchowym. No, taki po prostu maszt jednorazowego użytku. Zagryzł wargi. Trudno. Weźmie to na siebie.

– Rozkładaj awaryjny – krzyknął.

Z całej siły dostał dłonią w nos. Domyślił się, że bosman jedynie zasalutował w ciemności.

– Gdy zejdę na dół, przejmujesz dowodzenie na koronie kiosku.

– Tak jest!

Tomaszewski przezornie odsunął głowę, żeby uniknąć skutków drugiego salutu. Zaczął pełznąć w kierunku włazu. Okręt chyba chciał stanąć dęba. Właz na szczęście nie sprawiał problemu. Porucznik z ulgą postawił nogi na drabince i zatrzasnął go za sobą. Żeby tylko nie wybić zębów, pomyślał. Palce miał zupełnie zgrabiałe. Na dole ktoś pomógł mu zdjąć płaszcz sztormowy i gumiaki. I tak był cały mokry, w butach chlupało, kiedy szedł do nawigacyjnej. Taki nieprzyjemny dźwięk: plask, plask, plask, przy każdym kroku.

– Porucznik Tomaszewski melduje...

– Dobrze, dobrze – zgasił go momentalnie kapitan. – Rozłożyłeś?

– Tak jest! Maszt awaryjny w górze. – Zamarł w oczekiwaniu na reprymendę, ale Kozłowski tylko pokiwał głową.

– Może uda się z kimś połączyć przy tej pogodzie. Radiotelegrafista – krzyknął w kierunku kabiny radia – łączność z bazą, a jak nie, to z najbliższym ORP.

– Tak jest! – usłyszeli w odpowiedzi.

Kapitan zwrócił się do inżyniera Węgrzyna:

– Skąd taka rozbieżność pomiędzy wskazaniami krokomierza a tradycyjną metodą? Przecież to kilkaset mil.

– Trudno powiedzieć. Stłukła się jedna z lamp elektronowych, ale wymieniłem o czasie. A poza tym...

– Nie został prawidłowo wyzerowany – wtrąciła się znowu inżynier Wyszyńska. – Choć i tak obie metody są do niczego.

– Czy byłaby pani tak uprzejma i nie mieszała się do nawigacji? – spytał oschle kapitan.

– Mogę się oczywiście nie mieszać – odparła niezrażona. – Lecz proszę popatrzeć. – Nachyliła się nad mapą. – Metoda tradycyjna, czyli pomiar prędkości okrętu, czasu i wykres kursu według żyrokompasu, wskazuje, że jesteśmy tutaj. – Dotknęła palcem mapy. – Krokomierz wskazuje, że jesteśmy tutaj, kilkaset mil dalej. A tak naprawdę jesteśmy jeszcze dalej. O, tutaj. – Przesunęła palec prawie do linii oznaczającej pas równikowy, czyli Góry Pierścienia.

– Skąd pani może to wiedzieć?

– Pewnie kobieca intuicja – powiedział Węgrzyn. – Nie wytłumaczyła pani, skąd ta kolosalna różnica pomiędzy dwiema metodami.

– Ależ to proste. Silny prąd oceaniczny.

– Tu nie ma żadnego prądu – zaoponował kapitan.

– „Dragon" może się zanurzyć na niewyobrażalną dla klasycznych okrętów podwodnych głębokość. A co wiecie o prądach głębinowych? – Popatrzyła na dwóch mężczyzn. – Absolutnie nic!

– I zniosło nas tak daleko? – Kapitan zapalił papierosa. Spojrzał na palec ciągle tkwiący na mapie w pobliżu Gór Pierścienia. – Ma pani ładny lakier do paznokci.

Węgrzyn parsknął śmiechem, lecz zaraz się opanował. Wyszyńska tylko lekko przygryzła wargi.

– Jesteśmy tutaj. – Stuknęła paznokciem w punkt bardzo bliski Gór Pierścienia.

– Skąd pani może to wiedzieć?

Tym razem popatrzyła Kozłowskiemu prosto w oczy.

– Kobieca intuicja.

Kapitan nie dał się zwieść. Zerknął na oficera nawigacyjnego, a potem w kierunku kabiny radia.

– Mamy coś?

– Jest baza, ale źle słychać. Przełączyć?

– Tak.

Kapitan wziął mikrofon z konsoli sterników.

– ORP „Dragon" do Wielkiej Matki.

– Wielka Matka do ORP „Dragon". Zidentyfikuj się.

Dziwne. Łącznościowiec po pierwszym nawiązaniu kontaktu musiał przecież przeprowadzić identyfikację. Po co komu powtórzenie procedury? Tym bardziej że byli na otwartym kanale bez jakiegokolwiek szyfrowania. To tylko rejs próbny, więc nie przekazywali przez radio żadnych istotnych danych.

Technik po chwili przyniósł z radiowego jednorazową, samozniszczalną kopertę i rozerwał ją przy świadkach. Kapitan wyjął ze środka małą kartkę.

– Tu ORP „Dragon". GQW-8871-M. Jak mnie zrozumiałeś?

– Zrozumiałem cię. Podaj swoją pozycję.

Kapitan podał pozycję obliczoną tradycyjną metodą, potem pozycję według krokomierza.

– Przyjąłem – rozległo się niepewnie z głośnika. A po trzech sekundach: – Nie rozumiem. Podaliście dwie pozycje?

– Potwierdzam.

Kapitan musiał wprawić łącznościowca bazy w osłupienie, ponieważ przerywana trzaskami cisza trwała o wiele dłużej.

– Poczekaj chwilę. Bez odbioru.

– No ładnie... – szepnął ktoś z boku. Tomaszewski nie zauważył kto. Sytuacja jednak dla wszystkich stała się jasna. Oficer radiowiec z tamtej strony poczuł się po prostu niekompetentny. A to znaczyło ni mniej, ni więcej, że wezwał kogoś wyższego rangą. Czyli kłopoty, i to grube...

Kapitan, korzystając z przerwy, podyktował szyfrogram. Bardzo krótki i jasny: według harmonogramu testów „Dragon" poruszał się pod wodą na maksymalną odległość minus margines bezpieczeństwa. Pozycja, którą zajmował przed wynurzeniem, obliczona klasycznie różni się od wskazań krokomierza o kilkaset mil. Potem nastąpił ciąg cyfr określających wskazania przyrządów i wyniki obliczeń. A jeszcze potem... Kapitan dał szyfrogram do podpisu wszystkim obecnym. Dopiero teraz Tomaszewski zrozumiał, dlaczego odwołano go z kiosku, powierzając dowództwo bosmanowi. Szefostwo chciało mieć dokument z podpisem dowódcy wachty.

W głośniku usłyszeli nagle schrypnięty głos. Sądząc po zmianie wyrazu twarzy kapitana, musiał to być minimum kontradmirał.

– Wielka Matka do ORP „Dragon".

– Tu „Dragon". Słyszę cię.

Wbrew oczekiwaniom nie nastąpiła żadna reprymenda. Głos brzmiał bardzo rzeczowo.

– Według mapy i zadanego wam kursu jesteście w środku obszaru idealnej pogody. Czy tak jest w istocie?

– Na powierzchni szaleje huragan.

– Najbliższy sztorm zanotowano paręset mil od waszej przewidywanej pozycji.

Ciszę następującą po tych słowach przerywały jedynie gwizdy, piski i szum płynące z głośników. Głos, który rozległ się po kilku minutach, nie należał jednak do kojących. Najwyraźniej treść przesłanego tymczasem szyfrogramu, a już na pewno podane w nim liczby, musiała się bardzo nie spodobać.

– Proszę przekazać mikrofon inżynier Wyszyńskiej.

Obecni w pomieszczeniu marynarze spojrzeli po sobie z, delikatnie mówiąc, zdziwieniem. Taka procedura była w marynarce wojennej praktycznie nie do pomyślenia. Kapitan jednak bez ociągania podał mikrofon kobiecie.

– Inżynier Wyszyńska, słucham.

– Czy krokomierz naprawdę zwariował?

– Wydaje mi się, że nie. Zafiksował się na jakimś błędzie i teraz go mnoży, panie admirale – Wyszyńska najwyraźniej rozpoznała głos rozmówcy. – Myślę, że został wadliwie wyzerowany.

– To skąd różnica między nim a metodą klasyczną?

– Mam wrażenie, że metoda klasyczna zawodzi jeszcze bardziej. Być może znosi nas jakiś prąd głębinowy. Płynęliśmy przecież okropnie głęboko.

Ktoś nie wytrzymał i syknął, słysząc babskie określenie „okropnie głęboko". Psiakrew! To marynarka wojenna! Brakowało tylko: płynęliśmy upiornie szybko, a wiatr wiał tak, że parasolki wywracało na drugą stronę. Admirał jednak nie wnikał.

– Jakie są pani wnioski?

– Wierzyłabym jednak bardziej wskazaniom nawet i zepsutego krokomierza. On uwzględnia więcej czynników niż mapa, zegarek, ekierki i kompas.

– Czy jest pani w stanie dokonać obliczeń pozycji, eliminując błąd krokomierza?

– To niemożliwe, panie admirale. Nie znam błędu początkowego.

– Nie może pani założyć jakiegoś błędu średniego?

Wyszyńska westchnęła ciężko i dość niepewnie rozejrzała się po twarzach otaczających ją ludzi.

– Panie admirale... Krokomierz nie jest taką maszyną jak kalkulator artyleryjski albo kasa fiskalna w sklepie.

– No ale nie jest człowiekiem i nie myśli, więc nie może sam wprowadzać żadnych korekt.

Wyszyńska westchnęła znowu.

– Tak, ta maszyna nie jest człowiekiem. Lecz w pewnym sensie myśli. I może wprowadzać korekty do własnych obliczeń.

Wszystkich obecnych dosłownie zamurowało. Kapitan oniemiał. Ludzie wokół pospuszczali głowy. Nie byli świadkami czegoś takiego od początku swojej kariery w marynarce. Nikt nigdy nie opowiadał takich bzdur admirałowi.

– Rozumiem. – Stał się cud i admirał nie obsobaczył kobiety jak burej suki. – Proszę przekazać mikrofon kapitanowi.

Admirał najwyraźniej miał do przekazania coś bardzo pilnego.

– Kapitan Kozłowski.

– Proszę słuchać mnie uważnie. Zaraz otrzyma pan zaszyfrowane rozkazy. Natychmiast po dekryptażu przystąpi pan do ich wykonania. Powtarzam: natychmiast!

– Tak jest. Zrozumiałem, wykonuję.

– Wielka Matka, bez odbioru.

Zapanowała niezręczna atmosfera. Admirał kazał kapitanowi polegać na namiarach, co do których przekonanie miała pani inżynier. Gdyby admirał przyszedł osobiście i obraził kapitana, byłby zdecydowanie mniejszy ambaras. Oficerowie nie wiedzieli, gdzie podziać oczy. Każdy patrzył na czubki własnych butów albo na mrugającą czerwoną lampę sygnalizującą sytuację awaryjną. Nie padło żadne słowo.

– Proszę za mną. – Kozłowski skinął na Tomaszewskiego.

Porucznik z przyjemnością opuścił nawigacyjną. Zbyt wyczuwalne napięcie w każdej chwili mogło doprowadzić do wybuchu. Razem z kapitanem przeszli do przedziału radia. Technik kończył właśnie deszyfrację krótkiej depeszy. Podpisał blankiet i podał koledze na stanowisku obok. Ten dopisał aktualną godzinę i również złożył podpis. Kapitan wziął dokument i przebiegł wzrokiem po kilku linijkach tekstu.

– No ładnie – mruknął. – Mamy natychmiast zanurzyć się awaryjnie i ruszyć tym kursem na północ. – Stuknął palcem w kartkę.

Tomaszewski zdziwiony podniósł wzrok na kapitana.

– Przecież admirał musiał wiedzieć... – nie dokończył. Dla obu stało się jasne, że admirał doskonale zdawał sobie sprawę, iż zgodnie z planem próbnego rejsu płynęli na określonej głębokości bez przerwy przez ściśle określony czas. Mieli więc praktycznie puste baterie, poza absolutnie koniecznym minimum. Powinni teraz przejść na silniki wysokoprężne i płynąć na powierzchni aż do naładowania się ogniw elektrycznych. Pod wodą nie mieli już nawet zdolności manewrowej. – Chryste. Co robimy?

– Rozkaz stwierdza wyraźnie. Punkt pierwszy: zanurzenie awaryjne.

– A jeśli nie zdołamy się już wynurzyć?

– A kogo to obchodzi? – Kozłowski poprawił czapkę. – Oficer wachtowy!

– Tak jest! – Tomaszewski stanął na baczność.

– Zanurzenie awaryjne!

– Tak jest! – Runął w tył.

Kapitan chyba poczuł coś na kształt litości, bo krzyknął za nim:

– Może pan zapalić światła awaryjne.

Chwała wiekuista oficerom marynarki wojennej! Tomaszewski musiał chyba przeoczyć, że w kalendarzu jest dzisiaj napisane: „dzień łaski dla sierot i zwierząt". No i dobrze. Nikt nie zginie, a kilku marynarzy zachowa ręce i nogi w stanie niepołamanym. Na mostku włączył awaryjne światła i syrenę alarmową. Na szczęście sam nie musiał wychodzić na ulewę. Kioskiem oficjalnie ciągle dowodził Mielczarek. Kątem oka obserwował pojawiających się jeden za drugim zmokniętych marynarzy. Kiedy tylko zasygnalizowano, że właz rufowy zameldował gotowość do zanurzenia, pojawił się kapitan i przejął mostek.

Tomaszewski mógł podejść do swojej wachty, która zeszła z pokładu, chlapiąc wokół wodą. Klepnął w plecy ostatniego marynarza.

– Mam nadzieję, że domknąłeś właz. – Roześmiał się ze starego dowcipu. – Jesteśmy już pod wodą.

– No pewnie, panie poruczniku. Ale fajnie woda świeciła.

– Co?

– No mówię. Schodzimy, dokręciłem, ochlapało mnie dokumentnie.

– Co świeciło?

– Woda. Już jesteśmy pod powierzchnią, sprawdzam sworznie i lecę na dół. Ale w dolnym kiosku są iluminatory. No i jak zajaśniało, to normalnie ryby zobaczyłem.

Tomaszewski czujnie zbliżył nos do twarzy marynarza.

– Co dzisiaj piłeś? – zapytał uprzejmie.

– Nic! Przysięgam! Nic nie piłem! Jak woda stała się świetlista, to już byłem na tej niższej drabince. Widziałem ryby przez iluminator, a właściwie ich cienie. Pewnie piorun w nas walnął.

Rzeczywiście, w oddechu podwładnego dawało się wyczuć głównie zapach kawy.

– Nic! Słowo honoru – zarzekał się. – Woda świeciła. Pewnie piorun w nas uderzył.

– Pod wodą? – Skoro tamten był trzeźwy, Tomaszewski nie wnikał. – To jakiś dziwny ten piorun. Chyba że lubi okręty podwodne w zanurzeniu.

– Ale przysięgam, panie poruczniku. Naprawdę!

– I nie złowiłeś żadnej?

– Poważnie mówię. Woda świeciła. Widziałem cienie ryb w iluminatorze.

Tomaszewski z ulgą zdejmował sztormowy płaszcz. Eksperymentalny okręt podwodny w dziewiczym rejsie. Z każdego centymetra kadłuba coś wystawało. Jakieś anteny, trzpienie, uchwyty, cholera wie co. Zamyślił się na moment. Ale nie. Skoro marynarz sprawdzał sworznie, to znaczy, że byli już sporo pod wodą. Nic nie mogło wystawać na powierzchnię. Piorun uderzył! Wzruszył ramionami. Ta, piorun, akurat walnął w wodę tuż obok nich. Oczywiście. Postanowił nie powtarzać tych bredni reszcie oficerów.

Yach, malutkie miasteczko, leżało dokładnie pośrodku pasa, gdzie pustynia sąsiadowała bezpośrednio z morzem. Kiedyś miasto znajdowało się na granicy Luan i Troy. Oba te państwa walczyły zaciekle o władzę nad portem, ponieważ miał kluczowe znaczenie dla połączeń handlowych w tym rejonie świata. Współcześni historycy obalili jednak tę legendę. Walki o miasto na pustyni okazały się wyłącznie przykrywką dla przemytniczych interesów, które prowadziły ze sobą wielkie rody obu państw. Kiedy Achaja zdobyła pełnię władzy w imperium Biafry, kazała zniszczyć Yach. Nie bardzo wiadomo, z jakiego powodu. To zresztą był raczej wyskok tej skądinąd dobrze wyedukowanej i kreatywnej władczyni. Portem zawładnęli piraci, zaczęły tam zjeżdżać różne męty, wyrzutki, bandyccy wygnańcy z całego świata. Podobno łatwiej tam było stracić życie, niż znaleźć nocleg. Podobno... Cesarstwo kilka razy wysyłało do Yach siły porządkowe. Podobno zrobiły porządek i Yach stało się małym portowym, zapomnianym przez wszystkich miasteczkiem. Podobno...

Kai, chcąc zasięgnąć informacji, znalazła najlepsze miejsce od razu przy głównej drodze. Ale nawet stacja Imperialnego Konnego Ekspresu Pocztowego była jakaś taka mała i „zapomniana". Kiedy weszła do pomieszczenia sortowni poczty, na jej widok podniósł się rosły mężczyzna w mundurze.

– Czym mogę pomóc czarownicy w misji?

– Muszę szybko dostać się do Negger Bank. A jazda przez pustynię na tej mojej chabecie... Sam pan rozumie.

Skinął głową.

– Jasne. Co prawda może pani skorzystać z naszych stacji za niewielką opłatą, ale... – Ocenił ją wzrokiem.

Pomogła mu.

– Nie, za żadne skarby. Nie mam żadnego doświadczenia w prowadzeniu rozstawnych koni.

Tym razem skinięcie głową zostało okraszone pewną dozą szacunku. Człowiek był pragmatyczny i lubił ludzi, którzy wiedzieli, że Ekspresu Pocztowego nie stworzono wyłącznie dla ich wygody i imperialne konie na stacjach nie są do wynajęcia, jak to się niektórym idiotom zdawało. Stacje po drodze nie mogły odmówić podróżnym jedynie noclegu, wody i stajni. Nic więcej.

– Zaproponowałbym pani nasz statek pocztowy. – Mężczyzna zdjął z półki swój rejestr portowy. – Odpływa jutro rano. Mam na dzisiaj kilka zgłoszeń, ale...

Cierpliwie i powoli przekładał papiery.

– Nie sądzę, żeby którykolwiek był dużo szybciej u celu niż nasza łódź.

– Wolałabym coś na dzisiaj.

– To proszę popytać w porcie. Jednak statki handlowe nie są pewne i pływają powoli.

– A wasza łódź jest szybka i pewna?

Roześmiał się, był w sumie sympatyczny, a przede wszystkim się starał.

– Po pierwsze, ma dwudziestu wioślarzy. Żagiel jest używany tylko w sprzyjających warunkach. Po drugie, zawsze może pani przemówić uniżenie do sakiewki sternika, żeby wioślarze pracowali nawet przy rozwiniętym żaglu.

Tym razem Kai się roześmiała.

– A czy w takim wypadku mógłby pan polecić mi jeszcze jakiś sklep? Chcę kupić coś na podróż.

Zawahał się.

– Przepraszam, czy to mają być najnowsze modele tunik, tak żeby były na zmianę, codziennie inna, czy...

– Nie, nie, nie – przerwała mu, grożąc palcem. – Naprawdę na podróż.

– A, w takim razie mogę coś polecić.

Wyprowadził dziewczynę na zewnątrz i pokazał jakiś zaułek kilkanaście kroków dalej.

– Tędy do końca. Trudno nie rozpoznać. To jedyny magazyn w tym miejscu, który sprawia dobre wrażenie.

Podziękowała mężczyźnie z uśmiechem. Nie chciało jej się wsiadać na konia na tak krótkim dystansie. Poprowadziła go więc za uzdę, podziwiając przedmieścia Yach. Wszystkiego tu było za dużo. Za dużo paczek, skrzyń, pudeł, beczek, pojemników, worków, a bardzo mało ludzi. Wszystkie te towary zdawały się czekać od dawna na spedytorów czy spekulantów, którzy jednak nie mogli dotrzeć z jakichś tajemniczych przyczyn.

– Dziwi się panienka, że tak pusto?

Kupiec stojący pod okapem sporego składu kiwał do niej. Dahmeryjczyk! No jasna choroba. Dahmeryjczyk. Oznaczało to, że towar był dobrej jakości, nieoszukany. Znaczyło to też, że Kai zostawi tu mnóstwo pieniędzy. Szlag! Wolałaby kogoś mniej światowego i tańszego. Ale nie miała wyboru. W obcym mieście należało korzystać ze sklepu, który ktoś polecił.

– Zapraszam, zapraszam. – Kupiec nie miał najmniejszych wątpliwości, że młodziutka czarownica szuka właśnie jego, zupełnie jakby to on, a nie ona, posiadał sztukę widzenia przyszłości w błyskach. Był fachowcem. Zanim jeszcze uwiązała konia, już zdążył go oszacować. Wyjął zza pazuchy kawał papieru i zanotował coś kawałkiem węgla.

– Wezmę konia w rozliczeniu – powiedział. – Choć on taki sobie i w szczególności nieszczególny.

– A skąd wiecie, że chcę sprzedać?

– No toż ślepy nie jestem. Z pustyni jaśnie panienka jedzie, czarna opaska na czole i do Yach trafia. No, mimo że czarownica, to jednak dalej na skrzydłach cudownych nie poleci. Statkiem musi, jak inni, zwykli ludzie. A konia przez morze wieźć ze sobą drogo. Nie każdy kapitan weźmie i nie każdy koń przetrzyma.

Kupiec zdjął z łęku i zważył w dłoniach jej sakwy.

– Mogę?

Skinęła głową. Nie miała tam niczego prywatnego. Dahmeryjczyk zaczął gmerać w środku, gadając bez przerwy.

– Sakwy też kupię. Nie żeby były specjalnie cenne, ale tak dla ciekawości, dla kolekcjonerów.

Tego nie zrozumiała. Wyjaśnił więc, że „mędrcowie", jak to ujął, czarownicy ze szkoły na pustyni, zatrzymali się umysłowo chyba w czasach, kiedy Luan walczyło z Troy. Na dowód tego wyjął z sakwy krzesiwo wielkości co najmniej łokcia, kpiąc okrutnie, że dzisiaj takie coś tylko na wystawie osobliwości u księcia albo na targowisku dziwności za pieniądze pokazywać. Toż to zabytek, antyk. Ale kolekcjonerzy mogą kupić. Na koniec oświadczył, że już widział takie „służbowe" bagaże wydawane przez kwatermistrza, który w ten sposób robił najprawdopodobniej porządek w piwnicy ze starymi gratami. Pewnie umieścił tam nawet sztylet. Istotnie, po chwili udało mu się znaleźć małą broń o krótkim ostrzu.

– A umie panienka tym władać? – rechotał. – Zna panienka sztychy i sposoby?

– Nie – odparła urażona. – A jaką broń się dzisiaj nosi?

– Aaa... – Spoważniał natychmiast, ukłonił się i wskazał kierunek dłonią. – Proszę!

Przepuścił Kai przodem do wnętrza składu. Otworzył jedną ze skrzyń przymocowanych do ścian i zaczął w niej grzebać.

– Dziś każdy szanujący się podróżny bierze ze sobą dwa bandolety – oświadczył, kładąc przed Kai broń.

– A co to są bandolety? – To, co leżało na stole, przypominało zwykły pistolet, tyle że bardzo mały.

– Bandolet to broń o krótkiej, ale bardzo grubej lufie i bez przyrządów celowniczych. Mierzy się „po rurze" albo w ogóle, bo przeznaczony jest do walki w małych pomieszczeniach i w izbach. Jak to w podróży, w karczmie bywa. Strzela się na odległość kilku kroków albo wręcz z przyłożenia, bo na kilkanaście kroków to już nikt w cel nie trafi. Ale i nie o to chodzi.

– A o co?

– Lufa jest grubsza niż kciuk. A w środku pocisk z miękkiego ołowiu. Jak trafi w człowieka, to dziurę ogromną robi i dużo krwi wypływa. Trafiony w byle co napastnik i tak rychło umrze. A bywa, że kula nawet rękę urwie czy nogę. Cyrulik nie pomoże.

– O Bogowie...

– Wiem, że panienka na obsłudze bandoletu się nie zna, ale ja już oba tak wyrychtuję, żeby i pamiętać o nich nie było trzeba.

– I co mam robić?

– Jak trwoga w oczy zajrzy, wtedy broń należy ująć w dłonie. Odwieść oba kurki, zamknąć oczy, zacząć głośno piszczeć i oba cyngle pociągnąć. Nie bać się, że odtąd nie słyszy się już niczego. Nie bać się, że własne ręce wydają się jak połamane i bolą okropnie. Bandolety porzucić i nie otwierając oczu, po omacku, we krwi drogi na zewnątrz szukać. Nie mdleć, choć smród będzie straszny!

– O Bogowie – powtórzyła i przysiadła na skraju stołu.

Dahmeryjczyk wziął to za dobrą monetę.

– Przy dwóch bandoletach nawet bez podsypywania na panewkę jest duża szansa, że jeden odpali. A wtedy oprychy ze swoimi sztylecikami – podniósł broń, którą Kai dostała w szkole – będą se mogli nimi jedynie pomachać i modlić się, żeby wśród spalonych prochów oczu własnych nie wykłuć.

Musiał być wysoko urodzonym kupcem, bo odważył się położyć rękę na ramieniu dziewczyny i pogłaskać uspokajająco. Ją, szlachciankę. A zresztą czasy się zmieniały i dawne obyczaje odchodziły w niepamięć.

– Nie bać się niczego, panienko. Kula z miękkiego ołowiu. Od najtwardszego muru się nie odbije, żeby rozpruć panienkę.

Dobrze, że siedziała, bo ugięłyby się pod nią nogi. Na szczęście reszta rzeczy oferowanych przez kupca była znacznie mniej zabójcza. Kai zadziwiła także fachowość Dahmeryjczyka. Widocznie zaopatrywanie podróżnych stanowiło jego specjalność. Kompletował wyposażenie, pakując od razu wszystko do wojskowego plecaka, bo twierdził, że to sto razy bardziej wygodne niż dźwiganie sakw, kiedy nie ma się konia. Nie dziwiła się już, widząc kolejne „absolutnie niezbędne w podróży" artykuły.

Worek gorczycy (na insekty w zajazdach), przyprawy do mięs (jak jeden mój znajomy zjadł kiedyś nieświeże mięso w karczmie, to sraczkę miał przez rok, a wstręt do mięsa ma do dziś), ocet winny na liszaje i ukąszenia owadów, wino zagęszczone do tego stopnia, że paliło w język...

– Po co zagęszczać wino? – nie wytrzymała.

– No nie do picia przecież, panienko. – Spojrzał jak na niezbyt pojętnego ucznia. – Smak okropny, a moc taka, że po jednym łyku czuje się człowiek pijany, jakby wiadro wypił. Na rany, panienko. Na rany dobre, choć ból powoduje okropny.

– Toż rana boli sama z siebie. Po co ból powiększać? Przerwał robotę i zaplótł ręce niczym do wykładu.

– Rana ma to do siebie, że jątrzy się zwykle. Gangrena przychodzi, gorączka, amputacja, a i śmierć nierzadko. Otóż mędrzec Zaan, Ten, Który Powstrzymał Zarazę, powiedział kiedyś, że ów specyfik zmniejsza te niebezpieczeństwa. Niektórzy się z nim nie zgadzają. Polali ranę i nic. Dalej się jątrzy. Bo nie zrozumieli mędrca Zaana, który mówił to przed setkami lat.

– Czego nie zrozumieli?

– Że to nie jest lekarstwo idealne. Jeśli ranę tym oczyścisz, nie masz gwarancji uzdrowienia. Ale większa ilość rannych przeżywa po zastosowaniu winnej kuracji.

Nie rozumiała do końca.

– A może to wino z powrotem rozcieńczyć w razie czego? I wypić?

– Raczej nie. Smak dalej ohydny. – Powrócił do pakowania kolejnych przedmiotów. – Ale... Jak strach w oczy zajrzy, lepiej łyknąć nawet nierozcieńczonego. Umysł w człowieku się wtedy oczyszcza.

Zapakował dwa prześcieradła, co Kai nareszcie mogła ocenić jako dobry zakup. Potem jakieś maści, flakony, sztućce (też dobry wybór – podczas podróży z ojcem stawała w wielu karczmach i wiedziała, co tam można napotkać). Dahmeryjczyk był bardzo sprawny. Szczególnie potem, przy targowaniu ceny jej konia. I nawet nie trwało to długo. Dziewczyna miała wrażenie, że zrobiła doskonały interes. Tylko dlaczego jej sakiewka stała się aż tak lekka?

Zadowolony z interesów kupiec odprowadzał ją na drogę do portu.

– Mieliście mi wyjaśnić, dlaczego dookoła jest tak pusto? – przypomniała Dahmeryjczykowi, przerywając potok jego wymowy.

– Ach tak, tak. Zawody wielbłądów.

– Wielbłądów? – Spojrzała zdziwiona. – Tutaj?

Wielbłąd był niezwykle kosztownym zwierzęciem. Sprowadzany z bardzo daleka, idealnie sprawdzał się na pustyni. Ale był też zwierzęciem, którego dawniej tu nie znano. Jak dotąd na jego kupno mogli sobie pozwolić jedynie co bogatsi kupcy i niektóre dowództwa imperialnej armii, którym przypadło operować na piaskach pustyni.

– Zdziwiona? Niepotrzebnie. Zawody funduje nasze kochane wojsko.

– No nie. Odkąd żyję, słyszę dookoła, że armia nie ma pieniędzy, że jest w tragicznej sytuacji finansowej i...

– Prawda, prawda. A zawody wielbłądów funduje.

– Bo?

– Widzisz, panienko, wielbłąd to egzotyczne, fascynujące zwierzę. Każdy chce je zobaczyć, szczególnie w galopie. Stąd zawody, podczas których można się co prawda udusić od tumanów piasku, ale młodym to nie przeszkadza. A do tego po wyścigu można samemu pojeździć na wielbłądzie.

Kai zaczęła się śmiać.

– Aha, zaczynam chwytać.

– Bystra jesteś, panienko. Właśnie o to chodzi. Pojeździć na wielbłądzie, przymierzyć galowy mundur strzelców pustynnych, zasmakować egzotycznych owoców ze skrzyń przywiezionych z dalekich krajów. Ach, można pomarzyć o wspaniałym życiu z dala od portowych magazynów, można podpisać listę zaciągu i można się znaleźć w wojsku na ochotnika.

– Tak, tak. Ale tam już wielbłądy nie czekają, prawda?

– Prawda! – Ukłonił się rozradowany nad cudzą ludzką głupotą. – Tam czeka brudna wojna z potworami w bagiennym lesie, wśród trujących wyziewów, bez zwycięstw, bez zdobywania łupów, bez sławy.

– I na piechotę – dokończyła, mając ciągle na myśli pokazowe wielbłądy.

– Dokładnie tak – westchnął kupiec. – Dokładnie tak.

Szli dalej w milczeniu. Armia od zawsze chwytała się różnych sposobów, żeby zapewnić sobie rekrutów. A ten i tak nie należał do najgorszych. W końcu tutaj mimo wszystko przyszły żołnierz wstępował do wojska dobrowolnie. Jakkolwiek cynicznie by to brzmiało.

– I doszliśmy. – Kupiec zatrzymał się, wskazując ręką kierunek. – Tu już nie sposób się zgubić.

– Dziękuję.

Ukłonił się uprzejmie.

– Uważaj na siebie, panienko. – Jego twarz przybrała wyraz zatroskania czy współczucia. Nie miała pojęcia.

Wszyscy górale z Dahmerii mieli twarze jakby zapeklowane, okropnie trudno było cokolwiek rozpoznać. – Wielu podróżników zaopatrywałem, ale... – zawahał się nagle i zrezygnował z dokończenia zdania. – Powodzenia! – Machnął ręką, odwrócił się i ruszył w drogę powrotną.

Ciekawe, co miał na myśli... Kai wzruszyła ramionami i poszła w swoją stronę. Czasami kupcy miewali w swoich składach przy drzwiach tak zwane dzbany uczuć. Byli czarownicy, którzy wręcz trudnili się sprzedażą takich naczyń. Teoretycznie taki dzban jest w stanie przekazać właścicielowi jakieś ogólne odczucie na temat przechodzącego obok potencjalnego kupca. Jaki ma nastrój, czy jest przy gotówce i podobne duperele pomocne sprzedawcom. Podobno też w wyjątkowych wypadkach dzban uczuć potrafił uchwycić ulotny cień przyszłości. Czy potencjalny klient udaje się w daleką drogę, czy wróci, czy zginie... E, jedna wielka lipa. Kai nie wierzyła w te zabobony. Po pierwsze, gdyby nawet takie dzbany istniały, to samemu trzeba by dysponować choć ułomną mocą czarnoksięską, żeby móc odczytać uczucia. A po drugie, nie uczono jej o dzbanach w szkole na pustyni, więc musiały być albo nieprawdziwe, albo nielegalne. A czarowników oszukujących klientów od zarania świata było bez liku. Może któryś wcisnął coś temu Dahmeryjczykowi za solidną zapłatę? A, w dupę jeża, sama nie odgadnie. Mimo wszystko jednak nie mogła zapomnieć, jak bardzo kupiec był poruszony.

Stosunkowo szeroka, jak na tak zapadłą dziurę, ulica zaprowadziła dziewczynę do samego portu. Właściwie była to spora naturalna zatoka otoczona z trzech stron skałami. Dużo czytała o tym porcie. Schodząc wąziutką ścieżką, mogła porównać rzeczywistość z jej literackimi opisami. Przede wszystkim pionowe karczmy. Na dole było po prostu za mało miejsca, żeby budować normalne budynki. Jeśli więc ktoś chciał mieć portową karczmę, pozwalano mu kupić tylko tyle gruntu, żeby można tam było postawić tylko jeden pokój. Chcąc mieć więcej pomieszczeń, obrotny właściciel musiał budować w górę – jedną izbę nad drugą. I tak przybywało następne piętro, potem jeszcze jedno. Karczmy schodkowe, oparte o skały, lub wręcz pionowe miały po cztery, pięć i więcej pięter. Miejsca zostało tak mało, że nie wystarczało go na schody. Goście musieli się wspinać po drabinach, a pomocnicy gospodarza skakali po linach w górę i w dół jak małpy.

Żadna droga nie prowadziła do portu. Wszystkie towary podnoszono specjalnymi dźwigami z krawędzi skał, a Kai musiała schodzić wąziutką ścieżką z drewnianych bali wbitych bezpośrednio w klif. Na dole panował niewyobrażalny ścisk – tu na nikim wyścigi wielbłądów nie robiły wrażenia. Jeśli należało się obawiać wojska, to raczej marynarki wojennej i wynajętych przez nią „band nacisku", czyli łowców świeżego mięsa dostatecznie głupiego, by wcielić go do imperialnej floty. Zdjęła z paska swoją sakiewkę i mocno ścisnęła w dłoni. Legenda tego miejsca, podobno rojącego się od bandytów, złodziei, dezerterów z różnych okrętów, portowych oszustów, sprawiła, że dziewczyna, choć bywała w świecie, teraz poczuła się odrobinę nieswojo.

No nic. Łódź pocztową odnalazła bez trudu. Nabrzeże dzierżawione przez służby imperialne było widoczne z daleka. Sternik okazał się rzeczywiście reformowalny i bez trudu dał się przekonać do tempa naprawdę ekspresowego. Ale wszystko to dopiero następnego dnia. Kai pozostał problem znalezienia jakiegoś miejsca na nocleg. Pionowe karczmy oferowały wiele możliwości, jednak wolała nie szukać niczego w bezpośredniej bliskości nabrzeża. Kłopot w tym, że głębiej były tylko otaczające port skały, a na górę za żadne skarby nie miała ochoty się wspinać w tym upale. Wiatr od pustyni. Nawet tutaj, w niecce nad wodą, nie znajdowało się wytchnienia.

– Jaśnie panienko? – usłyszała z tyłu. – Suty obiad, nocleg, towarzystwo do dzbanka wina?

Odwróciła się. Mężczyzna odziany w skromną, ale bardzo czystą tunikę mógł mieć jakieś dwadzieścia pięć, trzydzieści lat.

– Potrzebny ci obiad, nocleg i towarzystwo do wina? – powtórzył. – Ja zapewniam to trzecie. – Uśmiechnął się sympatycznie. – Choć i w dwóch pierwszych kwestiach pomóc mogę.

– Kim jesteś? – zainteresowała się Kai.

– Oj taaam... – westchnął. – Nie ma sensu tak od razu o imię pytać. A kłamać jest niegodnym uczynkiem dla filozofa, więc na poczekaniu zmyślać nie będę.

– Jesteś bandytą! – ni to stwierdziła, ni spytała.

Mężczyzna uśmiechnął się w podziwie nad jej naiwnością.

– Wielka pani, toż gdybym był bandytą, przedstawiłbym się fałszywym imieniem, oferował cuda, a nie tylko skromne towarzystwo, zaprowadził w ustronne miejsce i tam...

Postanowiła dowieść, że wcale nie jest taka głupia.

– Tak z ciekawości – przerwała mu. – W tym ustronnym miejscu złupiłbyś mnie czy zgwałcił?

Ukłonił się lekko z szacunkiem dla refleksu Kai.

– Wspaniała czarownico. Wybacz, ale gdybym był tym łotrem, uczyniłbym jedno i drugie.

– Aha. A gdyby nie było czasu, co byś wybrał?

Znowu się ukłonił, widząc, w jaki sposób zmusiła go do komplementu.

– Pani, gdybym tylko jedno mógł wybrać... zgwałciłbym!

Roześmiała się. Strasznie jej się spodobała ta odpowiedź.

– No to chodź na to wino. I znajdź mi nocleg, tak żebym pół sakiewki nie straciła.

– Do usług, jaśnie panienko, do usług. Tak, chodźmy. – Ręką wskazał kierunek. – Bo ci tutaj do gołej skóry obłupią, szubrawcy.

Ruszyła za mężczyzną, ciesząc się, że już na początku coś na tej znajomości zyskała. Roztrącał tłum zdecydowanie lepiej niż ona.

– To mówisz, że jesteś filozofem?

– Wędrownym, jaśnie panienko. – Odwrócił głowę. – Wędrownym.

– Nie mów do mnie „jaśnie panienko". Nazywam się Kai.

– Cóż za piękne, ciepłe imię. Głębokie, pasuje do twoich oczu.

Zaczęła się głośno śmiać.

– Oj, panie filozofie. Pan ma wiele talentów.

– Przez grzeczność nie zaprzeczę. – Chwycił czarownicę za rękę i wyciągnął z największego tłumu. – O, tutaj. – Wskazał jedną z pionowych karczm. – Tu cię nie oskubią do cna i wino dadzą nie za bardzo rozcieńczone.

Pertraktacje nie trwały długo. Wolny pokój się znalazł i rzeczywiście w bardzo przyzwoitej cenie (jak na port, ma się rozumieć – w końcu to nie karczma przy drodze w głuchym lesie). Niestety, żeby coś zjeść, musieli się wspiąć po kolejnych drabinach aż na czwarte piętro. Ale warto było. Widok na port z nabrzeżami, targ i wojskowe instalacje na skałach zapierał dech w piersiach. A do tego pomocnicy gospodarza poruszający się między piętrami na linach. Do perfekcji opanowali system posługiwania się przeciwwagami i śmigali w górę i w dół, zupełnie jakby w ogóle byli pozbawieni masy ciała.

– Przed czym uciekasz? – spytała, kiedy po chwili przestała się już napawać okolicą.

Spojrzał na nią uważnie.

– Skąd wiesz?

– Ja tylko wyglądam jak głupie dziewczę. Ale myślę sobie tak: filozof zobaczył w porcie czarownicę w misji, z opaską na czole i właśnie ją wybrał na sponsora biesiady. Przecież dziewczę widać, że niedoświadczone, prosto ze szkoły i głupie jak cielę. Ale ty jesteś za inteligentny na takie proste numery i prawdopodobnie chcesz czegoś innego. Czego? Ano... taka czarownica ma przecież żelazny list, w którym jest napisane, że wszystkie władze państwowe, duchowe i świeckie mają jej udzielić każdej pomocy i tak dalej... W liście widnieje imię czarownicy. Ale towarzyszących jej osób już nie. Od jej słów zależeć będzie, czy takiego towarzysza będą sprawdzać na każdej strażnicy, czy też osłoni go immunitet.

Chłopak uśmiechnął się kwaśno. Skinął też głową w podziwie nad przenikliwością Kai.

– Nikogo nie zabiłem ani niczego nie zrabowałem.

– Oczywiście, że nie – zgodziła się skwapliwie. – Bobyś tu nie siedział, lecz wisiał albo w lochu jęczał, ewentualnie w krzakach się ukrywał o głodzie i chłodzie. Tu nawet o prywatny dług nie chodzi, boby cię windykatorzy dawno złapali. Ty... – Nachyliła się nad stołem i spojrzała mu groźnie prosto w oczy. – Ty podatków normalnie nie płacisz! Uchylasz się!

Oboje ryknęli śmiechem.

– Inteligentna bestia!

– Na tysiąc kroków widać, że to państwo cię ściga, a nie prywatni. Państwo... jednak nie za bardzo intensywnie.

– No niestety. Wielkim bandziorem nie jestem. – Niby to się zawstydził. – Ale podatki płacę. O! Trzy lata temu zapłaciłem jakiś.

– Pewnie myto na moście, bo nie umiałeś pod nim przepłynąć.

Znowu zaczęli się śmiać. Po chwili filozof spoważniał.

– Czy nie domagając się wyznania, jakie „zbrodnie" popełniłem, pomożesz mi wydostać się z miasta?

Przekrzywiła głowę.

– A to już zależy, czy będziesz mnie dobrze zabawiał.

Wstał i trzy razy klasnął w dłonie.

– Gospodarzu! Wina! Wina natychmiast!

Okręt tkwił nieruchomo pod wodą na jakiejś niewyobrażalnej dla zwykłych okrętów podwodnych głębokości. Nie mogli nigdzie płynąć, bo baterie po poprzednim teście były praktycznie wyczerpane. Wykonali więc pierwszą część rozkazu dowództwa, a wykonać drugiej już nie mogli. Nie mieli szans na skontaktowanie się z kimkolwiek. W dodatku musieli oszczędzać nędzne resztki prądu, które im zostały, okręt był więc pozbawiony światła, pogrążony w ciemności poza nielicznymi czerwonymi lampkami systemu awaryjnego. Trudno sobie wyobrazić bardziej klaustrofobiczno-koszmarną sytuację. Kapitan szalał. Każdy członek załogi dostawał w tyłek. Tomaszewski również, ale on przynajmniej wiedział za co.

Sprawdzenie zapasów ORP „Dragon" przy użyciu dwóch latarek zakrawało na niemożliwość. Na szczęście była to sprawa kwatermistrza. Tomaszewski musiał mu tylko towarzyszyć jako oficer wachtowy. Ale i tak przejście grubo ponad stu metrów na obu pokładach, schylając się co chwila w przejściach grodziowych, okazało się cholernie męczące. Na jakiego grzyba jego ojczyźnie były potrzebne podwodne krążowniki? Sam szkolił się na maleńkiej łodzi podwodnej: jedno wąskie przejście przez całą długość okrętu, koje załogi umieszczone po obu stronach, jadalnia, jeden jedyny kibel dla wszystkich i zapasy zwisające zewsząd na sznurkach. A tutaj? Znudzony do granic możliwości parafował kwatermistrzowską listę. Trzysta ton oleju napędowego, sześć milionów nabojów do karabinów maszynowych (dobrze, że nie kazali ich liczyć sztuka po sztuce – należało sprawdzać tylko ilość skrzynek), sto nabojów do działa głównego, osiemdziesiąt tysięcy nabojów do działek pelot. Jakieś niewyobrażalne góry konserw i mrożonek, puszki z cytrynami, sterty napojów witaminizowanych. Sam skład medyczny przypominał wielkością apartament. Dla kwatermistrza była to zwykła robota. Dla Tomaszewskiego kara za użycie (i odstrzelenie) masztu awaryjnego. „Dragon" był przedziwnym okrętem. Mógł pływać miesiącami bez żadnej pomocy z zewnątrz, ale z kolei okazał się ociężały, trudny w manewrowaniu, nieruchawy, toporny. Jeśli zwykłą łódź podwodną można porównać do rekina, to „Dragon" przypominał raczej największego wieloryba.

Tomaszewski wymiękł w magazynie inżynierskim jeszcze przed hangarem wiatrakowca.

– Przepraszam, czy mógłbym panu pokwitować wszystko hurtem? Wiem, że nie ma żadnych ubytków.

– Nie ma sprawy. Jasne. – Kwatermistrz podał plik kartek na planszecie. – Za co szef pana tak nie lubi?

– Za historię z masztem.

– Oj, chyba nie. Co pan miał wtedy zrobić? Posłać ludzi po ciemku do góry, na mokry pokład, i kazać im składać? Połowa by nie wróciła.

– Mogłem zapalić reflektory.

– Nie mógł pan. Przecież to było wynurzenie awaryjne.

Tomaszewski wzruszył ramionami.

– No to nie lubi mnie, bo jestem oficerem wywiadu marynarki wojennej. Wszyscy uważają mnie za szpicla.

– A jest pan? – Kwatermistrz uśmiechnął się nagle. – Bo na szpicla to pan zdecydowanie nie wygląda.

Tomaszewski wyjął z kieszeni srebrną papierośnicę.

– Po małym dymku?

– A chętnie. Ale nie tutaj, bo zajaramy jakieś materiały palne czy wybuchowe...

– Jasne.

Przeszli do „sali kolumnowej" – olbrzymiego pomieszczenia o wysokości całych dwóch poziomów. Na pokładzie zewnętrznym był nawet specjalny garb z klapami. Pośrodku umieszczono pionowo dwanaście grubych stalowych rur. Nikt nie wiedział, do czego miały służyć.

– Są do tego jakieś naboje? Superolbrzymie torpedy?

– Nie ma – odparł kwatermistrz. – A zresztą nawet gdyby były, to jak byśmy załadowali? To możliwe tylko w porcie, od góry.

Postukał zapalniczką w jeden z wielkich kominów.

– Słyszał pan?

– Tak. Są puste.

– I owszem, ale ja nie o tym. To nie jest zwykła pancerna blacha. Tylko bardzo gruba stal.

Tomaszewski zaciągnął się dymem.

– Nie mogę sobie wyobrazić, na cholerę komu dwanaście tak wielkich torped wycelowanych pionowo w górę. Co? Podpłyniemy pod wrogi pancernik, odpalimy wszystkie, a on nas zgniecie, tonąc?

Kwatermistrz śmiał się głośno.

– Nie, proszę pana. Na pewno ukryli tam ogromne balony. Gdy nas dopadną niszczyciele, to my je wypuścimy, one uniosą nas w powietrze, śruby zaczną pracować jak śmigła i normalnie lecimy, panie. Niczym samolot!

Tomaszewski również się roześmiał. Wizja stalowego kolosa, jakim był ORP „Dragon", zamienionego w monstrualny sterowiec okazała się bardzo zabawna. Już widział siebie pod piracką flagą, z czarną opaską na oku i szablą w dłoni.

– Tak! A z torped będziemy strzelać do atakujących nas myśliwców! Pan wie, co się stanie z myśliwcem, jak walnie w niego torpeda? Momentalnie nie ma gościa, ani nawet śladu po samolocie!

– No! A jeśli z góry spuścimy na kogoś trzysta ton oleju napędowego i podpalimy, to całą flotę możemy sfajczyć.

– Dokładnie. Pierwszy bombowiec podwodny w historii.

Kwatermistrz nagle spoważniał.

– Nie mam zielonego pojęcia, jaka broń zostanie tu zamontowana. Ale będzie z niej można strzelać tylko na powierzchni.

– Dlaczego? – Tomaszewski był zaskoczony.

Kwatermistrz wskazał podstawę jednej z rur.

– A widzi pan tu jakiś kranik? Jakąkolwiek rurkę?

– O szlag!

Dla obu było jasne, że przed strzałem wyrzutnię torped należy zatopić. A po strzale wypompować wodę. Ponieważ jednak żadna woda nie chce sama z siebie płynąć do góry, więc kranik i rurka muszą zostać umieszczone na dole.

– Że też na to nie wpadłem. Miał pan rację, szpicel ze mnie jak z koziej dupy skrzypce.

– Dokładnie. Dlatego też wiem, że pan jest uczciwym człowiekiem, panie poruczniku. I dlatego jeszcze dodam, że to nie koniec tajemnic.

– No zaraz. Przecież wodę można wypompować jakimś tłokiem!

– Oczywiście. Pytanie brzmi, gdzie jest ramię tego tłoka? Rura ma dwa pokłady wysokości. Gdzie więc schowali ramię? Sterczy nam dwanaście takich na dziesięć metrów z dołu? Czy też może ciągniemy za sobą na sznurkach i nurkowie założą je dopiero w odpowiednim momencie?

– Sekundę. Tłok mógłby się poruszać na zębatkach. Można go też wypchnąć sprężonym powietrzem.

– Można. Można też zagotować wodę w wyrzutni i wypuścić w formie pary – zachichotał kwatermistrz. – Dodatkowy zysk jest taki, że wszystkim zrobi się bardzo ciepło. Naprawdę można wszystko, łącznie z wypychaniem tłoka powietrzem. Równie skutecznie byłoby też, gdyby pan włożył pod tłok dwie laski dynamitu. Ale czy nie sądzi pan, że kranik z kurkiem i rurka są jednak tańsze?

– Ma pan rację. – Tomaszewski wyjął z kieszeni kurtki sporą piersiówkę. – Po łyku?

– A wie pan, że bardzo chętnie – zgodził się natychmiast kwatermistrz. – Tylko sprawdzę, czy drzwi zamknięte.

– A może to stawiacz min? – krzyknął za nim porucznik.

– Tak. Okręt podwodny, bombowiec-balonowiec, spuszczacz ognia, stawiacz min, istna cud-maszyna. Jedynie stepowanie nam niezbyt wychodzi.

– Nie, nie. Ja się z panem zgadzam. Też wiele rzeczy mi się nie podoba na tym okręcie.

Kwatermistrz skwapliwie pociągnął z piersiówki.

– Ano. – Chuchnął w rękaw. – Niech pan zwróci uwagę, jak „Dragon" jest zbudowany. Ogromny. Na dziobie cztery wyrzutnie torped, na rufie dwie. Czyli tyle co w małej łodzi podwodnej. Z tym że łodzią można sprawnie manewrować, a nasza bestia jest nieruchawa niczym staruszek po dwóch zawałach. I ta przerażająca siła ognia przeciwlotniczego. Czy widział pan kiedykolwiek sześć milionów naboi do ciężkich karabinów maszynowych?

Tomaszewski odparł szczerze:

– Nigdy. Nigdzie. Dziś był mój pierwszy raz.

Kwatermistrz pociągnął jeszcze jeden łyk z piersiówki i zapalił drugiego papierosa.

– Coś mi się wydaje, że ten okręt został zbudowany wyłącznie dla tych dwunastu rur.

Obaj skierowali światła latarek na przedziwne pionowe konstrukcje. W migotliwych refleksach zagadkowe rury wydawały się jeszcze bardziej tajemnicze.

– Ale po co? Że niby podpłyniemy do wrogiego portu, znienacka się wynurzymy i wystrzelimy nie wiem co, osłaniając się przed samolotami?

– Mamy jeszcze działo okrętowe. Chyba po to, że kiedy się już wynurzymy, to wrogiemu rybakowi w łódeczce będziemy mogli powiedzieć: „A kuku! Teraz będzie niezły huk".

Tomaszewski oparł się o powierzchnię jednej z wyrzutni. Usiłował iść tropem myślenia kwatermistrza. Założył optymistycznie, że powstaną jakieś futurystyczne latające torpedy ze śmigłami. Ale do czego miałyby służyć? Uderzyć w jakiś port? Jeszcze bardziej optymistycznie ocenił ciężar ładunku wybuchowego, który mogły przenosić. Powiedzmy, że około tony trotylu. Więc mogliby wystrzelić dwanaście ton. Tyle co kot napłakał. Przecież sprawę dałyby radę załatwić trzy bombowce. Już nie mówiąc o tym, że one mogły celować, a oni nie. Nie mówiąc o kosztach. Machnął ręką.

– Ma pan rację.

Kwatermistrz delektował się właśnie trzecim łykiem z piersiówki, więc milczał. Po chwili znowu chuchnął w rękaw.

– A co pana dziwi na tym tajemniczym okręcie? – spytał, kiedy pozbył się oparów alkoholu z ust.

– Ci inżynierowie.

Tomaszewski celowo trochę się mylił. W rejsach testowych inżynierowie stoczni, a nawet projektanci pojawiali się dość często. Ale byli cywilami na okręcie wojennym. Znali swoje miejsce i zakres obowiązków, który ograniczał się do kontroli urządzeń stworzonych na deskach kreślarskich. Nigdy i pod żadnym pozorem nie mieszali się do nawigacji ani żadnej innej rzeczy pozostającej w kompetencji oficerów marynarki wojennej.

– Dokładnie. – Kwatermistrz musiał mieć o nich podobne zdanie.

– Wtrącają się do nie swoich spraw, wszystko wiedzą lepiej. Dochodzi do tego, że cywile wręcz usiłują dowodzić okrętem wojennym.

– To naprawdę niesłychane.

– Zwrócił pan uwagę na ich akcent?

Kwatermistrzem aż wstrząsnęło. Widać do tej pory nie mógł się z nikim podzielić swoimi obserwacjami.

– Tak.

– Właśnie. Słyszałem mówiącego po polsku Anglika, Francuza, Niemca, Rosjanina... Żaden z nich nie mówił w ten sposób.

– Twardo i szeleszcząco.

– Mhm. Widać, że język polski jest ich naturalnym językiem. Nauczono ich myśleć w tym języku od dziecka, ale, do jasnej cholery, zjeździłem nasz kraj wzdłuż i wszerz. Nikt tak nie mówi.

– I te dziwne wtręty: „dilej", „ołwer", „klirmi destend"?

Tomaszewski wzruszył ramionami.

– Może to z angielskiego: „delay", „over", „clear the stand for me"? Może po prostu studiowali w Anglii?

– A co znaczy „czipset"?

– Cholera, nie wiem. „Chip set"? „Cheap seat"? „Zbiór drzazg"? „Wiórów"? „Zestaw odłamków"? „Tanie, niedrogie siedzenie"?

Kwatermistrz zbliżył twarz i powiedział szeptem, robiąc przy tym minę starego spiskowca:

– Pogadamy później. Czas chyba wracać i zdać raport kapitanowi.

– Napijmy się przedtem herbaty – mruknął Tomaszewski trochę zatroskany, czy ktoś może wyczuć w ich oddechach niepożądane nuty zapachowe.

– Mam lepszy sposób. Za mną. – Kwatermistrz ruszył przodem, oświetlając drogę latarką. – Wie pan... cieszę się, że znalazłem kogoś, z kim można porozmawiać o tym, co się tutaj wyrabia.

Obudziła się z takim bólem głowy, jakby ktoś usiłował rozerwać jej czaszkę od środka. Wszystko wokół falowało i kołysało się niczym na okręcie. Bogowie... Otworzyła szerzej oczy. Nie no, czemu się dziwi? Przecież była na imperialnej łodzi. Słyszała łopot żagla. O szlag! Jak się tu znalazła? Pamiętała mgliście. Ktoś obudził ją rano i poprowadził czy właściwie przeniósł na łódź. Kto to był? Poruszyła się.

– Oj, nie jest dobrze. – Nad Kai nachylił się poznany wczoraj wędrowny filozof. – Nie jest dobrze.

Usiłował podać dziewczynie kubek z wodą o intensywnym zapachu ziół, ale nie chciała pić. Miała ochotę wymiotować.

– Spróbuj – usiłował ją przekonać. – Znalazłem w twojej sakwie doskonałe zioła i mikstury. Jest też taka, która pomaga na twoją dolegliwość.

– Przeszukałeś moją sakwę?

– Musiałem.

Usiłowała spojrzeć na niego bystrzej. Chyba powinna dziękować Bogom, że go spotkała. Okazał się... No właśnie, jaki się okazał?

– Co się stało? – zapytała szczerze.

– Uuuu... – Tylko machnął ręką. – No właściwie nic. Bawiłaś się coraz lepiej i lepiej.

– Przy jakichś strasznych ilościach wina?

– Nie takich strasznych. Przynajmniej nie jak dla mnie. – Wzruszył ramionami. – No sam nie wiem. Wy w tej szkole na pustyni w ogóle wina nie pijecie? To był twój pierwszy raz czy co?

Nie wiedziała, co odpowiedzieć. Pierwszy nie pierwszy. Ale w sumie miał rację. W domu, przy rodzicach nie było mowy o jakichś szaleństwach. A potem w szkole. Właściwie to samo. Czasem z koleżankami robiły sobie wieczorem imprezę, jednak piły tylko na dobry humor. Nagle zdała sobie sprawę, że tak naprawdę wolna od czyjegokolwiek nadzoru jest po raz pierwszy w życiu.

– I co się wydarzyło?

– Nic takiego. Bawiliśmy się wyśmienicie. Postanowiłaś sprawdzić, jak się zjeżdża po tych linach między piętrami z przeciwwagą. Gdy sypnęłaś groszem służącym, rzucili się jeden przez drugiego, żeby cię uczyć skwapliwie. I nawet na początku nieźle ci szło.

– A potem?

– Tak dokładnie nie wiem, co się stało. Musiałem odejść za potrzebą, a kiedy wróciłem, ty już trzymałaś w rękach bandolety. Darłaś się strasznie, że to jest napad. I że wszystkich pozabijasz, bo trzeba podtrzymać bandycką tradycję Yach.

O Bogowie! Coś zaczęła sobie przypominać. Sterroryzowała jakąś kupiecką rodzinę jedzącą w izbie kolację. Z jakichś przyczyn szczególnie cenne wydały jej się naczynia stojące na blacie. Zapakowała je do zwiniętego obrusa. Potem chciała zjechać na linie. No właśnie, miała zajęte obie dłonie i... postanowiła zjechać po linie. Chyba chciała się trzymać samymi nogami. No! To by przynajmniej wyjaśniało, dlaczego oprócz głowy tak strasznie boli ją pupa.

– Z którego piętra spadłam?

– Tak mniej więcej z drugiego. Wszyscy się dziwili, że aż z tak wysoka udało ci się zjechać poprawnie, trzymając się liny samymi nogami i przedramieniem.

Kai złapała się za głowę. Nagły gest sprawił jednak, że o mało nie zwymiotowała. Filozof znowu podetknął jej kubek z intensywnie pachnącym płynem. Tym razem spróbowała się zmusić. To mógł być dobry pomysł. Filozof usiłował pomóc, podtrzymując głowę dziewczyny. Wspólnie udało im się osiągnąć przynajmniej połowiczny sukces.

– Na co spadłam? – wyszeptała.

– Nieważne. Nie kosztowało dużo.

Zerknęła na niego podejrzliwie.

– A co kosztowało?

– Wiesz... Rodzina kupca postanowiła nie wnosić oskarżenia. Ich dzieciom tak się podobał twój napad i zjazd po linie, że będą cię wspominać do końca życia.

– A komu się nie podobało?

– Nie no, spokojnie. Gospodarz za straty wziął zwyczajową stawkę. Nie targował się nawet za bardzo. Kto zresztą chciałby wdać się w spór z czarownicą. W sumie drobiazg.

– To kto miał największe pretensje?

– W sumie nikt. Prefekt oddał rano bandolety i zadowolił się zwyczajową karą...

– Jaki prefekt? – chciała krzyknąć, ale wyszło z tego jedynie słabe skrzeczenie. – Jaki prefekt?

– No kiedy ci zabierają broń prosto z rąk, to potem musisz ją wykupić. Jeśli się okaże, że tą bronią danej nocy nikogo nie zabito, ma się rozumieć.

– Kto mi zabrał broń?

– Straż portowa, i to był największy koszt.

Opadła na koc rozścielony na pokładzie. No tak. Straż portowa. Bandyta grasuje w rejonie, i to jeszcze głupi bandyta. Napity do niemożliwości, który nahałasował i narozbijał się w okolicy – łatwy do złapania. Zero wysiłku. A filozof? Zachował się zupełnie racjonalnie. Ze swojego oczywiście punktu widzenia. Nie chciał, żeby Kai aresztowano, bo nie mógłby wypłynąć bezpiecznie z miasta następnego dnia rano. Nie chciał też procesu, bo musiałby w nim świadczyć, a wtedy na jaw wydostałoby się wszystko, co chciałby ukryć. Zapłacił więc strażnikom łapówkę. Z jej pieniędzy, ma się rozumieć, bo własnych nie miał albo nie chciał wydawać. A w tej sytuacji?

Kiedy niósł na rękach prawie bezwładną czarownicę w misji i pokazywał jej list żelazny, nikomu w porcie nawet przez myśl nie przemknęło, żeby zapytać, a kim on sam jest. Perfekcyjne działanie, które dowodziło, że po pierwsze, nie jest głupi i potrafi myśleć racjonalnie. A po drugie, że jest w miarę uczciwy. Gdyby po prostu zabrał dziewczynie sakiewkę, to dzięki jej zawartości też wydostałby się bez trudu. I jeszcze by mu zostało.

– Dziękuję – szepnęła.

– Do usług. – Ukłonił się. Włożył Kai do ręki sakiewkę, żeby poczuła ciężar.

– Eeee... nie jest tak źle – oceniła wydatki „na wagę".

– Starałem się. – Znowu podjął próbę wlania czarownicy do ust reszty naparu. Kiedy skończył, przyniósł mokrą ściereczkę i położył jej na czole. – Jeśli dobrze rozpoznałem zioła, wieczorem będziesz się już czuła lepiej.

– Wieczorem? – Uniosła głowę z nową nadzieją. – I będę już mogła coś zjeść?

Roześmiał się nagle.

– Głód wraca. Bosko! Będziesz zdrowa znacznie szybciej.

Ciągle obolała ujęła chłopaka za rękę.

– Zdrowie wraca, ale rozum wrócił trochę szybciej. Powiedz, czym się tak martwisz, panie filozofie?

Spojrzał na Kai posępnie. Potem zerknął na nieliczne chmury nad nimi, następnie w stronę horyzontu, jakby właśnie tam zamierzał szukać natchnienia.

– No?

Westchnął ciężko. Najwyraźniej słowa, które miał wymówić, wymagały jakiejś szczególnej siły.

– W nocy majaczyłaś w malignie.

– To się chyba pijakom zdarza – mruknęła, choć w tej mierze nie miała wielkiego doświadczenia.

– Taak. – Kiwnął głową. – Krzyczałaś, że złamałaś zakaz i dotknęłaś Wyklętego. Że nosisz w sobie zarazę, śmiertelną chorobę, na którą nie ma lekarstwa... Tak naprawdę dlatego tak łatwo wszyscy, i kupiec, i gospodarz, i prefekt, wypuścili cię z Yach. Ze strachu.

Rozdział 2

Tomaszewski z ulgą opadł na koję. Ten przeraźliwie wielki okręt miał jedną zasadniczą zaletę. Było tu tyle miejsca, że zwykły porucznik dostał kajutę. Małą, ciasną, ale własną! Sam. Boże, co za radość po setkach dni spędzonych we wspólnych pomieszczeniach. Pamiętał też, jak było na pierwszej praktyce. System mokrej pościeli przyprawiał go o dreszcze. Tamten okręt miał za mało koi. Spało się na zmianę i po wachcie człowiek pakował się wprost w przepocone bety wstającego właśnie zmiennika. Brrr...

Tomaszewski jedną ręką sprawdził stan pochłaniacza dwutlenku węgla, drugą zgasił latarkę i umocował w specjalnym uchwycie u wezgłowia koi. Cholera jedna wie ile baterii będzie mieć do dyspozycji. Dobrze, że nie trapiła go klaustrofobia. Ciekawe, ilu ludzi wewnątrz tego dziwnego okrętu tkwiącego nieruchomo w głębinach, w absolutnych ciemnościach dostaje teraz szału i robi wszystko, żeby nie wybuchnąć? Niby lekarze nie biorą do marynarki ludzi bojących się zamkniętych, ciemnych pomieszczeń. W przypadku oficerów na pewno było to prawdą. Ale marynarze? A kto by ich sprawdzał?

Ruchami stóp pozbył się butów i wyciągnął na pościeli. Nie było mu jednak dane rozłożyć się wygodniej. Po sekundzie Tomaszewskiego poderwało ciche pukanie do drzwi. Nie mieli żadnego ustalonego kodu stuknięć. Bosman Mielczarek potrafił jednak zawsze zapukać tak, żeby z góry było wiadomo, kto czeka na zewnątrz. Pozwoliło to porucznikowi uchylić drzwi, nie wstając z koi i nie wkładając butów.

– Co się stało?

– Można? – Bosman, nie czekając na przyzwolenie, wślizgnął się do środka. W końcu byli prawie jak rodzina, z tych samych stron, z tą samą tajemnicą na temat tego, jak porucznik wyciągnął bosmana z pierdla. – Nielegałkę przyszedłem założyć.

– Założyć co?

– Nielegalną żaróweczkę – wyjaśnił szeptem Mielczarek, domykając szczelnie drzwi. Z kieszeni wyjął malutką latarkę i jak złodziej w cudzym domu włożył ją sobie do ust. – Gdzieś tu jest awaryjna linia. – Klęknął pod malutkim blatem, na którym stał kubek z ołówkami.

– Przecież zaraz nas wykryją.

– A nie, nie, nie. – Mielczarek sprawnie zdjął jeden z podłogowych paneli. Mówił trochę niewyraźnie z powodu latarki w ustach. – Po skoku napięcia nikt nie pozna, bo to w ogóle niemożność. Mała żaróweczka będzie. A w żaden inny sposób też się nie da, bo... O! – bosman przerwał nagle. – Znalazłem.

Po chwili znowu zaczął tłumaczyć, że tamci nie mają szans wykrycia nielegałki. Drucik podepnie się do blatu, który zawsze i tak trzeba opuścić, żeby ktokolwiek w ogóle mógł wejść lub wyjść z maleńkiej kabiny. System bezpieczeństwa jest więc prosty. Blat opuszczony, można wejść, żarówka nie będzie świecić. Drzwi zamknięte, blat można podnieść, obwód zostanie zamknięty i żarówka się zapali. System nieprzełamywalny, bo żeby wejść i nakryć nielegalne źródło światła, trzeba opuścić blat i to źródło zgasić. Proste i genialne.

– Jak ty to tak szybko zdążyłeś wymyślić? – spytał Tomaszewski, czując dla Mielczarka wielki podziw.

– Ach, samo się wymyśliło. Przecież nie będzie pan porucznik tkwił w kabinie po ciemku na tym „jełopen-u-boocie".

Tomaszewski znał oczywiście nieoficjalną nazwę nadaną okrętowi przez załogę, ale wzdrygnął się odruchowo na myśl, że mógłby to usłyszeć kapitan podsłuchujący pod drzwiami. Z drugiej strony jednak nie mógł sobie wyobrazić Kozłowskiego z uchem przy klamce. Skąd więc odruch? Tracił nerwy po prostu.

Bosman uporał się z pajęczarską instalacją i szybko zatarł ślady.

– O, proszę. – Kilka razy zamknął i otworzył blat, zapalając i gasząc malutką żarówkę. – Wynalazek działa.

– Dzięki! – To naprawdę ułatwiało życie. Nikt przecież nie miał pojęcia, jak długo mieli tkwić w zanurzeniu i ciemnościach. – Innym oficerom też takie montujesz?

Bosman zatrzymał się w drzwiach.

– A inni oficerowie niech sami o sobie pomyślą. – Prawdopodobnie uśmiechnął się, ale nie sposób było tego zauważyć po ciemku. Blat został opuszczony. – Coraz mniej mi się tu podoba, panie poruczniku – szepnął, salutując.

Odwrócił się i odszedł. Jego sylwetka błyskawicznie znikła w mroku oświetlonego tylko nielicznymi czerwonymi lampkami korytarza.

Tomaszewski zamknął drzwi i dla pewności zablokował zasuwką. Podniósł blat i z ulgą opadł na koję. No, tak da się tu przetrwać. Rozleniwiony nagle sięgnął za głowę, na półkę, po pismo „Na mostku". Periodyk był przeglądem nowinek technicznych marynarki wojennej, teoretycznie drukiem poufnym, a przynajmniej niedostępnym w szerokiej sprzedaży, ale Tomaszewski widział je dość często w rękach zupełnie prywatnych miłośników morza. Jego nie interesowały żadne wojskowe tajemnice – dokładnie wiedział, że wszystko mogą tam napisać poza czymś, co nosiło nazwę ORP „Dragon". Ten okręt po prostu nie istniał. Stanowił tajemnicę tak wielką, że załoga składała się z wielokrotnie sprawdzonych, ściśle wyselekcjonowanych ludzi. Każdy podpisał klauzulę tajności obwarowaną tyloma paragrafami, że wystarczyłoby na pół kodeksu. Sprawdzanie przed zamustrowaniem dotyczyło nawet rodzin marynarzy. A dodatkowo w ramach rekompensaty marynarka zgodziła się na wysługę w stosunku dwa do jednego. Czyli za jeden dzień służby do książeczki wojskowej wpisywano dwa dni. Jak na wojnie i w jednostkach specjalnych. Powodowało to zresztą wiele komplikacji. Tomaszewski sam pamiętał, jak przesłuchiwał kiedyś młodego marynarza, zadając rutynowe pytania:

– Wiek?

– Dziewiętnaście lat.

– Jak długo służycie w marynarce?

– Czternaście lat!

Z wrażenia cywilnej sekretarce maszyna do stenotypii o mało nie zleciała ze stolika na kolana. A wyjaśnienie okazało się bardzo proste. Chłopak zamustrował się na okręt specjalny (nie musiało to być nic wielkiego – tak można określić nawet nasłuchowiec), w czasie pokoju załapał się gdzieś na jakiś konflikt, który w rozkazie określono mianem strefy wojennej, jako małolat dostał „rozłąkowe", a dodatkowo służył jako szyfrant. Z jednego dnia rzeczywistej służby w książeczce robiło mu się więc sześć albo i siedem. Ot, zwykły drobiazg, którym w kasynach weterani nabierali rekrutów: „Popatrz, ja od niemowlęctwa służę w marynarce, świata w ogóle nie widziałem... Postaw piwo".

Tomaszewskiemu zachciało się palić. Nie chciał tego robić w ciasnej kabinie i przez chwilę zastanawiał się, czyby nie wyjść, ale lenistwo przeważyło. Pozostał w koi i zabrał się do lektury. Pierwszy artykuł tradycyjnie potraktował wojska lądowe jak ubogiego krewnego szczególnie słabującego na umyśle. Autor nie zostawił suchej nitki na generałach, którzy według niego w doborze broni kierowali się wyłącznie modą panującą w danej chwili. Przykładem mogła być choćby sprawa pistoletów maszynowych, w które armia w zeszłym roku zaczęła wyposażać drużyny piechoty. Wystarczyło jednak, że zmienił się sezon i już zadecydowano, że pistolety są be, a nowością będą automatyczne karabinki. W związku z tym nadmiar pistoletów armia postanowiła wmusić marynarce.

Tomaszewski uśmiechnął się lekko. Tak, wzajemna nienawiść poszczególnych sił zbrojnych była znana w każdym państwie na świecie, jednak chyba nie aż tak jak w Polsce. No tak, ale... Coś zaczęło się dziać dosłownie kilka lat temu. Zaskorupiałe w tradycji klasyczne polskie siły zbrojne gwałtownie się zmieniały. Wszystko, co mogło, runęło do przodu na skrzydłach postępu technologicznego, nad którym nikt tak właściwie nie panował. A przynajmniej nie potrafił określić, który z jego elementów jest przydatny, a który nie. Tak to wyglądało z boku. Niemniej armia lądowa, lotnictwo i marynarka zaczęły się generalnie przezbrajać. Inne kraje zerwały się w nagłym strachu, sądząc, że Rzeczpospolita szykuje się do wojny, i to nie byle jakiej, ale gdy ujrzały, w co Polska się przezbraja, machnęły ręką i z pobłażliwym uśmiechem zajęły się doskonaleniem swoich klasycznych armii.

A co robiła Rzeczpospolita? Tomaszewski śmiało mógł stwierdzić, że zwariowała. Na przykład od kilku lat nie wyprodukowała żadnego pancernika. Inni wodowali jeden za drugim, Polska nie. Fundnęła sobie kilka lotniskowców i zajęła własne stocznie produkcją dalszych. A przecież każdy debil wie, że lotniskowiec nie jest w stanie dorównać pancernikowi ciężarem burtowej salwy. Ani niczym innym zresztą. Co więc te lotniskowce miały robić? Atakować własnymi samolotami i topić wrogie okręty? A trafi taki lotnik z wysokości szybko poruszający się obcy okręt? Czy sprawdził to ktokolwiek kiedykolwiek w warunkach bojowych? Odpowiedź brzmiała: nikt, nigdy, nigdzie. Czyli inwestowano w uzbrojenie, o którym nie wiadomo było, czy się sprawdzi. Ot, tak po prostu. Albo na przykład takie okręty, jak choćby ORP „Dragon". Wielkie podwodne krążowniki tak ociężałe, że niezdolne do normalnej walki torpedowej, za to posiadające kilka wycelowanych w niebo rur wewnątrz pokładu. Na cholerę to? Albo ta niesamowita ilość broni przeciwlotniczej, którą mieli na pokładzie? No... tu przynajmniej można by się domyślać. Będą zestrzeliwać samoloty z własnych lotniskowców, bo nikt inny na świecie nie posiada ani dużej liczby samolotów na otwartym morzu, ani takiej ilości pelotek.

Lecz to i tak niewiele w porównaniu z tym, co działo się w wojskach lądowych. Zgodnie z wiatrem jakichś nowomodnych rewolucji pozbywano się związków kawalerii, zastępując ją czołgami. Hm... A co taki czołg zrobi przy jesiennych roztopach na bagnistym terenie? A co zrobi, gdy mu zabraknie benzyny? Co w ogóle zrobią wojska pancerne unieruchomione przez roztopy, ulewy albo siarczyste mrozy przeciwko kawalerii wroga? Ciężko było się z tym pogodzić. Zresztą samemu piechurowi zabrali prawdziwy karabin, więc do czego w ogóle ma służyć to wojsko? Starej drużynie piechoty zabrano broń i dano jej za to jakieś automatyczne karabinki małego kalibru, strzelające seriami pistolety, ręczne granatniki, moździerze, miotacze ognia. Żeby w ogóle mogli jakoś się z tym przemieszczać, trzeba było im dać ciężarówki i opancerzone transportery. A co się stanie, gdy im też zabraknie paliwa? I nie będzie już starego, maszerującego w pyle drogi piechura, bo on nie da rady unieść swojego wyposażenia na własnym grzbiecie. I, z ciekawości, do czego zamierza armia strzelać z tych swoich malutkich ręcznych granatniczków? Bo z miotacza sobie przynajmniej ognisko zrobią. Ale najśmieszniejsze było jeszcze to, że piechociarzom zabrano nawet karabiny maszynowe o lufach chłodzonych wodą. Dali oczywiście inne, mniejsze, lecz lufa bez chłodnicy zużywała się tak szybko, że podczas walki trzeba było ją wymieniać. I co? Ano amunicyjny oprócz skrzynek z nabojami musiał taskać jeszcze zamienne lufy!

Nie, nie, już pierwszy artykuł w piśmie „Na mostku" tak zdenerwował Tomaszewskiego, że odrzucił pachnący jeszcze świeżością egzemplarz i zamknął blat, gasząc światło. Postanowił się przespać.

Kai myślała, że kac będzie trwał wiecznie. Na szczęście myliła się, zioła, które przygotował jej filozof, okazały się zbawienne. A poza tym rześkie morskie powietrze i towarzystwo tego młodego mężczyzny, który potrafił jednocześnie i zabawić umysł, i ukoić stargane przeżyciami serce dziewczyny, sprawiały, że kiedy dopływali do Negger Bank, czuła się naprawdę dobrze. Imperialna łódź pocztowa na szczęście nie wpływała do głównego portu. Ekspres miał własną przystań na bliskich przedmieściach. I dzięki Bogom! W centrum, a szczególnie w okolicach portu, można było utonąć w tłumie natychmiast. Ale nawet okolice przedmieść niejednego prowincjusza przyprawiłyby o ból głowy.

Kai jednak w tym wielkim, pełnym ruchu i hałasu mieście czuła się jak w domu. Starożytne budowle, nowe hangary dla łodzi, rybi targ, rynek towarów zagranicznych, zgiełk, wrzask, bieganina. Kai pochodziła z naprawdę dobrej szlacheckiej rodziny. To było jej dzieciństwo. Oczami wyobraźni widziała swoje koleżanki ze szkoły czarowników, które przybyły z jakichś zapadłych wiosek i które ten widok oszołomiłby tak, że nie wiedziałyby, jak im na imię. A ona czuła ciężar swojej sakiewki, co dodawało jej pewności siebie. Mogła sobie kupić wszystko. Niespiesznie oglądała towary wystawione na wszechobecnych straganach w drodze do centrum. Zagapiona o mało nie wpadła pod przedzierający się przez ciżbę ogromny furgon. Filozof chwycił ją za ramię.

– Czy wiesz, że na każde sto śmiertelnych wypadków spowodowanych przez ciężkie wozy kupców aż czterdzieści jest z winy pijanych w sztok woźniców?

– Nie. – Robiąc minę dziewicy, strząsnęła jego rękę z ramienia.

– No widzisz. Co należałoby więc zrobić, mając ograniczone środki?

– Hm, wyłapać wszystkich pijanych woźniców i wsadzić do więzienia.

Odwzajemnił się miną nauczyciela przemawiającego do mało pojętnego ucznia.

– Głupio myślisz. Ja bym wyłapał trzeźwych. Toż oni powodują aż sześćdziesiąt wypadków na sto!

Kai ryknęła śmiechem. Filozof jako towarzysz podróży zdecydowanie nie był złym pomysłem.

– Sprawa jest bardzo prosta. Co należałoby zrobić, żeby ludzie w ogóle nie ginęli pod kołami wozów?

– Zlikwidować wszystkie wozy.

– Genialne! – Śmiał się szczerze. – A z czego wtedy będą żyli ludzie?

– Umrą z głodu.

– Jesteś fantastyczna. Oczywiście, że tak. Co więc zrobić w kwestii wypadków?

– Najlepiej nic.

– Jesteś naprawdę świetna! – Wbrew własnym słowom filozof jednak się zasępił. – Tylko tej prawdy głupi władcy nie zrozumieją przez tysiąclecia.

Kai zatrzymała się. Spojrzała na chłopaka uważnie. Coś dziwnego rozlało się wewnątrz niej, coś tak przejmującego, że zadała osobliwe pytanie:

– Co powinnam teraz zrobić?

– Oj, czarownica pyta filozofa. – Niby to obraził się i odszedł, ale zaraz zawrócił. – Ty naprawdę mnie pytasz? Czy tylko dowcipkujesz?

– Naprawdę.

Pokręcił głową.

– Jesteś jak otwarta księga, z której każdy, kto ma oczy i rozumie pismo, może czytać. Powiem ci.

– Co?

– Chodź za mną.

Filozof ruszył szybko, roztrącając przechodniów i perorując bez przerwy. A Kai zastanawiała się, jak dokonać cudu i zabrać go ze sobą w dalszą podróż. Nagle z pełną jasnością uświadomiła sobie, że tego właśnie pragnie z całą pewnością.

– A wiesz, co mówisz? Całą sobą, wyglądem, bez wypowiadania słów?

– Nie. Liczę, że mnie oświecisz.

– To bardzo proste. Oprócz dahmeryjskiego, bardzo kosztownego plecaka masz wypisane na twarzy dwie inne rzeczy. Potworną pychę spotęgowaną po stokroć czarną opaską czarownicy w misji. To po pierwsze. A po drugie, dla mnie osobiście ważniejsze, masz sakiewkę pełną złota, w której każda moneta aż wyje: „Wydaj mnie, wydaj mnie, wydaj mnie natychmiast!". I dodaje coś o tobie: „Jestem w sakiewce strasznej naiwniaczki. Możesz mnie mieć, jeśli tylko wciśniesz jej jakiś kit".

Nie wiedziała, czy się obrazić.

– To aż tak widać? – spytała jednak.

– O! Jesteś inteligentna, skoro tak pytasz. Chodź. Zrobimy z ciebie prawdziwą czarownicę.

– I ty to potrafisz? – usiłowała zakpić.

– Tylko patrz.

Filozof podszedł do jednego z kramów, który musiał wypatrzyć już z daleka.

– Chcemy kurtkę wojskową na tę młodą damę. Starą, brudną, porozrywaną i najlepiej zakrwawioną.

Handlarz zupełnie się nie zdziwił. W końcu jego towarem była starzyzna.

– Mam – mruknął. – Nawet jednego brązowego nie jest warta. A sprzedam wam za dwa srebrne.

Kai myślała, że to żart. Dopiero po chwili zrozumiała, że wcale nie chodzi o „wygląd za jednego brązowego". Dowiedziała się przy okazji, że niektóre rodzaje starzyzny są droższe od nowych rzeczy. W zależności, do czego są potrzebne. Na szczęście potrafiła się szybko uczyć.

– Czekaj – filozof powstrzymał zapał kupca. – Chcemy też nóż. Największy.

– Mam. Najlepsze. Dahmeryjskie!

– Czy ty mnie słuchasz, człowieku? Czy ja powiedziałem, że chcę najlepszy?

Handlarz zastanowił się moment.

– No nie. Nie powiedzieliście, panie.

– Czy ja wyglądam na kogoś, kto umie władać nożem? A może ona wygląda? Prędzej palce sobie utnie, niż zrobi z noża użytek.

– Rozumiem, panie.

– Chcę największy i najdroższy. Żeby robił wrażenie, a nie żeby nim komuś gardło podrzynać.

Handlarz położył na ladzie ostrze wielkości przedramienia.

– Rękojeść wykładana diamentami! – dodał z dumą.

– Jak to są diamenty, to ja jestem cesarzową Arkach! – filozof nie dał się zbić z tropu. – Chcę prosty, wojskowy. Dobry i drogi.

– My dla klienta wszystko zrobim. – Nóż, który pojawił się na ladzie straganu, był równie wielki, ale już bez zdobień.

Filozof pomógł Kai włożyć kurtkę, a potem obejrzał ją starannie. Nóż miał specjalną kaburę, którą mocowało się do paska, było też specjalne mocowanie na udzie, nad kolanem.

– No. Już wyglądasz jak oprych. – Dłonią dotknął czarnej opaski. – No i jak ktoś, kogo należy się bać.

Widok rzeczywiście musiał robić wrażenie, bo handlarz sam z siebie dorzucił stare odznaki jakiegoś pułku piechoty, baretki odznaczeń i belki za odbyte kampanie z wystemplowanymi nazwami bitew. Giął się w ukłonach, kiedy dziewczyna mu płaciła.

Sakiewka Kai znowu straciła trochę na wadze. Choć nie było źle. Pomysł filozofa okazał się trafiony. Gdy dotarła do portu w starej, podartej wojskowej kurtce z odznaczeniami, wielkim nożem za pasem i czarną opaską czarownika w misji... ludzie rozstępowali się przed nią. Czuła zapach delikatnego strachu i szacunku. Bogowie! Jakie to było wyczuwalne! A poza tym... Ten nieznośny ciężar na prawym udzie, dłoń przy każdym ruchu muskająca rękojeść. Podchwytywała spojrzenia chłopców – marynarzy, czeladników, kupieckich pomocników... Miękkie, ciepłe. Spojrzenia mężczyzn... Dość takich myśli, otrząsnęła się po chwili.

Kai uważała się za osobę prostolinijną i widząc efekty obecności filozofa jako towarzysza podróży, postanowiła odpowiednio się zachować. Powiedziała zatem prosto z mostu, w nic nie owijając:

– Słuchaj, a nie popłynąłbyś ze mną w tę nudną podróż wotywną?

Chłopak okazał się jeszcze bardziej prostolinijny i szczery niż ona:

– A zapłacisz?

– Ile?

– Jestem dość kosztowny.

– No wiesz co? A nie uratowałam ci tyłka w Yach?

– No nie... A ja cię tam mogłem okraść i nie okradłem!

– A ja cię tam mogłam zabić, przypiec i zjeść i też się powstrzymałam. Nie zrobiłam tego!

Zaczął się śmiać.

– Spuszczę ci.

– Co? Lanie czy cenę?

Na szczęście pomógł jej przypadek. Doszli właśnie do portu, gdzie miał być zacumowany jej statek. To też nie był główny port Negger Bank, ale w porównaniu z poprzednim robił już odpowiednie wrażenie. Szczególnie urzędnicy zwani przez marynarzy „rozrzedzaczami". Na nabrzeżach nie mogło być po prostu zbyt tłoczno, więc nie wpuszczali byle kogo, żeby nie paraliżować prawdziwego handlu. Ale też, podobnie jak strażnicy przy miejskich bramach, skoro już się tu znaleźli, pełnili również rolę strażników prefektury. To znaczy „mieli baczenie na różne męty i poszukiwanych przestępców".

Im trafił się wyjątkowo kostyczny urzędnik. Oglądał list żelazny Kai, jakby miał do czynienia z edyktem cesarskim. I to własnoręcznie napisanym.

– Pani dokumenty są w porządku – oświadczył po kilku modlitwach wpatrywania się w każdą literkę. – A ty? – Przeniósł wzrok na mężczyznę.

– Jestem służącym tej czarownicy – odparł filozof bezczelnie.

– W takim razie dlaczego ona dźwiga ciężki plecak, a nie ty? – Urzędnik dowiódł, że był co prawda kostyczny i przywiązany do paragrafów, ale z całą pewnością nie głupi.

– Ja służę mojej pani kulturalnym towarzystwem i skrzącym się dowcipem.

– Tak? To powiedz coś dowcipnego.

Kai powstrzymała się, żeby nie parsknąć śmiechem. Po chwili milczenia urzędnik przeniósł pytający wzrok na dziewczynę. Ta, pamiętając, że trwają negocjacje cenowe z filozofem, udała, że nie rozumie. Zaplotła ręce i spokojnie zaczęła studiować ułożenie desek na suficie. Urzędnik przysunął sobie skrzynkę z listami gończymi i rejestrami wykroczeń. Filozof przygryzł wargi, potem westchnął ciężko. Zrozumiał, że przyparła go do muru.

– Zobowiązałem się do uczestnictwa w wyprawie wotywnej, żeby dotrzymywać towarzystwa tej czarownicy – powiedział i zerknął na Kai. Ta stała nieporuszona, więc syknął ze złością: – Notabene wynająłem się za bardzo niewielką stawkę... – Odczekał chwilę i nie widząc reakcji, dodał jeszcze: – Za minimalną stawkę.

Teraz dopiero dziewczyna skinęła głową.

– Potwierdzam.

Urzędnik cmoknął i odsunął skrzynkę na miejsce, gdzie stała.

– Możecie przejść.

Kiedy ogarnął ich portowy rejwach, filozof wybuchnął:

– Ty podstępna, wredna, inteligentna zarazo!...

Kai nie dała mu dokończyć:

– Przecież zawsze możesz liczyć na premię.

Nie należał do ludzi chowających urazę. Ewidentnie tak jak ona umiał korzystać z chwili. W drodze na statek zdołał nawet umówić się z handlarzem wina na dostawę bezpośrednio na pokład odpowiednich zapasów. Kai, która musiała zapłacić, tłumaczył, że to wcale nie jest część ich kontraktu, lecz jedynie dbałość o zdrowie. Na morzu woda szybko staje się niedobra i rozsiewa różne choroby. A poza tym wino łagodzi ohydny smak kiszonej kapusty, jedynego skutecznego środka na „marynarską chorobę", od czasów mędrca Zaana wożonej na każdą dalszą wyprawę.

Ich statek, znaleziony po wielu trudach, okazał się czymś pośrednim między jednostką kupiecką a wielką łodzią, której używali morscy zwiadowcy. Szlag, porządnego miejsca do zwykłego zamieszkania było mało. Tym bardziej że musieli je dzielić z kapłanami. Filozof postanowił działać.

– Mamy się tu zaokrętować. – Podszedł do mężczyzny, który stał najbliżej.

– Tak, panie! – wrzasnął tamten. – Tak, jaśnie panie! Już wołam szypra!

Filozof cicho zachichotał. Wielkopańskie maniery w zupełności wystarczyły, żeby zyskać posłuch u załogi. Kiedy przybiegł szyper, pierwszy podszedł do niego.

– To jest czarownica w misji specjalnej – wyjaśnił konfidencjonalnie, jakby nie było tego widać gołym okiem. Szyper jednak przejął się natychmiast. I chyba trochę przestraszył. Nie sądził, że misja jest aż tak ważna, żeby wyznaczyć do niej wojskowego weterana.

– Tak, wiem, jaśnie panie!

– Prawdziwe powody tej misji nie będą ci znane do końca.

– Rozumiem, jaśnie panie.

– Czarownica co prawda nawykła do żołnierskich niewygód, ale na pokładzie musisz zapewnić nam jak najlepsze warunki.

– Oczywiście, jaśnie panie. Zapewnię jak najlepsze! – Rozejrzał się po pokładzie, jakby chciał zobaczyć coś, czego jeszcze przed chwilą nie było.

Kai zostawiła filozofa samego, żeby dalej negocjował. Ruszyła wzdłuż statku, oceniając jego morską dzielność. Trzeba przyznać, że sprawiał dobre wrażenie. Smukły, „twardy", wyglądał na jednostkę, którą łatwo manewrować i która mimo niewielkiej wagi nie poddaje się fali jak piórko. No tak... Ale ten niesamowicie mały pokład. Wszystko trzeba będzie robić na oczach innych. Nie przerażał Kai co prawda widok sikających tuż obok mężczyzn, a dla niej pewnie przewidziano jakiś parawan (świetne rozwiązanie, jak mocniej powieje, ha, ha, ha), ale... Sprawa głupiego umycia się urośnie do kategorii, no, może nie problemu, lecz na pewno niewygody. Miała nadzieję, że szyper potrafi powściągnąć komentarze załogi.

– Proszę pani – dobiegł ją szept z tyłu. – Proszę jaśnie pani...

Odwróciła się gwałtownie, jakby już myła się pod wzrokiem marynarzy i ktoś nagle podszedł z tyłu. A tam stała jedynie drobna, smukła dziewczyna w nowiuteńkiej wojskowej tunice. Rekrut, świeże mięsko. Miała w rękach dwa wiadra z wodą, a na szyi zawieszone duże szmaty. Pewnie wysłali ją, żeby szorowała dechy.

– Mówisz do mnie?

Tamta zmieszała się nagle i zrobiła gest, jakby chciała uciec. A Kai zrozumiała, że młoda rekrutka traktuje ją jak weterana i pewnie chce o coś spytać, ale boi się jak szlag. Dobrze, że nie miała naszywek oficera, bo dziewczyna pewnie nigdy by się nie odważyła powiedzieć czegokolwiek.

– Jak masz na imię? – spytała, żeby tamtą ośmielić.

– Sheny, proszę pani. Ale mówią na mnie Shen.

– A ja jestem Kai.

Rekrut spojrzała z lekkim zdziwieniem. Weteran, która pozwala mówić do siebie na ty? A! Domyśliła się po swojemu. Przecież już po służbie, pewnie wraca do cywila, do domu.

– Mogę o coś spytać, pani... Mogę o coś spytać, Kai?

– Wal śmiało.

– Ci z szarżą mówią, żeby zapisać się na kurs podoficerski. Od razu. Że niby po obozie dostaje się od ręki kaprala i na wojnę idzie się z większą szansą na przeżycie. No i kaprala mniej ścigają niż szeregowego, nie?

Kai nie mogła sobie przypomnieć, co u niej w domu mówiło się o wojsku. Jednak nawet jeśli ktoś poruszał takie tematy, to jej osobiście nie interesowały zupełnie.

– Wiesz co? – powiedziała szczerze. – Nie mam zielonego pojęcia. Ale tak na zdrowy rozum, jak ci proponują edukację i awans, to bierz bez namysłu. Tylko... – Wzruszyła ramionami. – Dziwne wydaje mi się, że ktoś tak za bezdurno jeszcze przed rozpoczęciem służby proponuje awans...

– Bo ja nie jestem z poboru – powiedziała Shen z dużą dozą rezygnacji. – Na ochotnika...

– Na ochotnika?! – Kai o mało nie zakrztusiła się własną śliną. – Na umyśle słabujesz?

Rekrut po raz pierwszy lekko się uśmiechnęła.

– Ta... – westchnęła. – W chałupie głód, ojciec pije, bije i sprzedaje. A mnie w świat zawsze niosło.

– No tak, zobaczysz ten świat... przez celownik karabinu – zaczęła Kai, ale zreflektowała się nagle. – Zaraz, jak to sprzedaje? Jak to ojciec sprzedaje? Przecież u nas niewolnictwa nie ma.

– No – zgodziła się Shen, robiąc dziwną minę. – Oczywiście, nie ma. Ale własnego tyłka łatwiej pilnować, póki niesprzedany.

Dziewczyna opuściła głowę. Wyglądała na skołataną i przestraszoną, a Kai nie wiedziała, jak jej pomóc. Dać kilka brązowych? Abstrahując od wszystkich ideowych przesłanek, jakie wpajano dobrze urodzonym, typu: „Pomagając biedocie, wspierasz jedynie ich własną niezaradność”, to samej Kai było po prostu niezręcznie. No jak to tak, dać komuś pieniądze? W jej kręgach mogło to oznaczać nawet śmiertelną obrazę. Jak każdy człowiek nieobyty z biedą, nie miała pojęcia, jak bardzo trochę drobnych, te kilka brązowych, mogłoby pomóc zagubionej kandydatce na żołnierza. Prawdę powiedziawszy, nie umiała wybrnąć z kłopotu. Zdjęła więc z szyi jeden z amuletów, które własnoręcznie musiała zrobić w szkole czarnoksięskiej w ramach ćwiczeń, i podała Shen.

– Masz. Na pamiątkę.

– Odgania złe moce?

– Nie, ale przynosi szczęście – skłamała okrutnie. Tak naprawdę nie miała przy sobie żadnych przydatnych w życiu amuletów. Jak zwykle, zgodnie z tradycją, na ćwiczeniach musiały jedynie udowodnić nauczycielom, że potrafią zrobić coś, co działa, a nie coś szczególnie przydatnego. Dlatego też Shen dostała amulet, który pokazywał, czy Kai jest blisko. Tylko tyle. Dziewczyna jednak bardzo się ucieszyła. Odstawiła wiadra i złapała Kai za ręce.

– Dzięki.

– Nie ma za co. Powodzenia.

Shen ponownie uniosła ciężary. Skinęła głową „weterance" i ruszyła do swojego oddziału zgromadzonego przy wojskowej barce opodal. Filozof, który przyglądał się całej scenie, podszedł bliżej.

– Chyba nie dałaś jej dobrej rady – mruknął.

– Dlaczego?

– Jakoś nie mogę sobie wyobrazić wojska, które robi dobrze rekrutom. Nawet ochotnikom jak ona.

– Coś podejrzewasz?

Wzruszył ramionami.

– Jeśli proponują od razu szkolenie na kaprala, coś będą chcieli w zamian. Godzisz się na podoficera? Zapomnij o ciepłych koszarach w jakimś garnizonie, za to jedź na wojnę z potworami na przykład.

Kai obejrzała się za siebie.

– Brzmi rozsądnie to, co mówisz. – Szukała wzrokiem Shen wśród rekrutów zgromadzonych przy barce transportowej. – Myślisz, że powinnam...

Nie dokończyła. Coś nią okrutnie szarpnęło. Filozof podskoczył, żeby przytrzymać Kai, bo zataczała się właśnie w kierunku wody. Chwycił ją z całej siły za rękę, boleśnie wykręcając staw barkowy. Kai, sycząc z bólu, usiłowała uklęknąć. Choć trochę ulgi, choć trochę... Już wiedziała – to błysk! Jeden z najsilniejszych, jakich doświadczyła. Bogowie! Zamroczyło ją momentalnie.

Zobaczyła Achaję. Doznała błysku z głębokiej przeszłości. Pustynia, obóz niewolników. Dwóch półnagich ludzi – karzeł zwany Krótkim i szermierz natchniony Hekke. Obaj uczyli księżniczkę-niewolnicę, jak sobie radzić w życiu. Ich rady zresztą były dokładnie odwrotne do tego, co choćby w kwestii ubrania mówił filozof. Ale to nieważne. Po raz pierwszy widziała Achaję. Półnaga dziewczyna wcale nie była brzydka, jak ją przedstawiono na pomniku. Wprost przeciwnie, miała duże, żywe oczy znamionujące wrażliwość i inteligencję. Kogoś Kai przypominała. To natrętne przeczucie zawładnęło całym umysłem czarownicy. Kogo?

Achaja nagle spojrzała na nią i coś powiedziała. Kai targnęła się do tyłu. Filozof trzymał dziewczynę coraz mocniej, powodując jednak większy ból, ktoś nadbiegł z boku, żeby pomóc. Słyszała wielokrotnie, że najwięksi czarownicy mogą zobaczyć zarówno sceny z przyszłości, jak i z przeszłości. Te z przyszłości, choć były tylko teoretycznie możliwymi zdarzeniami, mogły ukazywać się czasem tak realne, że niektórym udawało się nawet porozmawiać z ludźmi jeszcze nienarodzonymi. Ale nigdy, ani razu, nie słyszała, żeby ktoś, kto już nie żyje, mógł powiedzieć coś czarownikowi. To niemożliwe! Trup przecież nie rozmawia. A Achaja nie żyła od bez mała tysiąca lat.

Kai zwymiotowała na wyszlifowane kamienie nabrzeża. Co za błysk! Żeby jeszcze mogła cokolwiek z niego zrozumieć.

Wachta okazała się nudna jak rzadko co, ponieważ okręt tkwił nieruchomo pod wodą, na jakiejś niedosiężnej dla innych jednostek głębokości, i zupełnie nic się nie działo. Mostek był jednak jedynym pomieszczeniem oświetlonym w pełni, bez żadnych oszczędności, ponieważ inżynierowie musieli pracować przy zepsutym krokomierzu. Wszędzie wokół, na każdej wolnej powierzchni, porozkładane zostały bebechy urządzenia. Na irchowych ściereczkach leżały wyjęte z wnętrza elektronowe lampy, na sznurkach przeciągniętych pod sufitem wisiały przypięte żabkami ukradzionymi z pralni wielkie płachty schematów urządzenia. Tomaszewski nie miał dotąd pojęcia, że krokomierz jest aż tak makabrycznie skomplikowany. „Maszyna przyszłości” – kiedyś podsłuchał, jak go nazywają inżynierowie. Rzeczywiście zasługiwał na taką nazwę. Jeśli oczywiście kojarzyć przyszłość z okropną komplikacją rzeczy, które dotąd można było zrobić dużo prościej.

– Coś ciekawego? – Wachtę przejmował od porucznika Siweckiego.

– W porządku. – Siwecki nie przejmował się regulaminowymi formułkami. Trudno tego wymagać od lekarza. Tak, nie do wyobrażenia na zwykłej jednostce. Ale na okręcie eksperymentalnym wszystko było możliwe. Lekarz na pokładzie i do tego siłą rzeczy, bo przecież nie można mnożyć oficerskich szarż w nieskończoność, pełniący zwykłą wachtę. Do tej pory na okrętach podwodnych, a i to tylko w luksusowym wydaniu, wystarczał podoficer po kursie felczerskim. A tu prawdziwy lekarz z dyplomem. Wyciągnięty ze służby medycznej dokładnie tak jak Tomaszewski z wywiadu, przeszkolony i skierowany na wachtę. ORP „Dragon" był naprawdę kuriozalną jednostką, tu wszystko stało na głowie. Nikt nie wiedział, czym kierowało się dowództwo, posyłając ludzi o innych specjalnościach do służby liniowej. Czy sądzono, że każdy oficer marynarki (nawet lekarz i wywiadowca) jest urodzonym marynarzem, czy też raczej uważano, że na tak nowoczesnej jednostce dosłownie każdy, nawet debil, poradzi sobie na wachcie.

– A ci tutaj? – Tomaszewski wskazał na wybebeszoną maszynę.

– Państwo inżynierostwo udało się na spoczynek. – Siwecki wykonał teatralny ukłon. – Prosiło, żeby nie przeszkadzać żadnymi eksplozjami.

– A były jakieś eksplozje?

– Tak, musiałeś spać, bo zatrzęsło całym okrętem.

– Jaja sobie robisz czy na poważnie?

– Na poważnie, ale to nic u nas. Nasłuch wyłapał jakieś grzmoty. Za silne na trotyl, więc... – Porucznik wzruszył ramionami. – Jakieś wulkany podwodne wybuchły albo co.

– Wulkany? Kilka naraz?

– Nie znam się na tym. Albo wulkany, albo coś się wali z Gór Pierścienia. – Siwecki wyciągnął rękę do uścisnięcia. – Nie chrap za głośno na wachcie, bo chciałem się przespać.

Chrapać na wachcie. Akurat. Jednak sprawdzenie odczytów wskazań wszystkich urządzeń, zapoznanie się z ostatnimi wpisami do dziennika i rzucenie spojrzenia na mapę z ciągle tą samą pozycją zajęło mu tyle, ile mogło zająć w tej sytuacji. Dziesięć minut. Pozostało mu jeszcze parę ładnych i bardzo długich godzin dyżuru, na którym nie miał nic do roboty. Ani czytać, ani zapalić, ani zająć się czymkolwiek. Jeszcze gorzej mieli podlegli mu marynarze. Poza tymi z nasłuchu nie mogli nawet usiąść. Pieska służba. Na szczęście to nie był pierwszy rejs Tomaszewskiego. Opanował sztukę „przeczekiwania dłużyzn", jak określali te sytuacje z kolegami.

Właśnie zamarł nad mapą w najwygodniejszej pozycji. Chorąży zaproponował, że bosmanmat zrobi kawę, lecz odmówił. Kawa robiła dobrze gdzieś w połowie wachty. Wypita za wcześnie prawie nie dawała efektu, za to goniła do toalety z całą uruchamianą wtedy zgodnie z regulaminem procedurą przekazywania dowództwa na mostku. Nie, nie, wszelkie płyny w drugiej części zabawy.

Powrócił do mapy, radując oczy kuriozalnym, po raz pierwszy w życiu widzianym oznaczeniem pozycji okrętu. A właściwie nie jednej pozycji, bo aż trzech. A każda z nich przypuszczalna. Oczywiście regulamin tego nie przewidywał, więc oficjalną pozycję, najważniejszą i wyliczoną tradycyjną metodą, oznaczono tuszem. Pozostałe dwie, wynikające z przypuszczeń innych i wskazań eksperymentalnego, zepsutego chwilowo urządzenia, ołówkiem.

– Panie poruczniku? – Chorąży nachylił się trochę i wskazał jedno z ołówkowych oznaczeń. – A jeśli ta pozycja się zgadza?

Najwyraźniej jego też to męczyło.

– Jeśli ta jest poprawna, to jesteśmy cholernie blisko Gór Pierścienia. Za blisko.

– No ale przecież nie płyniemy na oślep, tylko tkwimy pod wodą nieruchomo.

– To nie jest takie proste. Osiągnięcie tej pozycji byłoby możliwe jedynie pod warunkiem, że pani inżynier Wyszyńska ma rację i znosił nas jakiś silny prąd głębinowy. Po wynurzeniu nie zrobiliśmy praktycznie żadnego ruchu i zanurzyliśmy się ponownie. W tym samym miejscu.

Chorąży najwyraźniej chciał się czegoś nauczyć. Tomaszewski uśmiechnął się szeroko.

– Gdybyśmy nie bili rekordu odległości w pływaniu w zanurzeniu, pierwsze zerknięcie w niebo pozwoliłoby nałożyć poprawkę na obliczenia i byłby spokój. A bez słońca i gwiazd możemy tylko liczyć, zwielokrotniając błąd. Jeśli taki jest. Jeśli Wyszyńska ma rację.

– A może mieć?

Tomaszewski poważnie skinął głową.

– Może. Słyszałem rozmowę z admiralicją. Według naszych obliczeń powinniśmy się wynurzyć przy pięknej pogodzie, a my wyszliśmy pod jakimś cholernym tajfunem. Usłyszeliśmy, że najbliższa dobra pogoda jest kilkaset mil stąd.

Chłopaka w nienagannym mundurze ciągle trawił głód wiedzy. No tak, na eksperymentalny okręt wysłali najlepszych stażystów. I tu właśnie ujawniało się specyficzno-strategiczne myślenie dowództwa. Chłopaków wysłali najlepszych, bo to ważna, tajna misja. Ale ponieważ misja jest tajna, nie powiedziano im niczego o specjalistycznym i doświadczalnym wyposażeniu. To tylko pozorna sprzeczność. Znacznie lepszym pomysłem admiralicji była produkcja lotniskowców, zanim w ogóle ktokolwiek stwierdził, czy samolot startujący z pokładu jest w stanie zatopić inny okręt. To dopiero majstersztyk.

– Przepraszam, panie poruczniku, czy w takim razie, jeśli prąd znosi nas nadal, możemy znienacka uderzyć w zbocze góry?

– Chodzi ci o Góry Pierścienia?

Chorąży skinął głową.

– Nie przypuszczam. Zbocze góry od podstawy do wierzchołka nie jest przecież pionowe. Najpierw zacznie podnosić się dno. A to już namierzymy.

– Echolokacją? – Chorąży nie wiedział, czy może zdecydować się na lekką kpinę z nowoczesnych polskich wynalazków. – Czy tym? – Wskazał leżące wokół lampy elektronowe części wybebeszonego krokomierza.

No, niezłe dowcipy musiały krążyć wśród załogi na temat państwa inżynierostwa i ich rewolucyjnych zabawek.

– Damy radę – powiedział Tomaszewski uspokajająco. – Jeśli rąbniemy w jakąś pionową przeszkodę, będziemy pierwszym okrętem podwodnym na świecie, któremu udało się dokonać takiego cudu.

Chorąży uśmiechnął się lekko. Żeby lepiej widzieć przypuszczalny obszar operacyjny, przesunął mapę na stole nawigacyjnym. Jakby odruchowo dotknął ręką zaznaczonego pasma Gór Pierścienia. Narysowanego oczywiście tylko z jednej strony. Po drugiej stronie gór na mapie była nieskazitelna biała powierzchnia. Chłopak nagle podniósł głowę.

– Ciekawe, czy tam jest jakaś cywilizacja? – rzucił nagle.

O dziwo, wcale nie zaskoczył tym Tomaszewskiego, który myślał dokładnie o tym samym.

Mimo wcześniejszych wątpliwości Kai czuła się na statku jak ryba w wodzie. Wielokrotnie pływała z ojcem w wyprawach handlowych i „małej dyplomacji". Nie przerażał jej tłum na pokładzie, zaśpiew wioślarzy, głośne przekleństwa kilku żołdaków, wrzaski bosmana. Nie przejęła się kapłanami z ich wotami, których dokwaterowano do ich namiotu na rufie. Filozof był mądry i przezabawny. Nawet wybaczyła mu, że poprzedniego wieczora ograł ją w kości.

– I tak wiem, że były szlifowane z jednej strony – warknęła.

– Widzisz, młoda kobieto – odparł – musisz zrozumieć grę, jej logikę i zasady, zanim siądziesz do stołu.

– I tą logiką jest to, że oszlifowałeś kości z jednej strony?

– Ależ tak. Nie trwoniłbym zarobionych u ciebie pieniędzy, nie mając pewności wygranej. To właśnie jest logika gry, mojej gry.

– To znaczy, że zawsze trzeba oszukiwać?

– To najlepsze wyjście. Ale niekoniecznie zawsze, bo najczęściej głupcy sami pchają się w twoje ręce.

– Aha – zakpiła. – I od tych głupców, którzy „sami się pchają", teraz uciekasz przed wymiarem sprawiedliwości.

Filozof odchrząknął, nic już nie mówiąc. Od oliwnej lampki zapalił kadzidło, które ukradł wcześniej kapłanom, kiedy ci odprawiali modły. Dzięki temu nie czuli aż tak bardzo smrodu ciał wiecznie spoconych i nigdy niemyjących się wioślarzy.

– Wino nam się kończy – zmienił temat, energicznie potrząsając bukłakiem. – Może byś skołowała u bosmana?

– Przecież to ty wczoraj wygrałeś w kości. Masz pieniądze.

– Ale jestem rozsądny i nie lubię ich wydawać. Za to kiedy wrócisz, opowiem ci o Górach Bogów.

Kai czuła się na okręcie naprawdę jak w domu. Wiedziała, gdzie pójść, z kim pogadać, a komu zapłacić za napełnienie bukłaka. Nic tutaj nie było dla niej tajemnicą. A filozof, choć taki mądry i wygadany, poszedłby pewnie do bosmana i w najlepszym razie zarobił w ryj, ale jedynie w przypadku, gdyby bosman był w humorze. Wróciła po kilku modlitwach i napełniła im kubki.

– O czym to mieliśmy mówić? – Filozof skwapliwie osuszył duszkiem swój kubek i podstawił ponownie, zanim jeszcze Kai zdążyła dotknąć swojego.

– O Górach Bogów.

– Aha. Do pełna, do pełna. – Podsunął swój kubek bliżej. – No to zaczynajmy. Czy wiesz, że od Gór Bogów dzielą nas nieprzebyte morza rojące się od potworów? Morza, po których właśnie płyniemy.

– Wiem – ziewnęła Kai. No, w tym stylu to można gadać latami. Pamiętała wszystko, czym straszyła ją guwernantka.

– Są tam... O, przepraszam, są tu straszliwe potwory. Na przykład ogromne ośmiornice, wielkości statku, które były w stanie porwać marynarza jedną ze swoich macek i unieść w powietrze. Reszta załogi usiłowała walczyć i ciąć macki siekierami, żeby odzyskać towarzysza.

– Ożeż! Naprawdę? – Trochę zagrała, a może jednak odkryła jakieś maleńkie pokłady strachu gdzieś w sobie. O gigantycznej ośmiornicy dotąd nie słyszała.

Filozof skupił się na swoim winie.

– Oczywiście, że naprawdę. Tłum marynarzy z siekierami. – Spojrzał cierpko na towarzyszkę podróży. – A teraz pomyśl racjonalnie, młoda kobieto. Ile siekier widziałaś na tym okręcie?

– To statek, a nie okręt – poprawiła odruchowo Kai. Zastanowiła się chwilę. – Jedną siekierę widziałam. U cieśli.

– Sama widzisz. Więc skąd tłum z siekierami? Skąd wzięli? No chyba że to był statek przewożący cieśli albo drwali. Ale po co wtedy płynąłby w stronę Gór Bogów? Prawda?

– Prawda. – Kai tylko kręciła głową. Trudno było odmówić logiki miażdżącym argumentom filozofa. Tym bardziej że mówił jasno, zwięźle i w sposób zrozumiały. Daleko mu było do zawiłości swoich kolegów w fachu, których spotykała na różnych dworach. Też umieli gładko się wysławiać, a nawet znacznie piękniej niż ten tutaj, ale żaden z nich nie potrafił w jasny sposób powiedzieć, o co mu chodzi.

– Idźmy dalej. Statek wpłynął nagle w ogromną meduzę. Wielką jak pałac władcy. Przeogromną. I utknął w jej środku. Ani płynąć dalej, ani się cofnąć. Wiosła ugrzęzły w galaretowatym ciele. Ani w tył, ani w przód. A meduza trawiła kadłub. Powoli, powoli. Marynarze mieli zapasy wody i jadła. Więc żyli ciągle, widząc, jak ich kadłub staje się coraz cieńszy i cieńszy. Krzyczeli ze strachu, bo wiedzieli, że statek zaraz się rozpadnie i oni sami wpadną w galaretowate ciało meduzy i zostaną powoli strawieni.

– A siekierami nie mogli? – Kai rozejrzała się nerwowo. – To znaczy siekierą? – poprawiła się.

– A tnij sobie galaretę siekierą. Życzę wszystkiego najlepszego.

Dziewczyna przełknęła ślinę. Te małe pokłady strachu, które w sobie odkryła, wcale nie były takie małe. Do jasnej zarazy!

– Czy mógłbyś zmienić temat?

– O! Czyżbyś w to uwierzyła? Hm... Rozumiem, że statki są czymś, co naturalnie występuje w oceanie. I takie meduzy, jakie znasz, powoli zaczynają się przyzwyczajać do jedzenia drewna. Ciekawe, czemu żadne inne stworzenie na całym świecie nie żywi się drewnem. No chyba że korniki.

Kai gwałtownie przełknęła ślinę.

– Ona chce się dostać do ludzi!!! – krzyknęła trochę za głośno. Kilku marynarzy spojrzało w ich kierunku.

– Ach, jak rozumiem, człowiek jest naturalnym pokarmem meduzy. Kąpie się taki jeden z drugim przy

brzegu. Podpływa meduza i ich zjada. Żywcem! – kpił w najlepsze. – Żarłoczne meduzy. Gdy się nauczą pełzać po lądzie, to będzie koniec naszej cywilizacji.

– Możesz przestać? – Rzuciła niespokojne spojrzenie wokół. Wokół statku, konkretnie. Chodziło o to, czy coś niepokojącego nie pojawia się właśnie na powierzchni.

– Mogę, ale... W to, że wygrałem w kości uczciwie, nie uwierzyłaś, ale kiedy strach zajrzał w oczy, to w żarłoczne meduzy już tak?

– Przestań!

Filozof śmiał się w najlepsze.

– Są jeszcze wieloryby długości dwustu kroków. Wynurzają się z głębin i wzrokiem hipnotyzują marynarzy. Wysuwają język z zębami i powoli wyłuskują ludzi z pokładu, żeby ich pożreć. Nie zabijają. Żywi ludzie tkwią w ich żołądkach, aż zostaną strawieni. Chyba rżną tam z nudów w karty. Raz, dwa, trzy, dziś strawiony będziesz ty!

– Natychmiast przestań! – krzyknęła mocno już przestraszona Kai. Zbyt plastycznie wyobraziła sobie żyjących w brzuchu wieloryba marynarzy, tonących w tym... w tym, no... w jakichś płynach żołądkowych. Duszących się. Wołających o ratunek w swym beznadziejnym położeniu.

– Naprawdę wierzysz w te brednie? – Filozof nalał sobie wina. – A widziałaś kiedyś wieloryba?

– Tak. – Usiłowała uspokoić drżące dłonie. Jeden z kapłanów patrzył na czarownicę z drwiącym uśmiechem.

– Widziałaś go rozciętego na tusze przeznaczone do uzyskania oleju? – kontynuował filozof.

– Tak.

– A widziałaś kiedykolwiek w jego wnętrzu szczątki ludzkie?

– Nie.

– No i wszystko jasne. – Filozof bawił się w najlepsze. – No to przejdźmy do faktów. Pierwszym człowiekiem, który dopłynął do Gór Bogów, był niejaki Quijas. Znany z wielu pojedynków, ale też, jak dowodzi historia, z rozsądku. Bowiem gdy spotkał lepszego od siebie, wyznaczył miejsce pojedynku „na końcu świata". Doskonałe rozwiązanie, bardzo mądre. No ale żeby nie stracić honoru, musiał jednak stawić się na końcu świata, chociaż na obecność przeciwnika nie liczył. Był ryzykantem. Jak sam opisał, wspiął się na wysokość jakichś trzech tysięcy kroków. Zrobiło mu się niedobrze, miał problemy z oddychaniem, myślał, że nie przetrzyma nocy w górach. Na szczęście wypił cały zapas alkoholu, który wziął ze sobą, i to pomogło mu przetrwać noc. Było strasznie zimno. Z trudem dotarł do swojego okrętu.

– Statku – poprawiła znowu Kai.

– Mniejsza z tym. Następną, już dobrze zorganizowaną wyprawę poprowadzili Kolom i Theis. Wspięli się na wysokość jakichś pięciu tysięcy kroków. Potworny ziąb, wichura. Nie ma czym oddychać, człowiek czuje się jak pijany albo podduszony, ma zawroty głowy, duszności, brakuje mu siły w rękach i nogach. Obaj rozbili obóz, myśląc, że umierają. Następnego ranka jednak Theis poszedł dalej. To znaczy wyżej. Kolom został półprzytomny. Po kolejnej nocy ruszył jednak w dół, nie był w stanie iść na ratunek koledze.

– A klątwa?

– Klątwa Bogów? Ta, która chroni przedwieczne góry? – Filozof nalał sobie jeszcze wina. – Musisz nauczyć się myśleć racjonalnie, młoda kobieto. Nie ma żadnej klątwy. Jest potwornie zimno, wiatr urywa głowę i nie można oddychać. Ale jeżeli ktoś spędzi kilka dni na wysokości i ma co jeść, może pójść dalej.

– Ktoś przeszedł?

– Nikt.

– Nikt nie dotarł na sam szczyt?

– Nie. Ale może zrobią to nasi koledzy zza gór.

– Co?

– Widzisz. Dawniej myślano, że Ziemia jest płaska i kończy się pasmem gór. Za nimi nie ma już nic. Zaan obliczył jednak i udowodnił, że ma kształt kuli i krąży wokół Słońca. No to dodajmy teraz do tego stare legendy. Za Górami Bogów żyją przecież nasi Cisi Bracia. Ludzie, którzy urodzili się na drugiej półkuli naszej planety. Ludzie, którzy nie znają magii. Kiedy przyjdzie czas, połączymy się i razem stawimy czoła potędze Ziemców.

– Tak, tak. Słyszałam na wykładach. Do znudzenia.

– Na szczęście Cisi Bracia to taka sama bzdura jak wieloryby długości dwustu kroków...

Kai wyciągnęła się na prowizorycznym posłaniu z kilku derek. Szkoda, że za dnia nie można rozwiesić hamaków. Za mało miejsca.

– W tę kulę Zaana jakoś za bardzo nie mogę uwierzyć. Ale w to, że za Górami Bogów ktoś żyje... – zawahała się. – Ciekawa sprawa.

– Tak. Legendy mówią, że nasz świat to pułapka na potwory. My, po tej stronie gór, jesteśmy jak inne ludy we wszechświecie. Znamy magię, zrodziła nas wola... A po tamtej stronie gór żyją ludzie, których świat jest jakby lustrem, odbiciem świata potworów. Jest taki sam, prawie identyczny jak cywilizacja potworów.

– Ale to jednak ludzie?

– Cisi Bracia? Tak, to ludzie, choć bardzo przypominają Ziemców.

Filozof polizał palec i podniósł dłoń, obracając nią we wszystkie strony.

– Wiatr się zmienia. I słabnie – zawyrokował. – Będziemy mieli spokojną noc.

Kai powstrzymała śmiech.

– Skup się na swojej filozofii, bo troszkę wychodzisz poza zakres swoich kompetencji.

– Co?

– Wiatr nie cichnie, tylko się wzmaga! Popędzimy w stronę gór niczym ekspres konny.

Wzruszył ramionami obrażony oskarżeniem o niewiedzę. Przez chwilę dusił coś w sobie, a potem wpadł na jakąś myśl i podskoczył.

– O! Węże morskie! Nie opowiedziałem ci jeszcze o morskich wężach. Wąż matka oplata statek, miażdżąc konstrukcję, a jej dzieci chwytają ludzi i powoli zaczynają wysysać wszystko. Bardzo powoli...

– Przestań! – wrzasnęła, odruchowo zerkając na powierzchnię morza.

Wynalazek Mielczarka, czyli nielegalna lampka, bardzo się teraz przydał. Tomaszewski nie mógł zasnąć po tej przytłaczającej nudą wachcie. Przewracał się z boku na bok. Gdzieś na granicy świadomości ciągle przemykało to samo pytanie: czy za Górami Pierścienia żyją jacyś ludzie. Zdjął z półki książkę, która była historią prób zdobycia tych gór. W zasadzie album, dużo zdjęć i rycin, mało tekstu. Zdjęcia to średni pomysł, jeśli chodzi o kontemplowanie w świetle małej lampki. Ale Tomaszewski nie musiał nawet czytać rozbudowanych podpisów pod rysunkami – książkę znał prawie na pamięć.

Góry Pierścienia fascynowały ludzkość od zarania, początkowo będąc zarzewiem legend i religii, a potem, stopniowo, celem naukowych dociekań. Właściwie w każdej epoce ktoś usiłował je sforsować. Ale dopiero współcześnie dowiedziono, że to niemożliwe. Sądzono nawet, że góry sięgały w kosmos, jednak potem stwierdzono, że niezupełnie. Sięgały stratosfery i teoretycznie dałoby się nad nimi przelecieć. Przynajmniej w niektórych miejscach. Zanim jednak podjęto próby balonowe, wiele wypraw usiłowało wedrzeć się na szczyty, wspinając po zboczu. Niestety, przeraźliwy wiatr i zimno zatrzymywały każdą wyprawę, nawet wyposażoną w butle z tlenem, na wysokości mniej więcej dziesięciu tysięcy metrów. O wejściu na szczyt nie było nawet mowy. Brakowało pomysłów, jak dostarczać nowe butle. Zasadniczo wszelkie późniejsze projekty wspięcia się na szczyty zakładały budowę etapowych wyciągów albo wręcz rurociągów do transportu tlenu, a to po prostu okazało się utopią.

No to może zwyczajnie przewiercić się przez góry? Skały były wyjątkowo twarde, wszystkie historyczne próby skończyły się niepowodzeniem. Współcześnie też nie wyglądało to lepiej. Kilka państw podejmowało osobne wysiłki, lecz szybko stało się jasne, że to również utopia. Tunel zasadniczo dałoby się wywiercić wspólnym wysiłkiem wielu państw, a to ze względów politycznych i ekonomicznych było niepodobieństwem. Tym bardziej że nikt nie potrafił zagwarantować jakichkolwiek przewidywalnych zysków. Nikt nie umiał odpowiedzieć na pytanie: a co tam jest? Może dziewicza półkula ze swoimi nietkniętymi zasobami naturalnymi? A może obca cywilizacja tak rozwinięta, że wszystkie strategiczne złoża są już zajęte? A może ta cywilizacja jest wroga i lepiej rozwinięta technicznie? Może nas zaatakuje? Nikt nie dawał gwarancji już nawet nie na sukces finansowy operacji, lecz choćby na to, że w ten sposób nie zostanie obudzony jakiś demon. A jeśli skład atmosfery po drugiej stronie jest inny? A może jest tam trujący gaz? Albo jeszcze lepiej: tam w ogóle nie ma atmosfery, tylko kosmiczna pustka. Zrobimy dziurę i nasze powietrze zostanie bezpowrotnie wyssane.

Dużo lepiej, przynajmniej w pewnym sensie, poszło tym, którzy usiłowali nad górami przelecieć. Pierwszy stratosferę osiągnął Francuz Jean Villers. Oczywiście nie zamierzał swoim balonem przelatywać nad Górami Pierścienia, ani zresztą nad jakimikolwiek innymi. Kiedy jednak rok później poprawił swój rekord wysokości i osiągnął dwadzieścia jeden tysięcy metrów, jego stratostat został natychmiast odkupiony przez ekscentrycznego milionera Raya Chalmersa. Pierwsza próba przelotu odbyła się już pół roku później. Chalmers startował z maleńkiej wysepki Nassau, skąd według jego obliczeń wiatr miał go zanieść nad Nassau Trail, ogromną przełęcz, która, jak sądzono, może być najlepszą drogą na drugą stronę. Niestety, obliczenia ewentualnych kursów i dryfów prowadzone były na podstawie ówczesnej wiedzy, a o wiatrach wiejących w stratosferze nikt wtedy nie miał zielonego pojęcia. Chalmers rozbił się o zbocze Gór Pierścienia na wysokości zaledwie czternastu tysięcy metrów. Doskonale odbijająca słońce, metalizowana czasza jego balonu jeszcze przez długi czas pozostawała atrakcją dla posiadających dobrej klasy teleskopy i przepływających tamtędy turystów.

Śmiałków jednak nie brakowało. Jeszcze tego samego roku odbył się drugi lot. Też z Nassau. Brytyjski „Quest" zabrał na pokład pięcioosobową załogę i bez przeszkód dotarł nawet do wysokości siedemnastu tysięcy metrów, gdy ujawnił się defekt powłoki. Balon rozdarł się, a ciśnieniowa kabina zaczęła spadać. Członkowie załogi mogli się nawet teoretycznie uratować. Na pokładzie były spadochrony. Niestety, prawdopodobnie nie zdążyli odkręcić wszystkich śrub, które uszczelniały właz. Prasa (a przynajmniej ta brukowa) pisała potem kpiąco: „Przecież i tak z założenia była to podróż tylko w jedną stronę".

Właśnie, podróż w jedną stronę. Wielu publicystów nie rozumiało tego mechanizmu. Próba przelotu była przedsięwzięciem niezwykle kosztownym. Wydawałoby się więc, że ktoś, kogo stać na taki wydatek, powinien być człowiekiem rozsądnym, kalkulującym na zimno, a wcale tak się nie działo. Nawet w przypadku sukcesu zdobywca czy odkrywca nie mógł liczyć ani na sławę i palmę pierwszeństwa, ani choćby na przekazanie wiadomości potomnym, że mu się udało. Na zawsze zostawał po drugiej stronie. Znikał z zasięgu uwagi cywilizacji.

Chętnych jednak nie brakowało. Podejmowano wyprawę za wyprawą. Wszystkie nieudane, choć niektórzy, bardzo nieliczni, mogli mówić o szczęściu. Spadochron otworzył się we właściwym momencie, przypadkowy statek wyłowił z oceanu albo wyprawa ratunkowa dotarła na czas do odpowiedniego miejsca na zboczu gór. Chybił trafił. Przynajmniej do czasu, kiedy udało się wykorzystać małe balony bezzałogowe do próby określenia rodzaju wiatrów wiejących w stratosferze. Rozpoczęły się próby „naukowe" – pisano o nich najczęściej w cudzysłowie, ponieważ większość ciągle jeszcze opierała się jedynie na pozorach zdyscyplinowanego myślenia.

Pierwszym stratostatem, który prawdopodobnie przeleciał na drugą stronę, był rosyjski „Mir" – olbrzym o pojemności dziewięćdziesięciu trzech tysięcy metrów sześciennych. Ciśnieniowa kapsuła wyposażona została nawet w butle z gazem, którym po drugiej stronie można było napełnić czaszę ponownie. Rozwiązanie czysto teoretyczne – w praktyce członkowie załogi nie daliby rady dokonać tego po lądowaniu po drugiej stronie gór. Ale jako sposób na poprawę samopoczucia – pomysł doskonały. „Mir" był prawdopodobnie pierwszy. W każdym razie nigdy nie znaleziono jego szczątków ani nie zauważono ich podczas obserwacji zboczy gór.

Być może drugim balonem, któremu się udało, był brytyjski „Explorer 3" z dwuosobową załogą złożoną z komandora Fellina i doktora Murphy'ego.

Trzecia i czwarta ekspedycja, po których nie znaleziono żadnych śladów, należały kolejno znowu do Rosjan oraz do Niemców. Najciekawszą jednak w tym okresie okazała się wyprawa polska. Zorganizował ją znany ekscentryk książę Osiatyński, miłośnik wiedzy tajemnej i okultysta. Dziwak ów jako towarzyszy podróży zabrał znane medium – hrabiankę Paczkowską – oraz najpotrzebniejszych służących. Luksusowo wykończona, wykonana z najdroższych materiałów ciśnieniowa kapsuła zawierała także specjalny boks będący prowizoryczną stajnią dla książęcego ulubionego wierzchowca, który również poleciał na wyprawę.

Mimo wrzawy w prasie i prób ośmieszania ekspedycji była to jednak jedyna wyprawa, której członkowie pomyśleli o jakiejś łączności z własną cywilizacją już po wylądowaniu po drugiej stronie gór. Towarzyszące księciu medium miało nawiązać łączność telepatyczną z innym medium, które pozostało w kraju.

Łączności tak niezwykłego rodzaju nie udało się nawiązać, co jednak nie deprecjonowało całej reszty. Ekspedycję uznano za udaną, to znaczy za taką, która pomyślnie przeleciała nad szczytami Gór Pierścienia.

Udało się prawdopodobnie jeszcze kilku wyprawom, zanim nie uznano ich za zbyt kosztowne i absolutnie nieefektywne. Podjęto pierwsze próby sforsowania Gór Pierścienia w taki sposób, żeby można było powrócić. Niestety, żaden samolotowy silnik tłokowy nie potrafił pracować w stratosferze. Eksperymentowano jednak, głównie w Rosji i we Włoszech, nad dwupłatowcami wielosilnikowymi, z których jeden był wyłącznie gigantyczną sprężarką dostarczającą powietrza pozostałym. Niestety, osiągany pułap ciągle okazywał się nieadekwatny do potrzeb. Próby zasilania silników tlenem z butli również nie przyniosły spodziewanych efektów. Silniki tłokowe nie były po prostu technologicznie zdolne do pokonania aż takiej bariery.

No i, niestety, myśl techniczna została w tym miejscu zablokowana. A potem wybuchła wojna. Nikt nie myślał o lotach nad Górami Pierścienia. Powojenny świat pogrążył się w kryzysie, który nie sprzyjał nawet podejmowaniu kolejnych prób przez bogatych ekscentryków. Naukowcy i poeci marzyli dalej. Dla tych pierwszych jasne było jednak, że musi nastąpić technologiczny skok, gwałtowny przełom, który znowu pozwoli myśleć poważnie o przejściu ostatecznej granicy między światami.

Wojskowa barka transportowa zbliżała się do brzegów wyspy o nazwie Tarpy. Wszyscy jednak na pokładzie, od weteranów, uczestników wielu bitew, po świeżuteńkich rekrutów, którzy jeszcze nie umieli nawet wykonywać rozkazów, wiedzieli, że prawdziwą nazwą i bardziej właściwą było: Tarapaty. Wśród dzieciaków, którym na punktach werbunkowych lub w oddziałach poborowych po raz pierwszy kazali włożyć armijne tuniki, ta nazwa budziła paniczny strach. Szkolić się można było wszędzie, w koszarach, w garnizonach, a najczęściej od starszych kolegów w marszu. Dosłownie wszędzie. Byle tylko nie na wyspie Tarpy – ośrodku szkoleniowym imperialnej armii. Podobno to gorsze niż śmierć. Podobno...

Shen siedziała tuż przy burcie. W przeciwieństwie jednak do koleżanek nie patrzyła rozszerzonymi ze strachu oczami na ponure brzegi. Oglądała swój amulet, który dostała od czarownicy w Negger Bank. Niby kawałek metalu, a zdawało jej się, że do niej szeptał. Mówił, sugerował, popychał w różne strony albo zatrzymywał i kazał się zastanawiać. Odkryła już jego sposoby. Bogowie! Za taki amulet księżniczki płaciły fortunę, a Shen dostała za darmo. Od przypadkowej czarownicy w Negger Bank, bo pewnie budziła u tamtej współczucie.

Biedna Shen nie domyślała się nawet, co trzyma w dłoni. Nie mogła mieć pojęcia, że to po prostu splot przypadków. Kai robiła przecież amulet na zaliczenie. Konkretnie, miał wskazywać z dość bliska, gdzie znajduje się twórca amuletu. Komisja złożona ze starych czarowników stwierdziła, że zadanie jest wykonane bardzo dobrze. I wystarczyło. Kai zaliczyła kolejny rok. Nikt jednak nie badał, co młoda adeptka magii zrobiła tak naprawdę. A ta spanikowała przed egzaminem. Napakowała do amuletu wszystkich możliwych zaklęć, jakie tylko potrafiła tam umieścić. Te blokowały się wzajemnie, nie działały poprawnie, nie działały w ogóle albo pojawiało się coś, co zupełnie nie było przewidziane w zastosowaniu poszczególnych zaklęć z osobna. Zwróciła się o pomoc do koleżanek, a one oczywiście pomogły. Nie ma to jednak jak kobieca przyjaźń. Niektóre dziewczyny pomagały szczerze, inne złośliwie, tylko po to, żeby zgnębić Kai na egzaminie. No... W końcu dzięki pracy zespołowej amulet zaczął spełniać swoją podstawową funkcję i to wystarczyło. Co robił jeszcze, żaden z czarowników nie miał zielonego pojęcia.

Shen nie wiedziała oczywiście o tym wszystkim, ale czuła. Miała wrażenie, że amulet do niej mówił. Jasna sprawa, nawet ona, wiejska dziewczyna, miała całkowitą pewność, że z amuletem nie da się rozmawiać, bo to nie człowiek. Rozumu nie ma. Ale jej babka była zaklinaczem, wiele jej powiedziała o cudach, które można nosić na szyi. Człowiek, mówiła, zasadniczo wie, co dla niego dobre i co powinien w danej chwili zrobić. Coś go jednak zatrzymuje, targają nim sprzeczne uczucia, nie może podjąć decyzji ani wybrać jednej z bezliku możliwości. Ale wie, co dobre, podświadomie. I dobry amulet może swojego właściciela pchnąć w tę właśnie stronę. Tylko tyle. Albo aż tyle, jak sądziła Shen, widząc, co działo się na brzegu, i modląc się do amuletu.

Barka przybiła do drewnianego pomostu, o mało go nie rujnując. Sternik albo miał niewielkie pojęcie o swoim fachu, albo też w marynarce wojennej panowała właśnie moda na taki styl pływania. Dwie dziewczyny w tunikach piechoty zaczęły wyganiać rekrutów na brzeg. Nie miały żadnych odznak, żadnych szarż, żadnych insygniów. Nie potrzebowały. Miały władzę.

– Won stąd! Won! Wyłazić, ścierwa! – krzyczały i jednocześnie kopały po głowach te z dziewcząt, które oszołomione nie chciały wypełnić rozkazu. – No co jest? Będziecie tak siedzieć do jutra? Wyłazić!

Kilku dziewczynom z dziobu udało się zmylić oprawczynie i przemknąć na pomost. Stanęły niezdecydowane, nie wiedząc, co robić. Jedna z witających skoczyła do przodu i zaczęła je okładać pięściami.

– Co tu stoicie jak cielęta? Meldować się!

– Ale jak się do pani zwracać?

– Na brzeg i tam sto przysiadów! – Po chwili funkcyjna zatrzymała się jednak. Pytanie najwyraźniej jej się spodobało. – Do mnie zwracajcie się „jaśnie pani" – wyjaśniła nawet z pewną dozą uprzejmości. – A do tej drugiej „Wasza Wysokość". Zrozumiano?!

– Tak.

– Tu się mówi: tak jest!!!

– Tak jest!

– Ładnie powiedziałaś, ale zrobisz jeszcze sto przysiadów ze względu na brak entuzjazmu w głosie. Ręce za głowę! Wykonać!

Obie, „jaśnie pani" i „Jej Wysokość", kopniakami wyganiały resztę dziewczyn na brzeg. Kilkanaście jednak zostało na barce, bojąc się wyjść wprost pod ciosy. „Jaśnie pani" stanęła w rozkroku i wzięła się pod boki.

– Sternik! – wrzasnęła. – Zatopić barkę!

Shen zerknęła na niego zaskoczona, czy rzeczywiście poświęci kosztowny sprzęt, żeby pognębić rekrutów, ale sternik wcale nie zamierzał. Z kilkoma marynarzami odblokowali i położyli burtę na płask, a potem po prostu za pomocą desek zepchnęli dziewczyny do wody. Niezły pomysł, zważywszy, że większość rekrutów pochodziła ze wsi i małych miast położonych z dala od morza czy większych akwenów. Raczej niewiele potrafiło pływać.

Shen pozwoliła ciału opaść na dno. Kiedy stanęła na piasku i wyciągnęła ramię do góry, dłoń już wystawała z wody. Niezbyt głęboko. Zresztą dla dziewczyny bez znaczenia, urodziła się na wsi, lecz... rybackiej. Nad wielkim jeziorem. Odbiła się lekko i po kilku chwilach podpływała do brzegu, unikając przy okazji jakichkolwiek ciosów. Tymczasem marynarze zabawiali się w wyławianie za pomocą bosaków duszących się i desperacko walczących o życie dziewczyn. Bawili się doskonale, a całe widowisko na reszcie rekrutów robiło odpowiednie wrażenie. Z całą pewnością nikt już nie zamierzał się stawiać.

„Jaśnie pani" i „Jej Wysokość" nie spieszyły się za bardzo. Powoli skłaniały nowe wojsko do myśli, że popełnienie przestępstwa i skazanie się tym samym na pobyt w głębokim lochu wcale nie jest złym sposobem na uniknięcie armii. Przestraszone dziewczyny wymieniały się cichymi uwagami. Nie spodobało się to „Jej Wysokości".

– Stul pysk! – ryknęła na najbliższą rekrut.

Rekrut oczywiście zamilkła natychmiast, lecz to nie spodobało się jeszcze bardziej.

– Czemu milczysz jak pień drzewa?!

– Bo kazałaś mi być cicho.

– Co?!!!

„Jaśnie pani" podskoczyła z tyłu i obie zaczęły lać biedną dziewczynę.

– Do mnie się mówi „Wasza Wysokość", kretynko. A kiedy wydałam ci rozkaz, to odpowiadasz: tak jest! Zrozumiałaś?

– Tak jest!

– Sto przysiadów z rękami za głową. Nie wyczułam w twoim głosie całkowitego oddania się naszej ojczyźnie oraz jej zbrojnemu ramieniu, czyli armii.

Obie oprawczynie zbyt się zadyszały, bijąc, więc postanowiły, żeby rekrutki załatwiły się same.

– Ty! – „Jej Wysokość" podeszła do pierwszej dziewczyny z brzegu. – Ustaw wojsko i poprowadź oddział do łaźni.

– Tak jest! – Zagadnięta czegoś już się zdążyła nauczyć. Odwróciła się nawet do koleżanek. – Słuchajcie, ustawmy się jakoś... Musimy przejść do łaźni. O! Stańcie tutaj, o.

– Dlaczego tutaj? – Któraś nie chciała zejść z udeptanego piachu na wilgotną glinę. – Lepiej tam, pod palmami.

– No, będziemy w cieniu – poparły ją inne.

– No ustawcie się, proszę. – Wyznaczona do realizacji zadania rekrut nie wiedziała, jakich argumentów użyć. – Stańcie na razie tu, a potem ja was poprawię.

– No ale jak stanąć? W prawo czy w lewo?

– Tu, tutaj, stąd dotąd, mniej więcej. – Biedna dziewczyna pokazywała palcem.

Shen obserwowała scenę spod oka. Jej amulet zdawał się warczeć na szyi. Czemu? Co ona robi nie tak? No myśl, idiotko! Obserwuj. Kim są te dwie bez dystynkcji, które wzięły rekrutów w obroty? No przecież nie generałami. Pewnie same są kapralami albo... Nagła myśl przeszyła umysł Shen. Albo są nikim. Rekrutami, jak one same, tyle że ciut starszymi stażem. I dlatego nie mają odznak. Kurde, no przecież! Przecież tu znajdują się tylko dziewczęta, które dobrowolnie podpisały, że chcą przejść kurs podoficerski. I następna myśl: dziewczyny, które przypłynęły dzisiaj razem z nią, trochę się różnią od tych dwóch, które mają władzę. A jeśli to ten sam kurs, to chyba nie powinny, prawda?

Rekrut na środku usiłowała doprosić się u koleżanek jakiegoś posłuchu. Daremnie. „Jej Wysokość" podeszła bliżej i obróciła ją przodem do siebie. Zaczęła do niej mówić, cicho i na pozór przyjaźnie.

– Posłuchaj, mała. – Położyła tamtej dłoń na ramieniu. – Musisz wiedzieć o jednej rzeczy. Musisz mieć choćby zielone pojęcie o tym, co nazywamy wrodzonym talentem przywódczym. Na razie jesteś ciemna jak noc na cmentarzu i dlatego damy ci czas na przemyślenie wszystkich spraw.

„Jej Wysokość" uśmiechnęła się sympatycznie. Tylko Shen stała na tyle blisko, żeby usłyszeć, co mówi. A może inaczej: tylko Shen zwróciła uwagę na to, co mówi.

– Teraz wrócisz na barkę, bo jest strasznie zapaćkana rzygami tych, co miały chorobę morską. A przecież sternik nie będzie tego mył, bo on nie od tego.

– Co mam zrobić? – Jakieś straszne podejrzenie wylęgło się w umyśle dziewczyny.

– Weź szmatę i wyczyść wszystko.

Bezmiar kary szokował tym bardziej, że rekrut nie wiedziała, za co spotyka ją coś aż tak przeraźliwego. Odruchowo wydukała tylko:

– Skąd mam wziąć szmatę?

„Jej Wysokość" dotknęła tuniki dziewczyny.

– Przecież masz na sobie. Zdejmij, posprzątaj, wypierz i znowu nałóż. Proste?

Zasłuchana w zaskakującą wymianę zdań Shen nie zauważyła, kiedy z boku podeszła „jaśnie pani".

– Ty! – Dotknęła Shen palcem. – Ustaw wojsko i poprowadź oddział do kuchni!

Ulotny moment równowagi wszechświata. Po której stronie się znajdzie? Maleńka chwilka na podjęcie decyzji. Chwilka, która się właśnie skończyła.

– Tyyy!!! – Shen szarpnęła najbliższą koleżankę. – Weź dziesięciu ludzi i ustaw w szeregu od palmy do murku!

– Ale...

Shen trzasnęła dziewczynę w twarz tak mocno, że tamta zatoczyła się, potknęła o coś i upadła. Podskoczyła do następnej.

– Ty wykonasz ten rozkaz!

– Dobrze.

– Stój! Nie widzę w twoich oczach entuzjazmu ani nawet cienia miłości do ojczyzny. Pięćdziesiąt przysiadów! – Skoczyła do następnej. – Ty wykonasz ten rozkaz!

– Tak jest!

No! Ktoś tu jednak ma głowę na karku. Biegła dalej.

– Ty bierzesz następną dziesiątkę i ustawiasz ich za tamtymi.

– Tak jest!

– Ty bierzesz trzecią dziesiątkę i ustawiasz za nimi na końcu!

– Tak jest!

– A ty – dopadła jakiejś sieroty, która nie wiedziała, do jakiego oddziału się przyłączyć, i przez to robiła wrażenie, że Shen nie jest dobrą organizatorką – masz się dowiedzieć, gdzie jest kuchnia. Pędem!

– T... tak jest.

– No jazda!

Idiotka wybiegła na drogę prowadzącą z portu do koszar i zaczepiła przechodzącą akurat panią sierżant. A ponieważ sierżant nie odpowiedziała na nieśmiałe pytanie, ośmieliła się dotknąć jej ręki i powtórzyć prośbę. Oczywiście zarobiła w pysk. Shen runęła biegiem ratować sytuację.

– Ty kretynko! – Kopnęła podnoszącą się z ziemi rekrut. – Pięćdziesiąt przysiadów z rękami za głową! Już!

Odwróciła się do pani sierżant.

– Przepraszam najmocniej, to się już nie powtórzy.

– Ja myślę! – o dziwo, pani podoficer odpowiedziała łaskawie. – Dorzuć jej jeszcze pięćdziesiąt ode mnie.

– Tak jest! – Shen skwapliwie wypełniła rozkaz, zapowiadając biednej ofierze, że prędzej jej ojciec zostanie cesarzem, niż jego córka skończy robić przysiady. Ta uwaga wyraźnie spodobała się pani sierżant. Shen postanowiła to wykorzystać, żeby zdobyć potrzebne informacje. – Najmocniej przepraszam jeszcze raz – zwróciła się do pani podoficer. – Ale o co ta idiotka pytała?

– Nie wiem, skąd to cielę wytrzasnęłaś – usłyszała w odpowiedzi. – Pytała, gdzie jest kuchnia. A przecież prawie pod nią stoimy. – Sierżant ręką wskazała jakiś barak niedaleko.

Shen nie zdążyła nawet podziękować, kiedy z dwóch stron dopadły ją „Jej Wysokość" i „jaśnie pani". Skuliła się w oczekiwaniu na jakieś szczególnie wyrafinowane kary. Może nawet wylizywanie pokładu barki. „Jaśnie pani" pierwsza chwyciła Shen za ramię i pociągnęła w swoją stronę.

– Ja ją sobie biorę! – krzyknęła. I co najbardziej zastanawiające, w jej głosie nie można było wyczuć żadnej groźby. Jedynie radość, jakby nagle znalazła coś przydatnego, i to w miejscu, gdzie niczego takiego nie powinno być.

– Akurat! – „Jej Wysokość" szarpnęła Shen z drugiej strony. – Ja ją sobie biorę!

– Pędź się, bura suko! To moja własność. Ja ją sobie znalazłam!

– Spierdalaj! – „Jej Wysokość" szarpnęła mocno za tunikę. – Ja ją sobie...

– Stulić pyski, kurwy jedne! – wrzasnęła nagle pani sierżant.

Zapadła cisza tak idealna, że dało się usłyszeć cichy płacz nagiej dziewczyny, która własną tuniką czyściła pokład barki przy nabrzeżu. Oczy podoficera nagle zmrużyły się podejrzliwie.

– Czy ta suka, którą szarpiecie, przyjechała dzisiaj razem z innymi?

– Tak jest!

– I nowa, totalnie zielona tak sobie radzi?!

– Tak jest!

Sierżant uśmiechnęła się z niedowierzaniem. Stała dłuższą chwilę w milczeniu. A potem chwyciła Shen za włosy, szarpiąc z całej siły i wyciągając spomiędzy tamtych dwóch.

– Łapska od niej won, jedna z drugą! – ryknęła. – Ja ją sobie biorę!

– Ale zaraz, pani sierżant... – „jaśnie pani" usiłowała się stawiać.

– Czego mnie tu ozorem mieli?

– Bo papier jest! Że nam pluton nowych w pełnym składzie przysłali do szkolenia. I liczba się nie będzie zgadzać.

Sierżant wzięła kartkę z ręki „jaśnie pani" i zmięła w dość sporą kulę. Potem, ciągnąc za włosy, przygięła Shen tak, że głowa dziewczyny znalazła się na wysokości jej uda. Drugą dłonią podetknęła jej kulę pod usta.

– Masz, jedz – wydała komendę. – I widzicie? – Podniosła głowę. – To tylko kawałek papieru. Wszystko można z nim zrobić. I dziękujcie, że jestem obrzydliwa, bobym jej kazała do dupy se wsadzić! Wypluj na drogę, dziecko. Pokaż im, co zostało – zwróciła się do rekrutki.

Shen wypełniła rozkaz bez zwłoki.

– Ale co my powiemy pani porucznik? – „Jej Wysokość" zrobiła płaczliwą minę. – Że nam pani rekruta zabrała?

– A powiedz jej, co chcesz – roześmiała się sierżant. – A w ogólności to piechota i tak może dupę polizać wojskom specjalnym. To teraz nasz rekrut.

Rozdział 3

Alarm! Alarm!

Wrzask na korytarzu zagłuszał przenikliwy dźwięk syreny. Do awaryjnych czerwonych świateł dołączyły pulsujące niebieskie.

– Alarm!

Tomaszewski mało nie spadł z wąziutkiej koi. Niebieskie światła. Alarm bojowy! Wszystko byłoby jasne, gdyby nie drobny fakt: jakiego to przeciwnika mogli spotkać, będąc w zanurzeniu na nieznanych wodach? Rzeczpospolita Polska nie prowadziła przecież z nikim wojny! Nie miała też zbyt wielu wrogów, a przynajmniej nie takich, którzy chcieliby wszcząć znienacka działania wojenne. O co więc szło?

Zerknął na zegarek. To nie czas jego wachty, ani też żadnej z faz oczekiwania. A to znaczyło, że w wypadku alarmu bojowego Tomaszewski ma objąć dowództwo sekcji ratowniczej. Wyskoczył na korytarz, dopinając guziki koszuli. Cholerne pulsujące światła. I to w momencie, kiedy gonili na resztkach prądu. Na szczęście droga, jak na każdym okręcie podwodnym, siłą rzeczy nie była skomplikowana. Wzdłuż korytarza, uśmiechnął się w duchu.

Umieszczone tuż pod mostkiem stanowisko dowodzenia ratowniczego zostało już obsadzone przez bosmana Mielczarka i jego ludzi, szamoczących się właśnie z kombinezonami. Przebieranie się w koszmarnej ciasnocie w strój wykonany z grubej gumy zawsze stanowiło podstawę do zakładów pomiędzy marynarzami: ile tym razem będzie podbitych oczu, połamanych nosów i wytłuczonych zębów. Jedynie oficerowi przysługiwało nieformalne prawo do przebrania się na korytarzu. Tomaszewski skwapliwie z niego skorzystał. Klnąc, wkładał koszmarnie cuchnący kombinezon. Zastanawiał się, jak długo będzie musiał w nim tkwić.

– Zamelduj o gotowości sekcji – rozkazał Mielczarkowi, mocując na klatce piersiowej maskę tlenową.

Bosman uruchomił połączenie awaryjne na centralce, równoznaczne z sygnałem o gotowości sekcji. Migające niebieskie światła wokół zgasły. Syrena wyła nadal.

– Co się dzieje?

Mielczarek dotknął swoich uszu, dłońmi wskazał coś na górze i rozłożył ręce. Tomaszewski domyślił się, że bosman coś wie, ale to coś jest raczej do przekazania szeptem, a nie krzykiem w tych warunkach. Doskonale go rozumiał.

Przez chwilę miał wrażenie, że okrętem rzucało. Nie za ostro, ale tak jakby znajdowali się na powierzchni. Zerknął na głębokościomierz. Nie był wyskalowany w metrach, żeby nikt z załogi nie wiedział, jakie są możliwości zanurzenia eksperymentalnego okrętu, lecz położenie wskazówki na tarczy zegara dobitnie świadczyło, że ciągle tkwili bardzo głęboko.

Syrena umilkła nagle. Dopiero teraz dało się słyszeć szelest ocierających się o siebie gumowych kombinezonów, pokasływania ludzi i ich ciężkie oddechy. Tomaszewski dał znak bosmanowi i obaj wysunęli się na korytarz.

– Co to było, do cholery?

Mielczarek też najwyraźniej nie wierzył w możliwość spotkania jakiejkolwiek wrogiej jednostki w zanurzeniu gdzieś na końcu świata.

– Pojęcia nie mam, po co im ten alarm bojowy. Nagle zaczęło trochę rzucać. Myślałem, że się wynurzyliśmy, i spokojnie spałem dalej, ale... Wie pan, panie poruczniku, sen to ja mam czujny. No i zwlokłem się z koi od razu, jak usłyszałem bąbelki.

– Kurza twarz, jakie bąbelki?

– Coś zaczęło szumieć. Chu... hm, cholera wie co.

– Jak to szumieć? W instalacjach?

– No właśnie nie. Brzmiało, jakbyśmy płynęli w szampanie zaraz po otwarciu butelki. Po mojemu szumiało dokoła.

Tomaszewski nie mógł sobie wyobrazić rejsu przez bąbelki. Poniżej rozszczelniły się zbiorniki jakiegoś innego okrętu podwodnego? Bzdura. To byłby huk eksplozji i już. Żadnych bąbelków, które we wnętrzu ich „Dragona" dałoby się usłyszeć. A poza tym na tej planecie nie istniało nic poza batyskafem, co mogłoby zanurkować głębiej niż oni. Więc co? Wulkan? No nie... Gdyby przepływali nad wybuchającym wulkanem, toby ich już nie było po prostu. No nic. Nie mieli możliwości dowiedzieć się czegokolwiek.

Wrócili do sekcji ratunkowej. Ludzie sprawdzali sprzęt, a właściwie to markowali jakiekolwiek działanie. Co tu sprawdzać, skoro wszystko sprawdzone do ostatniej, najmniejszej uszczelki podczas wielogodzinnych nudnych wacht? Nie otrzymali sygnałów o żadnym pożarze, żadnym przecieku, żadnym wypływie chemikaliów z instalacji. Co więc robić? Pocić się obficie pod wieloma warstwami gumy.

Siedzieli na wąskich ławkach pod ścianami, usiłując nie patrzeć na siebie. Niektórzy marynarze, szczególnie ci o silnych nerwach albo bezbrzeżnie małej wyobraźni, drzemali z głowami opartymi o ramiona kolegów. Nikt z nikim nie rozmawiał. Właz nad ich głowami był szczelny. Z mostka powyżej nie dobiegał żaden dźwięk. Okrętem ciągle rzucało, niezbyt gwałtownie, właściwie na granicy wyczuwalności. Tomaszewski zastanawiał się podczas upływających godzin, czy nie są to przypadkiem jedynie efekty działania podnieconej wyobraźni. Głębokościomierz wskazywał niezmiennie zanurzenie – żadnych konkretnych wartości nie dało się oczywiście odczytać.

Nagle Mielczarek drgnął. Nachylił się w stronę wyjścia na korytarz, zerknął tam i błyskawicznie powrócił do poprzedniej pozycji. W kontaktach ze „swoim" porucznikiem wypracowali system kodów. Teraz też – najpierw wskazał oczami sufit, potem korytarz, a palcami wykonał na drugiej dłoni ruch symbolizujący kroki. Tomaszewski zrozumiał. Ktoś opuścił mostek i zamiast zejść, prawdopodobnie zjechał po drabinie. Był więc zwykłym marynarzem do prostych poruczeń, a nie oficerem, któremu nie przystoją podobne zachowania. A od takiego można się czegoś dowiedzieć. Swoją drogą, podziwiał słuch Mielczarka, do niego żaden podejrzany dźwięk nie dotarł.

– Bosmanie, w mojej kajucie zostawiłem instrukcję awaryjną RS-21 – skłamał głośno na użytek marynarzy. – Proszę ją natychmiast przynieść.

– Tak jest!

Mielczarek zerwał się z ławki i popędził za facetem z mostka. Na szczęście nie kazał na siebie długo czekać. Kiedy Tomaszewski usłyszał kroki powracającego bosmana, przekazał dowództwo sekcji najbliżej siedzącemu matowi, mówiąc, że idzie się odlać. Bardzo nieregulaminowe zachowanie. Starzy marynarze wiedzieli jednak, że będzie o kilka kroków od stanowiska sekcji i w razie czego mają go po prostu zawołać.

– No i co? Dowiedziałeś się czegoś?

Bosman skinął głową. Marynarz, którego wysłano na dziób do sprawdzenia jakiegoś połączenia, stał na mostku od samego początku. Może i niewiele rozumiał ze wskazań przyrządów i z rzucanych przy nim fachowych uwag, ale durny nie był. W każdym razie przedstawił swoją wersję zdarzeń.

– Ale jaja, panie poruczniku. Ale jaja.

– No mów, czego się dowiedziałeś.

– Tam na górze „akcja panika". Żaden z marynarzy nie wie, co się dzieje. A w dodatku tajemnica na maksa. Z cywilów nikt niby też nic nie wie, a nawet jeśli wie, to się boi powiedzieć. Ta pani inżynier to dwa razy wychodziła z kapitanem, żeby móc porozmawiać, tak żeby inni nic nie słyszeli. Nawet oficerowie. A nawet inni inżynierowie.

– W końcu jest głównym inżynierem stoczni.

Bosman wciągnął z sykiem powietrze. Potem spojrzał Tomaszewskiemu prosto w oczy.

– Tak po mojemu, na głupi chłopski rozum, to ona jest kimś znacznie ważniejszym.

Tomaszewskiemu, wychowanemu w rodzinie pielęgnującej tradycyjne wartości, nie mieściło się w głowie, że kobieta może zajmować jakieś ważne stanowisko. A na pewno nie w przemyśle. A już całkiem na pewno nie w marynarce wojennej. Do przepełnienia kielicha goryczy brakowało tylko, żeby mianowano kobietę admirałem. Ciekawe, jaki marynarz wykonałby rozkaz wydany przez babę? Już łatwiej mogłoby pójść z oficerem, bo ten, jako dżentelmen, przynajmniej uprzejmie wysłuchałby damy do końca. Ale zwykły majtek? A niech se baba gada po próżnicy... A tu? To, co się działo na „Dragonie", przechodziło wszelkie wyobrażenie.

– Ale co się w ogóle wydarzyło?

– Najpierw był jakiś wybuch. Kolejny, który zanotowano przez urządzenia nasłuchowe.

– I co?

– Nic. Długo nic. – Bosman przełknął ślinę. – A potem usłyszeli bąbelki. Jakbyśmy płynęli w szampanie. – Jak widać, niezwykły szum wody kojarzył się wszystkim z tym samym.

– Podali jakąś interpretację?

– Sami nie wiedzieli, ale mówili, że w bąbelkach nie da się pływać. Zmieniłaby się nam wyporność i sru w dół. Czy jakoś tak. W końcu uradzili, że może woda szeleści na burtach...

– Szeleści?!

– No jakoś tak, że przepływa ze straszną szybkością. Sami nie wiedzieli – powtórzył bosman. – No i że nas niesie ze sobą, tak samo szybko.

– Co, w jakiś wir wpadliśmy?

– Nie, bo żyrokompas nie zwariował. A inne przyrządy tak.

Tomaszewski niewiele rozumiał z chaotycznej opowieści bosmana.

– To w którą stronę płynęliśmy?

– A! Tego właśnie nie wiedzą, bo nie mają pojęcia, czy płyniemy dziobem do przodu.

– Do jasnej cholery, przecież...

– Przyrządy zwariowały. – Bosman machnął ręką. – Potem nas obracało. Niezbyt szybko.

– A wskazania?

– Echolokacja też zwariowała.

– Jak to zwariowała? Coś przecież przyrządy musiały wskazywać.

– Wskazywały, owszem. Najpierw, że dno się podnosi. No to zaczęli zmniejszać głębokość. Nic takiego, tyle że strach coraz większy, czy prądu wystarczy, bo wie pan...

Z racji paranoidalnej sytuacji rzeczywiście gonili na resztkach prądu. Normalnie jednak, gdyby coś się stało w zanurzeniu, to nagła awaria i brak prądu nie byłyby jeszcze katastrofą. Zbiorniki balastowe można napełnić powietrzem ręcznie. Lecz nie w przypadku okrętu, który płynie i w którym nie można użyć silników elektrycznych do manewrowania. Tu brak czasu na ustawianie wszystkiego ręcznie mógł się skończyć katastrofą.

– Nie próbowali się wynurzyć? Choćby pod huragan?

– No właśnie o to chodzi. Echolokacja ponoć zaczęła dawać odbicie z każdej strony.

– Jak to z każdej?

– Ten majtek gadał, że tak jakbyśmy płynęli w jakiejś rzece. Albo, co gorsza, w tunelu.

– Kurdebalans! Z góry też dochodziło echo?

– U góry jest powierzchnia wody – odparł bosman trzeźwo. – A co nad nią, to już echolokator nie wyłapie.

Tomaszewski przygryzł wargi. Trochę rozumiał kapitana Kozłowskiego. Jeżeli prąd oceaniczny porwał okręt i wprowadził do jakiegoś podwodnego wąwozu, to rzeczywiście pole manewru było ograniczone. Prąd ma z reguły to do siebie, że nie wali z całym impetem w jakąś przeszkodę. W przeciwieństwie do huraganu, którego spodziewali się na powierzchni. Gdzie wpłynęli? Jak głęboko się znajdowali? Mętlik.

Z chaotycznej opowieści bosmana z drugiej ręki ciężko było wywnioskować, co działo się tak naprawdę.

– Dobra, wracamy do reszty wachtowych – zakomenderował.

Kiedy zajęli miejsce w coraz bardziej dusznym pomieszczeniu, usiłował się zdrzemnąć. Wolał nie roztrząsać jałowo rewelacji przekazanych przez bosmana. Zresztą nie bardzo wierzył w te wieści. Wydawało się prawdopodobne, że miał tu zastosowanie mechanizm znany pod nazwą „głuchy telefon". Pierwszy nie zrozumiał, drugi przeinaczył, trzeci dodał własną interpretację, no i wyszła wersja z podwodnymi tunelami wsysającymi eksperymentalne okręty podwodne.

– Jak pięknie. – Filozof podszedł do Kai stojącej przy burcie blisko dziobu. – Ależ są blisko. – Popatrzył w stronę Gór Bogów.

– Nie daj się zwieść. – Parsknęła śmiechem. – One są naprawdę wysokie. Widać z daleka, a każdemu się wydaje, że to tuż-tuż.

– Długo jeszcze będziemy płynąć?

– Oj, długo, długo.

Filozof zaplótł ręce na piersiach.

– Robią wrażenie.

– No. – Kai jeszcze raz popatrzyła na sięgające nieba zbocza. Słońce stało w zenicie, co sprawiało, że na stokach tworzyły się zupełnie nieprawdopodobne złudzenia optyczne. Raz wydawało się, że jakiś olbrzym otwiera gigantyczne wrota, innym razem – że ocean ciągnie się dalej, ale zamiast trwać normalnie, sam wznosi się coraz wyżej i wyżej.

Robiło się coraz goręcej. Wiatr ucichł zupełnie. Ich statek musiał iść na samych wiosłach. Członkowie załogi, którzy nie mieli żadnego zajęcia, przystawali obok nich, żeby sycić oczy tymi widokami.

– Flauta – filozof dał dowód, że zaczął się uczyć żeglarskich zwrotów. – Woda jest tak idealnie spokojna, że wszelkie opowieści o ośmiornicach olbrzymach zdają się blednąć, prawda?

– Tak! – potwierdziła, uśmiechając się do niego. Miała doskonały nastrój. Zresztą nie tylko ona.

– Nic cię nie martwi?

– Zasadniczo nic. Czuję tylko straszliwe oddalenie. I od domu, i...

– Rozumiem. – Skinął głową. – Dziwne poczucie, że jest się absolutnie zdanym na siebie. Tu nikt nie pomoże.

– Coś w tym rodzaju.

– Przynajmniej pogoda nam sprzyja – westchnął. – Nie zmieni się do jutra?

Zaczęła się głośno śmiać.

– Nie mam zielonego pojęcia. Ale w kościach mnie nie łupie, więc... No nie, to tylko świadczy, że jestem za młoda, żeby mieć chore stawy.

Też zaczął się śmiać. Przez chwilę rozmawiali o tym, dlaczego czarownice nie potrafią przewidywać pogody i jaki majątek zbije ten, kto nareszcie będzie potrafił. Pojawiło się szerokie pole do pseudonaukowej dyskusji, co oboje uwielbiali, ale przerwał im czyjś okrzyk. Jeden z marynarzy wskazywał coś palcem na horyzoncie.

Kai wytężyła wzrok. Nic. Tafla oceanu jawiła się idealnie równa, nie wiał najlżejszy choćby wiaterek. Nie było nawet tchnienia. I nagle zauważyła. Bez cienia podmuchu zbliżała się do nich niewielka fala. Jedna, druga, trzecia... Pierwsza uderzyła o burtę, chwiejąc statkiem. Rozległ się głośny plusk, trzask takielunku i odgłos spadających na pokład przedmiotów, które nie zostały dobrze przymocowane. Następna fala była większa, potem jeszcze większa.

Ktoś krzyknął znowu. Rozległ się tupot stóp jakiegoś panikarza. No i po co biec gdziekolwiek? Gdzie tu można uciec? Kolejne fale pojawiały się już jednak coraz słabsze. Ludzie rozglądali się wokół. Co to było? Statek kołysał się łagodnie. Co się wydarzyło? Przecież nie ma wiatru! Znikąd nie dochodził nawet najlżejszy powiew.

Zaaferowany sternik podbiegł do nich z rufy, jakby tutaj, na dziobie, chciał dostrzec coś, co było niewidoczne z jego stanowiska. Rozglądał się gorączkowo.

– Widziałeś już kiedyś coś takiego? – spytał go filozof.

Sternik pocierał nerwowo brodę.

– Pierwszy raz w życiu – szepnął.

Tym razem zamiast syren alarmowych, podoficerów wachtowych, bosmanów czy choćby budzika Tomaszewskiego z krainy snu wyprowadził łagodnie porucznik Siwecki.

– Wstawaj, wstawaj – szeptał. – Postanowiłem cię obudzić trochę wcześniej, żebyś miał czas się otrząsnąć.

– Otrząsnąć? – Tomaszewski spuścił nogi ze swojej malutkiej koi. Siwecki wycofał się na korytarz, żeby umożliwić przyjacielowi jakikolwiek manewr. Dalsza rozmowa odbywała się więc przez otwarte drzwi.

– Zaraz i tak będą budzić wszystkich.

– Wszystkich? Znowu jakiś alarm?

– Gdyby był alarm, słyszałbyś syreny.

Tomaszewski sięgnął po zegarek. Tarczę oświetlił latarką.

– Kurde. Moja wachta dopiero za pół godziny.

– Dzisiaj lepiej być na mostku w stanie całkowitej przytomności. Doprowadź się do porządku.

– Co będzie na główne danie?

– Wynurzamy się.

Tomaszewski uderzył głową w półkę nad koją. Szlag! No tak... Nie mogli przecież tkwić pod wodą w nieskończoność. Współczuł kapitanowi próby wykonania tego zadziwiającego rozkazu: „Zanurzyć się natychmiast!”. A kiedy się wynurzyć? Dowódca musiał podjąć tę decyzję sam. I chyba stan okrętu był już wystarczająco krytyczny, żeby ją podjąć. Choć ORP „Dragon” zadziwiał odpornością na przeciwności losu. Właściwie brakowało tylko prądu elektrycznego – cała reszta, powietrze, chemikalia do pochłaniaczy, zaopatrzenie, pozostawała dostępna w wystarczającej ilości.

– No tak – mruknął. – To chyba się domyślam, o co chodzi dowództwu, że kazało budzić oficerów.

– No?

– Stary chce się zabezpieczyć i mieć świadków, że decyzję o wynurzeniu podjął w stanie absolutnej konieczności.

Siwecki skinął głową.

– Mhm. Ciekawe, czy będziemy podpisywać protokół.

Tomaszewski dzięki wcześniejszej pobudce zdołał zlustrować jeszcze swoich ludzi. Skądś już oczywiście wiedzieli, że będzie wynurzenie. Dyżurne sztormowe płaszcze były co prawda pobierane z pomieszczenia przy kiosku, ale każdy z nich trzymał zapasową latarkę i żółte gogle. Po co? – zastanowił się przez chwilę. Przecież w przeciwieństwie do ostatniego wynurzenia teraz był środek dnia. No tak, mieli rację. Byli prawdopodobnie pod huraganem i nie mieli zielonego pojęcia o jego sile. Na górze mogło być czarno jak w dupie.

Wachtę przejął bez problemów. Kapitan ani inżynierowie jeszcze nie przyszli. Złapał się na tym, że odruchowo traktuje cywilów jak świtę dowódcy. Uśmiechnął się pod nosem. Z innych zmian na mostku zauważył, że krokomierz został już częściowo poskładany. W każdym razie nigdzie wokół nie walały się lampy elektronowe porozkładane na irchowych ściereczkach. Ciekawe, kiedy to zrobili. Nie zdążył obliczyć, ile godzin temu odwołano alarm bojowy, przez który musiał wypocić wszystkie płyny w szczelnym gumowym ubranku.

Kapitan zjawił się znienacka, wbrew wcześniejszym podejrzeniom sam. Ani oficerów, ani inżynierów, ani protokołu. Zadziwił tym Tomaszewskiego tak, że porucznik z całych sił musiał się skupić, by zameldować stan okrętu. Kozłowski jednak nie zwracał na meldunek uwagi.

– Niech pan nas wyprowadzi na powierzchnię – mruknął.

– Tak jest!

– Tylko ostrożnie z ludźmi. Nadal nie wiadomo, jaka pogoda.

– Tak jest! – Tomaszewski odwrócił głowę. – Bosman do mnie. Przygotować się do „góry".

No proszę, przemknęło mu w głowie, jak to nieszczęścia sprawiają, że wszyscy wokół stają się bardziej ludzcy. Kozłowski musiał podjąć własną decyzję, bez rozkazu, strach zajrzał w oczy i... I jakoś tak nagle zaczęła obchodzić go załoga. Przedtem nie miał wątpliwości, wysyłając ich w sztormie do rozkładania masztu po ciemku. A za użycie awaryjnego dostało się Tomaszewskiemu.

– Pełna gotowość do góry – zameldował Mielczarek.

– Góra!

– Tak jest!

Marynarze sprawnie wykonywali rozkazy. Stalowy kolos w syku napełnianych komór balastowych, jednostajnym łomocie silników parł na powierzchnię i nic nie było już w stanie go zatrzymać. Kapitan zdawał się tym nie interesować. Obojętnie odbierał komunikaty z poszczególnych stanowisk. Echolokacja meldowała pusty akwen, bez żadnych obcych jednostek wokół, wychodzili więc z pominięciem peryskopowej. RP nie prowadziła z nikim wojny, nie musieli stosować się do specjalnych procedur.

Kiedy okręt się wynurzył, Tomaszewski dopiął guziki sztormowego płaszcza.

– Kiosk!

Mielczarek ruszył przodem. Kozłowski nie wziął nawet ze schowka sztormiaka, dał znak, że nie będzie jeszcze wychodził. Siłą rzeczy oficer wachtowy musiał pójść jako drugi.

Na szczycie drabiny poraziło Tomaszewskiego ostre światło. Szlag! Wystawił głowę, ale oślepiony nie mógł dostrzec niczego konkretnego. Wyszedł prawie po omacku. Gałki oczne dosłownie pulsowały fizycznym bólem. Było samo południe, idealna pogoda, słońce w zenicie. Szlag! Co za upał. Szarpał się z kapturem i specjalną gumowaną czapką będącą częścią zestawu sztormowego. Nie mógł rozpiąć płaszcza, paski lornetki, rakietnicy i całego oporządzenia plątały się wściekle.

Jaki skwar! Rozejrzał się wokół, na razie z maksymalnie zmrużonmi powiekami. Flauta, zero wiatru, lśniąca powierzchnia oceanu tak jasna, że powodowała w oczach powidoki. Majestatyczne Góry Pierścienia. Czyściuteńkie niebo. Coś jednak było nie tak.

Marynarze kolejno meldowali brak jakichkolwiek obiektów w swoich ćwiartkach obwodu i półsferach.

Wszystko OK. Płynęli sami na idealnie spokojnym oceanie. Cisza.

I wciąż Tomaszewski miał wrażenie, że coś jest nie w porządku.

– Panie poruczniku! – w głosie Mielczarka nie było niepokoju. Na razie tylko ciekawość. – Kompas zwariował.

– A żyro?

– Żyrokompas też.

– Pieprzony sprzęt. Jaka jest różnica między nimi?

Bosman przełknął ślinę.

– No właśnie żadna. Oba zwariowały tak samo.

Tomaszewski oparł się o korpus ogromnego przeciwlotniczego karabinu maszynowego.

– Ej, ty! – Uśmiechnął się do Mielczarka. – A nie pitol mi tu na głodno.

– Ale ja poważnie, panie poruczniku. Według wskazań północ jest tam. – Pokazał palcem.

– Tam?

– Tam, jak pragnę wszelkich dóbr doczesnych... – Bosman nagle wpadł na jakiś pomysł. Odwrócił się i ryknął na marynarza, który stał na górnym podeście. – To działko przeciwlotnicze ma własny żyrokompas. Zdjąć pokrywę.

– Tak jest!

– Widzisz go? Działa?

– Tak jest!

– No to zerknij, gdzie północ, i pokaż kierunek!

– Tak jest! O! Północ jest... – Marynarz wyciągnął rękę w stronę Gór Pierścienia i zamarł nagle w bezruchu i bezbrzeżnym zdziwieniu. – Tam...

Tomaszewski poczuł pierwsze, jeszcze lekkie igiełki strachu uwierające gdzieś w okolicy podbrzusza. Chyba sobie nie ufał, bo postanowił powierzyć sprawę komuś innemu. Wykorzystując uprawnienia dowódcy kiosku, zdjął pokrywę z wodoszczelnego panelu i podniósł do ust mikrofon.

– Oficer nawigacyjny na kiosk! – wydał rozkaz.

Nie musiał długo czekać. Kapitan widać stał blisko konsoli łączności, bo po sekundzie usłyszeli jego wkurzony okrzyk:

– Co to ma znaczyć?!

– Muszę określić pozycję okrętu, panie kapitanie.

– I do tego potrzebuje pan aż oficera nawigacyjnego?! A może przyślę admirała, głównodowodzącego floty, i niech on panu wszystko pomierzy?! Co?

– Melduję, panie kapitanie, że będzie to bezprecedensowy pomiar.

– Bo?

– Bo znajdujemy się po drugiej stronie Gór Pierścienia. Tej niewłaściwej.

Tym razem głośnik milczał. Marynarzy wokół zatkało również.

Sierżant Wae wrzuciła Shen do środka niewielkiego baraku, a właściwie chaty, która miała dach, cztery pale służące za podpory i coś w rodzaju trzcinowych ścianek doprowadzonych do połowy wysokości. Na ziemi znajdowało się kilkanaście legowisk wykonanych z jakichś gałązek, pnączy i czegoś jeszcze. Dostała koc, blaszaną miskę, łyżkę oraz starą, wytartą do granic możliwości kurtkę.

– Niewiele masz – mruknęła sierżant. – Ale jak zobaczysz, co się dzieje dookoła, docenisz to, co dostałaś. I to, gdzie jesteś.

Shen, uwolniona od chwytu za włosy, miała straszną ochotę spytać o milion rzeczy. Jednak, na szczęście dla niej, instynkt samozachowawczy kazał dziewczynie trzymać gębę zamkniętą na skobel. Wyraźnie spodobało się to pani podoficer.

– Skombinuj sobie jakieś posłanie – powiedziała łaskawie. – Nie kradnij, bo cię zabiją. To znaczy... nie kradnij u swoich. Oddział wróci wieczorem. Do tego czasu zgodnie z regulaminem zapoznasz się z taktyką pola walki naszej piechoty.

Sierżant kopnęła wielki kosz stojący w rogu. Wysypały się z niego metalowe naczynia.

– Posłuchaj uważnie. Piechota ćwiczy tam. – Ręką pokazała kierunek wzdłuż przecinki w tropikalnym lesie. – Tam gdzie strumyk, łatwo znajdziesz. Pójdziesz tam, siądziesz nad strumykiem i będziesz obserwować ćwiczenia piechoty. Zrozumiałaś?

– Tak jest!

– No. A żeby ci się nie nudziło, wymyjesz te wszystkie naczynia i wypierzesz brudne tuniki. – Sierżant wskazała drugi kosz. – Na pewno masz jakieś pytania, co?

– Ani jednego, pani sierżant.

Wae zmrużyła oczy.

– Aleś ty, kurwa, sprytna – fuknęła z pewnym nawet uznaniem, widząc, że ofiara nie daje żadnego powodu, żeby obdzielić ją jakąś karą na dzień dobry. – Wykonać, na jednej nodze.

– Tak jest!

Nie czekając, aż sierżant zdąży się odwrócić, Shen chwyciła oba kosze, nogą zagarniając rozsypane naczynia. Po chwili ruszyła biegiem we wskazanym kierunku. Kosze były ciężkie, ale dawała radę. Nie takie rzeczy się myło i prało... Wystarczyło sobie przypomnieć karę w rodzaju mycia barki z wymiocin za pomocą własnej tuniki albo chociażby sto przysiadów z rękami za głową, a obecne zadanie wydawało się wręcz wygraną na loterii.

Bez trudu odnalazła miejsce nad strumieniem tuż przy polu ćwiczeń piechoty. Poczuła się jak intruz, bo obok stos naczyń szorowała piaskiem inna ofiara. Piegowata, trochę przysadzista dziewczyna podniosła głowę na widok Shen.

– Za co? – spytała.

– Za nic.

– Aha, nowa jesteś. Znaczy tylko małe szorowanko na powitanie.

– Na to wychodzi.

– To masz jakieś kurewskie szczęście, że nie wyczyścili jeszcze twoimi zwłokami połowy lasu albo przynajmniej wszystkich latryn.

– Staram się. I nie wiem, czy w tej chwili nie podpadam właśnie tobie w jakiejś nieznanej mi kwestii.

Piegowata uśmiechnęła się, z pewnym podziwem nawet. Potem wyciągnęła rękę.

– Jestem Kano, desant piechoty morskiej. Jak widzisz, nie stanowimy dla siebie konkurencji, więc się nie ścigamy.

– Aha. Shen. – Odwzajemniła uścisk. – Wojska specjalne.

– Ożeż... Ale mi się trafiło. – Kano zaczęła się śmiać. – Połysk zastawie stołowej nadają tu same armijne elity.

Dziewczyna okazała się bardzo sympatyczna. Obie szorowały swój przydział naczyń, rozmawiając o głupotach. Piasek i zimna woda to trochę mało, żeby mogły sobie łatwo poradzić z brudem. Musiały się ostro przyłożyć.

– Obserwuj piechotę – poradziła Kano. – Ja kiedyś też skupiłam się na myciu, a potem sierżant mnie odpytała i... ćwiczyłam żabki przez pół nocy.

– A co one robią? – Shen popatrzyła na małe oddziały strzelców maszerujące niemrawo na polanie.

– No jak co? To przecież bitwa.

– Bitwa?

Shen nie potrafiła czegoś zrozumieć. Nigdy żadnej bitwy oczywiście nie miała okazji widzieć. Nie miała też pojęcia o manewrach wojska. Ale to, co działo się przed nią, przechodziło wszelkie pojęcie. Żołnierze ustawiały się po dwadzieścia w dwa szeregi i maszerowały grupami, tak żeby pod koniec uczynić zwrot frontem do przeciwnika, który robił to samo. Potem pierwszy szereg klękał, dowódcy wykrzykiwali komendy i po szczególnie głośnym wrzasku jakiegoś oficera wszystkie strzelały do siebie z niewielkiej odległości. Do siebie, to znaczy do koleżanek, które grały rolę przeciwnika. Oczywiście oddawały symulowany strzał. Po pierwsze, proch był bardzo kosztowny, po drugie, po co zabijać koleżanki, skoro wróg przy takim sposobie prowadzenia wojny zrobi to szybciej niż w jedną modlitwę.

– Bogowie... – wyrwało się Shen. – To tak wygląda?

Dziewczyna z desantu zaczęła się śmiać.

– To? To jeszcze jest wyczyn świata! Tu jeszcze widzisz w miarę wyszkolone wojsko i kulturalną bitwę z przeciwnikiem, który walczy na poziomie, tak samo jak wróg.

Wyjaśniła, że są takie bitwy. Żołnierz maszeruje w szyku, o powodzeniu na polu walki decyduje musztra, ponieważ przeciwnik robi to samo. Potem oddziały stają naprzeciw siebie, żołnierze nabijają karabiny i strzelają do siebie z odległości kilkudziesięciu kroków. A potem albo ładują broń jeszcze raz, albo ruszają do ataku na bagnety. Oczywiście nie jest to aż tak proste. Dowódcy popisują się zaskakującymi manewrami kawalerii, artyleria każdej ze stron usiłuje wyrobić sobie przewagę ogniową (i generalnie zajmuje się jedynie sobą), są podstępy, wprowadzanie do walki odwodów i inne tego typu urozmaicenia. Wszystko świetnie nadaje się potem do kroniki każdego z biorących udział w walce pułków. Rewelacja. Tyle tylko, że tak można walczyć jedynie z kulturalnym przeciwnikiem, który również przestrzega zasad, a wojna toczy się o nieważny spłacheć piasku, który przechodzi z rąk do rąk wyłącznie z powodów honorowych.

– A ja ci powiem, jak to wygląda na prawdziwej wojnie. – Kano wyraźnie się zaperzyła. – Chodziło o głupią wojnę z partyzantami, którzy byli gorzej uzbrojeni, niewyszkoleni i w ogóle w mniejszości. Pamiętam jeden dzień. Zabezpieczałyśmy wyładunek piechoty z barek. Dowódcy chcieli okrążyć partyzantów, więc zdecydowali się na zaskakujący manewr. My do rozpoznania i zabezpieczenia terenu, a piechota powoli się wyładowuje. Partyzanci zwiedzieli się błyskawicznie, co jest grane. My zabezpieczamy teren, oni strzelają, ale z ukrycia, na spokojnie. Walka między nimi i nami trwa prawie pół dnia, wypad, odskok, zmyłka. I nareszcie sukces. W kolejnym wypadzie udaje nam się kogoś zabić. Mamy jednego wroga na rozkładzie. Piechota ustawia się do boju. Idealnie równe szeregi, głośno wywrzaskiwane komendy... nareszcie: „Ognia!". Tylko ślepy albo głuchy partyzant nie ukrył się za drzewem. A strzelać zaczęli, kiedy nasi ładowali broń. I tak do wieczora, aż trzeba było przerwać walkę. To znaczy my musieliśmy przerwać. Partyzanci podpłynęli nad ranem i podpalili nam barki. Bilans dnia? My mamy jednego trupa na rozkładzie. Piechota dwadzieścia dziewięć trupów. Tyle że własnych. I tak to wyglądało.

– Ale obiło mi się o uszy, że wojnę z partyzantami jednak wygraliśmy.

– Taaaak. Kiedy proporcje sił doprowadziliśmy do stosunku: jeden nasz batalion na jednego partyzanta, to rzeczywiście. Udało się zadeptać wrogów.

Kano zaczęła się śmiać.

– A nie dość tego – dodała, wskazując ręką rozległą polanę przed nimi. – Tu widzisz elitę piechoty. Tak normalnie się nie ćwiczy. Rekrut w trakcie marszu dowiaduje się od koleżanek, co i jak ma robić podczas bitwy. Fala wymusza dyscyplinę, a sierżanci pilnują, żeby nowy żołnierz chociaż raz wystrzelił przed walką. Bez kuli w lufie, bo po co marnować. Żołnierz ma się jedynie oswoić z hukiem.

– Wiesz. Ja to w ogóle nic jeszcze nie usłyszałam od przełożonych.

Piegowata machnęła ręką.

– O to się nie bój. Wyszkolą cię zajebiście.

– No ale... – Shen przygryzła wargi, podnosząc kolejną upaćkaną tłuszczem miskę.

– Na twoim miejscu bałabym się raczej wojny, na którą cię wyślą.

– O. Na pewno z potworami, co?

Dziewczyna z desantu tylko kiwnęła potwierdzająco głową, co znacznie bardziej przestraszyło Shen, niż gdyby tamta robiła jakieś miny. Współczujące, boleściwe, przestraszone, czy w ogóle jakiekolwiek.

– Nie widziałaś jeszcze potwora...

– Widziałam – zaperzyła się Shen. – W klatce, w miasteczku, na odpuście.

– No tak właśnie przypuszczałam. Potwór w dzień, w klatce, w miasteczku nie wydaje się straszny, prawda?

– Taa. Taki sobie jakby goły człowiek.

– Po prostu człowiek. Tyle że ma czarne oczy i okropną legendę.

Kano skończyła szorować swoje gary. Z ulgą poskładała je i oceniła porę dnia na podstawie wysokości słońca. Postanowiła trochę odpocząć przed powrotem do oddziału. Usiadła pod karłowatym drzewem, kryjąc się przed słońcem.

– Inaczej potwór wygląda w nocy, kiedy widzi w ciemności, co zapewnia mu przewagę, ma broń, a powietrze wypełnione jest oszałamiającym gazem – zaczęła. – Zapewniam cię, że wtedy naprawdę wygląda inaczej.

– Kurde! – Shen potrząsnęła głową. – Ja naprawdę myślałam, że to bardziej legendy.

– Taaa... Po serii klęsk w wojnie z potworami dowództwo postanowiło stworzyć ośrodek szkoleniowy.

Zresztą od dawna potrzebny armii. A tu teren sprzyjający, w dodatku wyspa, skąd żaden rekrut nie może uciec. Sama błogość.

– Ale było coś jeszcze?

– No pewnie. Wyspa przypomina trochę teren, na którym będziesz walczyć z potworami. Trochę. Rzeczki do brodzenia po pas, bagna, uroczyska, gęsty las. Tyle tylko, że po pierwsze, to wyspa na morzu, a po drugie, przypomina uzdrowisko, gdzie księżniczka udaje się na rekonwalescencję. Bagna są piaszczyste, rzeczki czyste, laski przejrzyste i namorzynowe. Nie ma węży ani dzikich zwierząt. Nie ma komarów, gzów, pająków, pijawek, ani nawet nietoperzy. Nie ma wszy, pcheł, parchów i całego syfu biorącego się z brudu. A poza tym jest ciepło i przyjemnie.

– A tam jest zimno?

– Jak jasna dupa.

– Woda zamarza?

– Nie, nie aż tak. Ale uwierz mi, co innego brodzić po szyję w ciepłej, czystej wodzie, a co innego robić to samo, dygocząc z zimna, z pijawkami uczepionymi nóg i dupy! Co innego suszyć sobie ciuchy na słoneczku, a co innego w mokrej mgle.

– No szlag...

– I najważniejsze. Żołnierze nienawidzą wyspy Tarpy, sądząc, że trafiły najgorzej jak mogły. Częściowo mają rację, bo nigdzie indziej się tak człowiek nie wyzwierzęca nad drugim jak tutaj, ale... Sierżant, choć jest z urodzenia burą suką i zwykłą kurwą, to jednak nie wbije ci noża w plecy, kiedy będziesz spała. A jak cię sierżant złapie, to mimo wszystko nie rozetnie brzucha, nie wyjmie jelit i nie przybije do pnia, każąc potem biegać dookoła, żeby wszystkie flaki wyciągnąć na zewnątrz. Nie słyszałam też o sierżant, która poćwiartowałaby jakąś koleżankę i obrzuciła po nocy pozostałe dziewczyny z oddziału częściami jej ciała.

Shen zdrętwiała z przerażenia. Nie mogła rozstrzygnąć, czy Kano chce ją przestrzec, czy jednak może tylko przestraszyć, grając frontowca, co to niejedno już przeszedł. Szlag z nią. Można nie wierzyć w te opowieści, ale włosy i tak same stają dęba ze strachu.

– Jesteś pewna, że tam nas wyślą? – Miała nadzieję, że w jej głosie nie słychać drżenia.

– Tak... niestety. – Kano wzruszyła ramionami. – Do doliny Sait.

Jakby na dźwięk tej nazwy amulet na szyi Shen drgnął. Zdziwiona położyła na nim dłoń. Wydawał się ciepły. No ale w końcu dotykał cały czas rozgrzanej szyi. Ciekawe, jakie zaklęcie zadziałało?

– Sait? – powtórzyła.

Trzymany w dłoni amulet szarpnął się tak mocno, jakby chciał wyskoczyć gdzieś wysoko. Shen poczuła natomiast silne mdłości i jasne przeświadczenie, że musi dotrzeć do miejsca o tej nazwie.

Oficerowie od dawna przywykli do luksusów, które oferował ORP „Dragon" w porównaniu z innymi okrętami podwodnymi. Jednym z takich luksusów była sala nawigacyjna tuż przy mostku, która miała stół pozwalający nareszcie rozłożyć całą mapę, a dodatkowo na planszetach powiesić jej dowolne powiększone fragmenty. Tylko co z tego w obecnej sytuacji?

– Jesteśmy dokładnie tutaj. – Palec nawigatora pokazywał jakieś miejsce na idealnie białej płaszczyźnie. Od innych miejsc zostało wyróżnione wyłącznie dopisaniem współrzędnych geograficznych z pomiarów.

– No tak. – Kapitan Kozłowski zapalił papierosa. – Od terenów, które są zaznaczone na mapie, dzieli nas wyłącznie pasmo Gór Pierścienia. Drobiazg.

Nikt z obecnych tu oficerów i inżynierów nie kwapił się do zabrania głosu. Prawdopodobnie nie do wszystkich jeszcze dotarł fakt, że są „po drugiej stronie". A na pewno nie wszyscy zdawali sobie sprawę, że droga do domu może być problematyczna, jeśli nie wręcz niemożliwa.

– Czy ktoś z państwa ma jakiś pomysł na temat... – Kapitan nawet nie bardzo wiedział, jak słowami określić sytuację. – Na temat... ewentualnych przyczyn naszego obecnego położenia?

Pytanie najwyraźniej zostało skierowane do inżynierów. W każdym razie żaden z oficerów nie wyrażał chęci zabrania głosu.

– Prawdopodobnie mieliśmy do czynienia z wybuchem podwodnego wulkanu... – zaczął inżynier Węgrzyn, ale Wyszyńska od razu mu przerwała:

– Nie, nie, nie. Nie przepłynęlibyśmy przez wrzącą lawę.

– A czy ja mówię, że przez lawę? Wybuch mógł po prostu zawalić część gór i utworzył się przesmyk. Pod wodą nie odczuliśmy mocy tak potwornego trzęsienia ziemi.

– Odczulibyśmy tsunami.

– O, niekoniecznie. To zależy od naszej głębokości...

– No to już od razu załóżmy, że przepłynęliśmy przez podwodny tunel...

– Dlaczego od razu tunel?

– Proszę państwa! – Kapitan podniósł dłonie, widząc, że dyskusja zamienia się w bezsensowną sprzeczkę. – Proszę państwa, chyba źle sformułowałem kwestię. Mój oficer nawigacyjny twierdzi, że na podstawie posiadanych informacji niezwykle trudno będzie wykreślić kurs powrotny do miejsca, gdzie coś wyrzuciło nas po tej stronie gór. Dryf klasycznymi metodami jest praktycznie nie do określenia.

– To prawda – zgodziła się Wyszyńska. Nareszcie weszli na tematy, na których się znała. – Jestem jednak w stanie obliczyć taki kurs z większym przybliżeniem niż metodą klasyczną.

– Jak? – zdziwił się oficer nawigacyjny.

– Za pomocą krokomierza. Tylko trzeba go naprawić i prawidłowo wyzerować na jakiejkolwiek pozycji, której panowie są pewni.

– Przecież krokomierz nie działał podczas ostatnich wydarzeń.

– Ale jego rejestrator działał. Wszystko jest zapisane w pamięci urządzenia.

– I nie da się tego odczytać jakoś inaczej?

– Niby jak? Umie pan wzrokiem odczytać elektronowe impulsy z taśmy?

– Proszę państwa, proszę państwa... – Kozłowski znów uniósł ręce. – Proszę się nie kłócić. – Spojrzał na Wyszyńską. – Jak długo potrwa naprawa?

– Prawdopodobnie długo. To precyzyjne i skomplikowane urządzenie.

Kapitan skinął głową. Potem zwrócił się do oficera łączności:

– Czy jesteśmy w stanie wysłać sygnał radiowy na drugą stronę gór?

– Nie znam takiej technologii, panie kapitanie.

– A nie pomoże jakoś ten hipotetyczny przesmyk, który się prawdopodobnie utworzył?

– Gdyby istniał i gdyby jakoś ułatwiał łączność, słyszałbym sygnały innych. Tymczasem tutaj w eterze panuje całkowita cisza.

Kapitan zaciągnął się głęboko, długo przetrzymując dym w płucach. Palił tak dużo, że miał już pożółkłe koniuszki palców prawej dłoni. Teraz zakiepował papierosa w popielniczce i wykonał gest, jakby od razu chciał sięgnąć po następnego. Zrezygnował jednak i zwrócił się do kwatermistrza:

– Jak stoimy z zapasami?

– Przy normalnym zużyciu żywności i wody wystarczy na około półtora miesiąca. Podobnie jest z paliwem, również półtora miesiąca, a jeśli przejdziemy na tryb ekonomiczny, czyli bez ekscesów energetycznych, to na ponad dwa miesiące. Stan amunicji to pełny stan etatowy, a środków chemicznych około dziewięćdziesięciu procent.

– Czyli mamy zagwarantowane dwa miesiące życia?

– W luksusach, panie kapitanie. W luksusach. Jeśli zaczniemy choć trochę oszczędzać, wystarczy na trzy.

Kapitan westchnął lekko. Podszedł do półglobusa i zdjął go z półki.

– No cóż, drodzy państwo. – Podniósł ozdobne cacko do góry. – Przyszła pora przykleić mu drugą połowę i coś na niej zacząć rysować.

Oficer nawigacyjny zaczął żartować. Podobno za pierwszą mapę obszaru poza górami jest przewidziana jakaś znaczna nagroda ufundowana przez brytyjskie pismo geograficzne. Kapitanowi wyraźnie zależało na rozluźnieniu atmosfery. Sprowokował żartobliwą dyskusję na temat ewentualnego podziału nagrody stosownie do zasług. Niezbyt się udało. Świadomość, że wynurzyli się po drugiej stronie świata, podziałała na ludzi z różnym skutkiem. Jedni stali się nadmiernie nerwowi i nadpobudliwi, inni przeciwnie, jakby apatyczni i zaspani, a przynajmniej nieobecni duchem. Przeważała jednak postawa „wszystkiemu winnych" – dotknięci nią ludzie mieli minę w rodzaju: „Aleśmy narobili, ale się nam za to dostanie".

– Pan jest chyba wolny? – Kapitan zerknął na Tomaszewskiego.

– Tak.

– A pan zaraz obejmie wachtę, prawda?

Siwecki również potwierdził.

– W takim razie obu panów proszę ze mną na górę. Pozostałym już dziękuję.

Bez słowa przeszli przez mostek, gdzie kapitan, idący przodem, gasił wszystkie meldunki. Wspinali się szybko, już na drabince usiłując założyć ciemne okulary. Zgodnie z przewidywaniami zalew światła na zewnątrz przyprawiał oczy wręcz o fizyczny ból. Kapitan zatrzymał się dopiero na pomoście amunicyjnym, jedynym miejscu na kiosku, gdzie mogli być sami.

– Panowie, wy będziecie mieli dwie najbliższe wachty, więc chcę was zapoznać z moimi zamiarami. Na teraz, na tę chwilę. Może później zdołamy wymyślić coś bardziej sensownego.

Ani Tomaszewski, ani tym bardziej Siwecki, jako lekarz ze swojej pierwszej specjalności, nie zadawali żadnych pytań.

– Panowie, znajdujemy się na potencjalnie wrogim, całkowicie nierozpoznanym akwenie...

Tu już Siwecki nie wytrzymał i opuścił głowę, żeby ukryć coś, co mogło malować się na jego twarzy.

– Przechodzimy więc na reżim wojenny. W dzień płyniemy na powierzchni, na silnikach wysokoprężnych, ładując baterie, w nocy zanurzenie. Cholera wie co tu po ciemku może nas zaskoczyć. Rano wynurzenie w trybie bojowym.

– Obsadzić stanowiska artylerii przeciwlotniczej? – odważył się przerwać Tomaszewski.

– Wszyscy w gotowości, z palcami na spustach. Skąd pan może wiedzieć, co możemy spotkać?

– Ale niekoniecznie musimy od razu wywoływać wojnę z tym wszystkim, co ewentualnie spotkamy – wtrącił Siwecki i od razu pożałował.

– Panie poruczniku! – Wzrok kapitana wyrażał jakieś niewyobrażalne szczyty pogardy dla „przeszkolonego cywila", jak nazywał oficerów, dla których marynarka wojenna nie była całym życiem i jedynym w nim celem. – Nie możemy być pewni, czy cywilizacja po tej stronie gór nie stoi przypadkiem na wyższym poziomie technologicznym niż my. Nic nie wiemy.

– Panie kapitanie – Tomaszewski usiłował skierować dyskusję, z której nic nie mogło wyniknąć, na inne tory – a jakim kursem płyniemy?

– Znajdą panowie wytyczne przed każdą wachtą na mostku. A odpowiedź na pytanie gdzie płyniemy, brzmi: na rekonesans. Jesteśmy w końcu jedynym okrętem RP po tej stronie gór, prawda?

Tomaszewski i Siwecki z najwyższym trudem opanowali odruch spojrzenia na siebie porozumiewawczo. Obaj trwali z kamiennymi minami, choć każdy z nich miał wielką ochotę na jakąś uwagę o inteligencji militarystów. Kozłowski z całą nieskrępowaną swobodą koszarowego zupaka wziął ich postawę za dobrą monetę.

– Pan – zwrócił się do Tomaszewskiego – wypuści naszego latawca. A pan – wskazał Siweckiego – po objęciu wachty weźmie kurs pod wiatr, rozwinie maksymalną prędkość i umożliwi lot autożyra. Wszystko jasne?

– Tak jest!

W milczeniu czekali, aż kapitan oddali się poza zasięg słuchu. Tomaszewski zapalił papierosa, zerkając na hangar z tyłu, u podstawy kiosku. Tak, mieli na pokładzie nawet doświadczalny wiatrakowiec. Po wyciągnięciu go na pokład i zmontowaniu mógł się unieść w powietrze. Oczywiście nie sam, bo nie miał silnika. To okręt nadawał mu prędkość i siłę nośną dla śmigieł, płynąc ostro pod wiatr. Na linie o długości kilkuset metrów pilot mógł się wznieść odpowiednio wysoko, by zwiększyć pole obserwacji. Ale nie to było najważniejsze. Wiatrakowiec wynosił w górę również anteny radiową i radarową. A to już był czysty, żywy cud techniki, stosowany na okręcie podwodnym po raz pierwszy w historii. Świat się zmienia, pomyślał.

– Mam nadzieję, że to latające cudo nie ma podczepianych bomb – odezwał się Siwecki. O mało nie wypadł, wychylając się przez barierkę, żeby sprawdzić, czy kapitan na pewno zniknął w cieniu głównego włazu. – Bo dowództwo każe nam rozwalić wszystko, co się rusza.

– Chyba nie ma, ale nie wiem na pewno. Jestem z marynarki, nie z lotnictwa.

– Zaraz będziesz mniej skory do żartów. Gdy znajdziemy jakiś wrogi okręt cywilizacji posiadającej wyższy stopień rozwoju niż nasza.

– Jeśli osiągnęli wyższy rozwój, to nie będą do nas strzelać na sam widok.

Siwecki przez chwilę marszczył brwi, a potem powiedział:

– A jeśli dowodzi nimi odpowiednik kapitana Kozłowskiego?

Tomaszewskiemu papieros o mało nie wypadł z dłoni.

– O kurwa mać! Uciekajmy stąd!

Dziewczyny z oddziału potraktowały Shen ulgowo. I to bynajmniej nie z powodu szczęścia ani jakichś jej zasług. Ta, która spała najbliżej, wyjaśniła krótko przed nocą. To nie jest piechota, gdzie żołnierza tresuje się tak, żeby bał się własnych podoficerów bardziej niż wroga. Oficerowie są równe Bogom, a koleżanki to wrogie szczury, które chcą prześcignąć ofiarę w wyścigu do michy. Tfu! To gówno jest, a nie armia. Tysiące lat tradycji i tresury zwierząt skupiły się na czymś, co nazywa się „nowoczesną piechotą". Kpina.

Siły specjalne są jednak zupełnie innym wojskiem. Tu najważniejsze jest koleżeństwo. Oczywiście do własnego oficera trzeba mówić per „pani porucznik", a nie od razu: „Słuchaj no, Idri", ale... Nie trzeba tego robić na kolanach, merdając ogonem. Oficer też człowiek. Jak nie potrafisz czegoś zrobić, to po prostu powiedz, a nie żeby przez twoją wpadkę zginęło pół oddziału. Masz rozum, masz usta i gardło, to jeśli czegoś nie wiesz, po prostu spytaj! A teraz najważniejsze. Cała siła wojsk specjalnych tkwi w koleżeństwie. Dlatego prawie nie ma fali ani znęcania się. Czyścisz gary, boś nowa, tylko dlatego. Ale nie bój się, za pięć, dziesięć dni przyjdzie inna nowa i na nią to spadnie. Rotacja duża.

Mało kto wie, co to jest koleżeństwo. A w wojskach specjalnych sprowadza się do prostej rzeczy: nikt nie może zawieść, bo zginą wszyscy. W związku z tym, żeby nikt nie zawiódł, wszystkim należy pomagać. Działamy tylko jako grupa, a nie zbiór jednostek. Tu panuje absolutne oddanie grupie, nie ma żadnych indywidualnych potrzeb. Tobie będzie dobrze tylko i wyłącznie wtedy, kiedy grupie będzie dobrze. Ty będziesz żyć tylko i wyłącznie wtedy, kiedy grupa będzie żyć. Jeśli zawiedziesz i nie będziesz się umiała przystosować do tych prostych zasad, spadasz. Jak niczym nie podpadniesz, to nazad do piechoty. Tam se zobaczysz, jak fajnie być zwierzęciem w chlewie. A jak podpadniesz, to do karnej kompanii. Tam se pożyjesz, tyle że bardzo krótko. Jeśli natomiast zrobisz jakieś świństwo, to cię po prostu zabiją.

– Kto? – nie wytrzymała Shen, nie mogąc sobie wyobrazić, w jaki sposób można zabić rekruta i nie ponieść żadnych konsekwencji. – Kto mnie zabije?

– Źli ludzie – odparła koleżanka z uśmiechem. – Wyspa duża. W lasach kryje się kupa dezerterów. Tu uciec z woja łatwo, ale morza przepłynąć się nie da. Zdarza się, że polują na żołnierzy, żeby ich zjeść na ten przykład. A z drugiej strony Tarpy jest kolonia karna. Więźniowie też uciekają. Rozrywek mamy sporo.

No tak, pomyślała Shen, to ma sens. Więźniowie nie uciekną, żeby wrócić do rodzinnych stron i dalej trudnić się swoim fachem. A jak bunt podniosą albo coś... Wojska do pacyfikacji w kilka chwil jest dowolna ilość. Dwie pieczenie na tym samym ogniu za te same pieniądze. Ot, mądrze wymyślili.

Nie mogła zasnąć dręczona myślami. Przypomniała jej się rodzinna rybacka wioseczka, wszystko to, czego doznała: upokorzenie, głód, bicie... Pamiętała też noc, kiedy po raz pierwszy uciekła z domu. Myślała, że ciemny las przyniesie ulgę. Zapomniała, że dorosłemu, uzbrojonemu i pewnemu siebie człowiekowi tak, może przyniesie. Ale nie dziecku. Potwory, które urodziły się w jej wyobraźni, o mało nie zagoniły Shen na śmierć. Wtedy usłyszała głos:

– Stój, dziecko, bo się zabijesz!

Zatrzymała się gwałtownie, ciągle pełna przerażenia. Głos jednak brzmiał bardzo łagodnie.

– Uspokój się, dziecko. I nie biegnij tak, bo zaraz złamiesz nogę albo oko wykolesz i... zamarzniesz tu do rana.

Stała jak wryta, rozglądając się pełna nadziei.

– Panie, panie... Gdzie jesteście, panie?

– O tu.

Niewiele widziała, ciemność była zupełnie nieprawdopodobna.

– Chodź ze mną, wyprowadzę cię na trakt. Tu zaraz.

Nadal niczego nie widziała. Kierowała się głosem i usiłowała iść powoli, jak jej obcy nakazywał. W końcu się odważyła:

– Panie, a możecie mnie wziąć za rękę? Bardzo proszę.

– Nie mogę.

Znowu ukłucie strachu. A jeśli?... Wyobraźnia dziecka podsuwała tysiące możliwości – jedna bardziej straszna niż druga.

– Panie, a widzicie w ciemności? W ogóle się nie potykacie.

– Ożeż... – Coś się właśnie wywróciło o kilka kroków dalej. – Słuchaj, bachorze! W złą godzinę powiedziałaś!

– Przepraszam.

Miała wrażenie, że mężczyzna wcale się nie wywrócił. Udawał, chcąc ją uspokoić.

– Jazda za mną. – Przez chwilę wydawało się, że w głosie brzmi złość, ale zaraz się zorientowała, że obcy tylko udaje. – Już dochodzimy.

Rzeczywiście, po kilkudziesięciu krokach udało im się wyjść na trakt. Tu w świetle gwiazd mogła przyjrzeć się wybawicielowi. Obcy okazał się młodym, osiemnasto-, może dwudziestoletnim chłopcem. Przez ramię miał przerzucony kij, do którego na końcu przywiązany był mały tobołek.

– Dzię... dziękuję, panie – wyszeptała. – Dziękuję.

– Nie ma za co, uwierz mi. Nie ma za co.

– Zaprowadzicie mnie, panie, do wsi?

– Nie. Ale tu niedaleko obozują kupcy. Mają ogień i straże. Tam cię zaprowadzę.

Usiłowała dostrzec cokolwiek, ale chłopak odwrócił się i ruszył drogą, pokazując ręką, żeby szła za nim.

– Ciekawi cię, skąd się wziąłem bez światła w środku lasu? – odpowiedział pytaniem na pytanie, którego nie zadała, a które rzeczywiście nurtowało Shen coraz bardziej. Kto w nocy (poza głupimi bachorami, oczywiście) chodzi wśród drzew po ciemku? – Otóż od dawna miałem cię na oku.

– Jak to? – wyrwało się Shen. – Nigdy was nie widziałam, panie.

– Ano, bo ja najchętniej przychodzę we śnie.

Zatrzymała się przerażona, ale on znowu machnął ręką, żeby szła za nim. Nie sprawiał wrażenia kogoś, kto chciałby zrobić krzywdę, nie wyglądał też ani jak zły czarownik, ani jak upiór. Po prostu zwykły chłopak.

– Widzisz, mała, bo ja lubię ludzi, którzy mają żywy umysł. Powiem ci uczciwie. Rozum można wykształcić, czy przez urodzenie i nauki w domu, czy przez kończenie szkół, czy wreszcie przez doświadczenie. Ale to nieprawdziwy rozum. To tylko wiedza i cudze mądrości przeczytane w przepastnych księgach. A ja lubię ten rozum, który nazywam inteligencją. Ta może się pojawić u każdego. W zapyziałej chłopskiej rodzinie, w biednym domu w mieście, ale i na dworze. Wszędzie. Wiedzę można nabyć. Można nawet kupić za pieniądze. Inteligencji nie. Albo jest z urodzenia, albo jej nie ma.

– A ja mam? – spytała niepewnie, trochę zadyszana.

– Tak. Teraz pozostaje jedynie kształcić ten naturalny dar.

Chłopak zatrzymał się nagle i pokazał Shen małą, jasną plamkę.

– Widzisz? To ognisko.

Skinęła głową.

– Idź tam powoli. Jak podejdziesz na kilkadziesiąt kroków, krzycz głośno, żeby wiedzieli, żeś dziecko, i po nocy nie ustrzelili. Rozumiesz?

– Tak, ale...

– Idź, nie dyskutuj.

– Dlaczego wy nie pójdziecie, panie?

– To wytłumaczę ci za kilka lat, a może nawet kilkanaście.

– To znaczy, że zobaczymy się jeszcze, panie?

– Nie inaczej, dziecko. – Roześmiał się. – Nie inaczej. Ja nigdy i do nikogo nie przychodzę po próżnicy.

Shen przewróciła się nerwowo na posłaniu. Przeklęta wyspa Tarpy! Chrapanie koleżanek walczyło o lepsze z cykadami. Ona sama pociła się strasznie. Co za koszmar. Nie mogła się odnaleźć w nowym miejscu. No i ten sen... Chłopak z tobołkiem śnił jej się wiele razy. Za każdym razem bała się, choć przecież nic złego nie mówił. Sen...

We śnie znowu znalazła się przy strumyku naprzeciw polanki, gdzie ćwiczyła piechota. Koleżanka z desantu, która myła naczynia obok niej, zamieniła się w chłopca z tobołkiem. Siedział na pochyłym pieńku i radośnie machał nogami.

– No to co? – zapytał. – Zaczynamy?

– Co zaczynamy?

– Wykonywać twoje zadanie. Miałaś, przypomnę, zapoznać się z taktyką pola walki. – Wskazał z uśmiechem ćwiczącą obok piechotę. – Ale sama już wiesz, że to idiotyzm. A ja tylko dodam, że to, co robią desant i siły specjalne, to też idiotyzm, tyle że trochę mniejszy.

– Dlaczego?

– Nie będę się wdawał w jałowe analizy. Ja po prostu nauczę cię, jak to powinno wyglądać, dobrze?

W pobliżu gór wiatr wiał słabiutko i leniwie. Płynęli jednak na żaglu, z wioślarzami jedynie w pogotowiu. Nikt nie znał tych wód. A jakiekolwiek spotkanie z rafą czy jakąkolwiek inną niespodzianką tak daleko od domu było równoznaczne z ich tragicznym końcem. Kai rozglądała się, mrużąc oczy od nadmiaru światła. Posmarowała sobie kości policzkowe sadzą, a głowę owinęła luźno cienką szmatą, tak żeby zwisała na boki, lecz niewiele to pomagało. Filozof znalazł lepszą metodę. Z cienkich patyków zrobił coś w rodzaju małego palankinu czy baldachimu, który umocował sobie na ramionach. Okrywająca go szmata chroniła więc znacznie lepiej, za to wyglądał jak idiota i budził śmiechy wśród załogi. Niby nic, był pragmatykiem, jednak płynące zewsząd docinki wyraźnie go denerwowały. Utyskiwał właśnie na ludzką głupotę, kiedy rozległ się okrzyk sternika:

– Cisza na statku!

Dziwne. Przedtem wcale nie było tak strasznie głośno, przecież wiosła nie pracowały, nikt nie śpiewał. Wszyscy odruchowo natężyli słuch. Kai również, lecz nie słyszała niczego szczególnego. Zresztą nie miała pojęcia, co by to miało być. Rozpadający się kadłub? Wlewająca się do środka woda?

– Kto słyszy? – zapytał sternik.

O dziwo, w górę powędrowała dłoń jednego ze starych kapłanów.

– Co to jest według ciebie, panie? – Sternik podszedł bliżej.

– Jakby bulgotanie – odparł kapłan niepewnie. – Dźwięk na wodzie niesie się daleko, ale ten bulgot musi być bardzo odległy.

– I ja tak myślę.

Kai wytężała słuch jak mogła. Lecz poza zwykłymi odgłosami ze statku nie słyszała żadnego bulgotania. Morze wokół było idealnie spokojne, leciutki wiatr ledwie marszczył taflę. I nagle stojący tuż obok filozof również podniósł rękę.

– Ja też już słyszę. – Pewnie wyciągnął dłoń, wskazując kierunek. – Stamtąd!

Wszyscy odwrócili głowy w stronę, którą określił. Dokładnie w chwili, kiedy Kai zaczęło się wydawać, że też coś słyszy, sternik ryknął tuż nad jej uchem:

– Tam! Fale!

Ktoś o sokolim wzroku targnął się w paroksyzmie strachu, wpadając na Kai i filozofa. Pomysłowy baldachim na ramionach chłopaka połamał się błyskawicznie. Ktoś zaczął wzywać Bogów. Ci z wioślarzy, którzy byli także łucznikami, pobiegli przygotować swoją broń. Kai zdołała wreszcie spojrzeć baczniej w kierunku, gdzie patrzyli wszyscy. Poczuła ukłucie strachu. Idealnie równa powierzchnia morza zaczęła się marszczyć w odległości może tysiąca kroków od nich. Niewielkie jeszcze fale rozchodziły się w obie strony od centralnego punktu. Zupełnie jakby coś płynęło pod powierzchnią ze sporą prędkością. Nie dość tego. To coś mogło być... bardzo duże.

– Bogowie!

– Harpuny! Przygotować harpuny! – Sternik usiłował zdyscyplinować tych wioślarzy, którzy nie umieli się posługiwać łukami.

– Módlcie się – zawodził stojący najbliżej stary kapłan. – Módlcie się...

Filozof zerwał z głowy resztki osłony przeciwsłonecznej. Ze zmarszczonymi brwiami usiłował odnaleźć jakieś racjonalne wytłumaczenie.

– Uwa...

Nagły hałas sprawił, że wszystko wokół zamarło w zupełnym bezruchu. W kaskadach piany przypominających wodospady spod powierzchni morza wyłoniła się monstrualna płetwa. Była większa niż dom! Była tak ogromna, że gdyby przechyliła się na bok, mogłaby jednym plaśnięciem zatopić ich statek. A w dodatku sunęła błyskawicznie do przodu, prując wodę z taką siłą, że po obu stronach tworzyły się przeraźliwie wielkie fontanny.

A potem z głuchym hukiem i okropnym szumem kaskad opadającej wody oczom wszystkich ukazało się cielsko potwornego wieloryba. Kai przełknęła ślinę. Filozof wybałuszył oczy.

– To niemożliwe. Niemożliwe – powtarzał. – On nie istnieje. To tylko legendy!

– Módlmy się. – Kapłani zaczęli klękać. – Módlmy się...

Wieloryb miał dużo więcej niż dwieście kroków długości.

Wynurzenie bojowe nawet w sprzyjających warunkach niesie ze sobą wiele niebezpieczeństw. Zbyt wiele rzeczy musi stać się jednocześnie w tym samym momencie i żaden z elementów nie może zawieść. Tomaszewskiemu skoczyła adrenalina, kiedy mat Bronowski zaraportował:

– Nie mam ciśnienia na siłowniku włazu, panie poruczniku.

Głęboki wdech.

– Ręczny zablokowany?

– Ręczny działa.

No to przynajmniej nie zostanie zamknięty na głucho w przedziale abordażowym, podczas kiedy inni na pokładzie będą pośpiesznie zajmować swoje stanowiska bojowe. Ale jeśli jako szef grupy szturmowej (całkiem nieprzydatnej przecież, jeśli nie zaatakowali na powierzchni jakiegoś statku handlowego) spóźni się o kilkadziesiąt sekund, to... Wolał sobie nie wyobrażać. Kilkadziesiąt sekund. Tyle będzie potrzebował marynarz, żeby otworzyć właz ręcznie, kręcąc kołem blokady.

– Może puścić powietrze z butli? – zaproponował Mielczarek.

– Nie zdążymy podłączyć chyba.

– Ja już raz tak miałem – odezwał się ktoś z tyłu. – Szarpnij po prostu dźwignią ze dwa razy. Z całej siły.

Mat Bronowski miał pewne obawy. Szturchnięty jednak przez bosmana szarpnął z taką siłą, jakby chciał dźwignię wyrwać.

– Coś jest. Mam jakiś odczyt.

– A może byś tak, kurwa, zameldował? – Bosman wściekle szarpnął się w ciasnocie.

– Melduję, że mamy ciśnienie na siłowniku włazu.

Tomaszewski odetchnął. W samą porę. Zerknął na zegarek. W samą, psiakrew, cholerną porę!

– Wynurzenie bojowe! – wrzasnął.

Zza grodzi rozległ się stłumiony dźwięk syreny. Potem usłyszeli syk szasowanych zbiorników.

Na statku Kai zapadła cisza. Wszystko, co żyło, zamarło dokładnie w takiej pozycji, w jakiej zdało sobie sprawę z tego, co widzi. Filozof w szoku szeptał ledwie słyszalnie:

– Nie ma wielorybów o długości dwustu kroków, nie ma wielorybów...

Ktoś inny modlił się. Jeszcze ktoś powtarzał monotonnie:

– Nie, nie, nie, nie...

Upiorne zwierzę zwalniało wyraźnie. Zbliżało się lekkim skosem. Kai drżała coraz bardziej, czuła, że się poci. Od wytrzeszczania w pełnym słońcu bolały ją oczy. Oczy i szczęki – te z kolei musiała z całej siły zaciskać.

Wtedy monstrualne zwierzę zaryczało. Pozory spokoju czy oczekiwania pękły momentalnie. Wszyscy runęli w tył, usiłując się gdzieś ukryć. Ale gdzie? Jak można się ukryć na tak małym statku? Skrajna trwoga pchnęła dwóch desperatów do tego, że odbili się od burty rufowej i skoczyli do wody. Liczyli na to, że tak wielki potwór nie będzie wyławiał z morza pojedynczych ludzi, tylko łyknie statek w całości? No ale w takim razie dokąd płynąć? Strach, a może panika spowodowana zgrozą sprawiła, że ktoś jeszcze wpadł do wody.

Kai z filozofem zostali zepchnięci pod maszt. Utknęli w tłoku ogarniętych histerią ludzi.

I wtedy potwór ryknął po raz drugi.

Drugi ryk syreny oznajmiał, że ORP „Dragon" jest już na powierzchni.

– Góra! – krzyknął Tomaszewski. – Wszyscy góra!

Mat Bronowski otworzył właz i pierwszy wyskoczył na pokład. Za nim wspiął się porucznik, potem bosman.

– Dziobowa półsfera czysta! Rufowa półsfera czysta! – Wkładając przeciwsłoneczne okulary, słyszeli meldunki wykrzykiwane przez obserwatorów z kiosku. Według nowych procedur w marynarce teraz najpierw meldowało się, czy istnieje jakieś zagrożenie z powietrza, a nie z powierzchni morza. Nowe czasy.

– Dziób, bakburta, ćwiartki czyste!

Szlag, nawał słońca sprawiał, że marynarze z grupy abordażowej niczego konkretnego jeszcze nie widzieli. Nagle usłyszeli jednak:

– Statek ćwiartka dziób-sterburta! Eee...

Marynarz powinien zameldować teraz rodzaj statku, napęd, kurs i kilka podstawowych danych możliwych do określenia na podstawie obserwacji przez lornetkę. Skoro urwał, to znaczyło, że coś było nie tak.

– Żaglowiec – marynarz otrząsnął się jednak po chwili. – Chyba jacht albo olbrzymi kajak, albo coś... Chyba stoi w miejscu. Nie płynie.

– Idiota – wyrwało się któremuś z oficerów.

Inny marynarz doprecyzował:

– Potwierdzam: obca jednostka na godzinie drugiej!

Zgodnie z procedurą wynurzenia bojowego wszystkie lufy na pokładzie zostały skierowane w stronę zagrożenia. Marynarze byli doskonale wyszkoleni, sami weterani w końcu. Sprężone karabiny maszynowe, wukaemy, działka przeciwlotnicze, a nawet wielka armata precyzyjnie mierzyły w mały drewniany stateczek. Marynarze z oddziału abordażowego przeładowali i wycelowali swoje pistolety maszynowe.

Tomaszewski dopiero teraz poradził sobie z ostrością w lornetce. Jasny szlag! Obca jednostka nie przypominała niczego umieszczonego w atlasach dostarczanych przez wywiad: „Uzbrojenie flot obcych". Coś takiego można było spotkać raczej na kartach podręczników historii. Mały statek całkowicie wykonany z drewna, z wielkim czworokątnym żaglem oraz, co wyglądało już zupełnie niesamowicie, wiosłami uniesionymi nad wodę na specjalnych trzymadłach. Zauważył kilku ludzi trzymających napięte łuki. Przez chwilę znowu regulował ostrość. Tak, nie mylił się. To były łuki! Ktoś stojący bliżej dzioba miał też chyba harpun.

Kiedy umilkły mechanizmy zębatkowe ustawiające broń i zapadła cisza, ludzie na pokładzie okrętu podwodnego zamarli w bezruchu. Co to jest, do cholery?

– Potwór wypuścił z gardzieli ludzi – szepnął struchlały marynarz tuż obok Kai. – Wypluł ludzi.

– Chyba wysrał – mruknął filozof niepewnie. – Są jednakowo ubrani – dodał rzeczowo.

Kai drżała tak bardzo, że nie mogła mówić. Nie miała pojęcia, że może w ogóle istnieć groza tak wielka.

– Bogowie, Bogowie... – łkał ktoś obok. Ktoś inny szeleścił pergaminami, w które miał pozawijane amulety.

– On wypuścił ludzi. To są ci marynarze, których zjadł, ale nie zdążył strawić – rozległ się sceniczny szept.

– Oni są identycznie ubrani – szeptał filozof. – Kilku z nich ma jednak inne stroje... Zaraz... Jasne! To oficerowie!

– Złóżmy ofiarę Bogom! – Sternikowi niewiele brakowało do płaczu.

– To oficerowie i marynarze – powtarzał filozof. – A potwór ma zbyt regularne kształty. To okręt! To okręt wojenny, który...

Ktoś zdzielił go pięścią w tył głowy. Filozof zatoczył się na Kai i zawisł na niej.

– Złóżmy ofiarę Bogom! – trwoga w głosie sternika była zaraźliwa. – Złóżmy ofiarę! – Podskoczył do kapłanów.

– Nie mamy żadnego ofiarnego zwierzęcia – odparł najstarszy z nich.

– Złóżmy ofiarę Bogom!

– Nie mamy żadnego żywego zwierzęcia!

– Mamy!

Pijany ze strachu sternik podbiegł do chłopca okrętowego. Chwycił go za włosy i pociągnął w stronę burty. Jednym ruchem wyszarpnął nóż i zanim ktokolwiek zdołał zareagować, poderżnął chłopcu gardło.

– Bogowie, ta ofiara jest dla was! Bogowie, błagamy, odwróćcie nasz los...

Chłopak, charcząc, usiłował palcami powstrzymać buchającą z szyi krew. Sternik szarpnął go z całej siły, uniósł i wyrzucił za burtę.

– O kurwa mać! – Tomaszewski oderwał lornetkę od oczu. – Bosman!

– Tak jest, panie poruczniku. – Mielczarek przełknął ślinę. – Widzę dokładnie to, co pan.

– Ale on mu poderżnął gardło!

– I wrzucił do wody, panie poruczniku.

Zdenerwowani marynarze popatrywali na siebie. Napięcie rosło z sekundy na sekundę. Wszystko składało się na ten stan: tajny, eksperymentalny rejs, los, który rzucił ich gdzieś poza granice świata, dziwny obcy statek i teraz nagle rytualny mord. Lęk i nerwy nie były bezpieczną mieszanką.

– Widzieliście? – krzyknął ktoś z kiosku. – Widzieliście to?

Tomaszewski odwrócił głowę. Porucznik Siwecki miał lepszą lornetkę z osprzętu kiosku, więc był w lepszej sytuacji.

– Co tam się dzieje?

– Nie wiem... Oczadzieli? Nie wiem. Nagle zamordowali jednego i rzucili w naszą stronę.

– Spokojnie, panowie! – kapitan, który pojawił się na mostku, uciął dyskusję. – Wciągnąć banderę i dać sygnał syreną.

Kiedy potwór ryknął znowu ogłuszająco, pozory spokoju, a przynajmniej względnego bezruchu po złożeniu ofiary, pękły natychmiast. Przerażony tłum ponownie runął do tyłu, nie bacząc, że to niczego nie zmieni. Kilku marynarzy zaczęło wspinać się po linach podtrzymujących maszt. Wyjąc ze strachu, jeden z wioślarzy trzymających harpuny zamachnął się i rzucił swoją broń w rozpaczy za burtę. Zrobił to jednak zapamiętanym z ćwiczeń prawidłowym ruchem. Stojący obok łucznik też zachował się tak, jak go nauczono. Widząc kątem oka lecący harpun, wycelował odruchowo i wystrzelił. Chwilę później wycelował i wystrzelił następny. Pozostali nie zdążyli użyć broni zagarnięci przez spanikowaną załogę.

Harpun oczywiście nie miał żadnych szans na tym dystansie. Wylądował w wodzie. Strzały przeciwnie, miały.

Tomaszewski nie widział nadlatującej strzały. Usłyszał tylko tępe uderzenie.

– Co jest? – Odwrócił głowę od obcego statku.

Tuż obok mat Bronowski upadł jak w teatrze, bardzo powoli do tyłu, i to ostrożnie podpierając się ręką. Patrzył z niejakim zdziwieniem na drewno sterczące mu z piersi. Zrobił ruch, jakby chciał go dotknąć. Nikt wokół nie reagował.

Druga strzała odbiła się od zamka wielkokalibrowego karabinu maszynowego u podstawy kiosku i rozorała czoło celowniczego. Ten rękami dotknął twarzy, a potem popatrzył na krew, która spływała mu z dłoni.

– Co się dzieje? – krzyknął ktoś z mostka.

– Lekarza! – wrzasnął Tomaszewski. – Mam ciężko rannego!

Razem z Mielczarkiem usiłowali ułożyć Bronowskiego na boku.

– Mamy rannych! – krzyknął bosman. – Lekarza!

Marynarze zerkali po sobie coraz bardziej nerwowo, napięcie sięgało zenitu.

– Lekarza!

– Poruczniku Siwecki! – Kapitan z kiosku usiłował dostrzec szczegóły tego, co stało się na pokładzie. – Niech pan...

W tym momencie celowniczy wukaemu otarł rękawem krew, która zalewała mu oczy. Szarpnął zamek swojej broni i nacisnął spust. Po sekundzie zaczęli strzelać wszyscy na pokładzie, którzy mieli broń.

Kai usiłowała rzucić jakieś zaklęcie, choćby „zniknij", ale nie potrafiła. Coś się stało. Prawdopodobnie, jak to ona, w panice złożyła dwa lub trzy zaklęcia i przypadkowo wyszło coś zupełnie innego.

Czas zwolnił. Usłyszała dziwny dźwięk: pac, pac, pac. Ach, to kule, pociski z jakiejś broni trafiały w ciała ludzi. Potem usłyszała świst, kiedy te pociski nadlatywały, a dopiero na samym końcu dobiegł ją huk wystrzałów. Nie wiedziała, że kule są szybsze niż dźwięk i cel słyszy wszystko w odwrotnej kolejności niż strzelec. Nie miało to jednak żadnego znaczenia. Panika zadziałała idealnie, zmuszając Kai do rozpaczliwego skoku. Błyskawicznie napięła mięśnie i runęła przez burtę, byle jak, bez stylu, bez zerknięcia na miejsce zetknięcia się z wodą, bez odpowiedniego ułożenia ciała. Byle dalej stąd!

Czas płynął bardzo powoli. Widziała, jak pociski rozrywają się w ciałach ofiar, widziała też inne, przestrzeliwujące wszystko, co znalazło się na ich drodze. Jeśli ktoś ukrył się za masztem, i tak nie miał żadnych szans. Twarde z pozoru drewno kule przewiercały z łatwością na wylot. Sama konstrukcja zawaliła się zresztą po chwili. Dopiero teraz usłyszała wycie i krzyk. Ale to nie z powodu jakichś tam sztuczek z prędkością dźwięku. To po prostu ludzie na statku dopiero teraz zrozumieli, co się dzieje.

Lądując w wodzie, zachłysnęła się, lecz zdołała zmusić swoje ciało, żeby nie wypływało na powierzchnię. Tak jak ją uczył instruktor pływania na dworze, otworzyła pod wodą zaciśnięte instynktownie oczy. Widziała przepływające obok pociski, które znaczyły swoją drogę warkoczami bąbelków. Usiłowała płynąć gdzieś, byle dalej, byle dalej. Paraliżujące bólem płuca zmusiły Kai do wynurzenia głowy. Nie mogła od razu zaczerpnąć powietrza. Rozkaszlała się strasznie. Statek płonął.

Zanurkowała znowu. Nie zdołała napełnić prawidłowo płuc powietrzem, pod żebrami czuła ucisk. Nagle usłyszała huk i łoskot tak potworny, że dosłownie ją sparaliżowało. Z przerażenia wciągnęła wodę do płuc. Ruchami słabnących rąk skierowała ciało na powierzchnię.

Wokół panowała cisza. Z jej statku nic nie zostało.

– Przerwać ogień! – wydzierał się Tomaszewski. – Przerwać ogień!

Kanonada osłabła szybko. Dało się słyszeć również komendy oficerów z kiosku. Kiedy strzały umilkły zupełnie, oficerowie podnieśli do oczu lornetki.

– Jasny szlag!

Obcego statku nie było na powierzchni morza. Jego szczątki zasłały dość sporą powierzchnię. Cóż, ich działo okrętowe miało kaliber stu pięciu milimetrów i pociski przeznaczone do niszczenia statków... ale zbudowanych ze stali.

– Kto wydał komendę: „Ognia"? – Kapitan przechylił się nad obudową żyrobusoli. – Kto powiedział: „Ognia"?

Tomaszewski wziął to do siebie.

– Ja tylko wołałem lekarza.

– Nie o pana chodzi. Z której strony padło: „Lepiej go gońmy, bo włączy silnik i pogna"?

Aha, o to chodziło. Ktoś z obsługi kiosku albo z pokładu po przeciwnej stronie pozwolił sobie na głupi żart czy docinek. No rzeczywiście, rym i podobieństwo jest. Zalany krwią marynarz mógł źle zrozumieć okrzyk. Pogna – ognia. W armii angielskiej podczas „kolejno odlicz" zawsze pomijało się cyfrę pięć. Bo „five" jest cholernie podobne do „fire". A w nerwach czy w szoku wszystko może się zdarzyć.

Tomaszewski nachylił się nad podtrzymywanym przez bosmana rannym. Nie było sensu opatrywać go dyletancko. Porucznik Siwecki już biegł. Marynarze zebrani wokół nie mogli oderwać oczu od sterczącej z płuc strzały.

– Nie dotykajcie – krzyczał Siwecki. – Odsuńcie się, sanitariusze już w drodze.

– Ma jakąś szansę?

– Oczywiście, że ma! Będzie żył! – Siwecki powiedział to z taką pewnością, że wszyscy zrozumieli: słowa były kierowane wyłącznie pod adresem rannego.

Porucznik kucnął obok, kładąc palce na szyi Bronowskiego. Po chwili dotknął oka i rozchylił powieki. Potem wstał ciężko.

– Nie żyje.

– Co tam? – krzyknął kapitan z mostka.

Tomaszewski złożył raport:

– Stan oddziału: czternastu. Obecnych: trzynastu. Straty: jeden zabity.

– Psiakrew! – Kozłowski najwyraźniej nie tego oczekiwał. – Proszę wziąć dwa pontony i przeszukać to pobo... – urwał w pół słowa. Co powiedzieć? Pobojowisko to nie jest, bo nikt z nikim przecież nie walczył. Miejsce egzekucji? Nie wypadało. Miejsce najgłupszej pomyłki pod słońcem? Kapitan po prostu nie skończył.

Tomaszewski zresztą zakończenia nie oczekiwał. Kazał swoim ludziom rozładować pistolety maszynowe. Jeszcze tego brakowało, żeby ktoś posiał serią po zatłoczonym w tym miejscu pokładzie tylko dlatego, że trzęsły mu się ręce z powodu śmierci kolegi. Marynarze dość sprawnie wyciągnęli pontony z siatkowych kontenerów, ale po silniki musieli zejść do wnętrza okrętu. Jednym z odpowiedzialnych był mat Bronowski. Nieżywy mat Bronowski. Szlag! Bosman wziął ten obowiązek na siebie, zabrakło więc kierującego napełnianiem z butli i mocowaniem usztywnienia. Marynarzom drżały dłonie. Nie tylko z powodu tragedii. Bardziej niż to, co się stało, mogły ich deprymować wściekłe spojrzenia oficerów z mostka. Trup leżał w kałuży krwi pilnowany przez Siweckiego, bo ludzie transportujący na górę silniki do łodzi zatarasowali przejście sanitariuszom z noszami. Tomaszewski stwierdził nagle, że w kaburze nie ma służbowej broni. Sam ją wyjął i zastąpił miękką szczotką do butów, ponieważ kamizelka ratunkowa, którą musiał mieć na sobie jako dowódca abordażu, tak uciskała na pistolet w kaburze, że zawsze spodnie zsuwały mu się z tyłka.

Na szczęście Mielczarkowi, kiedy tylko ponownie pojawił się na pokładzie, udało się zwodować oba pontony.

– Odbijamy! – Poprawił pasek stalowego hełmu i wyciągnął kciuk, a potem dłoń w stronę bosmana, wskazując kierunek.

Rozdział 4

Kai utrzymywała się na powierzchni, usiłując odkrztusić wodę z płuc. Gdzie jest statek? Gdzie jest jej statek? No, gdzie się podział? Widziała tylko pływające na powierzchni deski, fragment odłamanego masztu i jakieś kosze. Bogowie, jak długo zdoła jeszcze trzymać głowę ponad taflą? Jej trener podczas nauk twierdził, że cały dzień, ale chyba nie miał na myśli środka oceanu. Gwałtownie się odwróciła. Góry Bogów zdawały się bliskie, lecz dobrze wiedziała, że to złudzenie. Nie było szans na dopłynięcie, nawet gdyby miała się czego trzymać. Przypomniała sobie coś i szarpnęła się w drugą stronę.

W jej kierunku płynęły dwie dziwne łodzie. Zamrugała, chcąc oczyścić oczy z morskiej soli. Nie miała wątpliwości. W środku siedzieli ludzie. Na pewno ludzie. Tylko... Jakim cudem łodzie płynęły tak szybko, skoro żaden z nich nie trzymał nawet najmniejszego wiosła?

– Psiakrew! Tam ktoś jest. – Jeden z marynarzy wskazał niewyraźny kształt.

Sternik zmniejszył i tak już niewielką prędkość.

– Trup. Nie rusza się.

– Podpłyń. – Tomaszewski podniósł z dna wiosło. Na pontonie siłą rzeczy nie było bosaka. Kiedy znaleźli się dostatecznie blisko, usiłował drzewcem odwrócić ciało. Drugi ponton podpłynął właśnie do większego półzatopionego fragmentu. Bosman nawet przełożył nogę przez burtę, jakby zamierzał na niego wejść.

– Po co ci pistolet? – krzyknął do niego Tomaszewski.

Mielczarek wyraźnie się zmieszał, patrząc na trzymaną w ręku broń. Po chwili jednak zabezpieczył ją i schował do kabury.

– Przepraszam, panie poruczniku. Tak jakoś zdawało mi się, że któryś z tych dzikusów może jeszcze dziabnąć mnie nożem.

– Ten już na pewno nie. – Tomaszewski odepchnął ponton od topielca.

Był przewrażliwiony na punkcie przypadkowego strzału. A po tym, co się stało, chyba trudno się dziwić, usprawiedliwiał się w myślach. Żałował, że nie wziął ze sobą manierki. Skutki szoku właśnie zaczęły dawać o sobie znać. Na czoło występował coraz gęstszy pot, a w gardle wyschło niczym na pustyni. Dobrze, że ręce mu się nie trzęsły. Nie chciał, żeby marynarze wzięli go za mięczaka.

– Tam! – wstrząsnął nim nagły okrzyk sternika. – Tam ktoś chyba żyje!

Kai była tak przerażona, że nie potrafiła niczego przedsięwziąć. Zresztą co mogła zrobić? Upiorne łodzie zbliżały się. Jedna podpływała na wprost, druga ewidentnie ją okrążała. Potworny warkot, pęd bez wioseł, dziwaczne straszydła na pokładzie... Dopiero gdy podpłynęli bliżej, zobaczyła, że to jednak ludzie. Straszliwie bladzi, przedziwnie ubrani, wydawali się olbrzymami. Mieli na głowach stalowe hełmy pomalowane na czarno. Wszystkie pięknie lśniły w słońcu, ale też musiały sprawiać dużo kłopotu. Obcy co chwila ocierali pot z czoła. Wszystko w czerni. Przygryzła wargi – kolor śmierci. Ale jeśli to mundury, to obcy służyli w najbogatszej armii na świecie.

Wstrzymała oddech, kiedy do niej podpłynęli. Spojrzała na mężczyznę, który różnił się strojem od innych. Pewnie oficer. Obojętniała powoli, albo z powodu szoku, albo zgęstki zaklęć, które niedawno na siebie rzuciła. Myśli stawały się coraz bardziej leniwe i coraz bardziej irracjonalne. A może ten oficer ją uratuje? Eeee... niby po co? Przecież nie po to zabili wszystkich na ich statku, żeby teraz ratować. Prędzej języka chce i będzie ją torturował, żeby dowiedzieć się, ilu żołnierzy może wystawić na wojnę cesarstwo. Na nieszczęście Kai nie miała zielonego pojęcia, na ilu żołnierzy stać Arkach. Oni na pewno nie uwierzą i biedna zginie w męczarniach, które mogą trwać przecież i kilka dni.

Mężczyzna zawołał coś do niej. Pewnie chciał się już dowiedzieć, jak wielką armię ma cesarzowa. A może by się tak zabić? Tylko jak? Utonąć? Tracąc przytomność, popadała w coraz większą malignę.

Czyjeś ręce chwyciły Kai za ramiona i uniosły nad wodę. Przeciągnęła stopami po przedziwnej burcie łodzi i stwierdziła zaskoczona, że burta jest miękka i ciepła niczym skóra jakiegoś zwierzęcia. Łódź żyła? Pewnie nie. To tylko sztuczki jej skołowanego umysłu. Mężczyźni oglądali ją dokładnie i obmacywali. Ale chyba nie po to, żeby pobawić się przed zbiorowym gwałtem. Pewnie chcieli sprawdzić, czy cała i zdrowa. I czy długo będzie mogła wytrzymać tortury. Mówili, szeleszcząc i warcząc okropnie, w dodatku zupełnie niezrozumiale. Kai zemdlała, patrząc oficerowi prosto w oczy.

– Ranna? – Kiedy tylko przybili do burty okrętu, kapitan zszedł z kiosku na pokład.

– Nie. Straciła przytomność.

Kozłowski podszedł bliżej, żeby przyjrzeć się dziewczynie, ostrożnie przenoszonej na pokład. Ktoś zawołał porucznika Siweckiego. Marynarze ułożyli ją na pokładzie. Powoli zaczynała się budzić.

– Nikogo więcej? – spytał kapitan.

Tomaszewski potwierdził. Podpływając, zdążył rozejrzeć się po pokładzie. Nastrój przypominał atmosferę rodzinnej krypty w sekundę po pogrzebie. Nie zazdrościł Kozłowskiemu. Kapitan na pewno każe wszcząć doraźne śledztwo, zupełnie bez sensu. Jeśli ORP „Dragon" wróci do bazy, admiralicja i tak przeprowadzi własne dochodzenie, a jeśli nie wrócą, to jakiekolwiek śledztwo będzie bez znaczenia. Wszystko jedno, czyjaś głowa rozstanie się z ciałem. Niekoniecznie dosłownie. Ale jeśli wrócą, kośba za coś takiego, co dziś miało miejsce, może przybrać rozmiary hekatomby. Rzeźni i jatki większej niż ta właśnie dokonana. Z pewnym wstydem musiał przyznać przed sobą, że cieszy go pewien fakt. Gremialne rozstawanie się z karierami nie będzie dotyczyć jego samego osobiście. W tamtej pamiętnej chwili stał przecież na widoku, tuż przy pierwszej ofierze. Co robił i mówił, każdy widział.

Siwecki po raz drugi dzisiaj musiał podbiec do miejsca, z którego jeszcze nikt nie zdążył zmyć krwi Bronowskiego. Odstawiając apteczkę na bok, kucnął przy dziewczynie.

Tomaszewski poczęstował kapitana papierosem. Sam też zapalił. Atmosfera nie sprzyjała jakiejkolwiek dyskusji.

– Z powierzchownych oględzin wynika, że nic jej nie jest. – Siwecki podniósł wzrok. – Cucimy?

Kozłowski skinął głową. Porucznik sięgnął do apteczki po małą fiolkę, którą odkorkował i podsunął dziewczynie pod nos. Ta szarpnęła się w jego ramionach, a łzy pociekły jej z oczu. Kiedy je otworzyła, przez dłuższą chwilę nie mogła zogniskować wzroku.

– Słyszy nas pani? – zaczął kapitan.

Spojrzała na niego nieprzytomnie.

– Proszę pani, nic pani nie jest?

Siwecki uniósł oczy do góry, ale tak, żeby Kozłowski nie zauważył. Ten kontynuował w najlepsze:

– Czy pani mnie rozumie?

Stojący obok marynarz spojrzał na nich z niebotycznym zdziwieniem. Tomaszewski wykorzystał chwilę przerwy.

– Ja: Krzysiek. – Stuknął się palcem w piersi. – Krzysiek. Krzysiek – powiedział jeszcze dobitniej, a potem stuknął palcem w jej pierś. – Ty?

– Kai – odpowiedziała dziewczyna i zemdlała znowu.

Kapitan zaklął cicho, a potem zerknął na Tomaszewskiego.

– Czy mam panu przypominać, że oficer przedstawia się stopniem wojskowym, funkcją i pełnym nazwiskiem? A w tym przypadku także przynależnością państwową?

– Tak jest! – Tomaszewski zareagował przytomnie, a Siwecki dosłownie skulił się nad pacjentką, żeby nikt nie dostrzegł wyrazu jego twarzy.

Kapitan na szczęście miał inne problemy na głowie.

– Zamknijcie dziewczynę gdzieś i niech pan, poruczniku – zwrócił się do doktora – doprowadzi ją do stanu używalności.

Siwecki wstał, dopiero kiedy Kozłowski odszedł. Nie wypadało chichotać w tej sytuacji, więc tylko ściszył głos, nachylając się do ucha kolegi.

– Zapomniał dodać, że w tej sytuacji musimy się też przedstawiać jako chłopcy z północnej półkuli, a w tej konkretnej sytuacji dodać jeszcze, że południowcy nie podpisali żadnej konwencji międzynarodowej, więc sami są sobie winni i zabiliśmy ich zgodnie z prawem.

– Nie żartuj. Uważaj na nią.

Siwecki aż się żachnął.

– Dlaczego?

– A możesz mi wytłumaczyć, jakim cudem głowa tej dziewczyny wystawała nad powierzchnię wody, podczas kiedy ona sama w szoku nie ruszała ani ręką, ani nogą?

– Leżała na plecach.

– Nie. Tkwiła w wodzie pionowo.

– Może tu jest po prostu strasznie zasolona woda.

– Inne ciała wyglądały zwyczajnie, a ona... Lewitowała czy co?

Siwecki ogłupiały spojrzał najpierw na Tomaszewskiego, a potem na Kai.

– Shen, głupie cielę! – krzyczała sierżant Wae. – Czy ty miałaś kiedyś prawdziwy karabin w swoich brudnych łapskach?

Żeby cię szlag trafił! W głowie dziewczyny pojawiały się sprzeczne myśli. Miała i nie miała. Ile razy już łaziła zanurzona po pierś w potoku z karabinem nad głową? Przez cały dzień. „Nic nie może zamoknąć! Karabin wysoko nad głową! Jak proch zawilgotnieje, to już nie wystrzelisz, kurwo!" Albo: „Czyścić lufę, czyścić! Wycior w górę i w dół! Chłopcy ten ruch wykonują od młodości, choć na innej lufie, he, he, he, ale wy będziecie lepsze niż oni!". No, miała i nie miała. Sama nie strzelała, to fakt. Z hukiem oswoiła się na polanie, gdzie myła naczynia, a piechota ćwiczyła tuż obok.

– No... – Naprawdę nie wiedziała, co powiedzieć. – Tak właściwie to nie mam pojęcia.

Standardy odzywek do podoficerów w wojskach specjalnych różniły się znacznie od odzywek piechoty i innego armijnego śmiecia. Ale za taką odpowiedź Shen powinna zostać ukarana. Na szczęście bardzo spodobała się Wae. Pani sierżant nawet się uśmiechnęła.

– No to se znajdź jakąś koleżankę i poproś, żeby cię nauczyła strzelać. Skoro masz zostać kapralem, to dziś po raz pierwszy będziesz dowodzić ludźmi. Nie zbłaźnij się!

Pod Shen ugięły się nogi. Zdobyła się jednak na odwagę:

– Czy mogę zadać pytanie, pani sierżant?

Wae zawahała się.

– Hm, zależy jakie – odparła po chwili namysłu. Miała jednak dobry dzień. – No ale możesz spróbować.

– Kto z naszych żołnierzy oprócz mnie zgłosił się na ochotnika?

– Nuk. – Odpowiedź była jasna i prosta, ale co najważniejsze, nie wymagała zdrady tajemnicy wojskowej. To, że głupia Nuk przyszła tu sama, wiedzieli wszyscy. – No już. Spierdalaj.

Sierżant nie musiała dwa razy powtarzać. Shen sama wiedziała, że ma cholernie mało czasu. Pobiegła do miejsca zakwaterowania swojego plutonu. Dziewczyny usiłowały jakoś wykorzystać przerwę między ćwiczeniami. Wszystkie już, małpy śmierdzące, wiedziały, co się będzie działo. Kiedy tylko ją zobaczyły, zaczęły kpić ze swojego nowego, „chwilowego" dowódcy. Cieszyły się jak dzieci na czekającą ich kompromitację – wszak nie one będą ponosić odpowiedzialność. W ogóle nowa w oddziale to sama przyjemność, naczynia pozmywa, w dupę weźmie ponad przydział, a i w pysk jest kogo strzelić, jak smutek nie pozwala zasnąć.

Shen nie słuchała docinków.

– Nuk, Nuk! – zawołała. – Masz mnie nauczyć strzelać. Sierżant Wae kazała.

– Akurat, kazała. – Nuk podniosła się powoli. Była wysoką, ładnie zbudowaną kobietą z długim do połowy pleców, grubym warkoczem. Musiała go podczas ćwiczeń obwiązywać czarną szmatą. Według sierżant jasne włosy Nuk świeciły w ciemności. – Po prostu ją z głupoty zmuliło.

– Wcale nie zmuliło. Kazała.

– Akurat, pindo jedna. Łżesz.

– Nie łżę. Kazała.

Niezbyt wyrafinowany dialog przerwały inne dziewczyny dowcipami, czego jeszcze trzeba nauczyć nową. A konkretnie, Shen potrzebowała natychmiastowych instrukcji: jak się podciera pupcię, jak zadowolić Nuk, kiedy już będą same w krzakach, a także co należy robić, żeby w nocy nie pomylić kuchni z latryną i nie zjeść przypadkiem gówna. Poziom intelektualny żartów ogólnowojskowych musiał źle wpłynąć na weterankę. Nuk kopnęła dwie leżące najbliżej i warknęła na sprawczynię tych wszystkich nieszczęść:

– Jazda za mną! Musimy ci pobrać karabin z magazynu.

– No przecież mam. – Shen przyspieszyła gwałtownie, chcąc dorównać długiemu krokowi Nuk. Na szczęście nie okazało się to trudne. Była prawie równie wysoka i miała równie długie nogi.

– Gówno masz ćwiczebne, ciężkie i niemożliwe do wyczyszczenia – ucięła Nuk. – Idziemy pobrać prawdziwy.

Magazyn właściwy dla ich jednostki umieszczono na jednym z najwyższych wzgórz w okolicy. Nie było ku temu żadnego konkretnego powodu. Ubaw mieli podoficerowie, którzy zamiast karać rekrutów w chwilach odpoczynku, na co oficerowie krzywo patrzyli, po prostu posyłali młodych do magazynu z czymś ciężkim. Shen dobrze wiedziała, o co chodzi, niestety. Na szczęście teraz nie musiała niczego nieść, mogła więc zacząć rozmowę.

– Podobno też jesteś ochotnikiem?

– Też? Jaja sobie robisz.

– Dlaczego?

– Ty nie jesteś żadnym ochotnikiem, gówniaro! Z domu uciekłaś, bo tam bieda i głód, ojciec bił, przyszłości nie miałaś, mogłaś skończyć jako śmieć na wysypisku. No toś se wydumała, że lepiej zdechnąć w wojsku, przynajmniej w ubraniu i z pełnym brzuchem. Bo rzeczywiście w wojsku to jeszcze z głodu nikt nie umarł. A i mundur dają, żeby gołą dupą ze wstydem nie świecić.

– A wcale nie! – odpowiedziała Shen gwałtownie. Po chwili poczuła, jakby ją coś w środku zabolało. – Wcale nie – powtórzyła, ale już z wahaniem.

– Co? – Nuk spojrzała w bok. – Dotarło do ciebie, co mówię, czy co?

– A jak dotarło, to co z tego?

– Nic.

Weteranka ruszyła szybciej, jakby miała złość do Shen. Po chwili jednak zwolniła, żeby się nie zadyszeć.

– Wiesz, obserwuję cię z boku. I widzę coś dziwnego.

– Co? – Shen zbliżyła się, czując, że Nuk powie coś ciekawego.

– Ty masz jakiś wrodzony rozum. Nie, szlag, złe słowo... Jakąś wrodzoną bystrość umysłu. Nikt inny zasadniczo nie jest w stanie mnie tu zrozumieć.

– Hm. A ty szkoły kończyłaś?

– Tak.

– I przyszłaś tutaj sama?

– Tak.

– No to przyjmij do wiadomości, że ja ciebie też nie rozumiem.

Nagle zatrzymały się i spojrzały na siebie. Potem ryknęły śmiechem. Właśnie nastąpił ten maleńki błysk, ta ulotna chwila porozumienia. Dusza powiedziała coś do duszy, z pominięciem ciała, rozumu i języka. Obie zrozumiały nagle, że będą najbliższymi koleżankami w całym tym pierdolniku zwanym armią.

– Naprawdę skończyłaś szkołę i zgłosiłaś się na ochotnika? – Shen dręczyła ciekawość.

– Naprawdę. Umiem czytać i pisać, znam historię, potrafię liczyć i w ogóle... Nawet polityki mnie uczyli.

– W świątyni?

– Nie. Szkoła niby przyświątynna, ale książę pan się popisywał i lubił mieć za klakierów nie zwykłych potakiwaczy, tylko filozofów, poetów, znawców literatury, którzy jakością i wyrafinowaniem pochlebstw pod jego adresem dosłownie miażdżyli klakę innych książąt. No i wymyślił przykrywkę, żeby nie kpiono, że błaznami się otacza, że cała ta profesura musi skądś pieniądz brać. Stworzył więc szkołę. I powiem ci, że abstrahując od pobudek, które nim kierowały, za to, że stworzył to zbiorowisko profesorów, znawców historii i artystów, Bogowie powinni go po śmierci ozłocić i pokryć diamentami.

– Aż tak? – Shen spojrzała spod oka.

– Aż tak. – Nuk zdecydowanie kiwnęła głową. – Ta szkoła daje wolność.

– Nie rozumiem.

– I nie zrozumiesz. Przynajmniej na razie.

Shen przygryzła wargi.

– Nie wyjaśniłaś mi, dlaczego wstąpiłaś na ochotnika.

Nuk wzruszyła ramionami.

– Skłonił mnie do tego patriotyzm. – Machnęła ręką, zdając sobie sprawę, że to kolejne słowo, którego tamta nie pojmie. – Zrobiłam to, bo wierzyłam, że nasz kraj ma się źle. Że stare cesarstwo potrzebuje pomocy, że jest rozrywane przez wrogów i potwory, że murszeje, że się kurczy, traci wszystkie odległe prowincje, że to po prostu schyłek. I wierzyłam jak głupia, że armia może to zmienić. Byleby się składała z ochotników.

– A teraz w co wierzysz?

– Ta... dobrze myślisz. Zobaczyłam tę machinę absurdu zwaną wojskiem. Ale... mimo że wojsko wyeliminowało moją wiarę, że jest w stanie cokolwiek załatwić, jednak dało mi coś innego.

– Co?

– Prawdziwą wolność. – Nuk zatrzymała się i spojrzała w oczy Shen. – Tu tylko niebo cię ogranicza – powiedziała i znowu ruszyła drogą w stronę szczytu wzgórza. – Tu nie obowiązują ani prawa ludzkie, ani boskie. Tu nic cię nie ogranicza. Jeśli tylko zdasz sobie z tego sprawę.

– Chyba żartujesz? – Przed oczami Shen pojawiła się pani sierżant, stosy naczyń nad strumykiem i musztra połączona z brodzeniem w rzece.

– Ale to rozumiesz. – Nuk znowu domyśliła się, co koleżanka czuje. – Pomyśl. Ani prawa boskie, ani ludzkie... Ja po prostu polubiłam zabijanie. Wolność naprawdę jest na polu bitwy, kiedy ja rządzę, nie Bogowie. Ja decyduję o życiu i śmierci. Uwielbiam, co się wtedy ze mną dzieje. To jest jak... jak... jak orgazm!

– A co to jest orgazm? – spytała Shen.

Nuk stanęła jak wryta.

– Kurde. Ty nigdy z chłopakiem nic... ten tego...?

– No nie... Bez przesady! – Shen aż się zaperzyła, wspominając swoje, co prawda nad wyraz skromne, doświadczenie w tej mierze. – Pewnie, że ten tego... Ale co to jest orgazm?

– A jak sobie robisz dobrze, to czym to się kończy?

– Ja sobie nie robię dobrze!

– No nie pierdol.

– Ale ja nigdy w życiu...

– Przestań się wstydzić. Każda to robi. A jak pobędziesz dłużej w woju, to zobaczysz, że większość się nawet nie za bardzo kryje.

Shen stała z tak płonącymi policzkami, jakby je oblano wrzątkiem. Nie miała zielonego pojęcia, co powiedzieć. Nuk położyła jej rękę na karku, przyciągnęła do siebie i dotknęła czoła czołem.

– Dobra, pogadamy o tym później. Na razie lepiej siądźmy w cieniu, tu, pod drzewem. Takiego buraka nie zaprowadzę do magazynu.

Musiała się zorientować, że zabrzmiało to dwuznacznie, bo dodała od razu:

– Mówiąc o buraku, mam na myśli kolor twarzy, a nie zachowanie czy pochodzenie. Kumasz?

Shen skinęła głową, w ogóle o tym nie myśląc. Kiedy siadały pod drzewem, chciała przede wszystkim desperacko zmienić temat i nie mówić już o orgazmach, onanizmie ani w ogóle o sprawach damsko-męskich.

– Skoro masz szkołę i pochodzisz z miasta, czemu nie zostałaś oficerem?

– Nie ma oficerów mianowanych w siłach specjalnych. Wszyscy przeszli z innych rodzajów wojsk, gdy wykryto w nich jakiś talent.

– A nasza pani porucznik?

– Idri? Nie uwierzysz, ale ona jest kwatermistrzem. Kiedy napadli na Oan-Roe, powstańcy zabili wszystkich oficerów. Garnizon poszedł w rozsypkę, nie było komu wziąć wojska w garść. Tylko kwatermistrza nie zabili, bo siedział se w kuchni, kaszy pilnując.

– I co?

– Nic. Idri sprzęgła wojsko do kupy w swojej garści, wycofała się z miasta. Powstańcy triumfowali, nie wiedząc, że babie udało się wyrwać na zewnątrz całkiem porządne siły. Idri przegrupowała się w nocy i nad ranem spacyfikowała pijanych buntowników. I coś się wtedy w niej przełamało.

– Co?

– Chcieli jej dać ordery oraz stopień kapitański od zaraz, a potem stopień majora przed czasem. I to celując w szlify pułkownikowskie za kilka lat, robiąc w ten sposób z poruczniczyny najmłodszego pułkownika w armii.

– Odmówiła? – domyśliła się Shen.

– Tak. Zażądała tylko przeniesienia z prawem wyboru jednostki i zachowaniem stopnia.

– Do wojsk specjalnych?

– Mhm.

– Co w tych wojskach jest?

– To elita. Wszyscy się nas boją, choć za plecami mówią „speckurwy". Tu na ćwiczeniach nie zrobią z ciebie gówna jak w piechocie. Radzę ci, zerknij, co tam się z ludźmi wyrabia.

Shen miała przedsmak na przystani w dniu przyjazdu. Wolała nie sprawdzać, co jeszcze można wymyślić.

– U nas stopnie się mało liczą – ciągnęła Nuk. – Ja na przykład jestem sierżantem, ale na rękawie nie mam żadnych...

– A Wae?

– Ona jest sierżantem szefem. A faktycznie dowodzi plutonem. Stopnie się nie liczą, etat ważny. Wae jest przydupasem Idri, więc szefuje nawet całej kompanii. Idri dowodzi tą kompanią, choć jest zaledwie porucznikiem, bo pani kapitan w tej chwili szuka przyjemności w zabawie z przystojnymi kawalerami i nie raczy zajrzeć na wyspę Tarpy.

– Czekaj, czekaj, czekaj, bo się pogubię. Powiedz, ale poważnie, co jest takiego w wojskach specjalnych?

Nuk westchnęła ciężko.

– Opowiem ci pewną przygodę z dzieciństwa. Otóż są w tym kraju rodziny mieszczańskie na tyle bogate, że wysyłają dzieci na wakacje.

Shen nie miała pojęcia, co to są wakacje, ale wolała nie przerywać.

– No i wysłali mnie na wieś, żebym, jak kazał medyk, powietrza zaczerpnęła...

– Co? To w szlacheckim dworze nie ma powietrza?

– Kurwa! No właśnie po to zgłosiłam się na ochotnika! Ten kraj schodzi na psy!

– Błagam, po ludzku, o czym mówisz?

– Tobie się chyba wydaje, że imperium jest takie samo jak za cesarzowej Achai, Zaana i innych zamierzchłych bohaterów. Skoro nie jestem szlachcianką, to jestem gównem, i kiedy zachoruję, wzywają wiejską wiedźmę, a nie medyka! Zrozum, babo, że świat się zmienia. Czego być może nie widać z perspektywy tej twojej wsi. Ale mój ojciec, mimo że nie jest szlachcicem, tylko zwykłym mieszczaninem i spekulantem, jest na tyle bogaty, że stać go na medyka dla dziecka. Na wyjazdy do wód, a dla dzieci na wykształcenie i wakacje. A szlachta często do niego przychodzi po prośbie.

Shen zrozumiała, że Nuk miała ochotę porozmawiać. I wiele się wyjaśniło. Przysunęła się bliżej, przytuliła ramieniem i uśmiechnęła.

– I co z tą przygodą z dzieciństwa?

Nuk odpowiedziała uśmiechem.

– Rozgadałam się i straciłam wątek, tak?

– Nie. Skąd.

– Tak. Wiem, że jestem straszną gadułą i jak się rozgadam, to... Pamiętam, jak kiedyś...

– Do brzegu, Nuk! – Shen krzyknęła prawie prosto do ucha koleżanki.

– Aha. No więc pojechałam na wakacje na wieś. Tego roku była bardzo zła zima, wilki się rozpanoszyły i zagrażały stadom owiec. A ja bardzo lubiłam owce, a przede wszystkim psy pasterskie, i zawsze towarzyszyłam pastuchom. Niestety, latem przyszła powódź, wieś została odcięta, wielu ludzi musiało się przenieść wyżej, na pastwiska, do szałasów. Wilki też pozostały w pułapce, atakowały coraz zażarciej. I pamiętam pewną noc. Pewien stary pastuch powiedział, że już nie obronimy owiec, watahy są zbyt silne. Kazał ludziom zebrać się w szałasach, a potem do szałasów wzięto też psy.

– Psy?!

– Też byłam zdziwiona. Kto będzie bronił owiec? Pastuch odrzekł, że teraz już nikt, że zostaną poświęcone w imię bezpieczeństwa ludzi. Dalej nie mogłam zrozumieć, przecież pasterskie psy to ogromna siła bojowa.

Wyjaśnili mi, że owszem, ale wyszkolony, doświadczony pies jest sto razy bardziej cenny niż owca. Nie wolno go narażać na stracenie.

– Niesamowite.

– No! Zaskoczyło mnie to, jak i ciebie. Ale ponieważ pasterze mnie lubili, to przyszedł nawet sam najstarszy i mi wyjaśnił. Powiedział, że owce można odkupić, a pies przede wszystkim jest droższy, a poza tym trzeba się nad nim dużo napracować, wytresować, ułożyć, pozwolić nabrać doświadczenia. Ale nie to jest najważniejsze. Psy nie mogą być narażone na zagładę, broniąc owiec, bo jeśli je stracimy, a wilki przedrą się na wzgórze, kto wtedy będzie bronił nas? I powtórzył dobitnie: jeśli stracimy psy dla owiec, kto będzie bronił nas?

– A jak to teraz połączysz z wojskami specjalnymi? Że niby my jesteśmy takimi psami pasterskimi?

– Dokładnie tak. Jesteśmy najlepiej wyszkolonym i wyposażonym wojskiem. Bierzemy udział w bojach, ale... nas w przeciwieństwie do piechoty na przykład nigdy nie posyła się na pewną śmierć. Jeśli grozi totalna klęska, nas zawsze się wycofuje zawczasu.

– Dlaczego?

– Władca myśli dokładnie tak samo jak stary pastuch. Jeśli w jakiejś awanturze stracę psy, kto mnie będzie bronił? Psy i wojska specjalne nie są więc wystawiane na hazard.

– I niby przed kim będziemy bronić władców? Jeśli zwykłe wojsko ulegnie wrogowi, to my...

– Nie, nie, nie. Na wrogów to nas trochę za mało.

– No to po co jesteśmy?

Nuk roześmiała się głośno.

– Pytanie trzeba zadać inaczej: jeśli zbuntuje się wojsko, kto będzie bronił władców przed własną armią?

– Ach! – Shen palnęła się ręką w czoło. – To dlatego mówią o nas „speckurwy"?

– Inteligentna jesteś. – Nuk popukała ją w ramię. – W mig zrozumiałaś.

Tomaszewskiemu udało się przejąć Wyszyńską na korytarzu, w chwili kiedy wychodziła z kantyny.

– Przepraszam najmocniej, czy znalazłaby pani dla mnie chwilę?

Spojrzała zdziwiona. Od dawna czuła, delikatnie mówiąc, niechętny stosunek oficerów do kobiet na pokładzie.

– Oczywiście. Czy to coś ważnego?

– Dosłownie kilka pytań. I to nie zawodowych. Chciałbym panią o coś spytać prywatnie.

Jej mina wyrażała zaskoczenie. Kobieta była jednak zbyt inteligentna, żeby sądzić, że chodzi o prostacki podryw. Na pokładzie nie mieliby się zresztą gdzie spotkać na ewentualnej randce. No chyba że w przedziale torpedowym: „Kochanie, co za romantyczny wieczór, odrutowane żarówki dookoła, torpedy i ty...". Porucznik uśmiechnął się do własnych myśli. Wyszyńska pomyślała zapewne o tym samym, bo uśmiechnęła się również.

– Mamy kłopot z naszym więźniem – zaczął. – Kapitan kazał zamknąć tę dziewczynę w pustym pomieszczeniu, żeby sobie nie zrobiła krzywdy, i...

– Chyba się domyślam.

– Tak. Ona jest w szoku, wystraszona, nie odzywa się, nie je... Chyba chce umrzeć.

Wyszyńska skinęła głową.

– Trochę trudno jej się dziwić. Jakieś potwory zabiły wszystkich jej pobratymców, a ją samą porwały do brzucha okropnego monstrum.

– Dokładnie.

– Czego pan ode mnie oczekuje? Nie jestem psychologiem.

– Ale jest pani kobietą.

– No tak, jednak...

– Ona nie dość, że nie chce jeść ani pić, to jeszcze nie chce skorzystać z żadnego z podsuwanych jej naczyń...

– W formie nocników? – zrozumiała Wyszyńska. Była naprawdę inteligentna. – Aha, i to ja mam jej pokazać, co to jest toaleta?

Tomaszewski poczuł wdzięczność, że się domyśliła, bo nie miał pojęcia, jak poprosić o taką pomoc.

– Jest pan bardzo mądry, panie poruczniku, i dobrze pan trafił. Spróbuję się dowiedzieć, czego ona może chcieć.

Tomaszewski poprowadził Wyszyńską w stronę zaimprowizowanej celi.

– Wie pan, dziewczyna na pewno chce się umyć i włożyć czyste ubranie.

– To da się zrobić.

– Tylko w jakiejś ludzkiej atmosferze. Przecież ona sądzi, że jest wśród najgorszych potworów na świecie.

Przytaknął bez słowa. Co tu można było dodać?

Wartownik otworzył im drzwi. Kai wyglądała tak, jak się spodziewali – skulona w najdalszym rogu, w pozycji embrionalnej, rękami obejmowała głowę. Wokół stały papierowe naczynia z nietkniętą zawartością.

– No tak – westchnęła Wyszyńska. – Tylko mężczyzna może sądzić, że wołowina z puszki na zimno może ją skusić. Raczej skłoni do ucieczki samym zapachem.

– Zabierz to – rozkazał Tomaszewski wartownikowi.

– Szkoda, że nie znamy jej imienia.

– Znamy. Ma na imię Kai.

Wyszyńska zerknęła na niego z podziwem.

– No tak... przecież jest pan oficerem wywiadu marynarki.

– Co w żaden sposób nie zbliża mnie do znajomości słowa „chodź" w jej języku. – Tomaszewski schylił się, żeby wziąć dziewczynę za ramię. Wyszyńska go powstrzymała.

– Pod żadnym pozorem niech pan jej nie szarpie ani nie zmusza do niczego. Spróbujemy po dobroci. – Nachyliła się. – Kai?

Nawet nie drgnęła. Kurczowo zaciśnięte powieki również się nie poruszyły.

– Kai, chodź.

– No chodź – Tomaszewski zawtórował pani inżynier, siląc się na łagodny ton. – Chodź, Kai, co będziesz tu tak sama siedzieć?

– No chodź. – Wyszyńska wyprostowała się i odwróciła w stronę drzwi. – Chodź z nami. Patrz, jak to się robi. Jeden krok, drugi...

– Chodź. Patrz, jak to się robi. – Tomaszewski, powtarzając słowa pani inżynier, wykonał jeden krok marszowy. – Ja robię to tak. Noga do góry...

– A ja zadzieram kiecę i lecę. – Wyszyńska nagle parsknęła śmiechem i natychmiast zaraziła Tomaszewskiego.

O dziwo, słysząc śmiejące się przyjaźnie potwory, Kai otworzyła jedno oko.

– No chodź. – Tomaszewski wskazał drzwi. – Tam jest am-am. Tam można siku i zrobić myju-myju.

Wyszyńska chichotała w najlepsze.

– Proszę pana, ona nie jest dzieckiem i dalej nie rozumie.

– Może jej przeliteruję w takim razie? – Oboje zaczęli się wyraźnie bawić. I chyba powoli przynosiło to skutek. Widząc chichoczące monstra, Kai otworzyła drugie, potwornie podejrzliwe oko i lekko odkleiła się od ściany. Tomaszewski wyszedł na korytarz i stamtąd przyzywał ją gestami.

– No chodź, Kai. Chodź z nami. Tu nie ma nic strasznego, naprawdę. A wartownik ma taką durną minę nie dlatego, że chce cię zjeść, a jedynie dlatego, że mu mało płacą.

Marynarz też parsknął śmiechem. Biedna, skulona dziewczyna zaczynała rozumieć, że na egzekucję poprzedzoną torturami rzadko kiedy prowadzi się skazańca z uśmiechem. Potwory najwyraźniej czegoś od niej chciały. Ale, co najważniejsze, nie zamierzały jej zmuszać.

– No chodź, chodź.

– Widzisz, wiem, że trudno w to uwierzyć, ale nikt tu nie zamierza cię zabić.

– Nikt też nie zamierza... – Tomaszewski urwał, widząc, że dziewczyna przyjęła pozycję, z której łatwiej wstać. Wyszyńska też to zauważyła i wyciągnęła rękę w jej kierunku. Na bezpieczną odległość, nie zamierzając dotknąć Kai. Najwyraźniej dziewczyna miała rzeczywiście parę potrzeb, których tu nie dawało się załatwić. Zresztą ile można tkwić zwiniętym w kokon. W końcu coś musi się stać, coś też trzeba postanowić. A najpierw zapoznać się z sytuacją.

Dziewczyna ostrożnie ujęła dłoń Wyszyńskiej.

– Kai – powiedziała.

– Anna. Ania – poprawiła się po chwili pani inżynier. – Chodź.

– Annaania. – Dziewczyna wskazała ją palcem, a potem pokazała Tomaszewskiego. – Krzysiek. – Cholera, najwyraźniej zapamiętała. Kai przeniosła palec na marynarza, który pełnił wartę.

– Przedstaw się – szepnął Tomaszewski.

Marynarz wyprężył się i ryknął na cały głos:

– Starszy marynarz Jerzy Warniak, wachta druga dzienna, pokład B!

Jakimś cudem Kai nie dostała zawału. Drgnęła odruchowo, lecz najwyraźniej wiedziała, co to żołnierski dryl i zależność służbowa. Jakąś armię na pewno już widziała.

– No to chodźmy. – Wyszyńska delikatnie pociągnęła Kai wzdłuż korytarza. – Tędy, dziecko, uważaj na progi.

Dziewczyna rozglądała się wokół, gwałtownie obracając głową. Kiedy zaczęli prowadzić ją wzdłuż korytarza, strażnik chciał ruszyć za nimi. Tomaszewski powstrzymał go szeptem.

– No przecież nam nie ucieknie. Jesteśmy w zanurzeniu.

– Ale ja dostałem rozkaz.

– Nie od kapitana osobiście. Kto go wydał?

– Bosman.

– No to powołacie się na rozkaz starszego stopniem, czyli mój.

Kai zdawała się słuchać, o czym mówią. Wrażenie było tak silne, że nawet Wyszyńska spytała ni stąd, ni zowąd:

– Rozumiesz, co mówimy?

Dziewczyna spojrzała na nią. Jej twarz pozostawała nieruchoma.

– No dobra, chodźmy – przerwał milczenie Tomaszewski.

Kiedy dotarli do celu, zapalił papierosa, czekając, aż Wyszyńska wytłumaczy dziewczynie wszystko gestami. Po toalecie przyszła kolej na kąpiel w ciasnej kabinie prysznicowej. Po raz pierwszy usłyszał nieśmiały jeszcze śmiech dziewczyny. Pewnie pani inżynier naukowo usiłowała wytłumaczyć, co to jest mydło. Wyszły dopiero po dłuższej chwili, Kai owinięta w olbrzymi ręcznik.

Nie wiedzieli, jak zareaguje na obsługę kwatermistrzowską. Tomaszewski poprosił przez interkom, żeby w magazynie pozostał tylko oficer. Marynarze być może i powstrzymaliby się od niewybrednych żartów, mając wyraźny rozkaz, ale nie sądził, żeby istniała siła, która zatrzymałaby ich namolne spojrzenia. I chyba był to dobry pomysł. Kai wprowadzona do magazynu od razu zorientowała się, gdzie jest, i napięcie wyraźnie opadło.

– Wybierz sobie coś do ubrania. – Tomaszewski podprowadził Kai do półek z mundurami. – Niestety, wszystkie komplety są męskie.

Ustalili z Wyszyńską, że najlepiej dać dziewczynie wybór. W ten sposób skutecznie odróżnią się od wszystkich innych miejsc przetrzymywania na świecie. Dzięki temu może poczuje się choć trochę bardziej pewnie. Teoretycznie pani inżynier mogłaby dać Kai coś ze swojej odzieży, ale po chwili uznali, że nie ma sensu. Różnica wzrostu pomiędzy Polką a mieszkanką półkuli południowej była zbyt duża, na niekorzyść tej ostatniej.

Kai z pomocą kwatermistrza wybrała sobie spodnie w maskujące ciapki, jakie nosił, a i to wyłącznie podczas akcji, oddział desantowo-zwiadowczy. Bielizny nie tknęła. Może nie podobały jej się męskie gacie, a może w ogóle nie znała czegoś takiego. No nic. Wyszyńska zawinęła nogawki spodni, a kwatermistrz zrobił dodatkowe dziurki w pasku. Po włożeniu wyglądało to nawet jako tako, choć kieszenie udowe znalazły się tuż pod kolanami. Łatwiej poszło z doborem koszuli. A potem Kai uparła się na cienką tropikalną kurtkę. I to w dodatku oficerską. No trudno, życzenie kobiety. Nikt na pokładzie nie zakładał kurtek, ale może dziewczyna po prostu chciała ukryć podkreślone przez męską koszulę piersi? Kwatermistrz w każdym razie dał z siebie wszystko. Dopytał o jej imię, uruchomił specjalną maszynę i wyszył nad przednią kieszenią napis KAI. Pod spodem dodał: GOŚĆ.

Pomysł okazał się przedni. Kiedy dziewczyna włożyła kurtkę, od razu postukała palcem w napis, patrząc pytająco. Imię wyjaśnić łatwo. Gorzej, gdy dotknęła napisu GOŚĆ. W odpowiedzi Tomaszewski i Wyszyńska ukłonili się Kai z atencją. Dziewczyna chyba zrozumiała, bo na jej twarzy pojawił się ledwie dostrzegalny, nieśmiały uśmiech. Nie było to żadne przełamanie lodów, ale przynajmniej wyrwali ją ze stanu przerażenia. I to dość skutecznie. Zamiast drżeć, Kai zaczęła myśleć.

Sierżant Wae stała w rozkroku tuż przy wejściu i przyglądała się wszystkiemu z pewnym rozbawieniem.

– No szybciej, szybciej. Możecie wziąć wszystko, czego potrzebujecie. To ćwiczenia specjalne.

Na szczęście Shen została uprzedzona, a Nuk dodatkowo załatwiła z żołnierzami, żeby jej nie zgnoiły na samym wstępie. Każda kiedyś musiała przejść próbę dowodzenia plutonem i każda pamiętała własne zagubienie.

– Wyobraź sobie, że zginął nasz dowódca – Wae wprowadzała Shen w nastrój. – Zginęli wszyscy oficerowie. – Rozejrzała się, czy w pobliżu na pewno nie ma nikogo wyższego rangą, i dodała: – To oczywiście nie byłby żaden problem i byśmy sobie poradziły. Ale... Wyobraź sobie, że zginęli również wszyscy podoficerowie. Zostałaś tylko ty, kapral Shen. I co? Dostajesz zadanie zdobycia chatki na tym wzgórzu, co je widzisz za drzwiami.

– Jeśli wszyscy oficerowie i podoficerowie zginęli, to kto może mi wydać rozkaz? – wyrwało się Shen. Na szczęście instynkt samozachowawczy powstrzymał ją od dodania, że w tej sytuacji kazałaby wszystkim uciekać.

– Ostatnia oficer wydała ci go, umierając! – wrzasnęła Wae. – Tuż przed śmiercią! Albo może nawet głównodowodząca armią przysłała gońca! Ale podpadłaś...

Nuk odciągnęła Shen do tyłu. No szlag! Kazała zatem koleżankom pobrać granaty, a Wae znowu się rozdarła:

– Ty kretynko! Granaty są do obrony, a tobie rozkazano atakować!

Na szczęście Nuk nie wytrzymała. Podeszła do sierżant i wysyczała tak, żeby zbyt dużo żołnierzy nie słyszało:

– Weź se na wstrzymanie! A jak nie masz ziółek do popicia, to wsadź se palec w dupę i trzymaj z całej siły!

Pomogło, choć tylko częściowo. Wae wrzeszczała teraz na pozostałych żołnierzy, żeby pamiętały: to tylko ćwiczenia, więc naboje w karabinach robią wyłącznie huk i dym, a granaty tylko dym. Ale nie wolno rzucać w koleżanki ani strzelać z przyłożenia do cudzej głowy. I pakułami można zabić, a przynajmniej oślepić.

Porucznik Idri przyszła mniej więcej w południe. Była wyraźnie zmęczona jakąś imprezą poprzedniego dnia. Za to doskonale mogłaby teraz zagrać umierającego oficera wydającego swój ostatni rozkaz. Spod półprzymkniętych powiek zlustrowała teren ćwiczeń. Niewielkie wzgórze, na szczycie chata, po drodze kilka skupisk krzaków i rachitycznych drzew. Broni jedna drużyna, atakują trzy, czyli cały pluton – wszystko pod wodzą nieopierzonej pełniącej obowiązki kaprala. W teorii atak mógł się udać, zachowano regulaminową trzykrotną przewagę atakujących. W praktyce nie. Broniły weteranki, atakowały amatorki. I o to chodziło mniej więcej, żeby pokazać nowym, gdzie ich miejsce.

– Zaczynajcie.

Wae klasnęła w dłonie, a Shen po raz pierwszy w życiu poczuła ciężar dowodzenia, choć przecież, przynajmniej teoretycznie, nic nikomu nie groziło. Szczęście, że Nuk postanowiła jej pomóc i ugadała żołnierzy. Głęboki wdech i pierwszy w życiu rozkaz:

– Pierwsza i druga drużyna do osłony! Trzecia drużyna atakuje najbliższą kępę!

– Do jakiej osłony, skoro nikogo nie widać?! – wrzasnęła Wae. – Przed kim mają osłaniać?

– Nie wtrącaj się – ledwie szepnęła Idri. – Wyślij kogoś po coś do picia i siądźmy gdzieś w cieniu, żeby się pośmiać. Od tego słońca boli mnie głowa.

– Dobra... To znaczy tak jest, pani porucznik.

Shen zaczęła swój niecodzienny atak. Dwie drużyny wycelowały karabiny w najbliższą kępę krzaków i zaczęły prowadzić ogień. Jeden strzelec po drugim. Gdyby ktoś tam siedział, nie śmiałby wystawić głowy, nie mówiąc o mierzeniu z karabinu. Kiedy trzecia drużyna podbiegła wystarczająco blisko, dziewczyny podpaliły lonty i rzuciły granaty. Padnij, powstań, i żołnierze skoczyły dokładnie w miejsce, gdzie nastąpił wybuch. Ukryły się i same przeszły do osłony pierwszej oraz drugiej drużyny, dając im możliwość nabicia karabinów i podbiegnięcia do krzaków.

I znowu to samo. Osłona kieruje ogień na następny cel. Jedna drużyna atakuje, skoordynowane rzuty i po chwili żołnierze docierają na miejsce wybuchów.

I następny cel. Ani na moment nikt, kto ładował broń lub biegł do ataku, nie był pozbawiony aktywnej osłony. Nie nastąpiła ani jedna taka chwila, żeby pluton nie miał przynajmniej części nabitych karabinów. Najczęściej jednak miał pełny stan gotowy do użycia albo dobrze zakamuflowaną i ustawioną osłonę grenadierów.

Weteranki broniące chałupy pokpiły zresztą sprawę, nie wystawiając żadnych ludzi w pułapkach w drodze atakujących na szczyt. A teraz wobec takiej formacji nie były w stanie przeprowadzić żadnego kontrataku. Czekały w środku na ostateczne rozstrzygnięcie. Ale kiedy pluton zajął pozycje wyjściowe do ataku na chatę, Shen wydała następny niecodzienny rozkaz: „Ogień przygniatający!". Żołnierze zaczęły strzelać salwami, jedna drużyna po drugiej. Trzy salwy. Dużo czasu, żeby podbiec i wrzucić do środka granaty bez obawy, że ktokolwiek z obrońców wystawi głowę. A potem, po wybuchach, wystarczyło gwałtownie ruszyć do ataku na kolby i bagnety z miażdżącą przewagą trzy do jednego. Koniec.

– Ty kretynko! – wyła pani sierżant. – Na jakiego grzyba każesz najpierw ludziom rzucać granaty, a potem biec na miejsce wybuchu? Przecież gdyby to działo się naprawdę, toby tam już nie było nikogo żywego. Po co więc tam lecieć?

– No właśnie dlatego, że tam już nie ma nikogo żywego. Miejsce bezpieczne, można sobie karabin naładować.

– Ty cielaku obleśnie głupi! Ty krówsko wydojone z mózgu! Ty...

– Błagam, nie krzycz tak... – Z boku podeszła porucznik Idri, trzymając przy czole szmatkę namoczoną w zimnej wodzie. – Łeb mi pęknie.

Podeszła do wystraszonej Shen i popatrzyła jej w oczy. Ciekawe, o czym myślała. O swojej akcji z Oan-Roe? Kiedy uderzyli partyzanci, paraliżując garnizon, kazała żołnierzom uciekać. Najbardziej nieregulaminowy rozkaz w armii, za który kara jest tylko jedna. Powieszenie. Bo na rozstrzelanie trzeba jednak czymś zasłużyć. A potem przegrupowała oddział i uderzyła na rozprzężonych partyzantów. Za to chcieli ją w perspektywie zrobić pułkownikiem. Też wbrew regulaminowi, choć w drugą stronę.

– Zdejmuję cię z funkcji pełniącej obowiązki kaprala – szepnęła skacowana Idri.

– Tak jest! – Shen wyprężyła się regulaminowo.

– Mianuję cię kapralem.

– Ta...

Ze zdziwienia głos uwiązł w gardle. Shen nie mogła wypowiedzieć regulaminowej formuły.

Kai rzuciła na siebie zaklęcie tak dopracowane, tak wypieszczone i wymuskane, że musiało zadziałać. Ale ni chu... cholery nie zadziałało. No jasny szlag! Zaklęcie stworzył w dawnych czasach wielki czarodziej Hunr, a służyło do łatwego zrozumienia i opanowania miejscowych narzeczy. Wszyscy przecież mówią tym samym językiem. Lecz odległości, odmienne zwyczaje i kultura sprawiły, że język ten ewoluował i rozdrabniał się na mnóstwo miejscowych gwar, dialektów, narzeczy, slangów, a wszystko to dodatkowo zniekształcone odmiennymi akcentami. Wykształcony człowiek mógł się oczywiście porozumieć wszędzie na świecie, jednak wymagało to często dużego wysiłku. A zaklęcie pozwalało porozumieć się z każdym od razu. Potem odkryto nowe lądy. Hunr sam z ciekawości popłynął razem z żeglarzami w kolejną wyprawę. Początkowo nikt nie mógł dogadać się z tubylcami. Czarownik po długich badaniach stwierdził, że mimo wszystko dzikusy też posługują się czymś, co powstało z jednego jedynego prajęzyka obowiązującego wszędzie. Zmodyfikował swoje zaklęcie i zawsze działało. Jak do tej pory.

Leżała w jakimś pół śnie, pół malignie. Bez przerwy śnił jej się koszmar, ktoś znajomy mówił, że dostrzegł w błysku przyszłość Kai. Będzie na statku, który pływa pod wodą. Nie mogła tego pojąć. Nie mogła zrozumieć, jak w błysku można było dostrzec tę potworność, która właśnie stała się jej udziałem.

Potem jednak udało jej się wziąć w garść. Napracowała się nad tym pieprzonym zaklęciem, a ono nie działało. Albo, szlag, na świecie nie ma tylko jedynego prajęzyka, z którego pochodzą wszystkie narzecza! Nie ma! Nie rozumiała ani słowa, które wypowiadał do niej ten wysoki oficer potworów.

Zaprowadził ją do małego pomieszczenia, ale innego niż to, w którym do tej pory się znajdowała. Pokazał, jak się rozkłada małe, przytwierdzone do ściany łóżko. Pokazał, jak się wywołuje to przedziwne światło znikąd, które tu wszyscy mieli. Nie rozumiała, skąd bierze się to światło, wokół nie czuła żadnej magii. Absolutnie żadnej. No po prostu światło pojawiało się znikąd, choć nikt nie rzucał czarów, żeby to sprawić. Więc skąd się wzięło, skoro wokół nie było żadnego ognia?

Mniejsza z tym... On coś do niej mówił. Powoli i wyraźnie, a ona nie rozumiała ani słowa. Spróbowała się wsłuchać w każdą sylabę.

– Cze-ko-la-da.

Bogowie, co to może być? Domyślała się, że chodzi o niewielką tabliczkę, którą trzymał w dłoni, lecz co to mogło być? Patrzyła, jak rozpakowuje papier. Podsunął Kai zachęcającym ruchem. Potem rozwinął papier do końca, pokazując brązową powierzchnię. Zapach wypełnił całe niewielkie pomieszczenie. Był bardziej niż przyjemny, był... przyjazny. Oficer odłamał kawałek, włożył sobie do ust i zaczął gryźć. Aha, chce pokazać, że nietrujące. Stary numer, wiedziała, że wszystko można nasączyć trucizną tylko w jednym, wybranym miejscu albo po prostu mieć odtrutkę na podorędziu. Odłamał jeszcze jeden i podał jej na dłoni. No właśnie. Ale nie no... Głupia była. Przecież nie zadawałby sobie aż tyle trudu wobec kogoś, kto był całkowicie w jego władzy. Spróbowała. Jakby miód? Nie. O szlag! Kawałek rozpuszczał się powoli, Kai zaczęła gwałtownie gryźć. Ale dobre! Gestami dała do zrozumienia, że chce więcej. Była makabrycznie głodna i dopiero teraz zdała sobie z tego sprawę. Podał jej całą tabliczkę, a Kai zaczęła odgryzać coraz większe kęsy, nie nadążając z żuciem i przełykaniem. Zaczął się śmiać. A niech cię, cholerniku jeden! Ciekawe, jak byś się śmiał, gdyby ci wymordowano wszystkich towarzyszy podróży, a potem zamknięto w metalowym lochu jakiegoś potwornego stwora?!

– Gbur – wybełkotała z pełnymi ustami.

Musiał się domyślić sensu, bo powiedział:

– Przepraszam.

Spojrzała zdziwiona. To słowo zrozumiała. Czyżby jednak zaklęcie działało? Podniosła z malutkiego stolika dziwny oprawiony w płótno przedmiot. Zerknęła pytająco. Odpowiedział oczywiście, ale tego już nie zrozumiała. Jednak nie działało.

Dziwny przedmiot okazał się zwykłą książką. A raczej niezwykłą, bo kartki z niewiarygodnie cienkiego papieru wklejono czy wszyto z nieprawdopodobną precyzją i kunsztem w płócienne okładki. W dodatku wszystko było jakieś dziwnie miniaturowe.

W ciasnym pomieszczeniu stali oboje, prawie dotykając się ciałami. A Kai nagle coś zrozumiała. Przede wszystkim, że oficer potworów naprawdę nie chciał dla niej źle. Coś wielkiego musiało po prostu pójść nie tak, a on chciał pokazać, że... że nie jest jej wrogiem. Przyprowadził ją nawet do swojej prywatnej, bardzo skromnej kwatery. Dlatego tu jest tak ciasno. Ale też rzeczy wokół są jego prywatnymi rzeczami. Jego własnymi. Oni... On razem z tą okropnie wysoką kobietą naprawdę nie byli głupi. Wiedzieli albo domyślali się, jak do niej dotrzeć. Z całą pewnością nie byli żądnymi krwi prymitywami ani jakimiś tam monstrami.

I zrozumiała też drugą rzecz. Skoro to są ludzie jak i ona, to zaklęcie Hunra musi zadziałać. Bardzo lubiła wykłady o dialektach – w sumie podstawa całej magii. Jak każda czarownica miała idealnie wyostrzony zmysł słuchu i rozumienia melodii tego, co słyszy. Tak, właśnie melodii, a nie słów. A Kai oprócz słuchu była bardzo muzykalna, posiadała więc talent niezwykle potrzebny do rozumienia jakiegokolwiek narzecza. Mogła rozumieć znaczenia przez znaki – nie musiała słuchać melodii – domyślała się od razu całej symfonii. Muzyka wszystkich instrumentów naraz grała już w jej wyobraźni.

Obrazki w książce zostały namalowane przez jakiegoś geniusza, istotę natchnioną, która potrafiła oddać każdy szczegół z niewyobrażalną precyzją. Nigdy przedtem nie widziała tak znakomitych miniatur. Stukała palcem w namalowane jakąś niezwykłą techniką szczegóły i patrzyła pytająco na oficera. Tomaszewski mówił na głos, co przedstawia obrazek.

– Dom.

Stuknęła w coś okropnego i przerażającego ogromem oraz dymem z jakichś rur.

– Fabryka.

Nowy obrazek.

– Samochód. Nie zrozumiesz.

Nowy obrazek.

– Oj, to trudno wytłumaczyć. To wcale nie jest wyobrażenie boga. To zebranie partyjne ku czci...

Nowy obrazek.

– Słoń. A tak w ogóle to cyrk.

Nowy obrazek.

– Samochód. Ale inny niż poprzednio. To znaczy ogólnie samochód, ale konkretnie furgonetka. Coś, co jest mniejsze niż ciężarówka.

Nowy obrazek.

– Dorożka.

Nowy obrazek.

– Koń.

Kai wzięła głęboki oddech i zaryzykowała:

– Koń ciągnie dorożkę – powiedziała.

– O kur...! Ja... Ale... – Zaskoczyła go totalnie. – Ale... ale ja przecież nie powiedziałem tego pełnym zdaniem.

– Koń ciągnie dorożkę. Dobrze?

– Dobrze – potwierdził odruchowo, gorączkowo zastanawiając się, czy mogła to złożyć ze słów, które przy niej powiedział od początku ich znajomości. Czy użył gdzieś słowa „ciągnie"? No i odmiana. Nie był w stanie sobie wyobrazić, że ktoś mógłby w ogóle zapamiętać wszystkie słowa, które padły w jego obecności. Nie mógł uwierzyć, choć miał taką osobę tuż przed sobą. Kai umiała zapamiętać i zapamiętała. O czym nie mógł wiedzieć – ona była też jedyną znaną mu osobą, która słyszała dźwięki słów jak specjalnie skomponowaną melodię. Uśmiechała się teraz pełna triumfu.

Zaklęcie Hunra działało!

Stały, opierając się na lufach karabinów, prawie całą noc. Rzęsisty deszcz lał od czasu do czasu, siekł ostro, ale stanowił raczej ulgę niż dodatkową karę. Dziewczyny stały tak od zmierzchu, a zaraz miało świtać. Słaniały się coraz bardziej na nogach, niektóre popadały w rodzaj drzemki czy przepełnionego majakami półsnu. Shen obserwowała, jak się budziły z cichym okrzykiem strachu. Dlaczego strachu? Bo każda, którą zmorzył sen, bała się upaść. Sierżant Wae wyjaśniła dobitnie, co stanie się z tą, która upadnie.

Zwolniono je z placu dokładnie w chwili, kiedy słońce zaczęło wschodzić. Ale nie na odpoczynek do baraków. Miały po prostu doprowadzić się do porządku. Dopiero teraz mogła podejść do Nuk, która stała w innym szeregu.

– Za co ta kara dla całego plutonu? – Sprytnie odciągnęła ją na bok. – Wiesz?

– Wiem, kurde. Ale chodźmy stąd, bo zaraz nas ktoś ścignie.

– No co się stało? Jak się boisz, to udawaj, że sznurujesz but.

Nuk fuknęła gniewnie, lecz rzeczywiście przyklękła nad sznurówką. Shen nachyliła się również.

– Dezercja!

– Co?

– Jedna baba zwiała z naszego pułku.

– Kurczę obsrane. Jakim cudem można chcieć uciec z tej piekielnej wyspy?

– Ukradła łódkę. Nawet nieźle to obmyśliła, miała zapasy i wodę. No ale to ocean, szlag, nie miała pojęcia o prądach dokoła ani pływach. Złapali ją po kilku dniach.

Shen przygryzła wargi. Ukradła łódkę, umiała żeglować, pewnie znała gwiazdy. Ale ocean? To nie to samo co największe nawet jezioro. Czuła tamtą dziewczynę. Pewnie tak jak i Shen pochodziła z wioski rybackiej gdzieś nad jeziorami. Nie bała się wody ani wiatru. Lecz nie znała otwartego morza.

– I co teraz będzie?

– Chryja jak stąd do stolicy. Nawiał żołnierz elitarnej jednostki. I nie dość tego, złapała go marynarka wojenna. No, już większego wstydu być nie może.

– Zabiją ją?

– No pewnie. Ale to pryszcz. Przy egzekucji będą oficerowie z marynarki, nasza generał i... Wstyd, poruta, kompromitacja, degradacje. Wszystkie dostaniemy w dupę, a najbardziej nasi oficerowie. A potem już nam pokażą, że grób w porównaniu z naszą sytuacją nie jest najgorszym rozwiązaniem.

Szlag! Przypomniał jej się ten sen. Shen dręczył pojawiający się od wielu nocy koszmar. Właściwie nie koszmar nawet, bo niczego się w tym śnie nie bała. Męczący majak, z powodu którego czuła, że musi coś zrobić, że przeznaczona jej rola musi się wypełnić. Jest częścią jakiegoś planu. Problem w tym, że niekoniecznie musiał to być jej plan. Westchnęła, niewiele rozumiejąc. Ten, Który Przychodził we Śnie nie zawsze pojawiał się osobiście i nie zawsze wyjaśniał. Trudno. Musi coś zrobić, jeśli chce uniknąć przenikających się z jawą męczących majaków.

– Słuchaj, jest zawsze ktoś taki, kto prowadzi skazańca na egzekucję, prawda?

– No.

– Możesz sprawić, żebym to była ja?

Nuk podniosła głowę w bezbrzeżnym zdziwieniu. Chwilę później jej oczy rozświetliło zrozumienie.

– Sprytna jesteś. Jeśli ci to nie przeszkadza, myślę o tej okropnej funkcji, to...

– To co?

– To trochę na tym zarobimy. Kogoś wyznaczą, ktoś będzie się wzbraniał, a wtedy ja zaproponuję, że ty się podejmiesz zastępstwa. Tyle że nie za darmo.

Nuk zaczęła się śmiać.

– Dużo wina wytarguję za tę przysługę.

– A kiedy kogoś wyznaczą?

– Zaraz. Przecież egzekucja tuż-tuż.

Obie pobiegły na miejsce zbiórki plutonu. Plac, na którym miano rozstrzelać dezerterkę, właściwie niczym się nie różnił od normalnego placu apelowego. Poza jednym szczegółem. Na placu apelowym nie ma świeżo wykopanego grobu.

Nuk zakrzątnęła się koło Wae. Oczywiście żołnierz, która miała przyprowadzić skazańca, była już wyznaczony. Ale... dziewczyny pogadały jak sierżant z sierżantem.

– Musiałam ją dopuścić do interesu – relacjonowała Nuk po chwili. – Choć i tak nieźle. Wytargowałam dwa duże bukłaki wina do podziału na trzy. Nieźle, nie?

– No... chyba tak. – Shen nie zależało na łupie, choć perspektywa oderwania się od wszystkiego wokół dzięki dwóm bukłakom była bardzo kusząca.

– No to trzymaj się blisko Wae. Zaraz będzie zbiórka.

Nie musiała długo czekać na wezwanie. Pluton po nocnej karze ustawił się bardzo sprawnie. Nowe miejsce w szeregu dla Shen zostało już przygotowane. Po chwili też dowiedziała się, że to właśnie ona „przypadkiem" została wybrana spośród żołnierzy na dowódcę eskorty. Nie miała pojęcia, gdzie jest barak, w którym trzymają więźnia. „Dowodziła" więc eskortą w taki sposób, że ta sama odprowadziła Shen do ziemianki ukrytej w lesie kilkadziesiąt kroków dalej. Żołnierze zostały przed solidnymi drzwiami. Tylko ona mogła wejść do środka.

– To już? – Kiedy światło wtargnęło do pomieszczenia, dziewczyna siedząca dotąd na pryczy zerwała się na równe nogi.

– Spokojnie – zaczęła Shen i w tym samym momencie zdała sobie sprawę, jak to głupio zabrzmiało. – Możemy jeszcze chwilę posiedzieć.

Dała dezerterce regulaminowy niewielki bukłak. Ot, kilka łyków wina dla otumanienia. Tyle właśnie według twórców kodeksu honorowego armii się należało.

– Ja... ja nie chciałam.

– Weź przestań. Masz, napij się.

– Ale ja...

Zmusiła tamtą, żeby usiadła z powrotem na pryczy. Sama przysiadła obok.

– Pij, pij. – Przytuliła się do ramienia obcej dziewczyny.

– Ale ja...

– No i co chcesz uzyskać od prostego kaprala? Że cię ułaskawi? Że ma choć ułamek mocy łaski generała? Z dupy spadłaś czy co?

Objęła skazaną ramieniem i mocno przyciągnęła do siebie. Potem westchnęła ciężko.

– Wiesz... twoja egzekucja za żadne skarby nie jest na rękę nikomu w dowództwie. – Usiłowała nie patrzeć w rozszerzone nagłą nadzieją oczy dziewczyny. – Dlatego też przysłali mnie. Córkę rybaka, jak i ty.

– Skąd wiesz, że jestem córką rybaka?

Shen o mało nie westchnęła znowu z powodu naiwności dezerterki. Nie no, oczywiście każdy mógł sobie wyobrazić mieszczkę albo córkę chłopa z równin, jak kradnie łódź, zaopatruje ją odpowiednio i żegluje, kierując się gwiazdami. Taa, każda dziewczyna z miasta to, wiadomo, takie rzeczy ma wyssane z mlekiem matki.

– Dowództwo o tym wie. I dlatego wysłali mnie.

– Ale dlaczego?

– Mówię ci: nikt nie chce tej pierdolonej egzekucji. Rozniesie się, śmiesznością nas okryje, oficerowie pójdą o stopień w dół, a nam to lepiej było się nie rodzić.

Dziewczynę na pryczy aż zapowietrzyło. Bogowie, jak łatwo wzbudzić nadzieję w kimś, kto chce, żeby ją wzbudzić. Bogowie! Shen czuła się jak szmata. Jak zgniła żmija, która rozkłada się w strumieniu, ale której jad może jeszcze otruć kogoś, kto chce się napić wody. A może nie? Może fałszywa nadzieja jest mimo wszystko lepsza niż całkowity brak?

– Woleliby cię ułaskawić.

– Bogowie... – Skazana dziewczyna najwyraźniej wierzyła, i to bez zastrzeżeń. – Naprawdę?

– Tylko musisz coś zrobić. – Shen nachyliła się do jej ucha i ściszyła głos: – Powiem ci co.

Jedna z żołnierzy eskorty zapukała w drzwi, sygnalizując, że już czas. Shen pomogła się tamtej podnieść.

– Pamiętasz wszystko? – Spojrzała badawczo. – No, musimy iść.

– Ale... ale ja naprawdę nie chciałam uciekać. To te majaki.

– Co? – Shen zatrzymała się jak wryta.

– Te sny. Nawiedzał mnie taki chłopak. Zawsze sen był bardzo męczący. Ni to koszmar, ni majak...

– Idziemy! – Shen wydała komendę eskorcie.

Nie mogła poradzić sobie z własnymi myślami. Chłopak ze snu? Ten sam, który od dziecka odwiedzał ją? Czy to on sprawił, że dziś spotkała skazaną? On. Odpowiedź wydała się prosta. Przecież sama śniła o tym spotkaniu wcześniej. Niewiele było dla niej zaskoczeniem. Czego więc chciał? Nie sposób rozstrzygnąć. Od dawna wiedziała, że chłopak ze snu pozbawiony jest jakichkolwiek ludzkich uczuć. Jej, Shen, do czegoś potrzebował, odwiedzał ją od dawna, a tamtą, dezerterkę, po prostu wykorzystał. W sposób bezwzględny, nie bacząc na nic. Po co? Przygryzła wargi. Zaraz się dowie po co.

Przekazanie więźnia żołnierzom desantu, które miały dokonać egzekucji, odbyło się bez kłopotów. Shen mogła wrócić do szeregu i stanąć obok Wae, blisko dowództwa. Skazana odmówiła opaski na oczy, ręce skrępowano jej regulaminowo. Pluton egzekucyjny w sile raptem drużyny ustawiał się sprawnie. Tu nie mogło być żadnego błędu w musztrze. Pułkownik z desantu odczytała rozkaz, Shen w szeregu dowiedziała się, że według regulaminu egzekucji nie może dokonać macierzysta jednostka, stąd desant tutaj i stąd też większa poruta i wstyd.

Sierżant w galowym mundurze wystąpiła przed szereg. Padały kolejne komendy i nagle stało się coś nieoczekiwanego.

– Cel! – wrzasnęła sierżant.

– Niech żyje imperialna armia! – krzyknęła skazana. – Niech żyje Jej Cesarska Mość i jej wojska specjalne! Niech żyje...

– Pal! – dokończyła sierżant zgodnie z regulaminem.

Dziesięć kul w celu przerwało oratorskie popisy skazańca i nikt z obecnych nie dowiedział się, co jeszcze powinno żyć. Cisza, która zapadła, z całą pewnością jednak nie była wyłącznie regulaminowym wymogiem. Kilkaset żołnierzy na placu stało w szoku. Różne rzeczy słyszało się przed egzekucją. Rozstrzeliwani partyzanci krzyczeli z reguły: „Niech żyje wolność". Cywile: „Jestem niewinny" albo: „Za co? Za co?". Dezerterki wrzeszczały: „Litości!" albo: „Nie chciałam", ale, do jasnej cholery, nigdy: „Niech żyje imperialna armia, z której uciekałam i która mnie teraz rozstrzeliwuje".

Pierwsza otrząsnęła się pani generał.

– No, no... – powiedziała do pani pułkownik. – A jednak coś potraficie w dziedzinie szkolenia. Tę dezerter musiało chyba chwilowo zaćmić ze strachu. Ale postawa... żołnierska! Brawo!

Pułkownik przełknęła ślinę, nie wierząc własnemu szczęściu. Nachyliła się do major i szepnęła na odchodnym:

– No, kurwa, jesteś genialna. Tak wybrnąć z matni w ostatniej chwili. Gratuluję.

Żołnierze nadal patrzyły w zdziwieniu na świtę wyższych oficerów opuszczających plac. Dopiero wtedy major na miękkich nogach podeszła do Idri.

– Ale masz ludzi, pindo. Napiszę wniosek o awans na kapitana dla ciebie.

– Ku chwale ojczyzny, pani major.

– Pokaż, co to za cwana jucha, która to wymyśliła.

Idri podprowadziła panią major do stojącej na baczność Shen.

– To ta.

Major poklepała dziewczynę protekcjonalnie po policzku.

– Zapamiętam sobie ciebie, dziecko. Zapamiętam.

Idri mrugnęła porozumiewawczo i dodała:

– W najbliższej bitwie trzymaj się blisko mojego tyłka, cwaniaro. Wae, weź se z magazynu tyle wina, ile chcesz. Wpisz się na listę nagród za to, że ją do nas przyprowadziłaś.

Kiedy oficerowie odeszli, na Shen rzuciła się Nuk.

– Babo, jesteś genialna. Powiedziałaś tamtej, że jak wykrzyczy, co trzeba, to ją ułaskawią? Jesteś genialna! Koniec kar, a wszyscy żołnierze cię lubią!

Shen rozejrzała się wokół po zadowolonych twarzach. Tego chciał chłopak ze snu? Właśnie taka była mu potrzebna? Ciekawe do czego...

Bosman Mielczarek kichnął tak potężnie, że marynarze wokół skurczyli się odruchowo.

– No ładnie! – Tomaszewski odsunął się o krok. – Co cię tak złapało?

– A, panie poruczniku. Przewiało mnie na pokładzie.

– Zaziębienie w tropikach?

– Podobno się zdarza.

Wiedza obu na te tematy nie była zbyt wielka.

– Raczej malaria. Tylko skąd tu na morzu komary?

Bosman wzruszył ramionami. Coś mu świtało, że malaria rzeczywiście objawia się dreszczami i gorączką, ale czy to przypominało przeziębienie? A cholera jedna wie.

Tomaszewski ruszył dalej. Wartownik przed drzwiami Kai nie musiał już stać, pozwolono mu na małe składane krzesełko. Powoli wszystko normalniało, jeśli w ogóle obecną sytuację można zaliczyć do kategorii normalnych. Tomaszewski zapukał w drzwi i nacisnął klamkę. Nie były zamknięte – kolejny krok w dobrym kierunku.

– Cześć, Kai. – Kiedy zobaczył dziewczynę, zdał sobie sprawę, że kierunek, w którym zmierzały wszystkie te kroki, był naprawdę rozsądny, a działania przynosiły powoli rezultaty.

Kai podniosła się zgrabnie.

– Cześć, Krzysiek.

Miewała jeszcze koszmary, prześladowały ją obrazy rzezi. Chociaż irracjonalnie najbardziej wstrząsający był dla niej obraz chłopca okrętowego, któremu sternik poderżnął gardło. Rozum podpowiadał, że to zwykły splot przypadków. Że dwóch łuczników strzeliło najpierw, a ci tutaj odpowiedzieli tylko ogniem. Wiedziała z drugiej strony, że jak cię pszczoła ugryzie, nie palisz od razu całej pasieki. No ale... Splot głupich przypadków, strachu i nieporozumień. Na miejscu pszczoły bowiem jest wysoce nierozsądne żądlić człowieka z dzbanem oliwy i pochodnią stojącego właśnie naprzeciw ula.

A poza tym ci tutaj robili wszystko, żeby poczuła się jak człowiek wśród ludzi. I robili to z wielkim wyczuciem, wiedzą i doświadczeniem. Jej cela nie przypominała już celi. Miała prowizoryczny hamak, wykonane z kartonów minimebelki, jakąś półeczkę na rzeczy, które dostała. Pokazano jej, że takie miejsce na okręcie to komfort i zaszczyt dla wyróżnionych. Takie pomieszczenia przysługiwały tylko oficerom. Poza tym strażnik na zewnątrz niby był, lecz drzwi pozostawały otwarte. Mogła wyjść, kiedy chciała, choć pod opieką. Ale poznając okręt, zaczynała rozumieć dlaczego.

– Wynurzamy się – powiedział Tomaszewski, wskazując palcem sufit. – Wyjdziemy na słońce.

Patrzyła uważnie na jego usta, zapamiętując każde słowo. Jeszcze niewiele rozumiała, jednak ewidentnie zaczynała chwytać, wprawiając tym oficera w podziw i wielką konfuzję. On uczył się jej języka sto razy wolniej.

– Słońce? – spytała z nadzieją. – Ja słońce?

– Tak, ty wyjdziesz na słońce. Zaraz.

– Wyjdę na słońce?

Tomaszewskiemu nie umknął ten zadziwiający moment. Dziewczyna użyła innej formy niż on. Domyślała się obcego języka czy co? A może była po prostu aż tak fenomenalnie zdolna.

– Tak. Zaraz.

– Zaraz – powtórzyła i chyba zrozumiała, bo wzięła do ręki swoją oficerską kurtkę.

Wyprowadził Kai na korytarz i poszedł przodem, wskazując drogę. Na mostku Siwecki przygotowywał okręt do wynurzenia. Kapitan, zdenerwowany najwyraźniej, odsuwał się od pracujących w mozole nad krokomierzem inżynierów. Zdaje się, że dyskusja między oficerami a cywilami znowu przybrała ostrzejszą formę.

Nadejście Tomaszewskiego musiało w Kozłowskim uruchomić jakiś mechanizm. Może chciał poczuć ulgę, wyżywając się na kimś?

– A pan czym się zajmuje? – zapytał z jadowitym uśmiechem. – Czy już nawiązał pan jakiś kontakt z więźniem? Choćby wstępny? – Cmoknął lekko. – Jesteśmy bardzo ciekawi jej opowieści.

Podszedł do Kai i kpiąco wyciągnął rękę.

– Witam, witam...

– Dzień dobry, panie kapitanie – odpowiedziała dziewczyna najczystszą polszczyzną ze wzorowym akcentem. Potem dygnęła, podając mu dłoń, wierzchem ku górze, jak do pocałowania.

Kozłowskiego zatkało. Inżynier Węgrzyn wyprostował się zbyt gwałtownie i uderzył głową w jeden z dźwigarów. Syknął z bólu.

– Tych oficerów wywiadu jakoś lepiej szkolą ostatnio – mruknął z bezbrzeżnym podziwem.

– W przeciwieństwie do innych – wyrwało się Wyszyńskiej. Też była pod wrażeniem tego, co można osiągnąć w dziedzinie nauki w tak krótkim czasie.

Kozłowski był tak zaskoczony, że nie usiłował nawet skomentować tej jawnej bezczelności.

– Ro... rozumie pani po polsku? – spytał.

– Jeszcze nie, panie kapitanie. Ale nauczę się. – Spojrzała na Tomaszewskiego. Westchnęła ciężko, bo na razie osiągnęła prawie absolutny kres możliwości w składaniu razem zdań w tym szeleszczącym języku. Ale wszystko przed nią. Na razie rozkoszowała się wrażeniem, jakie zdołała wywołać.

– Jesteśmy na powierzchni – zaraportował Siwecki.

Obecnym jakoś umknęło zamieszanie z tym związane. Zaskoczenie spowodowane zachowaniem więźnia sprawiło, że właśnie tworzył się mit Tomaszewskiego jako właściwego człowieka na właściwym miejscu. Oto przerażony, niekumaty dzikus z innej cywilizacji, z powodu straszliwego nieszczęścia przeniesiony do zupełnie obcego świata, w szoku, w histerii, panice wręcz i... Wywiad potrafi jednak dotrzeć do każdego. Można się już z dzikusem porozumieć po polsku.

Sam Tomaszewski nie wiedział, co sądzić o dziewczynie. Nie był aż tak próżny, żeby przyjąć niewidzialne laury, lecz nie miał też pojęcia, jak Kai tego dokonała. Postępy w nauce obserwował bowiem nie tylko na polu leksykalnym.

– Chodźmy na słońce. – Ruszył przodem, chcąc pokazać Kai drogę.

Dziewczyna zaczęła się wspinać po szerokiej i wygodnej drabince. Nad sobą zobaczyła pierwszy błysk słońca we włazie. W jej kierunku wyciągnęło się kilka par rąk marynarzy, którzy błyskawicznie pomogli jej wydostać się na koronę kiosku. Wykrzykiwali coś wesoło, ale sądząc po ostrej odzywce oficera, były to raczej typowe męskie świńskie uwagi zazwyczaj rzucane w takich sytuacjach, kiedy oni sądzą, że one nie rozumieją. Owionął ją morski wiatr. Nareszcie. Wciągnęła głęboko powietrze do płuc.

Dopiero teraz, z wysokości ogromnej wieży, mogła ocenić rzeczywistą wielkość okrętu. Był niewyobrażalnie duży i w dodatku cały z metalu. Nie rozumiała, jakim cudem metal może pływać. Wokół nie widziała ani kawałka drewna. Ale też nie rozumiała, jakim cudem na żelazie trzyma się farba. Widywała co prawda malowany marmur, kiedy upiększano rzeźby, by wyglądały zupełnie jak żywi ludzie, ale spiż? Żelazo? Metal? Tego żadna farba nie powinna się trzymać. Mniejsza z tym.

Okręt był tak wielki, że nie musiał się bać żadnej floty wojennej. Wiedziała już przecież, co może zrobić broń na jego pokładzie. No i sam fakt, że można wynurzyć się znienacka w dowolnym miejscu. Na całym znanym jej świecie nie spotkała niczego, co mogłoby się oprzeć tej potędze. Powinny więc nim pływać żądne krwi potwory. A... a po sposobie, w jaki ją traktowano, miała coraz silniejsze wrażenie, że to zwykli ludzie.

Tomaszewski zaprowadził Kai na dół, na pokład. Mijała powoli stanowiska broni rozmieszczone na różnych poziomach pancernej wieży bojowej. Jej skuteczności miała już możliwość doświadczyć. Mijała marynarzy, młodych, uśmiechniętych, pewnych siebie. Wyraźnie im się podobała. Lecz nie o to chodzi. Oni w niczym nie przypominali żołnierzy imperium, spędzonych do służby przez specjalne bandy rekrutujące na siłę czy za pomocą podstępów, sztuczek i kłamstw. Ci ludzie tutaj sprawiali wrażenie, że służba jest ich sposobem na życie, świadomym wyborem. Dyscyplina była idealna, jednak dawało się dostrzec, że to ten typ zależności służbowej, na który zgodę dają obie strony. Dziwne.

Żelazny pokład tak lśnił w promieniach słońca, że ktoś musiał się zlitować nad biedną dziewczyną. Dostała ciemne okulary. Ich doskonałej jakości przydymione szkła od razu przyniosły ulgę. Dostała też czapkę z daszkiem i jedwabny, cieniutki szalik, żeby pot nie ściekał po szyi. Ci tutaj byli przygotowani na wszystko.

Tomaszewski zaprowadził Kai na rufę, gdzie marynarze wyciągali z olbrzymiego schowka dziwną konstrukcję. Teraz montowali na jej szczycie przeraźliwie długie i cienkie listwy. Jeden z marynarzy wkładał na siebie dziwną miękką zbroję i bardzo gruby, wyściełany czymś hełm.

– Zaraz zobaczysz coś ciekawego.

To zrozumiała, a przynajmniej zdołała się domyślić.

– To wiatrakowiec.

Akurat. Równie dobrze mógł śpiewać w języku ptasim albo miauczeć w kocim. Powiedziała jednak:

– Mów. Mów.

Tak było znacznie łatwiej się uczyć. Nawet jeśli ciągle niewiele rozumiała, to melodię języka poznała już nieźle. Brakowało tylko słów, pojęć, odniesień do różnych sytuacji, no i... znajomości tej obcej cywilizacji. Przypomniała sobie wykłady mędrców w szkole na pustyni. Porozumieniu między ludźmi poświęcano bardzo dużo czasu, bo to sprawa fundamentalna dla czarowników. Pamiętała więc dobrze opinię pewnego siwego mędrca, który znęcał się nad nią (z dobrym zresztą skutkiem – uważała się za osobę dobrze przygotowaną i wyszkoloną). Komunikacja między ludźmi, mówił starzec, to nie słowa, nie gesty ani mimika. Podstawą kontaktu między ludźmi nie jest nawet język. Są nim odwołania do wiedzy drugiego człowieka. Cóż wam po znajomości języka, jeśli w umyśle człowieka, do którego mówicie, nie będzie wiedzy na temat tego, o czym mówicie. Cóż wam po znajomości języka, skoro nie będzie w nim pojęć, które chcecie przekazać. Najprostsze porozumienie osiągniecie bez słów. „Chcę pić, chcę cię zabić". Do tego znajomość języka niepotrzebna – zrozumieją was wszędzie. Ale: „Jestem człowiekiem kulturalnym"? Zważcie, komu będziecie mogli to powiedzieć. Tylko człowiekowi, który zna to pojęcie. Jeśli zna, to dogadacie się tak czy owak. Na pewno dojdziecie do porozumienia. Jeśli nie, to próżny trud i słowa rzucane na wiatr.

Kai wsłuchiwała się teraz w głos Tomaszewskiego, nie umiejąc rozstrzygnąć pewnej kwestii. Czy ten przystojny oficer jest człowiekiem kulturalnym?

– Widzisz, to jest wiatrakowiec. Właśnie przygotowują go do lotu, zaraz wzbije się w powietrze.

Co chwila sprawdzał wzrokiem, czy dziewczyna go rozumie, a ona niezmiennie patrzyła mu w oczy z lekkim uśmiechem na ustach. Kiedy przestawał mówić albo się zacinał, powtarzała nieustająco:

– Mów, mów.

– Ta maszyna nie ma silnika. Zwróć uwagę, okręt zmienił kurs, ustawiając się pod wiatr. I ciągle przyspiesza. Zaraz osiągnie prędkość maksymalną.

Nie rozumiała słów, ale domyślała się z gestów i własnych obserwacji. Widziała fale tworzone przez żelazne burty, słyszała coraz większe warczenie czegoś strasznego pod pokładem i coraz gęstszy dym wydobywający się z rur na pancernej wieży.

– Teraz pilot zajmie miejsce na fotelu i sprawdzi przyrządy...

Mężczyzna w dziwnym hełmie i miękkiej zbroi usiadł na małym krzesełku, do którego zaraz pomocnicy przywiązali go na sztywno. Ciekawe. Przymocowane u góry listwy zaczęły powoli wirować. Marynarze wokół zwalniali liny, które przytrzymywały konstrukcję na pokładzie. Odwiązano wszystkie oprócz jednej, tej z przodu, połączonej z ogromnym kołowrotem.

– Patrz, prujemy pod wiatr z maksymalną szybkością. Wiatrakowiec nie potrzebuje własnego silnika, my go pociągniemy. – Jeszcze raz sprawdził, czy Kai coś rozumie. Zwątpił, jednak przynajmniej słuchała go uważnie. – Teraz pilot zmieni skok śmigieł i włączy przekładnię.

Człowiek na krzesełku rzeczywiście coś zrobił z kijkiem, który miał między nogami. Listwy zaczęły obracać się szybciej, jak w młynie na wiatr, a potem cała konstrukcja drgnęła i zaczęła się unosić w powietrze!

Kai myślała, że zemdleje. Coraz wyżej i wyżej! O Bogowie! Ten człowiek latał... Tomaszewski objął dziewczynę ramieniem, chroniąc przed upadkiem na pokład i wpadnięciem do wody. Marynarze powoli obracali kołowrotem. Przypominający wiatrak pojazd leciał coraz wyżej i wyżej. Tomaszewski, nie zwracając już uwagi, czy słuchacz rozumie cokolwiek, tłumaczył dalej:

– Wiatrakowiec ma za zadanie przeprowadzić obserwację. Jednak poza zwykłą wzrokową, z wysokości, ma jeszcze inne zadania. Wynosi antenę radiową, zwiększając zasięg zarówno nadawania, jak i nasłuchu. I najważniejsze. Wynosi też antenę radarową, zwiększając niewyobrażalnie zasięg obserwacji.

Kai poczuła zawroty głowy. Dziwne uczucie jakby falowania wszechświata. Znała już to – objawy podobne jak przed błyskiem – te jakieś szczególne, choć również nieobce. Przypomniała sobie pustynny wiatr przynoszący złe sny i gorączkę. Szkoła zagubiona wśród piasków, drgnięcie wszechświata. Pamiętała wszystko z całą ostrością. Zaraza w wiosce obsługującej szkołę. Nadejście Wyklętego.

Nadejście Wyklętego. Myślała, że zwymiotuje. Nawet rozejrzała się odruchowo, czy nie widać gdzieś ciała czarownika pochodzącego z otchłani czasu. Wokół było tylko rozświetlone morze, czyściuteńki pokład, obca technologia.

Tomaszewski musiał coś zauważyć.

– Dobrze się czujesz? – spytał.

Nawet zrozumiała.

– Dobrze – mruknęła.

– A może to choroba morska? Na powierzchni bardziej kołysze.

Przytuliła się do niego odruchowo. Poczuła nowy paroksyzm nudności.

Rozdział 5

Shen, psia twoja mać! Czego się guzdrzesz?

Awansowała. Opieprzać ją mogła właściwie tylko sierżant Wae. Nikt inny nie próbował, bo się bał. Nie tyle Shen zresztą, co jej najbliższej, bardzo gadatliwej koleżanki Nuk.

– No już, już. Miód znalazłam.

– Co znalazłaś?

– No barć w drzewie. Wspięłam się, wygrzebałam trochę miodu i przyniosłam. Chodźcie, to was poczęstuję.

Nuk zaciekawiona wyszła z ich pawilonu. Zanurzyła dwa palce w naczyniu, wyciągnęła i zaczęła oblizywać.

– Ale świetny. Wae, spróbuj.

Sierżant sztabowy też nie miała żadnych zahamowań, żeby skosztować palcami.

– Gdzieś ty tę barć znalazła?

– No tu gdzieś. – Shen nie chciała wskazać kierunku. – W okolicy.

– Co ty pierdolisz, dziecko, na głodnego? – mruknęła Nuk. – Łżesz jak stara kurwa normalnie, przecież to las namorzynowy, tu pszczół nie ma, boby z głodu zdechły.

– Oj tam. Jak się umie szukać, to się znajdzie.

– To może jeszcze byś przyniosła – zaproponowała Wae. – Wzięłybyśmy więcej na drogę.

– Jeszcze? Nie da rady teraz.

– Dlaczego?

Shen spojrzała na położenie słońca.

– Bo magazyn z żywnością już zamknięty.

Zaczęły się śmiać. Nuk palnęła Shen w głowę i zwróciła się do Wae:

– Nie no, miałaś całkiem niezły pomysł, żeby wyłowić tę złodziejkę z tłumu i przyprowadzić do nas. Daleka podróż przed nami, a dzięki niej jest wino, jest coś słodkiego... Przetrwamy.

– Taaa... – Sierżant przygryzła wargi. – Oby.

– Co?

– Wiele już cwaniaków garnizonowych widziałam. Nawet takie, co samą generał potrafiły wyrolować. Ale w walce często traciły rezon od pierwszego świstu kuli.

Nuk podniosła głowę.

– A jeśli nie będą kule świstać?

Wae uśmiechnęła się smutno.

– Wiesz coś? Nie będą do nas strzelać z karabinów?

– Podsłuchałam pewną oficerską rozmowę. Z karabinów nie będą.

– No ładnie... – Wae podniosła się ciężko. – Dobra, pakujcie zapasy i idziemy się zaokrętować.

Zaczęły zbierać klamoty. Ten dzień miał być ostatnim spędzonym na wyspie Tarpy. Teraz odpływały w nieznane, a sądząc po minach sierżantów, bynajmniej nie do jakiegoś spokojnego garnizonu na zapomnianej przez ludzi granicy. No cóż, trudno. I tak miały dobrze. Nikt ich nie gonił, mogły się zakrzątnąć wokół siebie spokojnie i bez nerwów. W przeciwieństwie do tych, które znalazły się w obozie piechoty, tuż za linią drzew. Tam zbiórka bardziej przypominała koszmar.

– Mogłabyś mi coś wyjaśnić? – Shen podeszła do Nuk, czyszczącej swoje odznaki na nowiutkim, pachnącym skórą mundurze.

– Niby co?

– Gdzie nie będą do nas strzelać z karabinów?

Nuk podniosła głowę i uśmiechnęła się ciepło.

– W dolinie Sait.

– No... słyszałam już same złe rzeczy o tym miejscu, ale... Może coś bliżej?

– Tam walczący nie bawią się ze sobą jak gdzie indziej. – Nuk uśmiechała się coraz szerzej. – Tam ludzie przyprawiają się na ostro i pożerają nawzajem. Tam się naprawdę morduje. I nie jednego czy dwóch. Nie dziesiątkami czy setkami. Tam się morduje tysiącami!

Wzięła swój bagnet oraz ostrzałkę. Przeciągnęła kamieniem po klindze.

– Niektórym się tam trochę nie podoba. No ale co kto lubi – wysyczała niczym wąż na widok zdobyczy. – Co kto lubi!

– No nie... – jęknęła Shen. – Pokarało mnie przyjaźnią z patriotką o zawiedzionych uczuciach do ojczyzny, która polubiła mordowanie rano i wieczorem. – Padła na kolana i wzniosła ręce ku niebu. – O Bogowie wszechwładni, ześlijcie mi jakieś zabójstwo ku radości. Odegnajcie smutek spowodowany tym, że jeszcze nikogo dzisiaj nie zamordowałam!

– O ty! – Nuk rzuciła się na koleżankę. – Zaraz ciebie zamorduję!

Skłębiły się na trawie w udawanej walce. Kilka dziewczyn wychyliło się zza trzcinowych osłon, patrząc z ciekawością. Ze swojego stanowiska w pustym teraz punkcie dowodzenia wychynęła też Wae.

– Co tam się dzieje, do kurwy nędzy?

– Melduję, pani sierżant, że Nuk i Shen leją się na trawie... Nie. Kochają się chyba. Biją? Kochają? A, sama nie wiem. Leżą i się obejmują.

– Wielkie mi coś! – Wae załamała ręce. – Dwie baby w uścisku. Do roboty, siksy obsrane!

Nuk zwolniła uścisk i położyła się na wznak, wzdychając. Przez zmrużone powieki obserwowała sunące powoli obłoczki.

– Chcesz wiedzieć, jak tam jest? No to ci, kurwa, wszystko powiem. – Rozłożyła szeroko ramiona, wystawiając się na promienie słońca. – Tam jest cudownie.

Dolina Sait nie była właściwie tym, co mogłoby wynikać z nazwy. Dolina każdemu kojarzy się z miejscem, które jest położone gdzieś niżej, pomiędzy górami. Nie. Sait to po prostu rozległa kraina. Podmokła, niezdrowa, porośnięta nieprzebytym lasem, z nielicznymi wzgórzami, które oferowały co prawda suche podłoże do budowy fortu, ale w zamian pozbawione były źródeł zdrowej wody. Picie tego, w czym się brodziło po pas, groziło śmiercią w męczarniach. Zabijało zimno, morowa wilgoć i bagienne wyziewy. Głód i brak zdrowej wody. Gady, płazy i owady. Atakujące jadem, trucizną albo swoją masą i ilością. Podobno kilka pijawek przywraca zdrowie, no ale tysiąc na jednym człowieku?

Wszystko dałoby się jednak z łatwością przetrwać, gdyby nie prawdziwi mieszkańcy lasu. Nazywano ich potworami. Lecz potwór złapany i trzymany w klatce na targu nie wydawał się nikomu groźny. Zwykły człowiek w zasadzie, jeśli nie liczyć smolistoczarnych oczu bez białek. No niestety, trochę inaczej wyglądało to w lesie. Potwory widziały w ciemnościach. Nie w absolutnych (co imperialni medycy stwierdzili podczas badań i doświadczeń), lecz mniej więcej w takim samym stopniu jak kot. A co gorsza, potrafiły wykorzystywać dzikie zwierzęta polujące w nocy. W jakim stopniu – dokładnie nie wiadomo. W dodatku ranny przeciwnik, którego nie pozbawiono życia, za kilka dni pojawiał się w linii. Zupełnie zdrowy. Znowu imperialni medycy mieli na to mnóstwo dowodów. Najwyraźniej wszystko goiło się na nich szybciej niż na przysłowiowym psie.

Nie używali broni palnej, ich podstawowym narzędziem walki był łuk. Czasem miecz. Mieli jednak coś, co przyprawiało sztabowców o zawrót głowy już od bez mała tysiąca lat, bo przez taki okres cesarstwo prowadziło wojny z potworami. Tym czymś była zabójcza mgła. Rodzaj gazu albo białawej, lotnej zawiesiny, która potrafiła gasić otwarty ogień, dusić żołnierzy i pozbawiać ich morale poprzez doprowadzenie do szaleństwa. Na szczęście użycie groźnej mgły zależało od warunków pogodowych i chyba tylko dlatego regularne wojsko nie przegrało wojny od razu na samym wstępie.

– No dobra! – Shen otrząsnęła się ze swoich wyobrażeń o koszmarze, który zaląъgł się w jej głowie pod wpływem opowieści koleżanki. – A czego my tam, do kurwy nędzy, szukamy?

Nuk zaczęła się śmiać.

– No jak to czego? Pieniędzy.

– Co? Złoto tam zakopane?

– Ile potrzebowałabyś kopalni złota, żeby utrzymać cesarstwo? Ile by ich nie było na całym świecie, nie wystarczy!

– No to skąd tam pieniądze?

– Oj, naiwna, naiwna. Zawsze chodzi o jedno. O to, o co przed wiekami, o to, o co biła się już nawet pierwsza cesarzowa Achaja, po co cesarz Biafra stworzył imperium. O to, żebyśmy to my im położyli nogę na gardle, a nie oni nam!

– Znaczy... nie rozumiem.

– O handel chodzi! A konkretnie, chodziło.

Shen podeszła bliżej i położyła dłonie na ramionach koleżanki.

– Błagam cię, Nuk. Czy możesz powiedzieć tak, żebym zrozumiała?

Nuk przygryzła wargi i na razie zdobyła się na krótkie podsumowanie:

– Eee...

– No proszę cię – powtórzyła Shen. – Skup się, pomyśl i płyń od razu do brzegu.

– U tej gaduły to niemożliwe – zakpiła Wae.

– Możliwe. – Shen szczerze wierzyła w koleżankę. – Możliwe. Uda ci się!

Nuk cała się spięła.

– No dobra, próbuję. Chociaż tyle szczegółów od razu pcha się na usta...

– Bez szczegółów!

Wae tylko machnęła ręką i odwróciła się na pięcie. A Nuk zaczęła mówić:

– Było tak. Przed tysiącem bez mała lat powstało nasze imperium w wyniku największej wojny na świecie. Stało się to możliwe dlatego, że jedna z jego późniejszych składowych, królestwo Arkach, została wyposażona w nową broń przez Chorych Ludzi, których państwo leżało za nieprzebytym wtedy Wielkim Lasem. Legendarni władcy cesarstwa, Achaja i Biafra, stworzyli najlepsze, największe i najpiękniejsze imperium na świecie.

– To czemu dzisiaj jest tak źle? – przerwała Shen.

– Z powodu słowa „największe".

– Dlaczego?

– Okazało się, że państwo, jeśli jest monstrualnie wielkie, to jego utrzymanie kosztuje o wiele więcej niż uzyskiwany z niego przychód. Imperium zaczęło się rozpadać. Każdy watażka na obrzeżach mógł ogłosić się królem. Zewsząd napierali barbarzyńcy.

– A potwory?

– Zaraz dojdziemy do potworów.

– No ale co to jest?

– To bardzo stara rasa zamieszkująca kiedyś Wielki Las. Olbrzymią naturalną granicę dzielącą nas i królestwo Chorych Ludzi. Niestety, Wielki Las został spalony w całości podczas wojny, w której zniszczyliśmy królestwo.

– Zaraz, jak to zniszczyliśmy? Przed chwilą mówiłaś, że Chorzy Ludzie zaopatrywali nas w broń.

– No właśnie. Zawsze zaopatruje się w broń swojego największego przeciwnika, który nas potem zniszczy. Przecież tylko ktoś taki potrzebuje niewyobrażalnych ilości broni i płaci za nią najwięcej oraz w terminie.

– To bzdura jakaś?

– Dlaczego? A kto inny na świecie potrzebuje tyle broni i od ust sobie odejmie, żeby zapłacić. Tylko twój wróg.

– To chyba nielogiczne?

– Logiczne. Ale nie myl logiki z mądrością. A mądrość z kolei rzadko idzie w parze z chciwością. – Nuk uśmiechnęła się jak dziecko. Miała w zasobie min taki uśmiech i stosowała go bezlitośnie, chcąc kogoś przekonać o tym, że mówi prawdę, lub dając świadectwo własnej niewinności. Shen nie wiedziała, czy teraz akurat jej wierzyć.

– A potwory?

– Już wracamy do potworów. Otóż okazało się, że „Wielkich Lasów" jest co najmniej kilka. W różnych częściach świata. Nie eksplorowano ich, bo nie było takiej potrzeby. Kupieckie wozy omijały gęstwiny i już. A potwory same na zewnątrz się nie pchały.

– I czemu tak nie pozostało?

– Cesarstwo się rozrastało, no i, jak by to powiedzieć, „gęstniało". – Nuk znowu uśmiechnęła się słodko. – Kupcy zrozumieli, że czas to pieniądz. Nie w smak stało się im mozolne objeżdżanie nieprzebytych kniei.

– No i...

– Stworzono drogi przez dolinę Sait. Pobudowano forty i twierdze dla ochrony szlaków. Ale... Potwory nie chciały się z tym pogodzić.

Shen o mało nie zadławiła się śliną, którą akurat przełykała.

– No co? – Nuk wzruszyła ramionami. – Największe centra handlu nasze i naszych sąsiadów potrzebują komunikacji i obrotu towarów, jak człowiek potrzebuje krążącej krwi. Wielkie centra, a pomiędzy... – Nuk rozłożyła ręce. – Pomiędzy nimi właśnie dolina Sait, jako główny łącznik.

– No bez przesady. – Shen nigdy nie uczyła się geografii, jednak przecież słyszała, że bez problemu można przemierzyć całe państwo, nie natykając się na żadne potwory.

– No... z lekką przesadą. Drogi są trzy. Dookoła, przez pustynię. Nieprzyjemnie, mało bezpiecznie, ale przede wszystkim taki transport podraża ceny towarów. Druga droga to morze. Niezbyt bezpiecznie, drogo i podraża ceny towarów. No i najkrócej i najtaniej byłoby przez Sait. I są przecież drogi na obrzeżach bagien bardzo przyzwoite oraz dostępne. Problem jednak w tym, że potwory nie chcą tamtędy przepuszczać. Dlatego trzeba je wyeliminować.

– To jakaś bzdura, prawda?

– Niekoniecznie. – Nuk zabawnie przekrzywiła głowę. – Jest w tym element bajki, którą opowiada się maluczkim. Zabicie potworów obniży koszt transportu towarów o kilka brązowych na jednym wozie, lecz to wystarczy, żeby utrzymać konkurencyjność i żeby się wojna opłacała.

– A naprawdę?

Nuk zastanowiła się chwilę.

– Trochę prawdy w tym jest, co mówiłam. Ale też i imperialnej propagandy, usprawiedliwiania walk prowadzonych gdzieś w nieważnym miejscu, bez powodu właściwie. A tak naprawdę to cesarstwo nie może wyjść ze swojej imperialnej roli.

– O kurczę, o czym ty mówisz?

Wae zaczęła się śmiać za ich plecami. Nuk pokazała sierżant język.

– Mówię o tym, że imperium z przyczyn wyłącznie prestiżowych nie może dopuścić do istnienia wrogich elementów na czymś, co uważa, zresztą bezprawnie, za część swojego terytorium. Ludowi sprzedaje się bujdę, a rzezie są dla samych rzezi. Albo w imię honoru, jak ktoś w to wierzy.

Wae zadowolona jak jasna zaraza weszła między nie i objęła obie za szyje. Spojrzała na Shen.

– No i co, dziecko? Zrozumiałaś, co ci Nuk tłumaczyła?

– Ni w ząb – odparła szczerze Shen.

– No właśnie, z nią tak zawsze. Mnie również usiłowała różne rzeczy wytłumaczyć, ale nic nie skapowałam. Zapamiętałam za to jedno.

– Co? – Nuk wyzwoliła się z uścisku.

– Że jesteś inkulistką.

– Chyba intelektualistką.

– No jakoś tak... – Wae znów zwróciła się do Shen: – Słuchaj, dziecko. Intelekulistki czasem trafiają do armii, ale wtedy trudnią się jedynie czyszczeniem sraczy oraz innymi sprawami związanymi z gównem. Czasem jednak idą na wojnę i tam głównym ich zadaniem jest umrzeć szybko. Najlepiej od razu. Otóż intekuli...

– Intelektualistka! – poprawiła Nuk.

– No ta właśnie. Konkretnie ta, co tu stoi – Wae pokazała palcem Nuk – okazała się mądra, sprytna i umiejąca bardzo dobrze zabijać. Dlatego jest sierżantem. Ale słuchanie jej gadania – tłumaczyła powoli i dobitnie – sprawia, że na odbycie pojawiają się wyjątkowo okropne wrzody. Zrozumiałaś? Zamelduj!

– Tak jest, pani sierżant! – wrzasnęła Shen. – Zrozumiałam!

– Dlatego też w trosce o stan twojej dupy zabraniam wam dyskutować o czym innym niż kolory sukien i tym podobne. Zrozumiano?

– Tak jest!

Okręt płynął w zanurzeniu. Kai potrafiła to już rozpoznać – na powierzchni kołysało i odgłosy były zupełnie inne niż pod wodą. Nie można co prawda powiedzieć, żeby się zadomawiała wewnątrz tej upiornej konstrukcji, ale zaczynała się powoli orientować, co jest czym. Rozkazy wydawało się w ogromnym pomieszczeniu zwanym mostkiem. Sala była zawsze rzęsiście oświetlona, miała świecące stoły z wielkimi, przezroczystymi mapami składającymi się z wielu warstw oraz dziwne coś. To coś stanowiło chyba obiekt kultu dwojga ludzi, kobiety i mężczyzny, którzy nie byli żołnierzami. Cywila zawsze łatwo rozpoznać, a ci tutaj jako jedyni nie prostowali się, kiedy nadchodził kapitan. Oboje zajmowali się uporczywymi próbami umieszczenia ogromnej liczby jakichś idiotycznych słoiczków z cieniutkiego szkła w kilku ogromnych skrzyniach. Początkowo Kai sądziła, że to rytuał oddawania czci jakiemuś bogu – tyle atencji widziała w przesadnie ostrożnym traktowaniu słoiczków. Ale nie. Cywile od czasu do czasu obrzucali skrzynie taką wiązanką przekleństw, że gdyby je w pełni rozumiała, pewnie uszy powinny jej więdnąć. W każdym razie wyraz twarzy oraz emocje odczytywała łatwo. To na pewno nie była cześć boska, a oni nie byli kapłanami. Niemniej oficerowie traktowali tych dwoje z szacunkiem.

Resztę okrętu znała na razie pobieżnie. Choć jedno musiała przyznać tym dziwnym ludziom. Z całą pewnością dawano Kai odczuć, że nie jest więźniem. Co prawda zawsze jej ktoś towarzyszył, ale, jak się domyślała, raczej dlatego, żeby sama nie zrobiła sobie krzywdy. Z całą beztroską i otwartością pokazywano wszystko, co chciała zobaczyć. Wpuszczano wszędzie, gdzie chciała wejść, wyjaśniano, jak wszystko działa, i w miarę jak poznawała ich język, usiłowano odpowiadać na pytania. Z tym ciągle było najgorzej, choć zaklęcie ewidentnie działało. Oni sami dziwili się, jak szybko zaczyna mówić.

Najbardziej podobało się Kai zimne światło, które można było włączyć i wyłączyć, kiedy się chciało, oraz patyczek, który sam się zapalał po potarciu. Fajne były też dźwięki słyszane z odległości – można było się słyszeć w obu końcach okrętu. Albo woda, która znikała w toalecie. Wiele rzeczy jej się podobało, jednak najbardziej podobały się Kai książki z obrazkami, które pasjami przeglądała. Podziwiała zręczność mistrzów malarstwa i miniatury. Obrazki były tak wierne w szczegółach, że zdawało się, iż nie może istnieć mistrz, który nigdy się nie pomyli, któremu nigdy nie drgnie pędzel. Dziwiła się bardzo, dopóki Krzysiek nie pokazał jej prawdy. Obrazki okazały się wspaniałym oszustwem – nie malowali ich ludzie, tylko maszyna. Była w szoku, kiedy Krzysiek zrobił jej zdjęcie, które potem wywołał w okrętowej ciemni. Nie zmniejszyło to jednak jej podziwu dla ilustrowanych książek.

Nagle stało się coś, co sprawiło, że wielki album upadł na ziemię. Oparła się o ściankę kajuty. Jakby koniec życia, drgnięcie wszechświata. Znała już to uczucie. Wiatr na pustyni pustoszący duszę. Piasek. Martwe ciało.

– Coś nie tak? – Tomaszewski schylił się, żeby podnieść upuszczoną książkę. – Źle się czujesz?

Nie za bardzo go rozumiała. Nie miała pojęcia, co odpowiedzieć. To drgnięcie wszystkiego! Chwila, kiedy na pustyni pojawiło się ciało Wyklętego. Bogowie!

Oderwała się od ściany. Zaraza! Wyklęty pojawiał się tam, gdzie szalała zaraza. Skąd miała wiedzieć? Widziała kilku marynarzy trawionych wysoką gorączką, ale jak jej nie złapać, skoro cały dzień siedzi się w dusznych pomieszczeniach, a potem trzeba stać w nocy na wietrze, pełniąc wartę. Gorączka na okrętach to rzecz normalna. Czy ta była jakaś dziwna? Psiakrew, nie była medykiem.

– Chodź! – Chwyciła Krzyśka za rękę.

– Co się stało?

– Chodź! – Szarpała się z drzwiami.

Bogowie, jak mu wytłumaczyć, jak powiedzieć? Dramatycznie brakowało jej słów. Pociągnęła Tomaszewskiego wzdłuż korytarza.

– Tam! Tam! – Pokazywała dłonią kierunek. To czuła dobrze.

– Co się stało? – Dziwił się, ale nie stawiał oporu.

– Straszne! Straszne... – szukała dalszych słów.

– Tu nie ma nic strasznego.

– Straszne coś... – Bogowie, jak to powiedzieć? – Pojawiło się...

– Jesteśmy pod wodą. Nic się nie mogło pojawić.

– Tam! – Zaczęła pchać drzwi hangaru mieszczącego pionowo ustawione wyrzutnie, o których przeznaczeniu marynarze nie mieli pojęcia. – Tam.

Ciągle zdziwiony pomógł jej otworzyć. Z jednej strony miał wrażenie, że zwariowała, a z drugiej, że dokładnie wie, gdzie idzie. Zapalił światło w hangarze. Dziewczyna pociągnęła go pomiędzy silosy.

– Tam! – Zatrzymała się nagle, wskazując leżące na podłodze ciało.

Tomaszewskiego zamurowało. To... to... to nie był nikt z załogi! Długi płaszcz, brudny i podarty w wielu miejscach, zmierzwione siwe włosy, skołtuniona broda. Skądś, chyba z lewej dłoni, sączyła się krew. Ruszył ku leżącej postaci, ale Kai objęła go i starała się powstrzymać ze wszystkich sił.

– Nie wolno! Nie wolno! – powtarzała, pamiętając swojego mistrza ze szkoły na pustyni. Bogowie, jak bardzo brakowało jej słów. Wyklęty pojawił się znowu. Upiór na upiornym okręcie. Bogowie, co ona ma robić? Czuła, że nie utrzyma długo barczystego oficera, a ten nie mógł przecież nie sprawdzić, jakim cudem obce ciało pojawiło się nagle na najlepiej strzeżonym na świecie okręcie. Co ma robić?

Napór Tomaszewskiego na szczęście osłabł. Oficer przesunął się w stronę ściany. Zdjął z wiszącego tam panelu słuchawkę i wybrał odpowiedni przycisk.

– Mostek? Dajcie zespół ratowniczy do sektora A. Nieprzytomny mężczyzna.

Nie słyszała odpowiedzi.

– To nikt z załogi. Powtarzam: to nikt z załogi. Nieprzytomny mężczyzna. Widzę krew na podłodze.

Kai trzymała Krzyśka z całych sił, ale teraz nie było to już potrzebne. Po upływie krótkiej chwili usłyszeli tupot stóp i ktoś z trzaskiem otworzył drzwi do hangaru.

– Gdzie?

– Tutaj.

Trzech mężczyzn z noszami podbiegło do człowieka na podłodze.

– Ja cię pieprzę! – Zszokowany sanitariusz nie mógł uwierzyć własnym oczom. – Skąd on tutaj?

– Pojęcia nie mam.

– Pan żeś go tak załatwił, panie poruczniku?

– Nawet nie podszedłem.

Sanitariusz zbadał puls na szyi, potem oddech.

– Sztywny. Ale ciepły, jakby przed chwilą skonał.

Podciągnął sobie rękawy. Kai nie umiała im powiedzieć, żeby nie dotykali Wyklętego. Nie miała pojęcia, co zrobić. Sanitariusz pochylił się nad zmarłym. Przyłożył mu rękę do czoła i podciągnął w górę brodę.

– Licz – rozkazał koledze klęczącemu obok. – A ty sprowadź ten nowy sprzęt. Ten... co nazwy zapomniałem.

– A, ten, no... – drugi marynarz też nie pamiętał.

– No ten właśnie! Biegiem!

Sanitariusz zbliżył usta do warg leżącego, pomógł sobie rękami, wziął głęboki wdech i wdmuchnął powietrze tamtemu do płuc.

– Raz, dwa, trzy, cztery, pięć... – Drugi marynarz oparł dłonie o mostek ofiary i zaczął rytmicznie uciskać. – Jedenaście, dwanaście, trzynaście, czternaście... oddech!

Sanitariusz znowu wziął głęboki wdech.

Kai zupełnie irracjonalnie uspokoiła się nagle. A niech go sobie masują. Wyklętego na powrót do życia powołać może tylko inny czarownik. A czuła i wiedziała dokładnie, że jest absolutnie jedyną czarownicą na tym okręcie. Za żadne skarby jednak ona nie powoła trupa do życia. A oni... A masujcie go sobie, chłopcy, powtarzała w duchu. Masujcie do upojenia. Nie wolno uzdrawiać Wyklętego. Ten zakaz jest święty i pochodzi sprzed tysiąca lat. Kto obudzi Mereditha, sprowadzi wielkie nieszczęście.

– Raz, dwa, trzy, cztery...

Jeden wymuszony oddech na piętnaście uciśnięć mostka. Wiele już słyszała o zwyczajach wśród ludzi żyjących w dzikich ostępach. Także o masowaniu ciała zmarłego. Ale ci tutaj? Do tej pory sprawiali wrażenie ludzi, którzy nie wierzą w gusła.

– Raz, dwa, trzy, cztery...

Przybiegł zdyszany marynarz z jakimiś paczkami.

– Dowiedziałem się, co to za nazwa – krzyknął. – Defibrylator!

Dobra, dobra. Kai patrzyła na rozkładane na ziemi urządzenia. Bez czarownika nie dacie rady. A ona z całą pewnością nie zamierzała im pomóc.

– Robiłeś to już kiedyś? – jeden z marynarzy zwrócił się do sanitariusza.

– No coś ty, przecież to nowy sprzęt. – Sanitariusz kartkował instrukcję. – Dobra, robimy po kolei, jak tu jest na tych obrazkach. Intubacja!

Wsunęli Wyklętemu jakąś rurę do gardła. I to całkiem głęboko.

– Zastrzyk dosercowy. Tu jest narysowane jak...

– Wiem jak. – Sanitariusz uniósł strzykawkę z długą igłą. – No to... sru!

Wbił igłę w płuca ofiary i nacisnął tłok.

– Teraz defibrylator. O, ta wskazówka ma stanąć na setce. O tutaj.

– Dobra. A ty pompuj. Pompuj do intubacyjnej.

– Jest?

– Jest!

– No to, kurde – sanitariusz położył dwa przedmioty połączone czymś, jakby sznurkami, z maszyną na klatce piersiowej martwego czarownika – raz kozie śmierć! Uwaga!

Maszyna zaszumiała, pisnęła, a potem strzeliła głośno. Ciało leżące na podłodze wygięło się. Kai zamarła przerażona.

– Puls?

– Zero.

– No to jeszcze raz go przypalmy.

Coś zaczęło piszczeć. Rozległ się głośny sygnał.

– Uwaga!

I znowu coś strzeliło, ciałem szarpnął paroksyzm. A potem... Leżący na ziemi czarownik otworzył nieprzytomne oczy. Kai osunęła się w objęciach Tomaszewskiego.

– Mamy go – zaraportował sucho sanitariusz. – Przekładamy na nosze.

Kai o mało nie zemdlała ze strachu.

Do portu Sait dotarły w dobrej formie – morze podczas podróży było spokojne i prawie nikt nie chorował. Okręt wojenny, którym podróżowały wojska specjalne, wpływał dostojnie, z rozwiniętą banderą i ubranymi odświętnie marynarzami ustawionymi przy burtach. Statki z zaopatrzeniem oraz ciągnięte przez nie barki wypełnione piechotą wpływały mniej godnie, cumowano je przy bocznych pomostach, gdzie żołnierze cichcem opuszczały pokłady. Inaczej wielki okręt wojenny. Na ten w samym centrum portu czekał namiestnik, żeby odebrać dokumenty od Jej Cesarskiej Wysokości. Wyokrętowane wojska specjalne uformowały na nabrzeżu szyk i w lśniących, wspaniałych mundurach przemaszerowały przed władzami. Miejscowa ludność w zasadzie miała w poważaniu zarówno speclśniących żołnierzy na centralnym placu, jak i brudnośmierdzących z boku, ponieważ wojska tu zawsze dużo stacjonowało i na nikim nie robiło wrażenia.

Po kilkuset krokach kompania Shen mogła oddać swoje wyposażenie defiladowe i pobrać normalne, bojowe, które od nabrzeża jechało za nimi na wozach. Ale tego też nie musiały dźwigać za długo. Zakwaterowano je w nowych, czystych i przestronnych koszarach, gdzie czekał ciepły posiłek, do którego podano nawet wodę z winem. Potem dostały specjalny dodatek do żołdu. Co prawda nie w gotówce, ale w kwitach, które podobno jednak były ważne na terenie całego garnizonu z przyległościami.

– Nooo... – Shen wachlowała się ostemplowanymi papierkami. – Tak da się żyć! W wojsku jest całkiem fajnie.

– Aż ci kula świśnie koło dupy – mruknęła któraś z koleżanek. – Zobaczysz, jak fajnie jest po szyję w błocie.

– Albo powiedz to piechocie – dodała Wae i wszystkie wokół ryknęły śmiechem.

– Nie słuchaj tych pieprzonych defetystek – warknęła Nuk, łapiąc Shen za rękę. – Chodź, pójdziemy zabawić się na mieście!

Pociągnęła przyjaciółkę w stronę wyjścia. Nie napotkały żadnych trudności przy szlabanie, od podoficerów nie wymagano żadnych przepustek. Dyżurna zapisała jedynie ich imiona. Jako cel wyjścia podały: rozpoznanie taktyczne, analiza warunków terenowych pod względem obronnym na wypadek ataku obcych sił. To był oczywiście pomysł Nuk. Shen nie wiedziałaby, co powiedzieć. Ale dyżurna sierżant też chyba nie bardzo wiedziała, co zapisuje.

– Patrz – rzuciła Nuk. – To prawdziwe garnizonowe miasto gdzieś na kresach cywilizacji. Dokładnie takie, o jakim jako dziecko czytałaś w romansach. Tu jest wszystko, żeby zadowolić żołnierza. Jaskinie hazardu, domy rozpusty, karczmy większe niż połowa koszar i wspanialsze niż świątynie. Kupcy z dalekich krain, wyrzutki społeczeństwa szukający schronienia przed prawem, mędrcy i filozofowie, którzy podróżują, żeby poznać świat. Tu jest wszystko, o czym czytałaś z wypiekami na twarzy... – Nuk urwała nagle, zdając sobie z czegoś sprawę. – Zapomniałam, że jako dziecko niczego nie czytałaś.

– To prawda.

– A czytać w ogóle umiesz?

– Trochę. – Shen nie chciała powiedzieć prawdy, że czytania trochę uczył jej chłopak ze snu. Tylko trochę. Tu nie mijała się z prawdą.

– Mniejsza z tym. Zobaczysz, że Sait spodoba ci się okropnie!

– Wierzę ci na słowo.

Nuk westchnęła ciężko.

– Chodź, zaprowadzę cię na rynek. Tam jest najfajniej.

Ruszyły w dół łagodnego stoku wzgórza, na którym znajdowały się koszary. Na szczęście baraki piechoty ukryto za gęstym gajem egzotycznych drzew i nie musiały oglądać tego, co tam się wyrabiało. Sądząc po okrzykach, biedne szeregowe czyściły stare budy, mając do dyspozycji wyłącznie własne paznokcie.

– Słuchaj, a po co są te kwity? – spytała Shen. – Armii zabrakło gotówki?

– A skąd. Po prostu w mieście jest za dużo złodziei i za dużo żołnierzy. O nieszczęście łatwo.

– Chyba nie rozumiem.

– Oj, no. Żołnierz ma gotówkę. Idzie pić. No to złodziej kradnie jej pieniądze. Części umundurowania nie ruszy, bo za to kara śmierci od razu. Ale pieniędzy nie odróżnisz, czy wojskowe, czy cywilne. W razie wpadki kara normalna, cywilna. A kwitu nie ukradnie.

– Dlaczego?

– Bo za to też mogiła od razu. A poza tym kwitki trzeba gdzieś wymienić, a każda wpadka to zimny grób. Za duże ryzyko.

– I co? Wojsko aż tak dba o swoich żołnierzy. Nawet o to, żeby ich nie okradli.

Nuk zaczęła się śmiać.

– Oj, naiwna, naiwna.

– Czemu naiwna?

– No wyobraź sobie, to proste! Okradają napitą żołnierz w burdelu. I co? Co ona robi?

– Wraca smutna do koszar.

– No właśnie. A tam żali się koleżankom, płacze, złorzeczy... A one współczująco zbierają regulaminowe uzbrojenie i idą na miasto mścić! A wiesz, co potrafi zrobić z miastem choćby jeden pluton, ale na wkurwie i regulaminowo uzbrojony?

– Szlag...

– Ja widziałam, co potrafi wojsko na wkurwie. Co prawda w obcym mieście, gdzie nie został kamień na kamieniu. Ale myślę, że z własnym miastem wojsko też sobie poradzi.

Shen dygnęła z przesadą.

– Teraz rozumiem. Taniej wyjdzie dać wojsku kwitki na wódę, niż sprowadzić kilka kompanii specpacyfikatorów.

Nuk skinęła głową.

– No, uczysz się. Uczysz.

Wkroczyły właśnie do starej części Sait. Nuk niczego nie przechwaliła. Na tle zamglonych wzgórz, przy siąpiącym ledwo, ledwo deszczyku ta rozświetlona tysiącami lampionów dzielnica wydawała się przyjazna i piękna. Obie zanurzyły się w plątaninie wąskich uliczek, oferujących wszystko, co człowiek mógł sobie wymarzyć. Shen nie mogła oderwać oczu od połykaczy ognia, kuglarzy i sztukmistrzów, zaklinaczy wężów, tancerek i tancerzy potrafiących wygiąć się tak, że kości powinny im się połamać. Nie mogła ogarnąć wzrokiem tego wszystkiego, co działo się na malutkich placykach. Towary oferowane przed sklepikami wielkości raptem niewielkiej izby widziała po raz pierwszy w życiu. Często nie miała pojęcia nawet, do czego mogły służyć. Ale nie to było najbardziej oszałamiające. O prawdziwy zawrót głowy przyprawiały snujące się zewsząd zapachy. Tu można było zjeść jakieś nieprawdopodobne rzeczy wprost na ulicy, podawane z narożnego okna bez potrzeby wchodzenia do karczmy. Można było napić się wina z pojemnika niesionego na plecach przez obrotnego sprzedawcę. Zatrzymały się przed ladą przymocowaną bezpośrednio do zewnętrznej ściany domu. Naprzeciw zawieszono ogromne lustro, żeby mogły poprawić sobie wyjściowe, przyciągające wzrok wszystkich mężczyzn wokół mundury. Nuk zamówiła jakiś dziwny napój – grzany słodki miód z alkoholem. O nieprawdopodobnym wręcz smaku i mocy obalającej dla nieprzywykłej Shen. Ale też poprawiający nastrój dosłownie w mgnieniu oka.

– Nie sądziłam, że na świecie może istnieć coś tak dobrego. – Osuszyła swój kubek do dna. – Niesamowite!

– Czekaj, czekaj – roześmiała się Nuk. – Tych naprawdę dobrych rzeczy to ty jeszcze nie spróbowałaś. A nawet nie widziałaś.

– A co mi chcesz pokazać?

– Spokojnie. – Sierżant przysunęła do siebie koleżankę. – Jeszcze po jednym kubeczku na odwagę.

– Dlaczego na odwagę? Co chcesz pokazać?

– Shen, kochanie, czy wiesz, co to jest burdel?

Dziewczyna zamarła z otwartymi ustami. Sprzedawca, który zwijał się jak w ukropie, napełniając im kubki grzańcem, rozpromienił się nagle.

– Ach, burdel! Tak, tak, trzeba wstąpić koniecznie. Znam najlepsze, wskażę!

Shen spurpurowiała nagle i zabrakło jej oddechu. Nuk nie ustawała w nagabywaniu.

– No wiesz, co to jest burdel, czy nie?

– No, burdel... – Shen przełknęła ślinę. – To takie miejsce, gdzie przychodzą mężczyźni i... i...

– I? – Nuk zaciekawiła się wyraźnie. Wiedziała, że tamta nie zna po prostu odpowiednich słów. Jak tę czynność mogli nazywać w jej wiosce? Pewnie jakoś okropnie. No to może przyjezdni, jeśli bywali tam jacyś, znali lepsze określenie? Ciekawe. – I co robią ci mężczyźni? – dopytywała rozbawiona.

Shen, choć wydawało się to niemożliwe, czerwieniała coraz bardziej. Na szczęście sprzedawca miodu oddalił się poza zasięg głosu. Dziewczynę trafiał szlag, że dała się tak podstępnie podpuścić. No trudno. Żołnierz musi znieść wszystko.

– Burdel to miejsce, gdzie faceci rżną dziwki za pieniądze – wypaliła.

Nuk z najwyższym trudem powstrzymała parsknięcie śmiechem. Potem chwyciła koleżankę za szyję.

– Oj, dziecko, dziecko – westchnęła. – Musisz się nauczyć jednej rzeczy. – Wzmocniła ucisk, kiedy Shen szarpnęła się nagle. – Miłość ma tysiące imion. – Uśmiechnęła się ciepło. – A przytłaczająca ich większość jest nieprawdopodobnie piękna.

Shen podniosła swój kubek, żeby pokryć zmieszanie. Nuk skinęła z aprobatą.

– Słusznie, strzelmy po jednym na odwagę i w drogę.

– Gdzie?!

– Do burdelu – wyjaśniła spokojnie, wzięła koleżankę pod rękę i pociągnęła w głąb ulicy. – Widzisz, tak się tylko mówi, że do burdelu chadzają wyłącznie mężczyźni. Przecież nie robią tego sami ze sobą.

– Ale kobiety tam tylko zarabiają.

– Skąd wiesz, że „tylko"? Byłaś?

– Nie, ale...

– To „ale" zostaw kapłanom w świątyni. Wiele z nich czerpie z tego przyjemność. A wiele tych świętoszkowatych skrycie marzy, żeby choć raz w życiu ktoś je potraktował jak kurewki. Uwierz mi.

– Ale...

– Słowo „ale" należy do kapłanów – powtórzyła Nuk. – To już ustaliłyśmy. Widzisz, port Sait jest miastem garnizonowym. A każde takie od burdeli się roi. No a... w naszym wojsku same kobiety służą.

– I co chcesz przez to powiedzieć?

– Jedynie to, że życie nie znosi pustki. A można zaryzykować nawet twierdzenie, że wręcz jej nienawidzi.

– Zaraz! – Shen zatrzymała się gwałtownie. – Chcesz, żebyśmy tam poszły i żebyśmy dały ze sobą zrobić...

Nuk patrzyła na koleżankę z ciekawością, czekając na to, co dadzą ze sobą zrobić, ale Shen zacisnęła gniewnie usta. Sierżant wzruszyła ramionami.

– Pozwól, że za ciebie dokończę. Chciałaś powiedzieć: „damy z siebie zrobić kurwy"?

Shen skinęła głową.

– To też mogą zrobić, choć trzeba słono zapłacić. Mogą nas również traktować jak jaśnie panie albo jak władczynie z egzotycznych krain, albo na przykład jak okrutne właścicielki niewolników, albo, wedle życzenia, jak poniżane niewolnice. Za co zapłacisz, to dostaniesz. Zasady w burdelu proste. Nic ponad złożone zamówienie.

Nuk zaczęła się śmiać. I znowu pociągnęła koleżankę za sobą.

– Pozwól, że za pierwszym razem ja wybiorę, co mają robić. I uwierz mi: w burdelu generalnie chodzi o to, żeby było przyjemnie i klient był zadowolony, a nie wyłącznie o prosty kontakt męskich i żeńskich genitaliów.

Shen przełknęła ślinę. Szła bezwiednie za koleżanką. Słowo „genitalia", którego nie rozumiała, nie wiedzieć dlaczego przepełniło ją zgrozą.

– Zaraza! Śmiertelna zaraza! – Kai krzyczała przerażona tym, że Tomaszewski niczego nie rozumiał. – Zaraza! – Ciągnęła go do kabiny, gdzie trzymał książki. Miała ciągle za mały zapas słów. Szczególnie dotyczyło to pojęć, których na co dzień się przecież nie używa. Może dzięki obrazkom uda jej się coś wyjaśnić.

Porucznik, choć zdziwiony, nie stawiał oporu, czując, że chodzi o coś ważnego. Jednak bardziej interesowała go kwestia, skąd wziął się obcy facet na pokładzie okrętu podwodnego płynącego w zanurzeniu. Zjawisko nie z tego świata, psiakrew, jakie szczęście, że to nie jego wachta. Zresztą... bez różnicy. Przez ścianę nie przeniknął, więc podejrzane będą wszystkie wachty trzymane w czasie, kiedy okręt płynął na powierzchni. Jasny szlag!

Otworzył drzwi kajuty przed rozdygotaną dziewczyną. Ta dopadła półki z książkami. Wyjęła kilka na chybił trafił, usiadła z naręczem na koi i zaczęła gorączkowo przeglądać obrazki.

– O! – Musiała coś znaleźć, bo podsunęła mu książkę pod oczy. – Patrz! Zaraza. Ludzkie ciała leżą pokotem. W równych rzędach, już rozebrane do pochówku. Widzisz te trupy? Zagłada... Nagie trupy w rzędach, pogrzeby, śmierć!

Niczego nie rozumiał.

– Kuracjusze opalają się na plaży w nadmorskim uzdrowisku – przeczytał napis pod obrazkiem. – O to ci chodzi?

Stwierdził po chwili, że raczej nie. Była zbyt zdenerwowana, żeby mieć na myśli relaks i odpoczynek, jak wynikało z obrazka. Więc? Ach, pewnie jest w szoku i chce zaczerpnąć świeżego powietrza na pokładzie.

– Nic z tego – powiedział. – Idziemy w zanurzeniu.

Nie rozumiała słów, ale czuła, że Tomaszewski nie ma pojęcia o powadze sytuacji. Moment, moment, moment. Musi się uspokoić. W ten sposób do niczego nie dojdą. Zaraz. Zaklęcie, które na siebie rzuciła i które tak bardzo jej pomagało, miało swoje ograniczenia. To fakt, bez wątpienia. Ale posiadało też jeszcze możliwości, których nie wykorzystała. Tylko... Szlag! Mogła przecież rzucić zaklęcie nie tylko na siebie, mogła też i na nauczyciela. Ale... on był z innego świata. Choć nie mogła tego pojąć, to na dziwacznym, niesamowitym okręcie nie czuła magii. Nie czuła jej ani trochę. Wręcz nieprawdopodobne, lecz jakie z tego płyną wnioski? Obcy władcy mogli kazać swoim czarownikom ukryć przed Kai skutki działania potężnych czarów. Czy to możliwe? Absolutnie nie. Ale czy możliwe jest wybudowanie okrętu, który pływa pod wodą? Odpowiedź brzmi również: absolutnie nie. Skoro więc potrafią jedno, to być może potrafią i drugie. A w jej świecie rzucenie zaklęcia na wysoko postawionego oficera bez jego zgody mogło się w krańcowym wypadku skończyć nawet kaźnią. Istniała też druga możliwość. Może oni w ogóle nie znali magii? Jak więc wybudowali okręty podwodne? Westchnęła. Była tak zamyślona, że bezwiednie włożyła palec do ust.

Tomaszewski zauważył, że dzieje się coś niezwykłego, i nie chciał przeszkadzać. Dziewczyna, z początku ruchliwa i nadpobudliwa, teraz zamarła, kucając przy ścianie. I do tego z palcem w ustach. On też westchnął. Po raz pierwszy, akurat właśnie w tej sytuacji, dostrzegł w Kai kobietę. Cholera jasna. Nie mógł oderwać oczu od kształtnych bioder, silnie zarysowanych piersi pod wojskową koszulą. Jej twarz, nos i... ten palec w ustach! Zmusił się, żeby odwrócić wzrok.

Kai jednak nie zauważała niczego. Znają magię czy nie? Nie no, nie było na świecie ludów bez znajomości magii. Ale... Każdy pamiętał o zakazanych podaniach, o legendach, o skryptach, których nie pozwalano wypożyczać ze szkolnej biblioteki. Które tkwiły za okutymi drzwiami, zamknięte na skoble i kłódki, z których skorzystać mógł jedynie sam mistrz szkoły lub ktoś z jego bezpośrednią zgodą. Podania o Cichych Braciach. O ludziach, którzy żyli za pasmem Gór Bogów. Nie posługiwali się magią, w ogóle jej nie znali, którzy... Otrząsnęła się nagle. Wolała nie przywoływać tych strzępków wiedzy, którymi dysponowała. Gdyby to naprawdę byli Cisi Bracia, ich obecność oznaczałaby początek czegoś strasznego. Czegoś, czego wolała sobie nawet nie wyobrażać.

– Coś dziwnego dzieje się z twoją ręką. – Tomaszewski popatrzył na Kai, kiedy podniosła się z kucków.

Nie zrozumiała, ale też nie było to już potrzebne. Zdecydowała się i zaryzykowała, rzucając na porucznika zaklęcie. Wiedziała, że oczywiście nie mógł niczego poczuć, ale też zorientowała się od razu, że to był dobry pomysł. Nie czekając, pociągnęła oficera na korytarz.

– Chodź, tu jest za mało miejsca.

– Co chcesz zrobić?

– Pokażę ci wszystko. A w ogóle mam nadzieję, że zaczniemy zaraz rozumieć się wzajemnie. Patrz.

Położyła się na podłodze, udając martwego człowieka. Rękami pokazała, że leżący ma długą brodę.

– To Wyklęty – instruowała. Dla pewności jeszcze pokazała kierunek, skąd przyszli, miejsce, gdzie znaleźli ciało. – Patrz.

Wstała zgrabnie, podeszła tam, gdzie udawała trupa, i niby dotknęła go ręką. Podetknęła Tomaszewskiemu dłoń pod oczy.

– Patrz. Na skórze zaraza! Zaraza! Wszyscy umrą! – Zrobiła kilka kroków, patrząc na swoją dłoń, a potem upadła na podłogę i zaczęła teatralnie konać w konwulsjach.

Miała spory talent aktorski, bo przechodzący korytarzem marynarz chciał się rzucić na pomoc i ratować dziewczynę. Tomaszewski powstrzymał go, ale też patrzył na Kai z coraz większą ciekawością.

– Teraz ty umrzesz – powiedziała, zmartwychwstając. Podeszła do porucznika i podprowadziła go do miejsca, gdzie udawała Wyklętego. Zmusiła Tomaszewskiego, żeby dotknął dłonią przestrzeni, gdzie leżał trup. Pokazała na oficera palcem i zaczęła jęczeć, wykrzywiając się z bólu. Tomaszewski na szczęście chwycił! Dotknął swojej klatki piersiowej i sam zaczął jęczeć.

– Dobrze zrozumiałem? – zapytał.

– Dobrze! – Aż podskoczyła z zachwytu.

– Zaraza?

– Zaraza – powtórzyła nareszcie po polsku.

– Śmiertelna choroba? – zapytał.

– Śmiertelna choroba – potwierdziła skinieniem głowy. Westchnęła z ulgą. Bogowie, zaklęcie działało. Teraz już nauczy się ich języka błyskawicznie. A on nauczy się jej. Natura nie znosi pustki i nie lubi układów niesymetrycznych. Ale najważniejsze, że działa. Teraz trzeba wyjaśnić najpierw to, co najbardziej pilne, a potem zajmie się resztą.

Znowu zaczęła się gimnastyka na korytarzu. Lecz z każdą chwilą było mniej pantomimy, a coraz więcej słów.

Tomaszewski podjął decyzję mniej więcej po kwadransie, według jego miary czasu. Ruszyli w stronę lazaretu. Kai obserwowała go spod oka. Zdawał się rozumieć wszystko, co powiedziała, ale wyczuwała w nim coś jeszcze. Jakąś instynktowną niewiarę. Jakby traktował Kai w stylu: „A na czym oni mogą się znać?". Hm. Ciekawostka. A może mu powiedzieć, że jest czarownicą? Nie zdążyła rozstrzygnąć. Na Siweckiego, tym razem w roli doktora, wpadli już na korytarzu.

– No nie – mruknął na ich widok. – Coście nam za pacjenta znaleźli? Słowa nie można z nim zamienić. No i niezbyt współpracuje ze swoim lekarzem.

– Żyje?

– No pewnie.

– A co mu jest?

Siwecki rozejrzał się wokół ukradkiem, niczym na szpiegowskim filmie.

– Ciiiii... W tej sprawie prowadzone jest kapitańskie śledztwo. To znaczy głównie, jakim cudem ten gość znalazł się na pokładzie i komu za to głowę uciąć. Wszystkie wiadomości na temat śledztwa są tajne. Albo poufne. Sam nie wiem, bo zapomniałem.

– Posłuchaj. Mam do ciebie naprawdę poważną sprawę.

– Mhm? – Siwecki rzucił pytające spojrzenie.

– Mam podstawy przypuszczać, że ten stary po reanimacji jest roznosicielem jakiejś zarazy.

Siwecki skinął głową.

– No. Jest.

Tomaszewskiego zatkało.

– Wiesz jakiej? – zapytał dopiero po dłuższej chwili.

– Wiem. – Siwecki patrzył to na porucznika, to na Kai. – Kilku naszych marynarzy już na to choruje. Czterech musiałem położyć w lazarecie, kolejka rośnie, a miejsca nie ma.

Tomaszewski ciągle nie mógł uwierzyć.

– Jesteś świadomy, że stary jest roznosicielem śmiertelnej zarazy? Naprawdę mówisz poważnie? On zaraził już marynarzy?

– Czekaj. Pytasz o dwie różne sprawy. – Siwecki wykonał uspokajający gest. – Staruch jest chory, czy też jak wolisz: jest raczej roznosicielem. Jednak każdy wirus potrzebuje dobrej chwili po dostaniu się do obcego organizmu, żeby zabawa się zaczęła. Naprawdę trzeba mu dać trochę czasu i dlatego stary jeszcze nie pozarażał naszych ludzi.

Tomaszewskiego zatkało.

– A kto?

– Prawdopodobnie ona. – Siwecki dotknął ramienia Kai. – Albo może... – Wzruszył ramionami. – Samo jakoś tak...

– I mówisz to tak spokojnie? Czy my naprawdę rozmawiamy o zarazie?

– O najbardziej zakaźnej chorobie, jaką znam.

– Mamy na nią lekarstwo?

– Nie.

– Więc wszyscy umrą?

Siwecki patrzył na Tomaszewskiego dziwnym wzrokiem.

– Wiesz... Lekarstwa na tę chorobę właściwie nie ma, ale podaję aspirynę, witaminę C i soki owocowe. Trochę działa. Bo ta choroba to... – przełknął ślinę – to grypa.

– Niech cię szlag trafi!

– No co? Jest najbardziej zakaźną zarazą, jaką znam. Lekarstwa na nią nie ma. No ale wszyscy raczej nie umrą, bo śmiertelność niska jak szlag. Na granicy jednego promila czy coś. A i to raczej z powodu powikłań.

Tomaszewski, mimo że nie powinien tego tutaj robić, wyjął papierosa, zapalił i zaciągnął się głęboko.

– Niech cię szlag! – powtórzył, uśmiechając się cierpko. – Powiedz mi jeszcze, czy oni... Czy ich cywilizacja może się bać grypy?

– Oczywiście! – Lekarz roześmiał się chrapliwie. – Jeszcze nie tak dawno epidemie grypy potrafiły pochłonąć u nas i siedemdziesiąt milionów ofiar. Boją się jak jasna dupa.

– No to dlaczego dla nas grypa stała się niegroźna?

– Tego bym tak ostro nie powiedział. – Siwecki podrapał się w czoło. – Musiałbyś spytać kogoś z przygotowaniem naukowym, a nie kogoś, kto pełni funkcję felczera na pokładzie okrętu podwodnego.

– Nie przesadzaj.

– Nie przesadzam. Nie chcę ci po prostu zamącić w głowie. Po powrocie spytaj mądrzejszych.

Tomaszewski zaciągnął się znowu, wodząc wokół wzrokiem w poszukiwaniu miejsca, gdzie mógłby strzepnąć papierosa. Albo nawet zakiepować.

– Jak rozumiem, zakładasz, że uda nam się powrócić?

Siwecki poklepał przyjaciela po ramieniu.

– Krokomierz prawie udało się złożyć, to najnowsze wiadomości z mostka.

– I co to nam da?

– Urządzenie podobno zaprowadzi nas dokładnie do punktu, w którym wypłynęliśmy spod gór na tej półkuli.

Tomaszewski uśmiechnął się i zerknął na Kai. Zapomniał o niej podczas rozmowy. Teraz zobaczył, że dziewczyna stoi jak słup. Jak pomnik przerażenia.

Shen nie została zaciągnięta do burdelu siłą, bo po pierwsze, była silniejsza od Nuk, a po drugie, nie było takiej potrzeby. Nuk po prostu dała znak naganiaczom, że ma problemy z koleżanką, i oni zajęli się wszystkim. Ci ludzie znali się na swoim fachu. Nie dotknęli dziewczyny nawet palcem. Mówili, owszem, lecz wcale nie zachwalali usług oferowanych we wnętrzu przysadzistego budynku o grubych ścianach i małych oknach, w których jarzyły się lampki. Właściwie nie wiadomo, o czym z nią rozmawiali. O jakichś przyjemnych rzeczach, których jednak nie mogła sobie przypomnieć. Pamiętała tylko, że w wyniku pogawędki pokazała im, ile kwitów żołdu ma przy sobie, powiedziała, jak się nazywa, jaki ma stopień i z jakiej pochodzi jednostki, oraz bardzo dokładnie określiła, ile ma czasu do powrotu do koszar. Potem jakimś cudem, bo przecież nikt jej nie dotykał ani nie popychał, znalazła się w cudownym wnętrzu. Półmrok, gdzieniegdzie dyskretne lampiony, dym jakichś aromatycznych kadzideł i stoły z wykwintnymi (jak dla prostego podoficera) przekąskami. Wino ciekło z malutkiej fontanny pośrodku. Każdy mógł nabrać, ile chciał.

Z jakichś powodów oddała naganiaczom kwitki, choć przecież wcale nie prosili. Po prostu jakoś tak skłonili Shen do uznania, że tak będzie lepiej. Cholerny świat! Byli mistrzami w swoim fachu.

– Nie pękaj, mała. – Nuk strzeliła koleżance klapsa w pupę. – Jutro idziemy do boju, tam kwity nam niepotrzebne.

– Ale ja...

– Ty teraz używaj życia. Lepiej iść na front, mając ciepłe wspomnienia o wspaniałościach naszej dekadenckiej cywilizacji.

– Ale...

– No nie bój się, mała. Tu nikt nie zrobi nic wbrew twojej woli.

Shen nie potrafiła znaleźć słów, które chciała powiedzieć koleżance. Kiedy minęło zaskoczenie, z jednej strony była szalenie ciekawa, co może się tu wydarzyć. Z drugiej jednak nie wiedziała, jak się przyznać, że nie ma zielonego pojęcia, jak się to robi z mężczyznami. Że wydawało jej się, iż warunkiem niezbędnym pójścia z kimś do łóżka jest miłość. Praktycznie rzecz biorąc, nie bardzo się orientowała, o czym z takim mężczyzną rozmawiać, jeśli znajdą się sam na sam. Ale najgorsze wydawało się Shen, że trzeba jednak mieć choć blade pojęcie, jak to się robi. I kiedy już znajdzie się w łóżku, to powinna wiedzieć, co do niej należy i jak się zachować. Tymczasem przy jej doświadczeniu w tej mierze miała wrażenie, że ją zaraz wyśmieją.

– Ale... – ponowiła próbę, niestety, znowu zakończoną niepowodzeniem.

– Mówię: nic się nie bój. To nie obóz karny na wyspie Tarpy.

– No pewnie, że nie. Z obozu karnego jeszcze nikogo nie wyrzucili za brak doświadczenia w łóżku.

Nuk zaczęła się śmiać.

– A, o to chodzi. No to powiem ci tyle. Po pierwsze, skoro jest, jak mówisz, to właśnie trafiłaś w najlepsze miejsce pod słońcem, żeby pozbyć się tego problemu. Po drugie, burdel to miejsce zabawy, relaksu, a nie tylko miejsce, gdzie grzmocisz się z mężczyzną. I po trzecie, korzystaj z życia, bo jutro idziemy na front. Liczy się tylko tu i teraz, reszta to złuda!

Poprowadziła koleżankę głębiej. Shen zauważyła kilka pań podoficer (wyłącznie z wojsk specjalnych) w towarzystwie młodych mężczyzn (nie umknęło jej uwadze, że czasem także w towarzystwie innych kobiet), grupę osób przy stoliku w ciemnym kącie, przysypiających z błogimi minami przy naczyniu, z którego wydobywała się silna słodkomdląca woń, ktoś grał na nieznanym jej strunowym instrumencie. Chciała podejść do stolika ze słodyczami, ale Nuk prowadziła ją dalej.

– Nie, nie, nie, o ciasteczka poprosimy później, a narkotyków unikamy. Najpierw łaźnia. Zmyjemy porządnie brud z podróży.

– Ale...

– Kochanie, zamień słowo „ale" na następującą kwestię: „Dziękuję ci, droga Nuk, że prowadzisz mnie do ogrodu rozkoszy godnych wszystkich Bogów razem wziętych, wdzięczna jestem, że ty, godna, by podziwiał cię...".

Shen nie dowiedziała się, kto miał podziwiać Nuk, bo ta potknęła się i wylądowała w ramionach półnagiego młodzieńca.

– O właśnie. Poprosimy o najgorętszą parę.

– Ależ do usług! – Młodzieniec zgiął się w ukłonie, a potem poprowadził do niewielkiej nagrzanej izby. – Zechcą się panie rozebrać?

– Jasne. – Nuk zaczęła ściągać kurtkę. – Migiem.

– A druga pani? – Młodzieniec spojrzał na Shen ciekawie.

– Nie! – zabrzmiała odpowiedź.

Nuk chwyciła Shen od tyłu.

– Łap ją za ręce – krzyknęła. – I uważaj, bo będzie wierzgać i kopać. Ja ją rozbiorę.

Chłopak natychmiast spełnił polecenie. Najwyraźniej nie takich klientów już widział i przywykł do różnorakich zachcianek.

– Nie rozbierajcie mnie do golasa! Miało być przecież tak, że nic się nie stanie wbrew mojej woli!

– Ależ oczywiście, kochanie. Z tym tylko, że ty sama nie uświadamiasz sobie po prostu głębokiego pragnienia bycia nagą teraz. – Nuk sapała z wysiłku. – Pomagamy twoim życzeniom jeszcze niewyrażonym.

Nie da się ukryć, że młodzieniec, podobnie jak wcześniej zatrudnieni przez lupanar naganiacze, był fachowcem. Mimo ostrego sprzeciwu Shen udało się ją rozebrać szybko i sprawnie. Nie zdążyła się nawet zawstydzić. Młodzieniec wepchnął dziewczynę do pomieszczenia z jakąś nieszczelną kuchnią. Maleńka przestrzeń była cała wypełniona dymem i panował w niej koszmarny upał.

– Tu się wypocimy. – Nuk weszła za nią i domknęła drzwi.

Shen dopiero teraz zrozumiała, że prośba o „najgorętszą parę" wcale nie była dwuznaczna. Chodziło o parę wodną. Nie zdążyła się zasłonić, kiedy młodzieniec wszedł do środka, przynosząc niewielki dzbanek wina. Ale nie podał go dziewczynom, tylko polał rozpalone kamienie w rogu pomieszczenia. Potem na szczęście ulotnił się, zostawiając je same. Nuk pociągnęła koleżankę na ławę pod ścianą.

– Dlaczego nie dał nam się napić? – spytała Shen.

– Od alkoholu w tej temperaturze mogłabyś stracić przytomność. A w ten sposób będziemy go inhalować.

– Co?

– Oj, cicho. Bierz do ręki te gałązki i zacznij mnie okładać po plecach.

– Mam cię bić?

– Tak. Zaraz się zrewanżuję.

Zabawa w bicie witkami okazała się nawet fajna, choć Shen ciągle nie mogła się wyzbyć skrępowania. Szybko spociły się tak, że zaległy jedna obok drugiej na drewnianej ławeczce pod ścianą.

– Słuchaj, jutro naprawdę idziemy na front?

– Tak słyszała Wae. Musi tam być zupełnie do dupy.

– Dlaczego?

– Sypną nami prosto z marszu. Z podróży, bez aklimatyzacji w tym parszywym klimacie. A to znaczy, że sytuacja jest parszywa.

Shen usiłowała wycierać pot, który zalewał jej twarz.

– A czego właściwie te potwory od nas chcą?

Nuk roześmiała się chrapliwie.

– Raczej czego my chcemy od nich. Przecież już ci mówiłam. Nie zginiemy za coś konkretnego. Zginiemy w ramach imperialnej polityki prowadzonej przez nasze państwo.

– Powiedz.

– Och... – Nuk pokręciła głową. – Słuchaj, bijemy się z nimi od tysiąca bez mała lat, chociaż kiedyś, w wojnie z Luan, byli naszymi sojusznikami. Ale pewnego dnia cesarzowa Achaja wydumała sobie, że kraj Chorych Ludzi to nasz wróg, i uderzyła na niego. Zresztą... może miała rację.

– Jak to?

– Bo, widzisz, najlepszą formą obrony jest atak wyprzedzający. A Chorzy Ludzie rzeczywiście rośli w siłę. No, się dwa państwa pochlastały, a że pomiędzy nimi leżał Wielki Las, gdzie mieszkały potwory – wzruszyła ramionami – to się Las spaliło. I wtedy musieli znaleźć coś dziwnego. Nie wiem, jakiś dokument, artefakt, rzeźbę... Coś ważnego.

– Co?

– Wiesz, historycy piszą o Achai dwojako. Raz przedstawiają ją jako amoralną władczynię, alkoholiczkę i zboczoną dziewuchę, a raz idealizują jako sprawczynię pokoju na świecie, twórczynię systemu edukacji, którego działanie mogłam poczuć na własnej skórze.

– Ale...

– Mówiłam ci już o słowie „ale", wykreśl go. A wracając do Achai, dziś już się nie dowiemy, czy była zboczoną terrorystką zalewającą krwią imperia w oparach wódy chlanej od rana, czy gołąbkiem naszym, sprawczynią pokoju na świecie i wielu spraw, które z Arkach zrobiły porządne, nowoczesne i sprzyjające ludziom państwo.

– Nuk, błagam, do brzegu! Koniec ze słowotokiem!

– A co chcesz wiedzieć?

– Co znaleźli nasi w Wielkim Lesie?

– No przestań. To było prawie tysiąc lat temu. – Nuk chwiała się głowa. Najwyraźniej wino polane na rozgrzane kamienie zaczynało już działać. – Znam same obsieki, legendy i podania. A co tam trzymają w archiwach, to cholera jedna wie.

– Ale skup się! – Shen skrzywiła się, bo nagle zdała sobie sprawę, że znowu użyła słowa „ale". – Nie mówimy o legendach.

– Oj, no dobrze. Puść mnie nareszcie. – Nuk strząsnęła dłoń koleżanki ze swojego ramienia. – Ależ tu, kurwa, gorąco.

– Skup się.

– Sądzi się, że w każdym z lasów, gdzie żyją potwory, jest tak zwany matecznik. Miejsce, gdzie trwa magia Bogów. Ta prawdziwa.

– A nasza to jaka? Nieprawdziwa?

– Nie jestem czarownicą, nie znam się i nie będę komentować. Takim matecznikiem były właśnie Wielki Las i dolina Sait. Miejsca, gdzie żyją potwory. Prawdopodobniej takich miejsc jest na świecie więcej.

– A czego tam nasi szukają?

– Nie wiem. Wielki Las został podczas wojny spalony do gołej ziemi. A Sait, jak widzisz, nie chcą palić, zasłaniając się tym, że nie mogą, bo podmokła. Jednak coś znaleźli w poprzednim lesie i teraz szukają tego samego tutaj.

Przerwał im półnagi młodzieniec, który pojawił się ponownie, tym razem otwierając drzwi na całą szerokość.

– Do lodowatego basenu! – krzyknął. – Drogie panie, do basenu!

Nie trzeba było dwa razy powtarzać. Pędem opuściły komnatę parowych tortur, by po kilku krokach biegiem wskoczyć do niewielkiego basenu. Skoczyły jedna po drugiej i okazało się, że Shen pływa zdecydowanie lepiej niż Nuk. Cóż, dziecko rybaka. Woda nie była lodowata, ale pioruńsko zimna, co dawało niewyobrażalną wręcz ulgę. Shen zanurkowała błyskawicznie i przepłynęła pomiędzy nogami koleżanki.

– Jak ty to robisz?

– Co?

– Jak możesz mieć pod wodą otwarte oczy?

– To przecież proste. – Chwyciła Nuk, wciągnęła pod wodę, a palcami uniosła dziewczynie powieki. Nuk otworzyła usta jak do krzyku, przez co o mało nie utonęła. Po chwili, dysząc, dopłynęły do krawędzi basenu.

– Powiedz mi, jak mogli wtedy coś tam znaleźć i nie szukać tego samego gdzie indziej przez setki lat?

– Oj, sytuacja się zmienia. Może zachowały się tylko jakieś notatki w archiwach. Może coś ukryto w tajnych bibliotekach wywiadu. A teraz jest im to coś potrzebne, więc szukają...

– Co się zmienia?

– Wszystko, świat, życie, wydarzenia. Imperium się chwieje. Jest zamkiem już nie na piasku, tylko na lodzie podczas wiosny! Nie czujesz tego? Nie widzisz, że czarownicy od lat wieszczą, że nastąpi coś przedziwnego? Absolutne przewartościowanie?

Shen przygryzła wargi. Do jej wioseczki raczej nie docierały wieści o czarownikach światowej rangi. No i nie wiedziała też, czy w rybackiej osadzie dałoby się znaleźć kogoś, kto rozumie znaczenie słowa „przewartościowanie".

– Dobra – mruknęła. – Pogodziłam się już, że mi nie powiesz.

Nuk spojrzała na Shen zupełnie już przytomnie.

– Powiem ci coś. Im bardziej nierzeczywista, irracjonalna wojna, tym bardziej nierzeczywiste jest to, czego szukają.

– Czyli?

– Po mojemu szukają mitu.

Miejsce półnagiego młodzieńca na brzegu zajęło dwóch innych. Mieli ręczniki zawiązane wokół bioder i wyglądali bardzo sympatycznie.

– Wychodzimy... Wychodzimy, drogie panie. – Śmiali się, podając im ręce. Shen o mało nie dostała apopleksji, kiedy zorientowała się, że musi wyjść na brzeg goła jak niemowlę. Nurtowała ją podstawowa kwestia: co ją bardziej skompromituje? Jeśli się będzie zasłaniać czy jeśli nie? Rzecz mogła być bez znaczenia, bo czuła, że na policzkach ma karminową czerwień.

– Namaszczanie oliwą, masaż, pachnidła, a potem, kiedy przewyższycie Bogów urodą, będziemy się beztrosko bawić – kusili.

Na szczęście podali dziewczętom ogromne ręczniki.

– Kapitan na mostku!

Tomaszewski nie bał się o marynarzy na wachcie, wszyscy byli weteranami. Kłopoty mogły pojawić się jedynie ze strony państwa inżynierostwa. Nie miał pojęcia, jaki idiota kazał umieścić olbrzymie pudła krokomierza wprost na mostku. Przecież na tym okręcie miejsca było tyle, że spokojnie dałoby się wygospodarować dla tego psuja jakieś pomieszczenie, gdzie inżynierowie mogliby kłócić się bez ustanku i bez żadnego wpływu na dyscyplinę.

Kozłowski zgasił wszystkie meldunki, ignorując nawet pozycję i podstawowe parametry.

– Są państwo pewni, że działa?

Wyszyńska ledwie dostrzegalnie wzruszyła ramionami.

– Działa.

Nawet Węgrzyn uznał jej zachowanie za zbyt obcesowe, bo zaczął skwapliwie tłumaczyć:

– Zrobiliśmy prosty test. Wyzerowaliśmy automat, ale nie włączaliśmy krokomierza. Przez cały dzień okręt za pańską zgodą zmieniał kurs i prędkość. Potem krokomierz został włączony i przeliczył nasze kluczenie według zapisu rejestratora. Obliczył idealnie pozycję wyjściową.

Kozłowski skinął głową.

– Rozumiem więc, że mogę rozkazać nawigatorowi, żeby obliczył kurs dokładnie do miejsca, w którym pojawiliśmy się po tej stronie gór?

– Tak, może pan – odparł Węgrzyn. – Lecz to nie wydaje się konieczne.

Kozłowski uniósł brwi.

– Krokomierz zrobił to sam – dokończył inżynier.

Kapitan zaczął się śmiać.

– Chce pan powiedzieć, że ta maszyna jest inteligentna?

– Nie, nie jest inteligentna, proszę pana – wtrąciła się Wyszyńska. – Ale jest bardzo mądra.

– Gra słów.

– Wyjaśnię więc. Krokomierz potrafi brać pod uwagę takie parametry i czynniki oraz w takiej ilości, że człowiek nie byłby w stanie podołać nawet części możliwości obliczeniowych tej maszyny.

– Sama pani mówiła, że podwodne prądy targały nami w niewiadomych kierunkach i z niewiadomym natężeniem.

– Tak. Człowiek nie potrafiłby wziąć pod uwagę nawet części parametrów przy niesamowitej dynamice tych zmian.

– Maszyna to potrafi?

– Maszyna może brać pod uwagę tyle parametrów podawanych przez rejestrator, że może sama wykonać przybliżenie. A potem jeszcze jedno. I jeszcze... Może zrobić nieskończenie wiele przybliżeń. I dojść do rozwiązania na odległość tak małą, że nie wymyślono jeszcze miary, żeby zmierzyć coś takiego.

Kozłowski skinął głową.

– Tak. – Przygryzł wargi. – Udowadnia mi pani teraz, że maszyna jest mądrzejsza od człowieka.

– Proszę pana, to jałowa dyskusja. Jak porównywanie siły człowieka z siłą buldożera. A krokomierz jest właśnie takim buldożerem, jeżeli chodzi o obliczenia.

Na szczęście nawigator zapobiegł rodzącej się kłótni.

– Z przyjemnością zobaczę obliczenia tej maszyny. – Uśmiechnął się trochę wymuszenie. – I zrobię własne dla porównania.

Tomaszewski przewidująco odsunął się o krok. Kozłowski jednak nie wybuchł, o dziwo. Zgodził się nawet, że od zaraz mogą zmienić kurs i kierować się wskazaniami maszyny, a sprawdzanie wyników robić w trakcie. Tu okazał się pragmatykiem. Krążenie po obcych morzach bez map było bezsensem, a silniki okrętu z każdą minutą pożerały cenne paliwo. Kapitan nie kończył jednak zaimprowizowanej narady na mostku. Zapewne od początku zamierzał poruszyć jeszcze jedną ważną kwestię. I to najwyraźniej, co urastało do rangi dziwu nad dziwy, w obecności inżynierów.

– Drodzy państwo! – Kozłowski nienawidził długich wstępów. – Jakim cudem obcy człowiek pojawił się na moim okręcie?

Tomaszewski ukrył uśmiech, odwracając głowę. Zero finezji, prosto do celu. Czy wszyscy militaryści tak mają? Pamiętał dowcipy krążące o nim w kapitanacie portu w stylu: „Kozłowski na przyjęciu dyplomatycznym: drodzy państwo, przepraszam, ale zaciął mi się karabin maszynowy. Zabiję was później".

Natomiast reakcja Wyszyńskiej zaskoczyła wszystkich.

– Też o tym myślałam, panie kapitanie. Przeanalizowałam plan okrętu i wszystko, co się stało feralnego dnia spotkania... – zawiesiła głos, nie wiedząc, jak nazwać masakrę. – Spotkania z obcą jednostką. Tego dnia podczas wynurzenia były otwarte cztery włazy, prawda?

– Tak. Główny na kiosku i tam byłem osobiście. I trzy niżej: desantowy u podstawy kiosku, dwa artyleryjskie na pokładzie. Potem otwarto jeszcze tak zwany hangar dla pontonów...

– Właśnie. O tym mówię.

– Nie, nie. Nie można się dostać ani do tego pomieszczenia od strony wnętrza okrętu, ani z tego pomieszczenia do wnętrza. Jest ono dostępne wyłącznie z pokładu.

– Czyli cztery wejścia. Przy każdym wielu marynarzy. Nie można się prześliznąć?

– No nie, nie – włączył się nawigator. – Teoretycznie można. Przecież włazy nie są obserwowane bez przerwy. A marynarze są zajęci własnymi zadaniami.

– Ale przypominałoby to przejście tu, na mostku, człowieka pomalowanego na czerwono z tamtych drzwi do tamtych – powiedział Tomaszewski. – Tu też nie obserwujemy obojga drzwi bez przerwy. Myślę jednak, że czerwony człowiek miałby mikre szanse.

– Dlaczego pomalowany na czerwono? – zdziwił się Kozłowski.

– To akurat rozumiem – mruknęła Wyszyńska. – Tu w znaczeniu: zwracający na siebie powszechną uwagę. Niewtapiający się w tłum.

– Dokładnie, pani inżynier. – Tomaszewski skinął głową. – Nie ma sensu głowić się, czy mógł wtedy wejść na pokład, czy nie.

– Dlaczego? – zainteresował się Kozłowski.

– W momencie kiedy go znaleźliśmy, miał ucięty palec u dłoni. Kiedy pan kapitan nakazał śledztwo, obciętego palca nie znaleziono.

– I o czym to świadczy?

– Rana była świeża. Palca nie znaleziono, mężczyzna musiał się zatem dostać na okręt już bez tej części ciała, a więc dosłownie na chwilę, zanim został znaleziony.

Węgrzyn uśmiechnął się złośliwie.

– A jeśli uciął sobie palec i zjadł, żebyśmy nie znaleźli?

– O fuj! Fuj! – wzdrygnęła się Wyszyńska. – Przestań wymyślać takie świństwa.

– Coś jest jednak na rzeczy – Tomaszewski nie dawał za wygraną. – Starzec został znaleziony w stanie śmierci klinicznej.

– Może dostał zawału już na okręcie?

– To nie był zawał, sprawdziłem u Siweckiego. Miał suche ubranie, co z kolei sugerowałoby dłuższą obecność na pokładzie.

– Jak długo schnie ubranie? – Wyszyńska wzruszyła ramionami.

– Zależy jakie.

– Jak długo schną skórzane buty? – Tomaszewski postanowił ich dobić.

– Proszę państwa, w ten sposób do niczego nie dojdziemy. – Kapitan westchnął ciężko.

Inżynier Węgrzyn aż podskoczył.

– Wprost przeciwnie. Jestem pod wrażeniem logicznych przemyśleń przedstawiciela wywiadu marynarki.

O dziwo, Wyszyńska potwierdziła ruchem głowy. Ci ludzie zdecydowanie różnili się od członków załogi. Kapitan myślał klasycznie. Skoro fakty wskazują, że coś jest niemożliwe, a miało miejsce, to tym gorzej dla faktów. Coś ktoś przeoczył, o czymś nie pomyślano, czegoś nie wzięto pod uwagę. Tamci (odruchowo do dwójki inżynierów używał określenia „tamci") myśleli inaczej. Skoro fakty pokazują, że stało się coś, co stać się nie mogło, to znaczy, że poprzednio źle myśleliśmy. To coś nie było niemożliwe, więc dotąd się myliliśmy. Wniosek: musimy zmienić tryb myślenia, a nie dyskutować z faktami.

Rozdział 6

Shen powoli pozbywała się wstydu. Chociaż nie, to złe określenie. Powoli przyzwyczajała się do faktu, że jest naga. Zresztą na początku nie było to trudne. Leżała na brzuchu, a chłopak namaszczał jej skórę pachnącą oliwą. Potem zabrał się do masażu. Pomieszczenie dyskretnie oświetlały zaledwie dwie lampki, właściwie panował półmrok.

Gorzej zrobiło się, kiedy chłopak chciał, żeby się odwróciła i położyła na wznak. O, w życiu, nie ma mowy! A szlag... Po raz trzeci przekonała się, że tu zatrudniają wyłącznie fachowców. Chłopak wykonał gest, jakby chciał pomóc jej zasłonić piersi, a kiedy uniosła się lekko, przesunął łokieć Shen, chwycił za ramię i... trzask-prask – leżała na plecach, a on, wesoło pogwizdując, skrapiał ją oliwą. Czuła rumieńce i błogosławiła półmrok, lecz chłopak i tak wyczuł jej zakłopotanie.

– Spierzchły ci wargi – zrezygnował z tych sztucznych form, jak „pani", „jaśnie" czy „wielmożna". Właściwie wydawał się teraz kolegą z sąsiedztwa. Podał Shen kielich wina i pomógł się lekko unieść. – Niech zgadnę, twój tato był rybakiem?

Skinęła głową z uśmiechem. Skąd tyle wiedział? A może się domyślił? Nie przyszło jej do głowy, że mógł spytać po prostu Nuk. Ot, taki prosty sposób, żeby się szybciej zaprzyjaźnić.

– Trochę znam się na rybołówstwie.

– Też jesteś z malutkiej wioseczki?

– Nie. – Aż się wstrząsnął na jakieś wspomnienie. – Pracowałem u pośrednika, właściciela kilku kutrów. Musiałem je ciągle szorować...

– I przeniosłeś się... – nie wiedziała, jak nazwać to miejsce. – Przeniosłeś się tutaj?

– Właściwie praca jest podobna. – Zrobił łobuzerską minę. – Tam jednak z całej siły szorowałem brzydki, szorstki pokład, a tu leciutko miękkie i piękne kobiece ciało. A co ty byś wybrała na moim miejscu?

Zmusił ją do uśmiechu.

– Tam wszystko potwornie śmierdziało! A tu... – Zbliżył twarz do szyi Shen, powąchał demonstracyjnie i pocałował lekko. – A tu wszystko pachnie wonią Bogów!

Zaczęła się śmiać razem z nim. Miał talent. Właściwie nie czuła już paraliżującego wstydu. Czuła podniecenie. Chłopak zaczął wcierać oliwę w jej łokcie, ramiona, barki i... piersi. Przełknęła ślinę. Ale on był zupełnie naturalny, nieskrępowany, chętny, ruchy miał pewne. Shen powoli udzielał się ten nastrój. Przyjemność. To nie miłość, zaczęła rozumieć. Tylko przyjemność. Kiedy pocałował jej policzek, jednak zmieniła zdanie. Dlaczego by teraz nie marzyć o miłości?

Jego ręce posuwały się niżej i niżej. Brzuch, biodra, podbrzusze. Nie broniła się, kiedy lekko rozsunął jej nogi. Westchnęła mocniej, znowu czując rumieńce. Chłopak podniósł Shen sprawnie, zrobił kilka kroków i postawił obok wielkiego łóżka. Objął od przodu, zaczął całować. Jego ręce błądziły po plecach i pośladkach dziewczyny. Odsunął się, żeby mogła się położyć. A ona zerknęła w dół. Nie! Jego penis sterczał jak włócznia. Zamknęła desperacko oczy. Zrobiła gest, jakby chciała odepchnąć to... coś. Jemu najwyraźniej spodobała się reakcja dziewczyny. Nie sądziła, że tak łatwo się podda. Dała się położyć na plecach, jakby bezwolna, przepełniona strachem, że jego włócznia zaraz znajdzie się gdzieś w środku niej.

I nagle zrozumiała, że musi przestać przejmować się faktem, iż jest dziewicą. Że czas zrezygnować z romantycznych wyobrażeń o miłości skonsumowanej po przepięknym ślubie. I gdzie to miałoby się wydarzyć? W wojsku? W ogniu dział i karabinów? Pojęła, że Nuk była jej prawdziwą przyjaciółką, a sposób, który wymyśliła, jest najlepszy z możliwych.

Wstyd gdzieś umknął, a strach ustąpił miejsca ciekawości i fascynacji. Spokojnie, w łóżku krzywda się nie dzieje, wszystkie kobiety na świecie przez to przechodzą i jakoś żyją. Chłopak naprawdę potrafił być delikatny. I miał wyczucie. Westchnęła gwałtownie, kiedy w nią wszedł. A potem poddała się z całym zaufaniem wszystkiemu, co robił. Przyjemność. To nie miłość. To przyjemność, za to skondensowana.

Kiedy skończyli, bez żadnego już skrępowania myła się razem z nim w letniej różanej wodzie. Potem owinięci w prześcieradła dołączyli do Nuk i jej chłopaka w malutkim pomieszczeniu przy głównej sali. Ktoś przyniósł wino oraz słodkie suszone owoce.

– I jak? – Nuk zdawała się tryskać energią, którą czerpała z jakichś zupełnie nowych źródeł. Ciekawe, czy Shen wyglądała podobnie.

– Dziękuję ci, moja przyjaciółko!

– Wiedziałam, że ci się spodoba. Yea! Wina i miodu!

– Kurczę... – Shen usiadła przy niej i przytuliła się do jej ramienia. – Ja tak naprawdę i szczerze chcę ci powiedzieć: wielkie dzięki.

– No ja myślę! – Nuk zaczęła się śmiać. – Ale przyznasz, że ta nasza dekadencka cywilizacja, jeśli masz czym płacić, to i dla plebsu potrafi znaleźć godziwą rozrywkę. Nie?

– Zdecydowanie tak. Ta jedna noc jest warta całego żołdu.

Jedna ze służących postawiła na stole dzban korzennego wina na specjalnym garnku z dziurami i płomieniem, który je podgrzewał. Szybko rozstawiła kubki.

– Noc zimna, jaśnie panie, lepiej nie wychodzić. Mogę przygotować pokój do snu.

– Nie, nie. Przed świtem musimy być w jednostce.

– Macie wymarsz? – zainteresował się jeden z chłopców.

– Prawdopodobnie. Myślisz, że zwykłemu żołnierzowi ogłaszają z wyprzedzeniem? Wątpię, żeby coś takiego mogła wiedzieć nawet nasza porucznik.

Wzruszył ramionami.

– Nigdy nie byłem w wojsku.

– Siłą rzeczy – parsknęła Nuk. – Wojna to nie sprawa dla mężczyzn.

– Ooo! Akurat. W innych armiach walczą wyłącznie mężczyźni.

– Relikt zamierzchłych epok. – Obie dziewczyny zaczęły się śmiać.

– O! A nie boicie się iść na wojnę do lasu?

Momentalnie zapadła cisza. Chłopak wyraźnie się zdenerwował, czując, że palnął głupstwo. Nie taka była jego rola w tym przybytku i nie za to mu płacono. Nuk pomogła jednak wybrnąć wszystkim z niezręcznej sytuacji.

– Ja tam lubię się naparzać. Lubię chwile, kiedy czuję się półbogiem.

Shen wolała się nie wypowiadać. W boju jeszcze nie uczestniczyła i nie miała pojęcia, czy jest tchórzem, czy bohaterem. Ewentualnie który ze stopni pośrednich przypadł jej w udziale. Pamiętała, że w domu, na łodziach, kiedy nad jeziorem zrywała się wichura, krzyczeli na nią, że wariatka, że bez mrugnięcia na zgubę płynąć potrafi. To by znaczyło, że jest odważna. Ale z drugiej strony... Kiedy na zabawie tanecznej wybuchła bójka, to zdecydowanie wolała natychmiast podać tyły i mimo ścigających ją wyzwisk i drwin, bardzo sprawnie uciec poza zasięg głosu. To by znaczyło, że raczej jest tchórzem. No prawda, że podczas bójki nie miała karabinu w garści, który mógłby wzmocnić jej argumentację. Ale za to ucieczka uchroniła Shen od licznych szram na twarzy od pazurów, a nawet złamań, jakie zaliczyli koleżanki i koledzy. Wzruszyła ramionami. Niedługo rzecz okaże się poprzez doświadczenie.

Zauważyła jednak coś dziwnego w minie chłopca, który zadał to niezręczne pytanie. Miała dar obserwacji.

Niewielu ludzi tak dokładnie przyglądało się innym. I w dodatku wyciągało wnioski.

– Wiesz coś czy tylko tak pytałeś, z głupoty?

Chłopak wyraźnie się zmieszał. Drugi zresztą też, co mogło znaczyć, że intuicyjnie w coś trafiła.

– Nie, nie, ja chciałem bardzo przeprosić...

– Nie pieprz mi tu – włączyła się Nuk. Miała już na tyle zaufania do koleżanki, żeby wiedzieć, że żadne jej spostrzeżenie nie jest nieważne. – O co chodzi?

– Nie... Nam nie wolno gadać.

– O czym?

– Nam naprawdę nie wolno. Nas mogą zaraz stąd wyrzucić...

Nuk potrafiła być zdecydowana.

– Po pierwsze, nikomu nie piśniemy słowa, bo to nie w naszym interesie. Po drugie, nie wrócimy tu i nie zakapujemy na was, bośmy i tak wydały cały nasz żołd. Po trzecie – nachyliła się do młodzieńca z uśmiechem – czyż nie wspomniałam przed chwilą, że ja naprawdę lubię się naparzać?

Chłopak trwożnie odsunął się na bezpieczną odległość.

– Podobno w lesie jest strasznie – wyszeptał tak cicho, że ledwie go usłyszały. – Wszystkich zabijają.

Obie jak na komendę chciały ryknąć śmiechem. Obie jednak, znowu w tym samym momencie, spoważniały.

– Wiesz coś konkretnego?

– Ja na wojsku się nie znam.

– Mów.

– Potwory zmieniły taktykę. Tak mówiła jedna pani porucznik, co u nas była. Ale dokładnie nikt nic nie wie.

– Jak to zmieniły taktykę? – inicjatywę w przesłuchaniu przejęła Nuk. – Co tam się dzieje?

– Jest tam taka droga...

– No, niejedna. O którą ci chodzi?

– Tam, gdzie wojsko idzie z zaopatrzeniem.

Nuk wiedziała, którą drogę chłopak ma na myśli. Ośrodkiem kampanii przeciwko potworom była twierdza położona prawie w centrum lasu. Pomysł pochodzący z innej epoki i innej rzeczywistości, kiedy nie istniało jeszcze pojęcie wojny manewrowej ani wojny partyzanckiej. Twierdza musiała być przecież stale zaopatrzona. A zaopatrzenie szło konwojami przez terytorium przeciwnika. Ponieważ szybko okazało się, że to pomysł, delikatnie mówiąc, taki sobie, wybudowano system fortów chroniących drogę, tak wyliczonych, że kolumna zaopatrzeniowa bez trudu powinna przejść z fortu do fortu za dnia i skryć się za linią umocnień na noc. System dość sprawny, bo konwój, nawet zatrzymany przez wroga, mógł wezwać pomoc z fortu, puszczając kolorowe sygnały dymne, i sytuację z reguły udawało się opanować. Problem pojawił się taki, że forty też należało zaopatrywać konwojami, w związku z tym ich liczba musiała dramatycznie wzrosnąć. „Samonapędzający się system", jak mawiali dowódcy. Im miało być bezpieczniej, tym więcej ludzi trzeba było wystawić na niebezpieczeństwo. Niektórzy nazywali to też „pułapką Biafry" – mirażem dostarczenia na front w miarę zaopatrzonego, najedzonego i wyspanego żołnierza z dobrym morale. Żeby to uczynić, żeby ten miraż choć zbliżył się do rzeczywistości, należało dla małej wojenki użyć bez mała sił całego państwa. Pułapka Biafry po raz pierwszy zadziałała prawie tysiąc lat wcześniej, podczas ataku na Syrinx, stolicę Luan. Wtedy jeszcze w mikroskali, którą cudem udało się opanować. Teraz już pieniądze topiły się w błocie, co było widoczne dla wszystkich gołym okiem.

– No i co z tą drogą?

– Potwory atakują konwoje.

– O kurde. Potwory zawsze atakują konwoje.

– Ale teraz inaczej. Kilku kryje się w chaszczach i jak nadejdzie okazja, wszyscy strzelają...

– To też już robili.

– Wszyscy strzelają do jednego człowieka – chłopak nie dał się zbić z pantałyku. – Wszyscy do jednego, nie sposób nie trafić. A tym człowiekiem jest oficer.

Dziewczyny spojrzały po sobie. Zadziwiająca taktyka. Po co strzelać do oficera? Armia Arkach była na to przygotowana od tysiąca lat. W miejsce zabitego dowodzenie od razu przejmował zastępca, inny oficer niższy rangą. A jeśli i ten zginął, dowodzenie obejmował najstarszy rangą podoficer i tak dalej. Szefem mógł zostać nawet kapral, albo i prosty żołnierz, który akurat cieszył się mirem wśród koleżanek. Armia imperium była chyba jedyną armią na świecie, gdzie podczas bitwy okrzyk: „Przejmuję dowodzenie" był czymś najzupełniej naturalnym.

– Najpierw strzelają do oficerów sił specjalnych.

Nagle Nuk przełknęła ślinę. To zabrzmiało trochę groźniej.

– Potem do zwykłych oficerów. No i wtedy urządzany jest pościg.

– Który jeśli wejdzie w chaszcze, to wpada w zasadzkę? – domyśliła się Shen.

– Tak, ale metoda jest znana od dawna, więc zasadzka nie jest zbyt dokuczliwa, bo potyczka nigdy nie trwa długo, potwory uciekają błyskawicznie. Najczęściej po oddaniu jednego strzału.

– Znowu wszyscy strzelają do jednego?

– Tak. Do podoficera dowodzącego pościgiem. – Chłopak wzruszył ramionami. – Mówią nawet, że jeśli prosty żołnierz nie ma pecha, to go po drodze do twierdzy nic nawet nie draśnie.

Nuk spojrzała pytająco na Shen, a ta jedynie mogła odwzajemnić się takim samym spojrzeniem. Obie czegoś nie rozumiały.

– Ilu ludzi trzeba zabić, żeby pozbawić naszą armię dowództwa? – zastanawiała się Nuk. – Życia nie starczy.

– No fakt. Ale bałagan wprowadzą.

– W jednej bitwie? A to nawet nie jest bitwa.

Znowu zerknęły na siebie.

– No... z drugiej strony, gdybym była oficerem i miała poprowadzić pluton w krzaki...

– Ożeż! – Nuk wpadła na to samo. – No! Sto razy bym się zastanowiła, wiedząc, że zginę pierwsza.

– Albo... co myśli podoficer, kiedy mu każą poprowadzić pościg w krzaki.

No tak, to zupełnie inna perspektywa. Każdy żołnierz oczywiście wykonuje rozkazy i kiedy każą iść do ataku, to idzie. Ale każdy też przecież ma nadzieję, że może nie on, przecież razem z nim cała masa, nie musi trafić na niego, może zostać jedynie lekko ranny. Przecież wszyscy wiedzą, że w każdej bitwie jest więcej rannych niż zabitych. A to zawsze druga szansa. No i wreszcie... Gdzieś na skraju umysłu każdego żołnierza czai się myśl: jak będzie bardzo źle, zawsze przecież mogę się gdzieś ukryć. Zalec za grzbietem wzgórza, symulując złamanie nogi. Zawsze można się po prostu potknąć, przewrócić i nie móc dogonić linii, a kilka kroków za plecami koleżanek niebezpieczeństwo wydaje się wielokroć mniejsze. A tu? Wydajesz rozkaz i giniesz. Prowadzisz ludzi – giniesz. Perspektywa taka sobie, delikatnie mówiąc, tym bardziej że obie były podoficerami. No szlag! Co innego być dumnym ze swoich lśniących naszywek, maszerując przez miasto, a co innego...

– Chyba nie zrozumiałyście – szepnął jeden z chłopców, przerywając im ponure rozmyślania. – To, co wiemy, wie sztab od rannych odtransportowanych do pierwszego fortu. Są to więc wieści zebrane od tych, których cofnięto już z drogi pomiędzy Sait a pierwszym fortem.

– Czy chcesz powiedzieć, że nie wiadomo, co dzieje się dalej? Pomiędzy pierwszym fortem a drugim?

Młodzieniec skrzywił się lekko. Wyraźnie nie chciał powiedzieć tego, co wie. Zerknął na kolegę, ale ten odwrócił głowę.

– Nie ma nawet wieści z drugiego fortu.

– Co? A kurierzy? A raporty dowódców?

– Nie ma. Dlatego teraz wysyłają konwój, w którym znajduje się mało zaopatrzenia, a dużo wojska. Nazywają to akcją pacyfikacyjną. Albo oczyszczeniem lasu na tym odcinku.

No tak. Dwóch chłopców z burdelu wiedziało więcej o planach dowództwa niż dwójka żołnierzy z sił specjalnych. Jeśli wróg miał w Sait swoich agentów, na pewno ci szpiedzy chwalili swój zawód pod niebiosa. Wystarczy pójść do lupanaru, poddać się ulubionym zabiegom i dostać wszystko, co trzeba, na złotej tacy. No, potwory chyba nie miały tu agentów, ale łatwo było sobie wyobrazić kilka królestw będących w stanie wojny z imperium, które zainwestują potrzebne sumy w swoich ludzi i ich lubieżne rozrywki.

Dziewczyny raptem wyobraziły sobie, że jest gorzej, niż się sądzi, i że żaden konwój od dawna nie dotarł do twierdzy. Nuk przełknęła ślinę.

– Co o tym sądzisz? – spytała Shen. – Co powinnyśmy zrobić?

Ta nie miała wątpliwości.

– Każmy podać więcej wina!

Stary człowiek o bladej, poniszczonej twarzy leżał na wąskim metalowym łóżku podłączonym do cieniutkich rurek. Dopiero dłuższa obserwacja pozwoliła Kai stwierdzić, że do rurek nie było podłączone łóżko, ale starzec. Wyklęty! Czuła na plecach ciarki. Nie, nie bała się – drżącą ręką otarła pot z czoła. Wcale się nie bała. Przełknęła ślinę. Nie wiedziała, od czego zacząć. Nie miała pojęcia, czy w ogóle powinna z kimś tak strasznym rozmawiać.

Tomaszewski niczego nie wyczuł ani się nie domyślał. Chętnie przyprowadził dziewczynę do lazaretu, żeby mogła sobie porozmawiać z krajanem. Pewnie liczył, że pomoże mu rozwiązać zagadkę pojawienia się mężczyzny na okręcie. Teraz jednak w ogóle nie zwracał na nią uwagi. Za przepierzeniem żartował o czymś z porucznikiem Siweckim.

Kai nachyliła się nad chorym. O mało nie wrzasnęła ze strachu, kiedy ten nagle otworzył oczy. Targnęła się w tył, na szczęście krzesło było stabilne. Tomaszewski wyjrzał zza kotary, usłyszawszy hałas.

– Czy coś się stało?

– Nie, nie – usiłowała zapanować nad drżeniem głosu.

– Nie bój się – szepnął starzec. Uśmiechnął się lekko. – Nie musisz się mnie bać, młoda czarownico.

Usiłowała oddać mu uśmiech, lecz nic z tego nie wyszło. Ot, jakieś tam skrzywienie warg.

– Wyklęty...

– Nie nazywaj mnie tak, proszę. – Starzec, podniósłszy głowę, rozejrzał się wokół. Potem całkiem sprawnie podciągnął się na rękach i przyjął pozycję prawie siedzącą, opierając plecy o poduszkę. Tylko rurki przeszkadzały. – Zabawne... – Czarownik podniósł do oczu jedną z nich. – Tłoczą tym we mnie jakieś płyny, wokół nie ma żadnej magii, a ja czuję się coraz lepiej i lepiej. Rozumiesz coś z tego?

Zaprzeczyła gwałtownym ruchem głowy.

– Oni są strasznie mądrzy – szepnęła, jakby mówiła jakiś sekret.

Starzec uśmiechnął się szeroko.

– Taaa... Ktoś, kto zbudował ten metalowy pałac, musi być bardzo mądry.

– To okręt – wyjaśniła.

– Okręt?

– Tak. I w dodatku pływa pod wodą.

Czarownik nie okazał zdziwienia. Rozejrzał się jednak wokół z dużym uznaniem dla twórców tego cuda.

– Pod wodą? Niebywałe! – nie okazał cienia wątpliwości.

– Wyklęty...

– Nie nazywaj mnie tak – powtórzył. – Na imię mi Meredith.

– Wiem.

– To tak się i zwracaj. Albo jak w szkole: „mistrzu"! – Roześmiał się z sarkazmem.

Ten śmiech wywołał zza przepierzenia Siweckiego.

– Rozmawiasz z nim?

Rozumiała już na tyle dobrze, że mogła prowadzić prostą konwersację.

– Tak.

– I jak on się znalazł na okręcie?

– Jeszcze nie mówi o... – Zmarszczyła brwi. – O tym. Może zaraz... – znowu zabrakło jej słowa.

– Dobra, dobra, zostawiamy was. Jakby co, jesteśmy w kajucie tuż obok.

– Mhm. – Skinęła głową.

– Jacy uprzejmi. – Meredith odprowadził wzrokiem wychodzących oficerów. – Czego w nich nie rozumiem?

– Ja nie rozumiem wszystkiego – odparła. – Są przerażająco dziwni. A jednocześnie jacyś tacy sprzyjający, kulturalni, jak na dworze księżnej pani czy jakoś tak.

Znowu się uśmiechnął.

– Jak się tu dostałaś?

– Płynęłam w stronę Gór Bogów z wyprawą wotywną. A w pewnym momencie spod wody wynurzył się ich okręt i chwilę później zabili wszystkich naszych oprócz mnie.

– I to nazywasz sprzyjaniem?

Wzruszyła ramionami. Na samo wspomnienie chciało jej się wymiotować, poczuła zawroty głowy i niemoc w płucach... Czarownik dotknął jej ramienia.

– Już – powiedział.

Wszystko nagle ustało. Czuła się świetnie, nic jej nie dolegało. Jasny szlag! Przecież nie użył żadnej magii!

– Mistrzu! – Skłoniła głowę z szacunkiem. Prawdziwa moc ludzkiego umysłu została jej właśnie okazana. – To był głupi przypadek. Dwóch naszych posłało strzały strachu tam, gdzie nie trzeba, a ci tutaj odpowiedzieli odruchowo. Ale z taką mocą, że statek zamienił się w drzazgi...

– I nikt z życiem nie uszedł – dokończył za Kai. – Taaaa... Nie drażni się smoka kijkiem. Zdecydowanie nie drażni, bo to najgłupsza rzecz, jaką można zrobić w życiu. I w dodatku ostatnia.

Uśmiechnęła się nieśmiało. Co Meredith jej zrobił, że na wspomnienie o zagładzie swojego statku teraz już niczego nie czuła? Chciała zapytać, ale starzec ją uprzedził.

– Kiedy się obudziłem, zastanawiałem się, gdzie jestem. Dookoła nie było żadnej magii. Czułem ludzi, czułem... – zawahał się. – Już kiedyś coś takiego przeżyłem. Z pewną przeklętą rzeczą o imieniu Wirus. Ale potem na szczęście ty użyłaś czarów. Walnęło mnie jak obuchem, kiedy rzucałaś na kogoś zaklęcie pomagające zrozumieć obcy język. Czy ktoś cię kiedyś nauczył delikatności w tej mierze?

– No, w szkole...

– Aha, w szkole – przytaknął. – Wszystko jasne. No dobra, to się robi tak. – Wypowiedział słowo i chwycił je w dłonie. Kiedy palce zaczęły drżeć rytmicznie, rzucił słowo w kierunku Kai. A potem powtórzył i rzucił na Tomaszewskiego, którego przecież nie widział i nawet nie mógł mieć pojęcia, gdzie oficer jest w tej chwili. Dziewczyna była pod wrażeniem. W życiu w szkole niczego takiego nie widziała. Wiedziała jednak, że teraz nauka języków to tylko kwestia czasu. Bardzo krótkiego czasu konkretnie.

– Jak myślisz, co się z tobą teraz stanie? – zapytał Meredith.

Wzruszyła ramionami.

– Nie wiem, gdzie oni płyną. Jeśli wracają do siebie, to naprawdę nie wiem. – Przygryzła wargi. – Na szczęście nie wyglądają na takich, co zrobią ze mnie niewolnicę i będą pokazywać na targu, na golasa, ku uciesze gawiedzi.

– Oj, dziecko, dziecko... – westchnął, kiwając głową. – Twoja obecność tutaj nie jest przypadkowa. Siły, o których potędze nie masz nawet pojęcia, skierowały cię tu, a nie gdzie indziej. Myślałem, że coś czujesz.

– Moja koleżanka miała błysk.

Spojrzał z zainteresowaniem.

– Przeczuła, że już nie wrócę do szkoły, że znajdę się na okręcie, który pływa pod wodą.

– Tylko tyle?

– Dookoła miały być potwory, a mistrz szkoły wysłał mnie specjalnie, żeby się mnie pozbyć i żeby nikt więcej o czymś się nie dowiedział.

– Potwory... – powtórzył machinalnie Meredith. – Coś więc jednak wiemy. – Spojrzał na Kai badawczo. – Mówiłaś, że płynęłaś z wyprawą wotywną w stronę Gór Bogów, prawda?

– Tak.

– I tu, w ich pobliżu, pojawił się ten makabryczny okręt.

– Dosłownie. Wynurzył się spod wody.

– Czy wiesz, gdzie to monstrum teraz płynie?

Przytaknęła.

– Wiem. A raczej domyślam się, ale...

– Ale nie chcesz uwierzyć, prawda?

– Masz rację, mistrzu.

Uśmiechnął się.

– No to powiedz, co wiesz, bez wiary w to, co mówisz.

– Nie znam jeszcze dobrze ich języka. Lecz oni niczym się nie krępują, mówią przy mnie wszystko, wiele razy. Oni chcą wrócić do domu. Mają jakąś... jakąś... maszynę? – zabrzmiało to jak pytanie. – Jakaś rzecz, która potrafi liczyć...

Meredith szarpnął się gwałtownie na metalowym łóżku. Spojrzał na dziewczynę ostro.

– Mają rzecz, która myśli?

Wzruszyła ramionami.

– Nazywają to bardzo pogardliwie. Jakoś... jakoś „ten, który liczy kroki", „liczydło", „krokomierz". Zawsze z kpiną albo pogardą.

– Rzecz, która umie liczyć. – Meredith westchnął. – Podróbka dzieła Boga Zdrajcy. Jeszcze prymitywna, jak sądzę.

– Słucham?

– Nic, nic. Ale już wiemy, kim są. To nasi Cisi Bracia, ludzie zza Gór Bogów, ktoś, kto nie zna magii.

Słyszała trochę o Cichych Braciach, a konkretnie, o ich legendzie, której tak naprawdę nikt nie traktował poważnie. Ludzie, którzy mieszkali za nieprzebytym pasmem gór (niby jak to możliwe, skoro za górami był koniec świata? Ale legenda, jak to legenda...). My tutaj, prawdziwi ludzie, zostaliśmy stworzeni na wzór i podobieństwo Bogów – nasz duch powstał z magii, nasz rozum z porządku natury. Oni, ci zza gór, zostali stworzeni na wzór najgorszych potworów Boga Sepha – ich rozum nie został dany, powstawał z chaosu mozolnego poznawania praw otaczającego ich świata. Byli podobno bardzo bliscy zwierzętom.

Westchnęła ciężko. Nigdy nie uważała na zajęciach poświęconych zaraniu świata. Okazały się nudne w przeciwieństwie do ćwiczeń praktycznych. I nie tak piękne jak zajęcia z literatury. Właściwie nie interesowała się za bardzo historią. A teraz nie umiała sobie wyobrazić, jak ktoś, kto jest tak prymitywny jak zwierzę, może dysponować taką mocą? No i jak ktoś bliski zwierzęciu może poszczycić się tak wysoką wrażliwością i kulturą jak ci tutaj?

Meredith musiał odgadnąć myśli Kai, miał chyba wyjątkowy talent do czytania z wyrazu twarzy.

– Nie miej wątpliwości, dziewczyno – mruknął wyraźnie czymś rozbawiony. – To zbrodniarze, choć w białych rękawiczkach. Takimi ich stworzono. A pozór ogłady ma zatuszować odór padliny z ust.

– I to są te potwory, wśród których miałam się znaleźć według słów mojej koleżanki?

Meredith powoli zaprzeczył.

– Nie. To nie oni.

– Proszę?!

– To nie oni – powtórzył. – To raczej nasi sojusznicy.

Nie wiedziała już, co ma myśleć. Rozejrzała się po małym, ciasnym, wręcz klaustrofobicznym pomieszczeniu, jakby szukając pomocy w licznych zgromadzonych tu przedmiotach.

– Opowiesz mi o Cichych Braciach? – prawie szepnęła.

– Tak. Ale po kolei.

Poprawił się w swoich piernatach. Zerknął na zawieszone wysoko szklane naczynia, do których był podłączony rurkami. Wyraźnie fascynowało Mereditha to, że choć wokół nie było ani cienia magii, on sam czuł się lepiej z każdą chwilą. Z każdą skapującą kropelką.

– Przede wszystkim: skoro ci tutaj płyną do domu, to będę musiał umrzeć.

– Dlaczego? – Kai podskoczyła na metalowym krześle.

– Nie mogę przejść Gór Bogów, bo po tamtej stronie nie ma magii. Umrę dokładnie podczas przekraczania granicy.

– Trzeba im powiedzieć. Muszą zrozumieć, że nie możesz opuścić tego świata, mistrzu.

Uśmiechnął się tajemniczo.

– Nie, nie, nie. Nie taki jest prawdopodobnie plan gry.

Spojrzała na Mereditha badawczo.

– To jest jakaś gra?

Wyciągnął rękę w stronę Kai, wychylił się z łóżka na tyle, na ile mógł, i pogłaskał ją po głowie. Jak dziecko. Z trudem powstrzymała odruch, żeby nie fuknąć jak kotka. W efekcie wyszło z tego słabe mruknięcie, które spowodowało, że spojrzał na nią jeszcze bardziej dobrotliwie.

– Posłuchaj mnie uważnie... – Dobrze, że nie dodał „dziecko", boby eksplodowała. – Jeśli grają lepsi od ciebie i więksi, to być może nawet nie rozpoznasz reguł ich gry. Być może nie dowiesz się choćby prostego faktu, czy w ogóle toczy się jakaś gra. Bo ona nie będzie się toczyć według zasad twojej logiki ani zgodnie z twoim doświadczeniem. Gra prowadzona przez istoty wyższe jest zawsze dla nas niepojęta, a jej objawy odczytywane jako cuda. My nigdy nie poznamy reguł tej gry ani choćby jak się szachruje. Ale zawsze możemy ukraść coś ze stołu.

– Nie rozumiem.

– Widzisz, jesteś teraz jak muszka owocówka. Podlatujesz do stołu i widzisz paterę z jabłkami oraz siedzącego obok człowieka. I co ci twoja musza logika podpowiada? Jabłek jest dużo, są smaczne, słodkie, z sadu, a nie dzikie. Są wspaniałe. Jest ich mnóstwo, a ty malutka. Więc cóż ci mówi twój muszy rozum? Że spokojnie możesz podlecieć i zjeść sobie trochę. Przecież ogromny człowiek nie będzie miał nic przeciwko, nawet nie zauważy, że zniknie odrobina jabłka. Powinien się podzielić, jemu przecież nie zabraknie. Mam rację?

– Masz. – Skinęła. – Ale człowiek przecież odgoni muszkę. Albo nawet zabije.

– A właśnie. Bo człowiek działa według prawideł swojej logiki, nie muszej. Mucha nigdy nie zrozumie reguł ludzkiej gry. Nie pojmie, dlaczego olbrzymi człowiek nie chce podzielić się z takim maleństwem jak ona.

– Bo jeśli muszki nadgryzą, to owoce szybciej gniją. Trzeba je zabijać albo odganiać.

– Ale to wiesz ty, człowiek! Mucha tego nie wie! I dlatego działanie takiego mocarza i bogacza jak ty w jej mniemaniu jest dla niej okrutne, złe, potwornie krzywdzące! – Meredith odkaszlnął lekko, powodując kołysanie się podłączonych do niego rurek i wiszących naczyń. – A według ciebie? To, co robisz z muszkami, jest po prostu racjonalne. Według ludzkiego prawa nie jesteś żadnym krzywdzącym nikogo potworem. Po prostu robisz swoje.

– I kto gra w tę grę, której reguł nie zrozumiem?

– Bogowie.

– I można ukraść coś ze stołu?

– Wbrew woli człowieka muszki przecież żyją. – Uśmiechnął się. – Można.

– Na przykład co?

– Na przykład nieśmiertelność. Jak ja.

– No tak! – żachnęła się. – Ale cała rada zakazała powoływać cię na powrót do życia.

– Pierdu, pierdu, pierdu... – Meredith chyba posłał w duchu jakieś wyjątkowo ciepłe słowa adresowane do członków rady, bo poweselał nagle. – Zakazali, a jednak ze mną rozmawiasz. Żywym, nieprawdaż?

– Czyli nakłaniasz mnie...

– Nie – przerwał jej natychmiast. – Staniesz prawdopodobnie przed wyborem, przed którym i ja stanąłem prawie tysiąc lat temu. Z pozoru był to wybór pomiędzy dobrem i złem. Lecz tylko z pozoru.

– A czego dotyczył rzeczywiście?

– Zrozumienia, które zło to zło prawdziwe.

– I co?

– Wybrałem. Upadła pewna wspaniała cywilizacja. Zniknął Zakon. Mnie nazwano Wyklętym. I co? – nieświadomie powtórzył słowa Kai. – Nie mów mi. – Powstrzymał dziewczynę gestem. – Niech zgadnę. Po staremu ludzie się wyrzynają, trzymają w ucisku, trwają

w kłamstwie... Być może mają się trochę lepiej niż poprzednio. Trochę. Ociupinkę się ten świat oczyścił. Ale... – spojrzał na nią z napięciem – nie tego dotyczyła gra.

Potrząsnęła głową.

– I ja też stanę przed wyborem?

Meredith opadł na poduszkę.

– Wiele się musisz jeszcze nauczyć, muszko.

Fort wyjściowy leżał trochę dalej niż pół dnia marszu od portu Sait. Ponieważ oddziały wyruszyły długo przed świtem, udało się tam dotrzeć mniej więcej w południe. W forcie należało zmienić mundury na prawdziwe, polowe, i pobrać sprzęt bojowy. Nie było więc szans, żeby dziś mogły ruszyć dalej. Podobno plan był taki, żeby przynajmniej oddziały specjalne wzmocniły na noc załogi pobliskich wartowni, a być może następnego dnia reszcie obciążonemu zaopatrzeniem wojsku uda się wyruszyć jakoś sprawniej. Na razie jednak nic nie wskazywało na jakąkolwiek szansę powodzenia owego planu. Shen postanowiła, że nigdy już jednak nie nazwie tego stanu rzeczy burdelem! W prawdziwym lupanarze wszystko było zorganizowane z maksymalną precyzją. W wojsku zaś przypominało po prostu bardach, w który ktoś odpalił salwę z baterii najcięższych dział.

– Idri, kurwa twoja mać! – major, dowódca batalionu, nie przebierała w słowach. – Wyprowadź swoją kompanię za palisadę, bo w tym gównie ludzie nie robią nic, tylko wzajemnie się szukają.

– I tak im dzień schodzi – zgodziła się porucznik.

Nikogo nie obchodziło, że nie ma prawa dowodzić kompanią. Co robić, skoro pani kapitan okazała się nieobecna. Braki kadrowe mimo uzupełnień na wyspie Tarpy dalej były okropne. Sierżant Wae, zamiast szefować kompanii, dowodziła pierwszym plutonem, Nuk drugim, a trzeci dowodził się sam, żadna podoficer nie stała na czele, nie mówiąc już o porucznik. Oficerów sił specjalnych brakowało dramatycznie. No ale tu się łatwo nie awansowało, czego dowodem mogła być Shen – jedyna nowa podoficer w oddziale, a i to jedynie z przypadkowego nadania (bo ochotnik na kontrakcie, no i... wpadła w oko komu trzeba podczas sławetnej egzekucji). A przecież nowej nikt nie da plutonu pod rozkazy. Widać jakieś maciupeńkie resztki rozsądku jednak w dowództwie się zachowały.

– Jakie rozkazy?

– Wyprowadź kompanię do ostatniego fortu. Najdalszego na okręgu obronnym. Przed świtem dołącz do mnie w kolumnie.

– Tak jest!

– Wykonać, kurwa, a nie „tak jest", pindo!

Major znajdowała się chyba na granicy wyczerpania nerwowego, a przecież jeszcze nic się nie zaczęło.

– Ta... – Idri urwała w pół słowa i runęła do tyłu.

– Nuk, Wae! Psie suki jedne...

Nie zdążyła ich opieprzyć, obie były zbyt doświadczone.

– Sprzęt pobrany! – zameldowała Wae. – Kazałam dziewczynom wynieść za palisadę, tam się rozdzieli.

– I dobrze. Gdzie trzeba pobrać mundury polowe?

– Kazałam zrobić tak samo.

– Już wyniesione za palisadę?

– Nie. To Shen miała je zdobyć.

– Dobra, wyprowadzaj ludzi.

– A Shen? Nie będzie wiedziała, gdzie jesteśmy.

– Nie jest małą dziewczynką. Wykonać!

– Tak jest! – Wae zasalutowała sprężyście i zaczęła ustawiać ludzi. Tłok, setki przepychających się we wszystkich kierunkach żołnierzy, jakieś zdezorientowane oddziały, debilni podoficerowie usiłujący robić w tym rozgardiaszu zbiórki swoich podkomendnych, pałętające się wokół zwierzęta, od oficerskich rumaków przez muły piechoty, kuce i osły po świnie oraz kury kwatermistrzostwa, które wyrwały się z jakiegoś chlewu. To nie dawało nadziei na sformowanie szyku. Żołnierze wydostawały się na zewnątrz w pojedynkę, na własną rękę każda. Kompanię udało się zebrać dopiero poza wałem, w pobliżu jakiegoś zagajnika rzadkich, rachitycznych drzewek. Wae zaczęła rozdzielać sprzęt wśród dziewczyn, które sarkały coraz głośniej. Wyposażenie nie było nowe. No i dociekaj teraz jedna z drugą, jakie wady ma twój używany już przez kogoś, niewypróbowany osobiście na strzelnicy karabin? Szlag! Szlag, szlag, szlag! Wae usiłowała łagodzić, mówiąc, że zrobią ćwiczenia strzeleckie przy wartowni (jeśli się uda, oczywiście, bez rusznikarza na podorędziu). Ale prawdziwy szok wywołała dopiero Shen.

Istotnie, jak przewidziała pani porucznik, nie była dzieckiem, poradziła sobie i nie zgubiła się. Przyszła dokładnie na miejsce zbiórki, ciągnąc za sobą cztery osły na długich sznurkach. Dziewczyny w furii chciały ją zamordować.

– Shen, kurwa, co to jest?! – wrzeszczała Nuk.

– Po mojemu mundury – odparła Shen niezrażona.

– Ale... – Nuk dosłownie zatkało. – Ale piechoty! I w dodatku brudne!

Shen wzruszyła ramionami.

– Kto chce żyć, niech wkłada te. Dla tych, które chcą zginąć na pokazie mody, zawinę jeszcze raz i przyniosę nowiuteńkie, śliczne mundurki sił specjalnych. Do wyboru, do koloru.

Wae chciała zamordować kaprala, ale stojąca obok Idri powstrzymała ją ruchem ręki.

– O co ci chodzi?

Shen opowiedziała, czego się dowiedziała w burdelu. O tym, że potwory strzelają do oficerów i podoficerów w marszu, do sił specjalnych w szczególności. Celem jest chaos, a nie honorowa wojna na zasadzie krok w przód i krok w tył.

Okazało się, że Idri jest właściwym człowiekiem na właściwym miejscu.

– Wkładać mundury piechoty – zarządziła, kiedy tylko Nuk potwierdziła słowa koleżanki.

– Ale, pani porucznik! – Wae wyprężyła się przed oficerem. – My...

– I przestań stawać przede mną na baczność. Przestań mi salutować. Od tej chwili zabraniam oddawania honorów komukolwiek, zrozumiano?

– Tak jest!

– I bez „tak jest"!

– Tak jest!

– No, kurwa, bo cię rozszarpię.

– Tak... – Wae połknęła drugie słowo, nie mając zielonego pojęcia, jak dokończyć. Wybawiła ją Nuk pytaniem:

– To jak się teraz będziemy odróżniać od normalnego wojska?

– Chodzi o to, żeby się nie odróżniać – warknęła Idri. – A wśród swoich... – Podrapała się w brodę. – Każda ma przecież srebrną odznakę pułku. Niech sobie zawiesi na sznurku na szyi i schowa pod tuniką.

Nuk westchnęła tylko.

– Żegnaj, mój śliczny skórzany mundurku – szepnęła, a kiedy porucznik odeszła, odezwała się głośniej: – Shen, skąd wytrzasnęłaś te tuniki? Niektóre są pokrwawione, a nawet mają dziury.

– A skąd nagle mogłam wytrzasnąć ponad sto używanych tunik bez pisemnego rozkazu pobrania z magazynu?

Obie, i Wae, i Nuk, spojrzały zaciekawione.

– No właśnie, skąd?

Shen nie widziała powodu, żeby cokolwiek ukrywać.

– Z kostnicy.

Nuk szarpnęła się w tył, wpadając na sierżanta szefa.

– O mamusiu moja kochana! – Odrzuciła trzymany w ręce mundur. – W życiu tego nie założę!

– Twój wybór – mruknęła Shen. – Możesz walczyć na golasa.

Tomaszewski zniesmaczony odstawił słoiczek z proszkiem do mycia zębów na półkę. Nie czuł w ustach ani świeżości, ani oczyszczenia. Jedyne, co mu pozostało, to ostry smak chemikaliów. Żałował, że wycofano ze sprzedaży słynną pastę Tlenol-Ra. Zawarte w niej substancje radioaktywne zabijały wszelkie bakterie w jamie ustnej, pasta doskonale wybielała zęby i miała świetny smak. Niestety, po pierwsze, wojsko i tak nigdy nie kupowało artykułów higienicznych w renomowanych, modnych aptekach, po drugie, pasta okazała się podobno szkodliwa. Machnął ręką. Tak jest ze wszystkimi nowinkami techniki. Najpierw odkrywają coś rewelacyjnego, jak choćby promienie X, nieprawdopodobnie skuteczne przy diagnozowaniu chirurgicznym, niezastąpione w wojsku. Rzecz się rozpowszechnia, aparaty prześwietlające montuje się w każdym sklepie obuwniczym, żeby klient mógł sprawdzić, czy stopa dobrze układa się we wnętrzu buta, a potem wszystko wycofują. Podobno prześwietlanie nóg w sklepach okazało się szkodliwe. Pojawiały się jakieś oparzenia, raki i inne choroby. Podobno! Ale to wystarczyło, żeby ubrać lekarzy prześwietlających rannych i pacjentów ze złamaniami w ołowiane fartuchy. Aaa... cała ta cywilizacja z jej ciągłym dążeniem do rozwijania technologii. Mlasnął z niesmakiem. Wyszedł na korytarz i zapalił papierosa, żeby pozbyć się z ust ohydnego smaku proszku do zębów. Dlaczego wycofali radioaktywny Tlenol-Ra?

Zza przepierzenia kryjącego prysznic dochodziły głośne odgłosy chlapania. Kai uwielbiała się moczyć pod kaskadą opadających na nią kropelek, cieszyła się jak dziecko, kiedy odkryła możliwość regulowania temperatury. Mimo wyraźnych nakazów surowego ograniczania zapasów słodkiej wody potrafiła spędzić w kabinie nawet kwadrans. A załoga, włącznie z odpowiedzialnymi za kabiny podoficerami, lubiła dziewczynę i patrzyła na wszystko, co robi, przez palce. Dotyczyło to też prysznica.

Kai po prostu stawała się maskotką załogi, tym ciekawszą, że błyskawicznie uczyła się polskiego.

Tomaszewski zaciągnął się głęboko. Dziwna dziewczyna. Obserwował ją bardzo uważnie. Jej zdolność do nauki języka obcego przerastała najśmielsze oczekiwania futurystów opiewających wydumane i cudowne systemy edukacji. A Kai potrafiła tego dokonać w rzeczywistości. W jakiś również sposób nauczyła go swojego języka. Bez bólu, bez ślęczenia nad słownikami, których i tak przecież nie mieli. Po prostu nauczyła Tomaszewskiego rozmawiać, porozumiewać się w praktyce. Teraz uczyli się wzajemnie pisać i czytać. Szło jak z płatka. Kai była nie tylko wzorowym uczniem, była też wzorowym nauczycielem.

Tomaszewski pisał więc raport dla swojej centrali wywiadu marynarki. Zawarł tam wszystko, czego dowiadywał się ze wspólnych rozmów. Imiona władców, nazwy krain i ich opisy, podział na państwa, opis ludności, stanu techniki, poziomu cywilizacji, rozwoju struktur organizacyjnych, armii, floty (lotnictwa nie było), stanu edukacji, polityki. Kai mówiła często także o magii, a on systematycznie tę część pomijał. To miał być rzetelny raport, a nie źródło późniejszych kpin. Wolał awans. O magii wspominał jedynie w liście do swojego wuja, szychy w centrali, który skierował go na prestiżowe stanowisko oficera wywiadu na eksperymentalnym ORP „Dragon". Wuj we wszystkim, co robił, miał własny plan i Tomaszewski docenił, a potem przejął tę metodę. Tylko do wuja pisał szczerze. Tylko do wuja miały trafić także mapy, które rysowała Kai. Zresztą „rysowała" to za dużo powiedziane. Bazgroliła. On notował, co przy tym mówiła. Dni podróży, strony świata, kierunki wiatrów i wszystko, co tylko mogła sobie przypomnieć. Potem szedł ze szkicami do oficera nawigacyjnego i razem usiłowali na podstawie bazgrołów i notatek stworzyć jakieś zarysy map. Przypominało to trochę puzzle, ale mogło jednak dać przynajmniej orientacyjne pojęcie o geografii skrawka tej półkuli.

Zaciągnął się po raz ostatni i zdusił niedopałek w specjalnej przenośnej popielniczce. Niesmak w ustach po myciu zębów pozostał. Usiłował oddychać głęboko, żeby się jakoś przewentylować, ale wojskowa chemia higieniczna wykorzystywała chyba gazy bojowe, które w ten sposób utylizowano. No tak, zakazano.

Westchnął cicho. Szum wody za przepierzeniem nie malał ani trochę. Gazy bojowe... Ciekawiło Tomaszewskiego to, co dziewczyna opowiadała o istotach, które nazywała „potworami". Oraz o wojnach z nimi. Otóż z tego, co mówiła, wynikało, że rzekome potwory miały coś na kształt gazu bojowego i potrafiły go wykorzystać w praktyce. Podobno też widziały w ciemnościach. Ciekawe, jak zdołały opanować noktowizję, skoro polskiej armii do tej pory się to nie udawało? No i ta wszechobecna w opowieściach Kai magia. Co ona rozumie przez to pojęcie? Potwory, gazy bojowe, noktowizja, a jednocześnie strzelanie z łuków? Z kolei w armii karabiny skałkowe, armaty nabijane kartaczami, no i... czarownica w składzie każdej dywizji. Co to ma znaczyć? Jakiś tytuł honorowy, jak „podstoli" czy „podczaszy", których to nosiciele nie mieli przecież nic wspólnego z obsługą gości w zakresie jadła i napojów? Wzruszył ramionami. Sam nie rozstrzygnie, bał się tylko, żeby mu się nie myliły sprawy, które umieszczał w oficjalnym raporcie, z tymi w liście do wuja.

– Krzysiek! Krzysiek! – Stalowe drzwi mlasnęły gumowymi uszczelkami. – Wiedziałem, że tu będziesz!

– Co?

Mina Siweckiego wyrażała najwyższe podniecenie.

– Nawiązaliśmy kontakt radiowy!

– O kur... Z kim?!

– Nie uwierzysz.

– No mów, psiakrew!

Siwecki kręcił głową.

– Z naszymi.

Tomaszewskiego zatkało. Kontakt radiowy z „naszymi"? To znaczy z Polską Marynarką Wojenną? Po tej stronie gór?

– A konkretnie, z kim?

– A konkretnie, z ORP „Sęp".

Tomaszewskiego zatkało radykalnie. Długo przyglądał się przyjacielowi.

– Ja cię pieprzę! Przecież „Sęp" to lotniskowiec!

– No!

– O kurde blade... Co robi polski lotniskowiec na południowej półkuli?

Oddział posuwał się skrajem lasu, prostopadle do głównej drogi, która tu właśnie skręcała i znikała wśród gęstych drzew. Speckompania miała za zadanie ubezpieczać to wejście, choć nikt nie spodziewał się ataku za dnia, i to tak blisko fortu. Ale rozkaz to rozkaz. Dziewczyny błogosławiły dodatkowo fakt, że ich oddział wyznaczono co prawda do marszu na czele kolumny, ale nie w awangardzie, a jedynie w ubezpieczeniu kompanii saperów. Rewelacja – do saperów w marszu z reguły nikt nie strzelał, bo nigdy nie byli bezpośrednim zagrożeniem na polu walki i dla prostego żołnierza nie stanowili celu wartego kuli.

Zrobiło się cholernie zimno i w dodatku mżył uporczywy deszcz, którego małe kropelki zdawały się wciskać wszędzie, w praktyce uniemożliwiając oddanie precyzyjnych strzałów. Zamki broni musiano owinąć naoliwionymi szmatkami, a to sprawiało, że w razie wrogiej akcji najszybciej mógłby wyjść kontratak na bagnety, a nie obronna salwa. Lekki, ale nieustający wiatr potęgował jeszcze uczucie chłodu. Dziewczyny pocięły wojskowe koce, robiąc w nich otwory. Założyły przez głowy, które chroniły, wzorem jeźdźców pustyni, zawiązanymi w gruby zawój chustami. Nogi też obwiązały szmatami i okręciły sznurkiem. Cała kompania przypominała bardziej oddział najbardziej dziadowskiej piechoty albo wręcz szumowin z karnych oddziałów niż wyglansowaną jednostkę elitarnych wojsk specjalnych. Żołnierze wokół jednak już teraz doceniały rolę kamuflażu wymyślonego przez Shen. Lichy wygląd sprawił, że od początku zamiast trudnych i odpowiedzialnych zadań, łączących się z rychłym zgonem, przeznaczono im najmniej ważną rolę przy ochronie bezpiecznych saperów. Świetnie. Akcje Shen rosły i u Idri, i u reszty dziewczyn.

– Dobra. – Pani porucznik skończyła czytać rozpiskę zawierającą plan marszowy. – Idziemy w stronę drogi. Zbliża się nasza kolej.

– Przez tę wieś? – Nuk wskazała palcem resztki zabudowań, z których jeszcze w kilku miejscach unosił się dym. – Czy naokoło?

– Przez ruiny.

Ruszyły szybciej, formując coś w rodzaju szyku patrolowego. Wieś przedstawiała straszny widok. Większość chałup spalono, żadna nie wypaliła się do końca – deszcz nie pozwolił. Rzeź musiała nastąpić kilka dni temu.

– Psiamać – mruknęła któraś. – Nie mógłby ktoś tego sprzątnąć? Albo przynajmniej zakopać ciał?

– Kto i po co? – odparła Nuk.

– No, żeby tak ludzie nie leżeli martwi. Przestanie padać i przyjdą zwierzęta.

– Myślisz, że psy tracą węch w deszczu? – Nuk wzruszyła ramionami. – A widziałaś ty kiedyś, żeby ktoś grzebał poległych na jakimkolwiek polu bitwy?

– Toż to cywile.

– Za to strefa wojenna, rządzi komendant fortu. A gdzie ona ma w zakresie obowiązków wpisane „grzebanie cywilnych zmarłych w okolicznych wsiach"?

– Przestańcie szczekać – nie wytrzymała Shen. – Ludzie tu leżą. – Starała się omijać martwych chłopów, a nie przechodzić nad nimi jak inne.

– A tam... Specjalnie tak robią – powiedziała Nuk. – To wieś psychologiczna!

– Jaka?! – zawołała Wae.

– Wieś, która ma robić na żołnierzach wrażenie psychologiczne.

– O Bogowie. Nie możesz mówić po ludzku? Albo przynajmniej używać słów znanych ludziom?

– Już tłumaczę. Specjalnie to zrobili.

Shen o mało się nie potknęła o wystającą z błota rękę. Mężczyzna miał na szczęście zasłoniętą twarz. Nie musiała jej oglądać, lecz stercząca dłoń, jakby zaciśnięta na czymś niewidzialnym, robiła wrażenie.

– Co specjalnie?

– Ano, ziemię tu chłopom dawali za darmo. Przyjeżdżali biedacy, dostawali drewno na budowę chałup, pożyczano im narzędzia, mówiono: „Ile wykarczujesz – twoje". No i się nabierali. Cięli, rżnęli, budowali, orali, siali i zbierali. Ale fajne rymy parami, nie?

– Do brzegu, Nuk.

– No a kiedy już mieli co jeść i jakoś się obrobili, to przyszły potwory, wiochę spaliły, ludzi narżnęły, a zgromadzone dobra zabrały. Dla wojska same korzyści. Po pierwsze, mnóstwo wykarczowanego terenu, obóz można jakiś założyć, przedpole fajne i w ogóle widniej. A po drugie, wieś posłuży za element nacisku psychologicznego przez dłuższy czas.

– Jakiego nacisku?

– Przeprowadza się tędy oddziały, które mają pójść do boju w tym cholernym lesie. Niby przypadkiem. Ale niech wszystkie dziewczyny zobaczą, co potwory robią. I niech zaczną myśleć: „Teraz wiem, po co walczę. Nie będzie litości dla przeciwnika. Muszę się poświęcić dla dobra imperium i chronić go przed takimi zbrodniami. Będę mścić pomordowanych braci, będę mścić zgwałcone siostry!". Ot i tak... – Nuk wzruszyła ramionami. – Tania psychologia.

– Nie taka tania – mruknęła idąca z nimi Idri, patrząc na spalony spichlerz.

– Ja w sensie, że mało skuteczna, pani porucznik.

– Miałaś się nie meldować.

– Oj, przepraszam.

Tu włączyła się Wae.

– Nie taka nieskuteczna. – Sierżant szef wskazała Shen, której twarz przybierała właśnie siną barwę, a sama dziewczyna walczyła, żeby nie zwymiotować. – To działa.

Zaczęły się śmiać. Szlag! Nawet Idri chichotała w najlepsze. Opamiętała się jednak.

– Pieprzysz, Nuk! Oni tam w sztabie za głupi, żeby wymyślać aż takie rzeczy.

– Eeee, mój tata jest spekulantem. Nie takie cuda wymyślał dla dobra swoich interesów.

– Nie porównuj. Cywilny spekulant jest o całe niebo mądrzejszy niż sztab wojskowy.

– To chyba defetyzm, pani porucznik – wtrąciła Wae.

– Nie mów do mnie: pani porucznik!

– Tak jest!

– O kurwa.

Przerwało im poruszenie z przodu. Po chwili do dowództwa przyskoczyła dziewczyna ze straży przedniej.

– Tam ktoś jest.

– Wróg?

– Nie było rozkazu o rozpoznaniu.

– O Bogowie, wam do wszystkiego potrzebny jest rozkaz. Nawet srać nie możecie, jak nikt wam nad głową nie stoi!

Wae puściła kilka wiązanek, wprowadzając coś na kształt ładu w żołnierskich głowach. Już po chwili na szpicy pokazano gest „teren rozpoznany i zabezpieczony". Mogły ruszyć dalej. Nuk i Shen oczywiście zajrzały do wpółzrujnowanej chałupy, gdzie wykryto niebezpieczeństwo. Pod ścianą siedziała dość młoda jeszcze chłopka. Nie zwracała uwagi na suchary, które rzuciły jej dziewczyny ze szpicy. Przeglądała się w kawałku strzaskanego lustra przyczepionego do ściany, kawałkiem węgla robiąc niezauważalne poprawki w czernieniu brwi.

– Oż kurwa, prawdziwa kobieta. Dookoła trupy rodziny, a ona...

– No... – zgodziła się Nuk. – Robi coś, co kojarzy jej się z fajnymi chwilami, kiedy mąż żył, kiedy robiła to dla niego...

– Zwariowała?

Nuk wzruszyła ramionami.

– Musiała mieć fajnego męża – mruknęła – skoro nawet po śmierci trzyma ją przy życiu.

Shen spojrzała na koleżankę pytająco. Nie miała pojęcia, jak chłopce pomóc. Suchary już zostawiły, woda w strumieniu była. Nikt się nią zaopiekować nie mógł, a to, że ma iść do fortu, wiedziała przecież sama. To znaczy wiedziałaby, gdyby była normalna. Za rączkę nikt nie poprowadzi. A może... Shen zdała sobie sprawę z innej jeszcze możliwości. A może ona po prostu nie chce iść do fortu. Może nie daje zgody na to, co się stało, i żyje sobie nadal w swoim dawnym, pięknym świecie?

Zdołała odejść aż dwadzieścia kroków, zanim zwymiotowała w kępę krzaków. Czujna Nuk podtrzymywała ją ramieniem i osłaniała jak mogła przed wzrokiem reszty wojska.

– Wspaniały napój. – Czarownik Meredith odstawił pustą szklankę na podręczny metalowy stolik. – Wspaniały. Czuć intensywny smak owoców, płyn musuje tak bardzo, że w życiu nie sądziłbym, że można doprowadzić fermentację do tego stopnia. Orzeźwiający, i tylko tak przeraźliwie... – najwyraźniej zabrakło mu słowa.

– Słodki – podpowiedziała Kai. – Słodki.

– Hm. Nigdy dotąd nie skosztowałem słodyczy o takiej intensywności.

– Oni mają taką skondensowaną słodycz. Nazywają to cukrem i dodają bez opamiętania do wszystkiego.

Czarownik pokiwał głową.

– Zdumiewające, do czego można dojść wysiłkiem umysłu, bo przecież nie magią.

– Wiele rzeczy cię u nich zdziwi, mistrzu. Na przykład sól. Też dodają ją do wszystkiego bez opamiętania. W potwornych ilościach.

– Są aż tak bogaci?

– Nie. Sól u nich jest niewyobrażalnie tania. Można na przykład pożyczyć od kogoś woreczek soli i potem nawet nie oddać. Bo jest za tania i zbyt powszechna, żeby się w ogóle upominać.

Meredith opadł na poduszki.

– Zabawne – szepnął. – Za czasów początków imperium, kiedy żyła Achaja, prowadzono wojnę z mieszkańcami Wielkiego Lasu. Chodziło o sól.

Uśmiechnął się do swoich wspomnień. A może myślał o rzeczach, które miały nastąpić? W każdym razie uśmiech nie zniknął z jego ust, kiedy powiedział:

– Niedługo umrę, moja muszko.

Drgnęła zaskoczona.

– Proszę?

– Niedługo umrę. Okręt zbliża się do Gór Bogów. A tam nie mogę żyć.

Nie miała pojęcia, co powiedzieć. Przez chwilę gryzła się z myślami. Poprosić Krzyśka, żeby wpłynął na dowódcę i zatrzymał okręt? Żeby skierowali go gdzieś indziej, do najbliższego lądu, na którym można będzie zostawić czarownika? A gdzie jest najbliższy ląd? Zresztą to głupie. Nie potrafiła sobie nawet wyobrazić, żeby ktokolwiek mógł zawrócić tego metalowego kolosa z powodu tak błahej sprawy jak jeden człowiek. W dodatku obcy. Miała zupełną świadomość faktu, że nikt nawet nie uwierzy w jej opowieść.

– Czy mogę coś zrobić?

Meredith wzruszył ramionami.

– A po co? – Uśmiechnął się tym razem jak łobuz. – Dla mnie śmierć to nie pierwszyzna.

Nagle zdała sobie sprawę, że przywiązała się do tego starca. Już nie nazywała go Wyklętym, nie uważała za wcielenie zła. Stał się jej bliski, stał się tak właściwie jedyną podporą w jej zagubieniu, jedynym bliskim, który mógł ją w pełni zrozumieć.

– Chyba boję się być wśród nich całkiem sama, w nieznanym świecie.

– Ich nie musisz się bać. Nic złego ci nie zrobią.

– Przyzwyczaiłam się już do tego, że mogę cię poprosić o radę.

Pokiwał głową.

– W każdej chwili przecież możesz to zrobić. Tylko pomyśl, muszko. Pomyśl sama, bo ja ci pomysłu nie podsunę.

Dłuższą chwilę milczała zaaferowana. Zbyt dużo wrażeń kłębiło się w jej wnętrzu, zbyt wiele problemów musiała rozwiązać naraz.

– Dlaczego mówisz, że oni nic mi nie zrobią, a kiedy indziej nazywasz ich potworami?

Przybrał minę starego belfra.

– Nie uważało się na wykładach, prawda? Jak każda baba od razu rwałaś się do czarów, rzucania uroków, do praktyki, a nie do słuchania starych pierników? Po co słuchać? Co oni mają do powiedzenia?

Przybrała minę przestraszonej uczennicy przyłapanej na braku pilności. Przypominała trochę omdlewającą dziewicę pragnącą jednak surowej lekcji. Na nauczycielach ze szkoły ta mina zawsze robiła wrażenie. Na Meredicie też wywarła. Kai była świetną aktorką.

– Wiesz, jak wygląda świat? – zaczął bez większego przekonania. – Tak mniej więcej chociaż?

Odpowiedziała promiennym uśmiechem. Jak wygląda? Rozłożyła ręce, by pokazać: „Świat jest wokół".

– No tak. Tłumaczyła mi to pewna złośliwa rzecz mniej więcej tysiąc lat temu. Ale chyba od tego czasu nauka trochę się rozwinęła.

Kai wzruszyła ramionami.

– Jest wiele teorii. Czy chodzi ci o tę, która mówi, że świat jest kulą?

– Owszem.

– A Góry Bogów to wcale nie koniec świata, tylko bariera oddzielająca jedną połowę od drugiej.

– O właśnie. Góry na obwodzie kuli, czyli na równiku, nie pozwalają przejść na drugą stronę. Ale to przecież nie znaczy, że tej drugiej strony nie ma, prawda?

Kai zagryzła wargi. Nie dość, że nie uważała na zajęciach, to jeszcze chodziło o sprawy, które naprawdę trudno sobie wyobrazić. No, w tę kulę to jeszcze jakoś można uwierzyć. Na morzu prędzej człowiek da się przekonać do tych teoretycznych krągłości świata. Ale na lądzie? A jak chodzą ludzie po drugiej stronie kuli, co? Co? Do góry nogami?

– U zarania czasu Bogowie napotkali pewną przeszkodę, której nie sposób przejść – podjął swoją opowieść czarownik. – Postanowili wtedy stworzyć ludzi. Niezmierzoną ilość, bo może ludziom się uda. I... i zapłodnili nieskończoną ilość światów w całym, niezmierzonym Wielkim Świecie, tworząc nieskończoną liczbę ludzkości. Ludzie zostali stworzeni na wzór i podobieństwo Bogów, a ich wielość i różnorodność dawała szansę na przejście bariery.

– Bóg Seph jednak myślał inaczej – wyrwała się Kai. Ten fragment pamiętała.

– Tak. Bóg Zdrajca myślał inaczej. Skoro Bogowie nie przeszli przez barierę, to nie uda się i ludziom. Skoro jeden nieudacznik nie potrafi, to jego zwielokrotnianie nie ma sensu. Błąd pozostanie błędem, nawet jeśli się go pomnoży przez miliardy miliardów. Seph postanowił stworzyć istoty inne. Nie na wzór i podobieństwo. On po prostu obdarzył rozumem... zwierzęta. Stworzył Ziemców, istoty niebędące ludźmi, a jedynie zwierzętami potrafiącymi myśleć. U nich nie ma magii. Ich rozum nie wziął się z ładu i harmonii stworzenia. Powstał sam w trupiarni, gdzie wróg pożerał wroga, powstał sam jako najlepsza broń na polu bitwy.

– Wiesz, mistrzu... Ziemcami to mnie babcia straszyła, gdy nie chciałam jeść kaszki. Mówiła, że przyjdą i mnie pożrą.

– Przyjdą. Możesz być pewna – odparł czarownik. – Mają w sobie zaszczepione dążenie, żeby tu przybyć. Tu jest matecznik. W naszym świecie istnieje magia Bogów. Kiedy potwory tu przyjdą, posiądą ją i będą... władcami świata.

– A my?

Zignorował pytanie.

– Nasz świat jest pułapką na Ziemców. Połowa jest podobna do innych światów, druga połowa to lustrzane odbicie świata potworów. Cisi Bracia nie znają magii, ich rozum wziął się z walki, są dokładnie tacy sami jak Ziemcy. Mają takie same narody, państwa, rasy. Te same idee, podobną historię, mówią takimi samymi językami. Kiedy potwory przybędą, Cisi Bracia połączą się z nami i razem zniszczymy upiorną menażerię Sepha.

– Zwyciężymy?

Meredith uśmiechnął się smutno.

– Rozmawiałem przed laty z taką złośliwą rzeczą, którą stworzył Seph i która brnęła w dziwnej misji przez niewyobrażalne otchłanie czasu.

– Rozmawiałeś z... rzeczą?

– Tak. Była niezmiernie elokwentna, sprytna, przebiegła wręcz i okropnie mądra.

– Ona myślała? Była inteligentna jak człowiek?

– A skąd. Absolutnie. To tylko odbicie myśli kogoś znacznie większego. – Meredith wyraźnie zadomowił się w lazarecie. Sięgnął po szklankę i butelkę z napojem. Radził sobie całkiem dobrze, na pościel udało mu się rozlać bardzo mało płynu. A Kai, jak każda kobieta, chwyciła pierwszą z brzegu szmatkę i zaczęła wycierać. Ich ręce zetknęły się na moment, poczuła silny impuls. Popatrzyli sobie w oczy i zupełnie nagle zaczęli się śmiać.

– Ty jesteś niezłe ziółko – powiedział czarownik po chwili.

– Dlaczego? – żachnęła się.

– A nic, nic. – Kręcił głową. – Nie wiem, czy opatrzność kieruje się czymś przy wyborze ludzi, ale jeśli to ona wskazała ciebie, to... – zawiesił głos. – To był dobry wybór.

Chciała wiedzieć więcej, lecz Meredith nie zamierzał wyjaśniać.

– Wracając do rzeczy... – urwał, kiedy zrozumiał dwuznaczność tego słowa. – Wracając do tej rzeczy: powiedziała mi coś bardzo ciekawego. Miała zresztą bardzo dobre zdanie o Bogach, o ich umiejętnościach i inicjatywie. Kiedy jednak wspominaliśmy o Cichych Braciach, na których okręcie mamy zaszczyt teraz gościć, tylko się śmiała. Jak oni mało wiedzą o Ziemcach, szydziła. Nie wystarczy ich podrobić zewnętrznie. Bogowie nie byli w stanie posunąć się tak daleko, żeby stworzyć takie potwory jak Seph: zwierzęta obdarzone moralnością. Wiecznie nieszczęśliwych, płaczących wojowników.

– I co się stanie? – zapytała. Rozejrzała się w nagłym strachu przed mitycznymi potworami.

– Zobaczymy, kiedy Ziemcy do nas dotrą – westchnął czarownik. – Najpierw musimy się połączyć z Cichymi Braćmi, żeby razem stawić im czoła. – On też się rozejrzał. – Co zresztą właśnie następuje, sądząc po obecności tego okrętu po naszej stronie Gór Bogów.

– Czy to znaczy, że starcie z potworami nastąpi wkrótce?

Meredith zaprzeczył.

– Ta rzecz, o której mówiłem, a która pojawiała się przede mną jako sympatyczny chłopak z tobołkiem na kiju, jest nazywana Wielkim Kłamcą. Ma jakiś cel w udzielaniu nam informacji, lecz czy to są informacje prawdziwe...? To już Bogowie jedni raczą wiedzieć. Pamiętaj jednak, że...

Zamilkł i chyba się zamyślił, zapominając, o czym mówił. Kai wierciła się niecierpliwie na małym stołeczku.

– Że? – odważyła się pociągnąć po dłuższej chwili.

– Że w tej boskiej grze też ktoś kantuje – dokończył nagle. Widać było jednak, że wciąż myśli o czymś innym. – Posłuchaj... wydarzyło się coś dziwnego. Ten twój oficer idzie do ciebie.

– Co się stało? – Podniosła się z metalowego taboretu.

– On ci powie. Ale mniejsza z tym. Pamiętaj o jednym. Niedługo umrę, nie przychodź więcej, żeby nie połączono niewytłumaczalnej dla nich śmierci z twoją osobą. Nie sprowadzaj na swoją głowę kłopotów.

– Ale...

– Żadne „ale". Nie będą wiedzieli, dlaczego umarłem, a jako istoty racjonalne będą szukać racjonalnego wyjaśnienia. I dlatego połączą śmierć z osobą, która mnie ostatnio widziała. Nie możesz to być ty.

Nie wiedziała, co robić. Chciała spytać jeszcze o tyle spraw, prosić o tyle wyjaśnień. Móc rozmawiać z Wyklętym i nie skorzystać z powodu splotu przypadków.

– Idź już! – popędzał ją czarownik.

– Spotkamy się jeszcze?

– Kiedy tylko będziesz chciała. – Uśmiechnął się kpiąco. – Myśl, moja muszko, myśl. A teraz idź.

Wyszła na korytarz bez choćby gestu pożegnania, oszołomiona nagłą zmianą. Szła przed siebie niczym we śnie. Tylko dzięki wyraźnym żółto-czarnym oznaczeniom każdego węższego przejścia nie rozbiła sobie nosa o jakąś przeszkodę.

– Co się stało? – Wpadła na Tomaszewskiego tuż przed wejściem do swojej kabiny.

Uśmiechnęła się, potrząsając głową.

– Nostalgia – powiedziała smutno. – Nagły atak.

Kiwnął głową ze zrozumieniem. Sam jednak wyglądał na zmieszanego. Powiedziała ostrożnie:

– Zabawne, ja też chciałam cię spytać: „Co się stało?".

– Aż tak widać po mnie zdenerwowanie?

Przytaknęła.

– Połączyliśmy się z polskim lotniskowcem. – Tego mogła jeszcze nie zrozumieć, więc powtórzył w prostszej formie: – Nasz dowódca rozmawiał z innym naszym okrętem.

– Mhm... – Już wiedziała, że potrafią rozmawiać na odległość. Pokaz pokładowego interkomu zrobił na niej duże wrażenie. Zrozumiała, że mogą rozmawiać przez drut. Ale wytłumaczono jej też, że na wielkie odległości potrafią też rozmawiać po prostu przez powietrze. I to wcale nie krzycząc. Tylko po cichu.

– I wiesz, podali swoją pozycję, kazali płynąć w tym kierunku i... nakazali ciszę radiową.

– To takie dziwne?

– No przecież nie ma tu nikogo, kto mógłby nas słyszeć.

– Oni mogą tego jeszcze nie wiedzieć.

– No nie. Jeśli nasłuch nie wykrywa w ogóle fal radiowych, to znaczy, że nikt tu nie stosuje radia. I tyle. Ale o co innego mi chodzi. Cisza radiowa obowiązuje wtedy, gdy sądzimy, że podsłuchuje nas wróg, a to odpada.

– No to może podsłuchuje was „przyjaciel"?

– Otóż to właśnie. Lecz jeśli nie chcą, żeby słuchały nas inne polskie jednostki, to ile ich może być po tej stronie gór? Co?

Pytanie było retoryczne, ale potrząsnęła głową w odpowiedzi. Nikt nie mógł mieć przecież pojęcia.

– No to pozostaje trzecia możliwość. Ciszę radiową ogłasza się automatycznie podczas realizacji każdej operacji bojowej. Pytanie, jaką operację bojową prowadzi marynarka wojenna po tej stronie gór?

Wzruszyła ramionami. Tu jednak mogła coś powiedzieć.

– Rozpoznanie to też operacja bojowa, prawda?

– Rozpoznania nie prowadzi się lotniskowcem. Jest zbyt kosztowny, żeby mu się cokolwiek stało. No dobrze... Żeby zorganizować tak wielką operację, żeby wziął w niej udział lotniskowiec, trzeba mieć naprawdę dużo czasu.

– A dlaczego nie mieli czasu?

– Jeśli przejście między naszymi światami powstało w sposób naturalny, to stało się to bardzo niedawno. Być może my skorzystaliśmy z niego przypadkiem jako pierwsi.

– Jesteś pewny, że przedtem nie było przejścia?

No nie... zwątpił wyraźnie. Z drugiej strony jej świat miał pewnie jeszcze wiele białych plam na mapach. Jego świat już od dawna ich nie miał. Każdy centymetr Gór Pierścienia został dokładnie zbadany i pomierzony, jeśli chodzi o linię brzegową, i nikt nie pominąłby przesmyku, przez który mógł przepłynąć najpierw okręt podwodny, a potem lotniskowiec. Po prostu jeszcze niedawno przejście nie istniało.

– Jeśli więc przejście powstało w sposób naturalny – podjął – to nie mieli czasu, żeby cokolwiek zorganizować na tę skalę.

– No to może... – zaczęła z uśmiechem, ale głos uwiązł jej w gardle. Skoro tamci mieli czas na organizację, to znaczy, że spodziewali się otwarcia przejścia. Z tego wniosek, że nie powstało w sposób naturalny, czyli... O Bogowie! Nie no, zaraz, zaraz, Bogowie, psiakrew... Spokojnie. Powstało w sposób sztuczny? Eeee... Co za pomysł. Kto niby na całym świecie mógłby rozwalić Góry Bogów? I czym?

Jeśli włączenie do kolumny marszowej jednej kompanii zwiadu stanowiło problem, to można się tylko domyślać, co będzie dalej. Manewr przy tej liczbie wojsk przewyższał najwyraźniej umiejętności dowódców. Mimo specjalnego w tym celu poszerzenia drogi, przedłużonego jeszcze o mijankę, żołnierze, zamiast stworzyć lukę wypełnianą stopniowo przez nowy oddział, zrobiły regularny korek, który zastopował resztę wojsk i stworzył przerwę pomiędzy kompanią saperów, którą miały ubezpieczać. W lukę natychmiast wsunęła się jakaś piechota, a za nimi lekkie działa. Korek potężniał, zamiast topnieć, i rósł nawet w miarę uruchamiania i wysyłania w przód kolejnych oddziałów.

– Za dużo wojska – powtarzały oficerowie. – Za dużo wojska...

Miały w pamięci wykłady w akademiach, gdzie każdego przecież uczono o sprawności marszowej wojsk

Cesarstwa Luan, i ich sztandarowy przykład: stratega Teppa i jego atak przeprowadzony w bitwie pod Negger Bank oddziałami ruszającymi do boju wprost z drogi, z szyku marszowego.

– No, mistrzostwo nie do powtórzenia dzisiaj – mówili optymiści. – A nie zapominajmy, że ta właśnie potyczka nadała całej bitwie nazwę „Masakra pod Negger Bank". Tepp stracił całe swoje wojsko.

– Zaraz, zaraz – oponowali pesymiści. – Geniusz manewrowy nie ma się w żaden sposób do faktu, że Tepp wlazł dokładnie pod lufy sprzężonych baterii armat armii Arkach, o których po prostu nie wiedział. Dzisiaj takie ataki są zabronione nawet w wykonaniu kawalerii, a co dopiero powolnej piechoty.

Idri, która relacjonowała Nuk te „fachowe" dyskusje znawców, była w doskonałym humorze. Co prawda do osłony saperów skierowano inny oddział sił specjalnych, wystrojony jak na defiladę, za to ich umieszczono przy baterii lekkich dział, gdzie w otoczeniu samej piechoty niczym nie wyróżniały się z tłumu. Może były nawet bardziej obszarpane niż reszta.

Już teraz jednak widać było, że kolumna marszowa nie osiągnie założonego na ten dzień celu. Wojska specjalne miały na szczęście własny suchy prowiant, piechota nie. Była uzależniona od kuchni polowych, których nie rozpalano przecież i transportowano je w stanie złożonym, ponieważ według planu wieczorem miały dotrzeć do fortu. Jedynym plusem pozostał fakt, że nieprzyjaciel nie atakował. Przygotował wojsku za to inną, z pozoru niewinną niespodziankę. Po prostu rozebrał drogę na niewielkim zresztą odcinku. Jaka to przeszkoda?

Żadna. Saperzy uporały się z naprawą w doprawdy krótkim czasie. Zajęło im to pół dnia. Oddziały rozesłane na zaimprowizowane patrole wokół nie wykryły absolutnie żadnej aktywności przeciwnika. O co więc szło? Dla wszystkich stało się jasne, że do pierwszego fortu dojdą, ale... następnego dnia wieczorem. A noc w lesie to albo budowa zaimprowizowanego obozu, a więc strata sił, środków i czasu, albo nocleg wprost na drodze. A to oznacza utrzymanie gotowości bojowej przez całą dobę bez chwili odpoczynku.

– Jasny szlag! – Idri lekko spanikowana patrzyła, co robi piechota wokół. – One chyba zamierzają się ułożyć wprost na drodze.

– Musimy wejść w las! – wtórowała jej Nuk. – Wojsko musi wejść między drzewa.

– Boją się – zawyrokowała Wae.

– No ale leżeć wprost na drodze to jak na patelni!

Nuk bezradnie rozłożyła ręce. Nie miały nawet tyle siekier, żeby zrobić prowizoryczną osłonę ze ściętych drzew. Idri wściekła poszła interweniować u wyższych szarż, reszta patrzyła skołowana na poczynania piechoty. Było potwornie zimno, mżący deszcz co prawda ustał, ale wzmógł się wiatr. Wydawało się, że trudno wymyślić bardziej niesprzyjające warunki dla komarów. A jednak te jakoś bezczelnie radziły sobie z nimi i cięły, nadlatując całymi chmarami.

Idri niczego nie zdziałała. Wojsko zaczęło się rozkładać w pozycji „w razie czego natychmiast wstać i strzelać". Nie pozwolono rozpalać ognisk. Dziewczyny z sił specjalnych żuły swoje racje ukradkiem, osłaniając usta kocami. Piechota nie miała niczego do jedzenia. Zdaje się, że nawet wody im brakowało, sądząc po tym, jak niektóre ssały mokre liście. Spać się nie dało. Nawet po przytuleniu się do koleżanek skostniałe ciało nie chciało się rozgrzać. Powieki kleiły się, zmęczenie mąciło zmysły, lecz sen nie przychodził. Wszystkie natomiast poderwały się na chwiejne nogi, kiedy dobiegł ich odgłos karabinowego strzału, a w chwilę później drugi. I stały tak, bo nie wydano żadnych rozkazów. Dopiero po kilku modlitwach dowiedziały się, że to dwie wartowniczki popełniły samobójstwo. Znaleziono jeszcze jedną martwą, zaciachaną nożem. Lecz w jej przypadku nie było wiadomo, czy zabójstwa dokonał wróg, czy koleżanki z oddziału, które mogły mieć do pechowej wartowniczki jakiś żal.

– Szlag z tymi wartownikami. Strzelają do siebie i budzą wszystkich – odezwała się Nuk.

– A spałaś?

– Nie. Ale mogłam.

Siedziały zmęczone potwornie, przytulone do siebie na samym środku drogi.

– Stracha złapały. Tak stać samemu wśród drzew i być wystawionym na cios wroga.

– Eee... to raczej żal za ciepłym domkiem i mamusią. Rozkleiły się, szmaty.

Shen wzruszyła ramionami.

– A ja sobie uświadomiłam, że jestem dobrą gospodynią – zmieniła temat.

– Bo?

– U mnie we wsi mówili, że dobra gospodyni nie pójdzie nigdy do łóżka, zanim się nie upewni, że wszyscy w gospodarstwie, i ludzie, i inwentarz, poszli spać z pełnymi brzuchami.

– Mmm? – Nuk nie zrozumiała.

– A ja poczciwie też to zrobiłam. Zanim poszłam spać, nakarmiłam wszystkie komary w tym pierdolonym lesie!

– Chodź, podrapiemy się po plecach. Tam najgorzej samemu sięgnąć.

Nuk, światła dziewczyna z wykształceniem, znalazła najlepszy sposób, jak odpowiednio się układając, przytulić się do siebie przodem i porządnie wydrapać po plecach. Wkrótce poczuły coś na kształt ulgi. Nie zwracały uwagi na złośliwe komentarze koleżanek. Byle dotrwać do rana.

Majaki przyszły przed świtem. Shen znowu śnił się uśmiechnięty chłopak z tobołkiem na długim kiju. Niby z nim rozmawiała, niby widziała jakieś zamazane odległe obrazy. Las, noc, wielkie ognie i potwory świecące zimnym światłem z ogromnych oczu. Nie, nie te potwory, które im zagrażały i czaiły się gdzieś wokół. Inne, wielkie, pochodzące skądś tam... We śnie potrząsnęła głową, chcąc pozbyć się zwidów. Ten gest jednak jej nie obudził.

– Chcesz znowu uczyć mnie, jak powinno wyglądać wojsko? – spytała chłopca.

Uśmiechnął się sympatycznie.

– Chcę ci powiedzieć o czymś ważniejszym. O walce w ogóle. O walce zwanej życiem.

– Wojna i życie to jest to samo? – zapytała.

– Tak. – Skinął głową. – Tyle że w życiu nie musisz umieć robić ani nożem, ani bagnetem. Wszystkie inne zasady jednak są takie same.

– I tak jak na wyspie Tarpy, chcesz mnie przestrzec przed zbliżającą się bitwą?

– A dlaczego nie spytałaś, czy chcę cię przestrzec przed życiem?

Zaskoczył ją. No... właściwie miał rację. Skoro życie i walka to to samo... Czuła, że tym razem nie otrzyma zestawu prostych manewrów taktycznych, które pozwoliły jej tak zaskoczyć Idri na manewrach.

We śnie usiadła na cieplutkiej, ukwieconej łące, wypełnionej cudownymi zapachami wczesnego dzieciństwa. Już wiedziała, że czeka ją wkrótce walka ostateczna, walka na śmierć i życie.

– Możesz żyć na dwa sposoby. – Chłopak z tobołkiem krążył wokół niej. – Możesz usiłować kierować swoim życiem. Obserwować otoczenie, wyciągać wnioski i podejmować decyzje. Możesz się uczyć. Możesz ponosić klęski, ale nie po to, by biadać nad swym losem, ale po to, żeby wyciągać wnioski. Analizować je. I podejmować decyzje.

– A drugi sposób? – spytała.

– Jaka jest najtańsza potrawa, najprostsza, najgłupsza w wykonaniu, którą jednak można się nasycić, a nawet lubić? – odpowiedział pytaniem.

– Bigos – odparła.

– Ten drugi sposób życia można określić tak: jest bigos, jesteś szczęśliwy, nie ma bigosu, jesteś nieszczęśliwy. Niektórzy ludzie to jedzący bigos. Nie obserwują, nie analizują, nie wyciągają wniosków, nie podejmują decyzji. Będzie tak, jak Bogowie chcą. Z tym że Bogowie, czy też los, jak kto woli, rzadko okazują łaskę. Stosunkowo rzadko też są szczególnie złośliwi. Ot, po prostu: życie jak życie, bez wzlotów i bez większych upadków. Szaro, nudno, średnio... Jest bigos, to jest fajnie. Nie ma? No to się ponarzeka.

– Można tak żyć? – zainteresowała się.

– Tak żyje przytłaczająca większość ludzi na świecie. Tak żyłaś też i ty, dopóki się nie pojawiłem. – Uśmiechnął się jakby z lekkim wyrzutem, że nie pamięta. – Życie bigosiarza przecież wcale nie musi być złe. Nie przeżywa wielkich dramatów, może się najwyżej zapluć w złorzeczeniu. Ale... nie przeżywa też nigdy wielkiego szczęścia.

– A ci inni?

– Ci przeżywają wzloty i upadki jak każdy. Ale kiedy upadną, to włoją się w gówno do samego dna. Lecz jeśli się podniosą i polecą, to... Wiesz, co to jest szczęście? Jeśli nie wiesz, to jesteś bigosiarzem. Jeśli wiesz, to już nie możesz doczekać się następnej porcji. Przeciętny człowiek nigdy go nie zazna w swoim małym, szarym światku bez kontrastów. A ty? Ty bigos masz tam, gdzie jego miejsce na finiszu: głęboko w dupie.

Naiwne słowa chłopca we śnie miały większą moc niż na jawie. Shen powoli poddawała się jego logice. We śnie wszystko było przecież ważne i... łatwe.

– A co to ma wspólnego z walką?

– Życie i walka to jedność. W walce też nie możesz pozwolić, żeby ktoś decydował za ciebie. Ciągły ruch, inicjatywa. Każdy z ludzi jest celem. A ty bądź celem ruchomym!

– A jeśli wpadnę w zasadzkę? Nie lepiej przejść do obrony?

– W walce nie ma w ogóle pojęcia obrony. Najlepsza obrona to atak wyprzedzający. Jeśli chcesz się okopać i bronić, to sama pakujesz się w zasadzkę, sama własnoręcznie budujesz pułapkę.

– A jeśli podejmę złą decyzję?

– Pamiętaj o jednym starym wojskowym powiedzeniu. Podjęcie nawet złej decyzji jest lepsze niż niepodjęcie żadnej!

– Jak to?

– Po prostu. Jeżeli nie zadecydujesz ty, zrobi to ktoś inny. Ktoś inny podejmie decyzję za ciebie, ale o twoich losach. Rozumiesz?

Chłopak z tobołkiem zatrzymał się nagle i wyciągnął do Shen ręce. Z jakichś przyczyn we śnie wydało jej się to bardzo ważne.

– Co ze mną będzie? – zapytała.

– Czy uważasz mnie za Boga? – zakpił. – Nie jestem nim.

– Wiesz wiele o ludziach, a nie jesteś człowiekiem.

Skłonił głowę w podziwie dla jej przenikliwości.

– Nie znam przyszłych losów. Ale je kształtuję. I... – na chwilę zawiesił głos. – I zapraszam cię do współudziału.

– Co mam zrobić?

– Kieruj się własnym strachem! Idź do miejsc, których najbardziej się boisz. Skręć w stronę przerażenia, trwoga niech będzie twoim drogowskazem. Jeśli ludzie w panice zakrzykną: „Biada!”, wiedz, że to twoi ludzie!

Chłopak zniknął, a Shen obudziła się z krzykiem. Nuk szybko ją przytuliła. Podobno wiele żołnierzy obudzonych w strachu w malignie strzelało do swoich koleżanek.

– No już, już. Wszystkim tu się śni coś złego. – Sierżant rozejrzała się w mgłach przedświtu. – Potworna kraina.

– Ale ja...

– Dobrze, już dobrze – Nuk desperacko usiłowała zmienić temat. – To, co nas gryzie, to nie komary. Przecież nie przebiłyby ubrania na plecach.

– O Bogowie! To na pewno wszy! Cholera, po co brałam te tuniki z kostnicy?

Nuk zagryzła wargi. Szlag! Nie w porę powiedziane.

– To nie wszy. Widziałam kiedyś wszy, nie tak wyglądają.

– A co?

– Jakieś pieprzone latające mrówki! Włażą za kołnierz i tną na plecach.

Znowu zaczęły się drapać, mieszając i plącząc paski oporządzenia. Jedna z dziewczyn obok zerwała się nagle z wrzaskiem.

– Wąż! Wąż mnie chwycił!!!

Ktoś strzelił odruchowo, trafił nie wiadomo w co. Najbliżej siedzące koleżanki zaczęły się trwożliwie odsuwać od nieszczęśnicy, a inne przeciwnie, chciały dostać się bliżej, żeby pomóc. Kłębowisko rosło.

– Spokój! Spokój, suki! – wrzeszczała Wae. Podłożyła nogę ofierze, wywracając na drogę. Razem z Nuk uniosły jej tunikę. Na widok gołego tyłka tamtej kilka dziewcząt cofnęło się odruchowo.

– To pijawki!

– No co ty? Pijawki przecież nie pełzają.

– Spadły z drzewa!

– Taaa, i od razu pod kiecę, na gołą dupę. Idiotka! – Wae wzięła nóż i usiłowała jakoś odczepić czarne i śliskie stworzenia. – Byłaś sikać?

– Tak – jęknęła ofiara.

– A mówiłam: nie chodzić w krzaki?! Mówiłam?

– Spokój! – Z boku podeszła Idri. – Zbierać się, suki, zaraz wymarsz.

– Jeszcze ktoś zginął w nocy? – zapytała Wae.

– Tak. Jeszcze dwie wartowniczki uznały, że u Bogów będą miały lepiej. Ale lufa karabinu długa. Trzeba zdjąć but, przywiązać do dużego palca sznurówkę, a drugi koniec do spustu, odciągnąć kurek, no i wyprostować się na jednej nodze, żeby włożyć lufę w usta. – Idri uśmiechnęła się złośliwie. – Ciężka operacja, jak komuś drżą ręce, nie?

– Co się stało? – Wae wyraźnie się zainteresowała.

– Jedna z nich odstrzeliła se pół szczęki i pół policzka. Teraz ma fajnie, co?

– O! – podchwyciła Nuk. Wstała szybko i stanęła w rozkroku. – Słyszałyście, pindy? Jak którejś przyjdą do łba głupie myśli, to niech sobie to przypomni! W histerii ciężko się do siebie strzela z długiej broni.

Rozdział 7

No, szykuj się. – Tomaszewski dopinał ostatnie guziki letniej kurtki. – Chcesz zobaczyć naprawdę duży okręt?

– A nasz nie jest duży? – spytała Kai.

Zauważył, że powiedziała „nasz" o ORP „Dragon". Nie był psychologiem, ale miał wrażenie, że to pozytywny objaw adaptacyjny.

– Zobaczysz naprawdę wielki. Powinien ci się spodobać.

Kapitan zerknął na zegarek. Potem bez słowa ruszył na górę. Tomaszewski i Siwecki wymienili porozumiewawcze spojrzenia. Nikt właściwie nie dziwił się Kozłowskiemu, gość musiał przeżywać trudne chwile. Za moment okaże się, jak dowództwo potraktuje „masakrę na dzień dobry", jak inni oficerowie nazywali zdarzenie, które sprawił pierwszemu statkowi napotkanemu na tych wodach. Zakładano różnie: niektórzy twierdzili, że sprawa zakończy się degradacją i więzieniem, ale, o dziwo, nie brakowało i takich, którzy wieszczyli kapitanowi order. Tomaszewski obstawał przy pierwszej opcji, choć z drugiej strony procedura to procedura, a przypadek może się każdemu zdarzyć.

Zaczął się wspinać po drabince, dając znak Kai, żeby trzymała się blisko.

Wejście na pokład oznaczało dobrą minutę „trwania w oślepieniu" po wyjściu z mrocznego kadłuba. Okulary przeciwsłoneczne niewiele tu mogły pomóc. Pierwsze, co zaczynało się dostrzegać po otwarciu załzawionych i bolących jeszcze oczu, to Góry Pierścienia. Tomaszewski widział je z bliska dwukrotnie podczas swojej służby w marynarce i raz jako dziecko, kiedy rodzice zabrali go na specjalny rejs wycieczkowy. Za każdym razem sprawiały kolosalne wrażenie. „Stąd do kosmosu". Widok trudny do opisania, ba, trudny nawet do ogarnięcia rozumem. Stał zapatrzony dłuższą chwilę, nie mogąc oderwać wzroku.

Kai widziała Góry Bogów pierwszy raz w życiu. Z tym że była czarownicą. W szkole pokazywano jej obrazy, a parokrotnie mistrz wprowadzał uczennice w trans, zsyłając im wizję różnych miejsc na świecie. Dlatego góry zrobiły na niej mniejsze wrażenie. Większe zrobiło coś, czego żaden mistrz nie mógł w szkole pokazać, bo żaden nigdy tego nie widział. ORP „Sęp" był po prostu miastem na wodzie. Miastem zbudowanym z metalu, i znowu złapała się na myśli: „Dlaczego taki niewyobrażalny ciężar nie tonie?!". Wzruszyła ramionami. Na nic zdały się tłumaczenia Krzyśka, na nic naukowe argumenty. Pytanie, jakim cudem taka ilość żelaza nie idzie natychmiast pod wodę z głośnym pluskiem, dla niej przynajmniej pozostanie już chyba bez odpowiedzi.

– Ale piękny – szepnęła.

Tomaszewski odwrócił głowę od lśniących w słońcu turni.

– Fajny, nie?

Kai zaczęła się śmiać, kręcąc głową.

– Władcy świata...

Niewielki kuter dobił do burty okrętu podwodnego. Marynarze szybko rzucili i umocowali trap. Zamiast spodziewanej oficerskiej świty zobaczyli tylko komandora w towarzystwie dwóch poruczników. Wszyscy nosili na ramionach odznaki wywiadu marynarki.

Komandor po wymianie kilku słów z kapitanem podniósł głos i od razu przystąpił do rzeczy:

– Panowie opuszczą teraz okręt, żeby udać się na ORP „Sęp". Tam zostaną przeprowadzone rozmowy z przedstawicielami służb wewnętrznych. Proszę nie zabierać ze sobą żadnych rzeczy osobistych, na lotniskowcu otrzymają panowie wszystko, co będzie potrzebne.

– Uuu... – szepnął stojący tuż obok Siwecki. – Bardzo źle!

Tomaszewski skinął głową.

– Fatalnie. – Zasłonił ręką usta. – „Służby wewnętrzne"... Co to jest?

Komandor nie pozwolił na pogawędki.

– Zapraszam na pokład kutra – powiedział. – Czasowo przejmuję dowodzenie ORP „Dragon" na czas postoju.

Jeszcze lepiej. Zabrali im okręt. Nie do pomyślenia. O dziwo, ewakuowali też inżynierów. Na pokładzie poza komandorem i jego ludźmi pozostaną zatem tylko podoficerowie i marynarze. Tomaszewski, wzruszywszy ramionami, podszedł do nowego dowódcy i zameldował się służbiście.

– Chciałbym zabrać ze sobą raport.

– Zdążył pan już sporządzić raport? – zdziwił się komandor. – Znakomicie. Ale nie ma potrzeby, żeby pan dźwigał. – Zręcznie wyłuskał grubą teczkę z rąk Tomaszewskiego i przekazał jednemu ze swoich poruczników. Prawdopodobnie temu, który miał ich zawieźć na lotniskowiec. – Zostanie niezwłocznie dostarczony do właściwego adresata.

Niesłychane. Podwodniacy obserwowali całe zajście z dużą dozą zdziwienia. Nigdy jeszcze nie widzieli takiego zachowania wobec oficera.

– Mam jeszcze jedną prośbę.

– Tak, słucham.

– Chciałbym zabrać ze sobą Kai. – Wskazał stojącą z tyłu dziewczynę. – Jest tubylcem i...

– Tubylcem?! – Komandor spojrzał na dziewczynę bystro. Prawdopodobnie brał ją dotąd za członka grupy inżynierów. Po sekundzie jednak dowiódł, że jest właściwym człowiekiem, którego skierowano we właściwe miejsce. Nie zadał żadnego zbędnego pytania, decyzję podjął błyskawicznie. – Jasne. To najlepszy pomysł. – Wyjął z kieszeni notes, wyrwał kartkę i skreślił na niej parę słów. Cisza radiowa, jak widać, była przestrzegana wzorcowo. Kartka powędrowała po chwili do kieszeni porucznika. – Biorę to na siebie. Potem załatwię wszystko z dowództwem.

Tomaszewski odmeldował się regulaminowo. Razem z Kai jako pierwsi przeszli na pokład kutra. Następna była Wyszyńska. Uśmiechnęła się do porucznika, kiedy pomógł jej zejść.

– Ten wasz kontrwywiad zatrudnia zaskakująco inteligentnych ludzi, nie uważa pan?

– Skąd pani wie, że to „kontr". Ich odznaki niczym się nie różnią od naszych.

– Ooo, miałam przyjemność poznać pana komandora na pewnym cywilnym raucie. I jakoś tak zainteresowałam się jego postacią. – Już na pokładzie poprawiła spódnicę. – Radzę zapamiętać jego nazwisko: Rosenblum. Coś mi mówi, że to ważna postać.

Tomaszewski, jak zwykle w kontaktach z Wyszyńską, poczuł jakąś dziwną dramatyczną różnicę pomiędzy nią a całą resztą kobiet, które znał. Pani inżynier wydawała się istotą z innego świata. I pociągała go coraz bardziej. Nie mógł tylko określić, czy bardziej podobało mu się jej ciało, czy raczej nieprawdopodobna bezpośredniość, zdecydowanie i pewność siebie. Ciekawe... Pociągały go dominujące kobiety? Hm.

Kai szturchnęła porucznika w żebro. Chciała, żeby opowiedział jej coś o okręcie, do którego się zbliżali. Kai... zupełne przeciwieństwo pani inżynier. Wydawała się krucha, ciepła, taka przykleja bardziej do głaskania, patrzenia w oczy i mówienia o romantycznej miłości. Nagle z całą świadomością zdał sobie sprawę, że również go pociągała. O cholera... Pociągały go obie? Tak ogromnie różne?

Na szczęście dopływali do lotniskowca. Nie było nawet trapu. Po schodkach dostali się na podest ogromnej windy, która kiedy tylko wszyscy przeszli za żółto-czarne barierki, błyskawicznie powędrowała w górę. Kai o mało nie zemdlała z wrażenia. Widok rozległego pokładu zaparł jej dech w piersiach. Kilkadziesiąt metrów dalej trwał rozruch zwiadowczego dwupłatowca. Dziewczyna z otwartymi ustami obserwowała łopaty śmigła, najpierw nieruchome, potem obracające się skokami, ledwo, ledwo, a potem mknące tak szybko, że zniknęły jej z oczu.

– Tak, tak, maszyny... – mruknął Tomaszewski pod adresem windy i samolotu. – Mają taką niewyobrażalną moc. I są tak nieczułe wobec ludzkiego ciała.

– Proszę? – Spojrzała na niego nieprzytomna.

– Wsadzisz rękę gdzie nie trzeba i momentalnie nie ma ręki. – Uśmiechnął się smutno. – Trzeba bardzo uważać.

– Jak uważać? – W oczach Kai pojawił się strach.

– Trzymaj się blisko mnie.

Porucznik, który przywiózł ich na „Sępa", przydzielił każdemu chorążego mającego zaprowadzić gości do

nowych kwater. Każdego osobno, do każdego przydzielony został inny człowiek. Siwecki na pożegnanie przeciągnął sobie palcem po gardle. Pozostali też nie odezwali się słowem.

Tomaszewski wziął Kai za ramię i zaczął prowadzić. Oszołomiona dziewczyna, rozglądając się na różne strony, potykała się, co rzeczywiście rodziło obawę, że wetknie palce w jakieś tryby. Na szczęście nie musieli iść daleko. Chorąży otworzył metalowe drzwi i przepuścił ich do przestronnej kabiny, gdzie Kai zachwyciły okrągłe bulaje, przez które wpadały promienie słońca.

– Przepraszam za chwilową niedogodność – powiedział chorąży. – Oczywiście umieszczenie tu kobiety i mężczyzny razem jest tylko przejściowe.

– Oczywiście, rozumiem. – Tomaszewski skinął głową.

– Nie mieliśmy czasu przygotować odpowiedniej kabiny dla pani. Ale zajmę się tym osobiście i na pewno przed zmrokiem kajuta będzie gotowa.

– Doskonale. – Łatwo było zrozumieć zakłopotanie chorążego. Marynarka zasadniczo nie przewidywała obecności kobiet na okrętach wojennych poza absolutnymi wyjątkami, jak na przykład rauty wydawane przez kapitana podczas gościny w jakimś ważnym porcie. A polskie zaściankowe poczucie moralności, które zachowało się jeszcze na okrętach wojennych, nie pozwalało umieścić w jednym pomieszczeniu mężczyzny i kobiety, jeśli nie byli małżeństwem. No cóż, stara, dobra marynarka musiała się liczyć z coraz większą ilością problemów natury obyczajowej, choćby z powodu konieczności goszczenia kobiet inżynierów. Będą musieli przywyknąć do coraz gorszych rzeczy. O, pardon: nie gorszych, gorszących.

– I jeszcze jedna sprawa. – Chorąży najwyraźniej nie wiedział, jak powiedzieć to, co ma do przekazania. – Delikatnej natury.

– Tak?

– Chciałbym pana porucznika o coś prosić, oczywiście nie w moim imieniu.

– Domyślam się.

– Wiem, jak wygląda służba na okrętach podwodnych. W chwili jej zakończenia największym marzeniem jest spacer na wolnym powietrzu. – Chorąży zdobył się nawet na uśmiech. – Bardzo proszę o spacery pomiędzy pańską kajutą a rampą numer siedem. To niedaleko stąd, miejsce zaznaczono na każdym planie ewakuacji. Przy rampie jest ogromny wykrój w kadłubie, można podziwiać morze, wystawić twarz na słońce, no i jest się praktycznie na świeżym powietrzu.

– Rozumiem.

– Czy mogę zatem przekazać, że mam pańskie słowo w tej kwestii?

– Tak. – Tomaszewski energicznie skinął głową.

– Dziękuję. W takim razie z mojej strony to wszystko.

Chorąży zasalutował i odmeldował się służbiście. Na korytarzu musiał czekać steward, bo kiedy żołnierz wyszedł, wśliznął się przez niezamknięte drzwi i postawił na stole soki ze świeżych owoców, dzbanek z kawą oraz biszkopty. Kiedy zostali sami, Tomaszewski westchnął ciężko.

– Wiesz, nie sądziłem, że od razu po zaokrętowaniu wsadzą nas do więzienia.

Kai spojrzała wystraszona. Podszedł bliżej i przytulił ją zdecydowanie.

– Nie ma się czego bać. Sama widzisz, jakie to więzienie. – Wskazał ręką przestrzenną kajutę, bulaje, smakołyki na stole. – Nie to, co na okręcie podwodnym.

– Postawią tu strażnika?

– Nie. Mają lepsze sposoby. – Uśmiechnął się. – Pan chorąży właśnie odebrał ode mnie słowo honoru, że nie ruszę się poza wyznaczoną strefę.

– Aha, żebyś nie uciekł? – dziewczyna zrozumiała to po swojemu.

– Nie no, stąd nie ma jak uciec. A więzienie jest pomyślane w ten sposób, żebyśmy za żadne skarby nie mogli się skontaktować z innymi oficerami ORP „Dragon". Żebyśmy nie mogli ustalić między sobą zeznań.

Znowu się przestraszyła. Cholera, dla niej więzienie, zeznania i przesłuchania to najwyraźniej kat z machinami tortur, miażdżeniem kości, wyflaczaniem i tym podobnymi przyjemnościami. Nalał Kai soku, a sobie kawy. Usiedli przy małym stoliku. Nie ma to jak luksusy na okręcie wielkim jak ten lotniskowiec.

– Wiesz... – podjął temat po łyku kawy, która, nawiasem mówiąc, była prawdziwa i wyśmienita, nie żaden ersatz w proszku jak na „Dragonie". – Nigdy nie słyszałem o czymś takim jak wyaresztowanie wszystkich oficerów wracających z jakiejś misji.

Już wiedziała, że w tym świecie nikt nie postępuje z nikim w sposób barbarzyński. Oskarżenie o coś nie musiało wcale oznaczać wyroku ani w ogóle jakichkolwiek nieprzyjemności. Ale z drugiej strony: słowo honoru? No gdzieś tam czytała w starodawnych romansach, że jeśli rycerz dał słowo, to coś ono znaczyło. Lecz nauczyciele historii podawali raczej pragmatyczną wersję wydarzeń: słowo obowiązywało dopóty, dopóki to się opłacało. Cóż więc będzie? Ci tutaj nie byli może i barbarzyńscy, ale z całą pewnością byli bezwzględni.

– Jak to się skończy? – zapytała wprost.

Tomaszewski wzruszył ramionami.

– Nie mam pojęcia, co jest grane, jednak z całą pewnością dowiemy się pierwsi.

– Dlaczego?

– Bo jestem oficerem wywiadu, a przesłuchiwać będą oficerowie kontrwywiadu. Będą woleli najpierw poznać zdanie kolegi niż reszty amatorów. No i mają mój raport.

– On jest taki ważny?

– On nimi wstrząśnie. A ponieważ ta dziwna cisza radiowa, niby-aresztowanie i cały ciąg nieprawdopodobnych zdarzeń ma jakieś znaczenie, myślę, że na przesłuchanie wezwą mnie lada chwila. Dajmy im trochę czasu na otwarcie mojej teczki i rzut oka na zawartość. Dam sobie rękę uciąć, że już w tej chwili interkomy dzwonią na całym lotniskowcu.

Miał rację. Kai nie zdążyła wypić soku, kiedy rozległ się cichy brzęczyk przy drzwiach.

– Wejść! – zakomenderował Tomaszewski.

Znany im już chorąży wyprężył się na baczność i złożył meldunek. Potem przeszedł do rzeczy:

– Przepraszam, że niepokoję, zamiast pozwolić państwu na wypoczynek. Pan komandor Rosenblum chciałby z panem pilnie porozmawiać.

– Rosenblum? Wydawało mi się, że to właśnie on przejął dowodzenie na moim okręcie.

– ORP „Dragon" został przejęty przez kogoś innego. Pan komandor przypłynął do nas natychmiast, kiedy dowiedział się, co zawiera pański raport.

– Rozumiem.

– Czy zechciałby pan pójść ze mną, czy też woli pan najpierw się odświeżyć?

– Pójdę oczywiście. – Tomaszewski podniósł się i zerknął na oniemiałą tą elegancką wymianą zdań Kai. – Szykuj się, dziecko. Coś mi mówi, że niedługo zostaniesz do nas poproszona.

Wymarsz, o dziwo, niezbyt się opóźnił, machinę złożoną z ogromnej ludzkiej masy udało się dość sprawnie wprawić w ruch. A raz uruchomiona parła do przodu siłą bezwładu. Wydawało się, że nic nie zdoła jej zatrzymać. W przeciwieństwie jednak do dnia poprzedniego potwory zaczęły atakować od rana. Z pozycji zwykłego żołnierza, ukrytego bezimiennie gdzieś w całej masie, wyglądało to przedziwnie. Marsz, marsz, marsz i nagle mijało się leżącą tuż obok drogi ranną oficer, opatrzoną prowizorycznie przez własnych żołnierzy. Ranna, dogorywając, czekała po prostu na któryś z oddziałów medycznych posuwających się w kolumnie. Specjalistów od leczenia ran nie było przecież na szczeblu kompanii. Rzadko zdarzali się w batalionie. Najczęściej ofiara musiała czekać na oddział szpitala polowego, ale to dopiero szczebel pułku albo, co gorsza, nawet dywizji. Czasami przy drodze leżało kilka rannych – znak, że po zranieniu oficera żołnierze zorganizowały pościg między drzewami. Czasami ciało przy drodze było oznaczone chustą z odznaką jednostki i numerem. To znaczyło, że obcy snajperzy wykazali się szczególną celnością i oddział szpitalny nie będzie w tym przypadku potrzebny. Ciągle jednak dla przeciętnego żołnierza, takiego jak Shen, wojna zdawała się czymś odległym, niezrozumiałym i niedotyczącym go osobiście.

W pewnej chwili z czoła kolumny zaczął dochodzić dziwny szum.

– Co to jest, do cholery?

Nuk podskoczyła do Idri.

– Jakieś rozkazy?

– Nie... – Pani porucznik skrzywiła się po chwili. – To krzyki. Ale jeszcze nie strachu, jak mniemam.

– I ja tak sądzę.

Shen i Wae wymieniły się spojrzeniami. Obie, porucznik i sierżant, były kobietami doskonale wykształconymi. I czasami dla jaj mówiły do siebie z tym pieprzonym wykwintnym, wielkopańskim akcentem, wkurwiającym resztę wojska do imentu.

– Domyślam się, że plebs znalazł w czymś upodobanie.

– Albo czerpie z czegoś uciechę...

Nuk nie zdążyła dokończyć. W szeregach poprzedzającej ich kompanii rozległy się nagle głośne śmiechy i gromkie wiwaty. Po chwili zobaczyły i one. Na poboczu ktoś wbił w ziemię gruby kij. Drugi koniec kija wbito w tyłek okrwawionym zwłokom jednego z przeciwników, tak że wydawało się, iż trup stoi obok drogi, pozdrawiając zdobywców. Tym bardziej że do rąk przymocowano mu sznurkami tablicę z napisem: „Potwory witają imperialną armię. Prosimy o więcej kijów".

Nuk sama parsknęła śmiechem i tłumaczyła napis tym koleżankom, które nie umiały czytać. Wydawało się, że nastrój zaczął się poprawiać, kiedy dosłownie w tej samej chwili w powietrzu rozległ się świst strzały i kapitan kompanii piechoty maszerującej przed nimi dostała w ramię. Zachwiała się, kolejna strzała musnęła jej twarz. Kapitan krzyknęła, dostała w gardło, ciągle oszołomiona zatrzymała się, a wtedy dziesięć strzał ugrzęzło w niej jak w maśle.

– Perfekcja – szepnęła Idri odruchowo. – Pierwsze trzy miały kapitan zatrzymać, a kiedy zrobiono już z niej nieruchomy cel, pozostałe ją wyeliminowały.

– Nie wydawaj żadnego rozkazu głośno – warknęła Nuk ostrzegawczo. – Bo będziesz następna!

– Nie zamierzam.

Ich kompania w marszu rąbnęła w poprzednią, dokładnie kiedy tamta zatrzymywała się, żeby odeprzeć atak. Podręcznikowy błąd. Albo podejmują jakąś akcję z marszu, albo idą spokojnie dalej. Tymczasem strzały zza drzew trafiły panią porucznik. Pozostałe dwie wystąpiły przed szeregi żołnierzy, żeby móc wydać rozkazy. Dokładnie według regulaminu, który przewidywał walkę na równinie, dokładnie wbrew rozsądkowi, który podpowiadał: „Nie wystawiaj się". Jak szybko łucznik nakłada na cięciwę nową strzałę? Ci w lesie okazali się mistrzami. Następna porucznik runęła na drogę, zanim jeszcze ktokolwiek wydał jakikolwiek rozkaz.

– Do ataku! Do ataku! – darła się jakaś sierżant, jedyna na tyle rozsądna, by posłuchać instynktu, który kazał zrobić cokolwiek natychmiast. – Za mną!!! – Niestety, instynkt podpowiedział jej źle. – Za mną!

Na czele garstki żołnierzy, może drużyny raptem, runęła w las w improwizowanym kontrataku. W tej samej chwili ktoś zaczął strzelać spomiędzy drzew po drugiej stronie drogi, momentalnie zabijając ostatnią porucznik i kogoś jeszcze. Kompania piechoty została bez dowództwa.

Idri wybałuszyła oczy.

– Dobra, zbieramy się – zaczęła wydawać półgłosem rozkazy. – Ja biorę pierwszy pluton, Wae, bierzesz drugi, Nuk, pociągniesz trzeci! A... – porucznik urwała nagle, rozejrzała się wokół. Bogowie! Nie miała więcej podoficerów! Nie miała ludzi, nie miała kogo posłać do obezwładnionej obcej jednostki! Nabrała powietrza do płuc i tak już została.

Na szczęście Nuk miała refleks.

– Shen! Obejmujesz kompanię piechoty!

– O kurwa! – wyrwało się Idri.

Kapral, w dodatku nieopierzona, pierwszy raz w boju, ma objąć całą kompanię i zacząć dowodzić. O kurwa!

– Ja... – zaczęła Shen, ale nie dano jej dokończyć.

Idri uderzyła ją w twarz.

– Co jest, kurwa, nie rozumiesz po ludzku?! – Uderzyła dziewczynę jeszcze raz. – Zapierdalaj tam, weź kompanię za pysk i ruszaj do przodu!

Mores, regulamin i armijna tresura zwyciężyły natychmiast.

– Tak jest! – Shen zamieniła się w zwierzę zdolne do wykonywania rozkazów.

– Wykonać!

Dziewczyna runęła w stronę zdezorientowanych piechociarek.

– Za mną, za mną, za mną! – W biegu wyszarpnęła spod chusty na szyi odznakę pułku sił specjalnych. – Wszyscy za mną!

„Każdy jest celem" – przypomniała sobie słowa ze snu. „Ale ty bądź ruchomym..."

Jakaś sierżant od piechociarek zastąpiła jej drogę.

– Czego...?

Shen zdzieliła tamtą kolbą w twarz.

– Za mną! Zbierać się!

Któraś jeszcze chciała się przeciwstawić, to ruszyła na nią z bagnetem. Na szczęście uskoczyła, a jakaś ofiara, która stała z tyłu, zarobiła w ramię, pojawiła się krew... Nieważne! Do przodu, suki! Shen biła, kopała, biegała wokół, cały czas w ruchu, cały czas ku czołu kompanii. Wreszcie przystawiła sierżantowi szefowi lufę do czoła i odciągnęła kurek. Sierżant nie zamierzała sprawdzać, czy to blef. Ruszyła, ciągnąc najbliższych.

– Ale nasi oficerowie! – Jakaś dziewczyna podskoczyła z boku. – Mają czekać na oddział medyczny?

– Jak wszyscy.

– A nasza sierżant? Przecież cała drużyna poszła w las w kontrataku.

– Bez rozkazu, kurwa! Niech sama je teraz swoje gówno!

– A jak się do ciebie zwracać?

– Per „jaśnie wielmożna pani"! – Shen przypomniała sobie przywitanie rekrutów na wyspie Tarpy. – A ty konkretnie masz mi mówić „Wasza Wysokość" i przyklękać! A nie, to każę rozstrzelać!

Wojsko, o dziwo, szło za Shen coraz mniej opornie. A ona sama jednak, choć usiłowała tego nie okazywać, trzęsła się ze zdenerwowania. Przecież to prawie stu ludzi. Stu obcych ludzi. A jeśli ktoś ją dziabnie nożem i po prostu zostawi na poboczu? Kurde, a jej własna kompania z tyłu? Czy ktoś przyjdzie na pomoc? Czy ktoś jej wyda jakieś rozkazy? Bogowie, przecież prowadzi setkę ludzi chuj wie gdzie, dobrze, że póki co prostą drogą, ale przecież tak nie będzie w nieskończoność! Oficerowie mieli pewnie jakieś rozkazy, jakieś dyslokacje oraz spis tego, co mają robić na najbliższym postoju. A ona?

Poczuła się nagle tak strasznie samotna, że uczucie to zaczęło ją dławić. Tęsknota za domem, za miejscem, gdzie się urodziła, za ludźmi, których znała od dziecka, połączyła się gwałtownie i wybuchowo z nagłym osieroceniem w armii. I co ona ma teraz zrobić? W sytuacji koszmarnych braków kadrowych w wojskach specjalnych Idri poza kompanią musiała wziąć pluton, gdy tylko zaczęło być gorąco. Dwie pozostałe podoficer wzięły dwa pozostałe plutony. W desperacji dano Shen sto piechociarek, które zaraz ją zabiją. Już patrzą groźnie. W końcu jej jedynym zadaniem jest utrzymanie tych żołnierzy w ruchu aż do wieczora, a jeśli potem zabiją dowodzącą, strata mała. Niewielka cena za utrzymanie korpusu w ruchu.

– Co z naszymi ludźmi, którzy poszli do kontrataku? – Starsza sierżant podeszła z boku. Nie była przyjaźnie nastawiona, choć na razie nie miała pewności, jaki uzurpatorka ma wojskowy stopień. Ziarenko nadziei. Choć jeśli spojrzeć na Shen chłodnym okiem, na jej twarz i wiek, to z całą pewnością nie była, kurwa, generałem!

– Jeśli wrócą z lasu, dołączą do którejś z jednostek za nami.

– Nie zaczekamy na nie? Nie udzielimy wsparcia koleżankom?

Dla Shen stało się jasne, dlaczego Idri nie mianowała tymczasowym dowódcą osieroconej kompanii żadnej z podoficerów piechoty. Tak jasne jak nic dotąd w wojsku.

– A kiedy do nas dołączą?

– Na wieczornym postoju – odparła Shen tak tylko, żeby powiedzieć cokolwiek.

– To nie będzie postoju aż do wieczora? Nic nie jadłyśmy, ani wczoraj, ani...

– Sierżancie – przerwała jej Shen – do swoich obowiązków!

Nie miała zielonego pojęcia, jaką rolę pełni starszy sierżant w kompanii piechoty. Mógł dowodzić drużyną, mógł być zastępcą dowódcy plutonu albo i szefem całej kompanii. Szlag! Jeśli to sierżant szef, to zaraz skuma, że Shen nie zna się na dowodzeniu. Szlag!

Gdzieś spomiędzy drzew rozległo się nieludzkie wycie. Żołnierze zaintrygowane zaczęły zwalniać.

– Jazda! Jazda! – popędzała je Shen.

Czy to człowiek tak krzyczał? Jeśli tak, co mu robiono? Wątpliwości rozwiały się dosłownie po chwili.

– Koleżanki! Ratunkuuu! – wycie przeszło w mowę artykułowaną. – Ratujcie mnie!

Shen dosłownie czuła na plecach fale emocji, które zalały wojsko. Od szoku, strachu, zagubienia po wściekłość, gniew i agresję. Co przeważy? Nie sposób zgadnąć, choć jasne było, że ramy dyscypliny zaraz pękną. No i co robić? Czy ten głos należał do kogoś z tego oddziału? Którejś z tych dziewczyn, co poszły do kontrataku? A jakie to miało znaczenie? Jak się baby z tyłu rozprzęgną, to istniały następujące możliwości: albo zabiją Shen, ot tak, za krzywy ryj, albo staną i wstrzymają pochód, a wtedy Shen zostanie rozstrzelana przez kogoś innego, wyższego szarżą, i to urzędowo, albo wybuchnie cokolwiek niekontrolowanego i skończy się źle nie tylko dla niej osobiście, lecz dla wszystkich naraz.

– Ratunku... Koleżanki, oni mi powiedzieli... – Znowu wrzask. – Powiedzieli, że obetną mi nogi i ręce. Koleżanki! Ratujcie!

Nie jest dobrze, myślała Shen. Na niej samej krzyki bezradnego żołnierza w obcych rękach robiły piorunujące wrażenie. A co dopiero na piechociarkach wokół? Przecież one sądziły, że to jedna z ich koleżanek. Słyszała rzucane szeptem za plecami przypuszczenia, która to mogła być. Słyszała konkretne imiona. Na szczęście po wrzasku, po takim wrzasku głosu nie rozpoznasz.

Ciekawe, czy te krzyki słyszy ktoś z dowództwa na tyle wysoki rangą, żeby móc podjąć jakąś akcję? Wątpliwe. No i wątpliwe też, żeby nawet jeśli słyszy, chciał coś zrobić. Pochód był ważniejszy.

– Koleżanki... Oni obetną mi nogi! Obetną mi nogi! – Krzyk, chwila przerwy na płacz i wycie takie, że tamta musiała żegnać się właśnie ze strunami głosowymi.

Szeregi z tyłu zaczęły falować. Zaraz coś wybuchnie. Albo panika, albo niepohamowana agresja.

– Trzeba coś zrobić!

Shen nie zdążyła odwrócić głowy, ale to nie sierżant, która zagadywała ją przed momentem. Kto? Nieważne. Nagle przypomniała sobie żarty Nuk w zrujnowanej wsi na przedpolu lasu. No to teraz wóz albo przewóz.

– Obcinają mi nogę! Bogowie, pomocy... Obcinają mi nogę...

– Trzeba coś zrobić, dziewczyny!

Shen teraz zauważyła, kto to powiedział. Wysoka, szczupła i trochę piegowata dziewczyna w pierwszym szeregu za nią.

– Dajesz się robić na takie numery? – spytała, siląc się na obojętność. – A wyglądasz na dość sprytną...

– Na jakie numery?

– Ja też występowałam w takich teatrzykach jak ten tu. – Kciukiem wskazała kierunek, skąd dobiegały nieludzkie krzyki torturowanej dziewczyny. – Dla wzmożenia morale.

– O czym ty mówisz? W jakich teatrzykach?

– A co? Nie byłyście spietrane rano, po wkurwiającej nocy? Nie miałyście dość wszystkiego? – Shen zmusiła się do śmiechu. – A teraz jak się czujecie? Poszłybyście i spaliły wioseczkę potworów bez mrugnięcia okiem, prawda? Bez patrzenia, że tam same stare kobiety i dzieci, prawda? Podpaliłoby się parę chałupek bez sprawdzenia, czy ktoś jest w środku, nie?

Piechociarce głos uwiązł w gardle.

– Myślałam, żeś cwana, bo ci spryt z oczu wygląda. A ty nie wiesz nawet, że w sztabie generalnym jest specjalny wydział do takich spraw jak podtrzymywanie morale. I wymyślają takie teatry.

– Nie pierdol!

– Sama brałam w tym udział. Ale mnie zwolnili, bo za dobra byłam.

– Co?

– No mówię. Kurde, zasadzałyśmy się z kilkoma koleżankami w krzakach, kiedy nasze oddziały maszerowały na bitwę, i ja krzyczałam. Ale nie jak ta tutaj. Inną rolę miałam.

– A jaką? – wyrwało się komuś z ciekawości. Pierwszy cel osiągnięty. Ludzie z tyłu nie skupiali się wyłącznie na krzykach ofiary. Słuchali czegoś jeszcze.

– Ja tam krzyczałam, że mnie gwałcą.

– Jak to?

– No normalnie. Leciałam zwykłym tekstem: „Koleżanki, ratujcie, oni mnie gwałcą, no, już trzeci mnie rżnie...". I takie tam.

– No co ty? – piegowata piechociarka przyłączyła się do rozmowy.

– Tak jak mówię, robiłam to, żeby podnieść morale. Żeby wojsko chciało wymordować wszystkich wrogów z zemsty.

– No ale jak krzyczałaś?

– No, że mnie rżną wrogowie, niewinnego żołnierza imperium, a oni mnie do golasa, na plecy, rozkrok i jeden po drugim. I krzyczałam: „Koleżanki, ratujcie mnie, Bogowie... Oni... oni mnie rżną jeden po drugim". I potem: „Aua! aua! aaaaaa!!! och! aua, oooooch!!!". No i... – Shen przełknęła ślinę, bo sama wrzasnęła trochę za głośno. – No i przyszła wkurwiona pani major, psiakrew, i powiedziała, żebym się odjebała od tej roboty, bo za dobrze gram! I zaraz jej się pół armii podda dobrowolnie, żeby samym przeżyć coś takiego, co ja udawałam!

Kilka dziewczyn zaczęło się śmiać. Nie były to może salwy, lecz wątpliwości w wielu głowach zostały zasiane. Shen dziękowała wyobraźni Nuk w wiosce przed lasem i jej dowcipom o wydziale do spraw morale. Biedna ofiara w lesie albo zemdlała, albo stało się coś gorszego. W każdym razie jej krzyk nie dobiegał już zza drzew.

Naraz Shen poczuła też coś dziwnego. Nadzieję, że piechociarki nie chcą jednak od razu jej zamordować. Stało się coś jeszcze. Ich kompania nie miała już oficerów, nie była więc dobrym celem dla potworów strzelających z ukrycia. Nie znaczy to jednak, że tamci zrezygnowali. Kompania przed nimi została zaatakowana, i to dużo bardziej skutecznie. Szeregi zmieszały się, w gęstwinę na potwory poszły co najmniej dwa kontrataki – w zamieszaniu nawet nie wiadomo było, czy zostały przez kogoś wysłane, czy też żołnierze po prostu zareagowały na własną rękę.

Shen znała imperatyw: „Tylko i wyłącznie ważne jest tempo marszu".

– Zewrzeć szyk – wrzeszczała. – Zewrzeć szyk!

Piechociarki wykonywały manewr bardzo sprawnie. Zanim dotarły do kompanii przed nimi, która zaczynała formować regularną obronę, udało jej się skierować dowodzony oddział na lewą stronę drogi. Ocierając się o ciała koleżanek i szturchając wzajemnie, przeprowadziła oddział na odcinek wolnej drogi.

– Majstersztyk – szepnęła do siebie zaskoczona, że tak łatwo jej poszło.

– Dobry oddział. – A jednak ktoś ją usłyszał. Sierżant zbliżyła się jeszcze bardziej i również szepnęła: – No i nasze głowy zostaną na karkach.

– Myślisz, że aż tak?

– Zaraz się zaczną sądy polowe. A ci, co zostali z tyłu, to mają przesrane.

– Eeee... Kogo ukarzą, kiedy zabili im oficerów?

Sierżant ściszyła głos jeszcze bardziej:

– Zdziesiątkowanie!

Shen ledwie pamiętała to straszne słowo z ćwiczeń na wyspie Tarpy. Właściwie nikt ich tym nie straszył, bo instruktorzy woleli kary bardziej doraźne. Ale pamiętała. Zdziesiątkowanie. Na rozkaz dowództwa za okazane szczególne tchórzostwo lub doprowadzenie do klęski w bitwie można było zdziesiątkować własny oddział. Czyli zabić co dziesiątego żołnierza. Wybranego na chybił trafił.

– Bez przesady, za nimi maszerowała moja kompania wojsk specjalnych. Zrobią tam porządek.

– Ale ile czasu to zajmie? – Sierżant nie miała złudzeń. – Zaraz dowództwo wpadnie w szał.

Ciekawe, czy mogła mieć rację. Na razie maszerowało się dobrze, choć rzeczywiście z tyłu pojawiła się luka. Shen nie miała żadnego doświadczenia w taktyce kolumn marszowych i nie wiedziała, czy ma stanowić coś w rodzaju ariergardy, czy może zaczekać na resztę. Na szczęście sierżant, która przedstawiła się jako Nanti, twierdziła, żeby się nie przejmować. Nie ich zasrana sprawa, a dowództwo niech se radzi samo – oddział wypełnia rozkazy co do joty i nie ma się do czego przyczepić. Maszerowały więc dalej w siąpiącym deszczu, wśród zamierających, coraz rzadszych i coraz mniej skutecznych ataków potworów.

Następny kryzys nastąpił wieczorem. Zator zrobił się przy rozwidleniu drogi, kiedy już dochodziły do fortu.

– Zaopatrzenie w lewo, oddziały liniowe w prawo – wrzeszczała rozprowadzająca na specjalnym podwyższeniu. I dupa blada! Na kierunku w prawo robił się fatalny korek, a sprawa stawała się poważna, wręcz gardłowa, bo wystarczyło spojrzeć na ciała kilku podoficerów różnych formacji, które ozdabiały już gałęzie okolicznych drzew. Zaczynało się robić cholernie niebezpiecznie.

– Zaopatrzenie w lewo, wojska liniowe w prawo! – darła się tamta na słupku.

– Szlag! – Nanti rozglądała się nerwowo. – Jak damy dupy przy manewrach w tym zatorze, to nas powieszą.

Shen nie zastanawiała się ani chwili.

– W lewo! – wrzasnęła. – Całość w lewo.

Jej sierżant na szczęście wiedziała, jak to pokazać gestami tym, co maszerowały poza zasięgiem głosu.

– Gdzie się, kurwa, pchacie! – Spomiędzy palików ograniczających tymczasowe stanowisko dla koni wyskoczyła rosła pani porucznik w otoczeniu kwatermistrzów.

Shen nie zdążyła się przestraszyć.

– Ochrona konwoju z zaopatrzeniem! – krzyknęła jeszcze głośniej.

– Won, bo każę rozstrzelać!

– W tył, krowo! Nastąp się! – Shen wyjęła spod chusty swoją odznakę pułku. – Wojska specjalne, pindo! Jesteśmy w kamuflażu piechoty!

– W tył!

– Nanti, kurwa, weź ludzi i zastrzelić ich wszystkich!

Sierżant na szczęście załapała i zrozumiała, że jedyną szansą na przeżycie jest wykonywanie rozkazów tej cholernicy z wojsk specjalnych. Zaczęła wrzeszczeć:

– Szyk bojowy formuj! Do szturmu na stanowisko kwatermistrza gotuj się!

Ulotna, niemożliwa do opisania i strasznie krótka chwila, w której zwycięża siła woli. Nic innego, wyłącznie siła woli. Pani porucznik dała znak, żeby żołnierze kwatermistrzostwa wykonały w tył zwrot.

– Marsz! Maaarsz! – wyła Shen. – Dzięki, Nanti – szepnęła.

– Ratowałam i swoją dupę. Aleśmy jednak w bagno wlazły...

– Sił specjalnych nie ruszą.

– Na czole nie mamy napisane, że jesteśmy speckurwami. – Sierżant nagle zdała sobie sprawę, do kogo mówi. Sapnęła i machnęła ręką. Przepraszanie byłoby jeszcze głupsze. – No i co dalej? Co zrobimy teraz?

Oddział zbliżał się do przecinki prowadzącej lekko pod górę, gdzie znajdowały się zagrody, w których umieszczano wozy z zaopatrzeniem i zwierzęta pociągowe.

– A jak to wygląda?

– Już tu kiedyś byłam. Nie ma czegoś takiego jak ochrona konwojowanego zaopatrzenia. Od tego jest przecież wojsko, które maszeruje obok. I dlatego nie przewidziano żadnych pomieszczeń dla ochrony.

– Powiemy, że dzisiaj jest wyjątkowa sytuacja spowodowana atakami potworów.

– Zawsze jest wyjątkowa.

– Jednak dzisiaj potrzebne są dodatkowe zabezpieczenia i dlatego będziemy nocować obok wozów, pod gołym niebem.

– A jeśli nas ktoś spyta, kto wydał taki rozkaz?

– Oficer ranna została na poboczu. Nie wiemy, w jakim oddziale medycznym teraz się znajduje.

Nanti kręciła tylko głową. Na szczęście zdążyła się już przekonać o skuteczności Shen w działaniu.

Obawy, że ktoś będzie cokolwiek sprawdzał, były nieuzasadnione. Późną nocą, kiedy wszystkie oddziały ześrodkowały się już w pobliżu fortu, okazało się, że wewnątrz się nie zmieszczą. Spora część wojska została więc na noc poza fortem. A ponieważ nikt nie przewidział dla nich kolacji w tych warunkach, żołnierze po raz drugi już poszły spać głodne. No chyba że ktoś, jak ludzie Shen, spał wokół wozów z zaopatrzeniem. Tam głodna poszła spać tylko ta, która się wzbraniała przed rabowaniem własnych zapasów z transportu. Rano, po śniadaniu zdobytym albo, jak kto woli, „zorganizowanym" w ten sam sposób co kolacja, dziewczyny z oddziału zdecydowanie stwierdziły, że chwalą sobie fakt, iż dowodzi Shen, i podoba im się sposób, w jaki to robi.

Następnego dnia rano nikt nie ogłosił rozkazu wymarszu. Shen zaczęła się niepokoić, a wczesnym przedpołudniem bać. Jacyś oficerowie biegali wokół, lecz żadne decyzje nie zapadały, a przynajmniej żadnych im nie ogłoszono. Tu dosłownie włos mógł ważyć przed oskarżeniem o dezercję. Szybko jednak okazało się, że nikt nie sprawdzał dyslokacji jednostek, chodziło więc o coś innego. Powoli traciła nadzieję, że odnajdzie ją Nuk albo ktoś z jej oddziału. Opuścić nowego, jako tymczasowy dowódca, sama przecież nie mogła.

– Nanti... – Wiedziała, że trzeba coś zrobić, bo zaraz nastąpi katastrofa. – Co robi wojsko, żeby się nikt nie czepiał?

Sierżant zmrużyła swoje lekko skośne, łobuzerskie oczy. Była najedzona pysznym kradzionym śniadaniem, wyspana i w miarę bezpieczna. Nie zamierzała stawiać się dowódcy, który to sprawił. I nie zamierzała się przejmować stopniem tego dowódcy, który jak się wydało ze stawianych pytań, nie mógł być zbyt wysoki.

– Żeby się nikt nie czepiał w koszarach, wojsko symuluje, że coś robi. Ten, kto nic nie robi, zaraz dostaje najcięższą z możliwych robót albo wręcz karę.

– Mhm... – Shen zrozumiała w lot i nie dość tego, uwaga była zgodna z jej własnymi obserwacjami. – A co możemy robić, żeby udawać, że coś robimy?

– Możemy niby kopać rowy, ale nie ma czym...

– No i nie wyjaśnimy, po cholerę komu rowy tutaj.

– A o to nikt nie spyta. Przecież wiadomo, że my nie wiemy, bo tylko dowódca wie. A dowódcy to niech se szukają.

Shen roześmiała się i klepnęła sierżant w ramię.

– A ćwiczenia bojowe mogą być?

– Pewnie! Jak najbardziej. Nie ma nic gorszego niż wojsko wypuszczone z koszar i pozostawione w bezruchu.

– Dobra.

Shen wzięła Nanti na poszukiwanie najbardziej odpowiedniego miejsca w pobliżu. Do lasu wolała się nie zbliżać, ale przy tymczasowych stajniach znalazła odpowiedni zagajnik składający się z rzadkich drzewek.

– O, tu. – Wskazała nowej koleżance miejsce. – W razie czego będziesz mówić, że ćwiczycie nową taktykę odpierania partyzanckich ataków przeprowadzanych przez potwory. Ma to być odpowiedź na ich nową taktykę ataku.

– To kumam, koleżanko. Ale pomiędzy drzewami nie da się ćwiczyć.

– Da się. Zmieniamy taktykę.

Zaczęła wyjaśniać, co usłyszała od chłopaka z tobołkiem we śnie. A potem wypraktykowała raz na wyspie Tarpy. Nanti początkowo nie chciała wierzyć. Potem nie mogła zrozumieć. A sprawa tak naprawdę okazała się bardzo prosta. Stare regulaminy piechoty nie nadawały się do walki w lesie, więc zapominamy o dwóch kompaniach stojących równiutko naprzeciw i strzelających do siebie, a potem idących na bagnety. Podstawową jednostką bojową jest teraz drużyna, a nie kompania. Żołnierz nie może już działać na rozkaz, nie może też działać sam. Zawsze musi być osłaniany, więc zapominamy o strzelaniu salwami, kiedy wszyscy naraz wyzbywają się amunicji. Strzela tylko ta, która widzi cel i może go namierzyć. Ma być osłaniana przez te, które nie strzelają, ale mają naładowaną broń. Nigdy wszystkie naraz. Ta, która ładuje, musi być bowiem osłaniana przez kogoś, kto ma nabój w lufie. Kiedy drużyna wykonuje krótki skok (a nie idzie ławą do ataku jak dawniej), inne drużyny dają „ogień opresyjny". Nie polega on na strzelaniu salwami, tylko na precyzyjnym ogniu mierzonym, który nie pozwoli przeciwnikowi wystawić głowy z kryjówki. W razie obrony można wydać rozkaz: „Strzelaj, jeśli widzisz cel" i niech każdy żołnierz decyduje sam.

– Proste?

Nanti przełknęła ślinę.

– No dobra. Na początku pokażę ci, co i jak. Wezwij ludzi.

Żołnierze ćwiczyły nawet chętnie. Każda znała garnizonową (i życiową zresztą też) zasadę: „Przypierdolą się do tego, kto nic nie robi".

Złota zasada. Naprawdę złota. Kiedy w południe zaczęły się kontrole jednostek, na wszystkich padł blady strach. Połajanki, degradacje, areszty, a nawet sąd polowy nie pozostawiały nadziei na ujście cało. Oprócz kompanii Shen. Tam podoficerowie wywrzaskiwały komendy, żołnierze w oporządzeniu ganiały bez celu po chaszczach, wszystko tak jak ma być. Wzorowa jednostka. Nikt nie podszedł, żeby spytać, a po co tak biegają wśród krzaków. Widocznie ktoś im rozkazał.

Wojsku zgromadzonemu poza palisadą fortu za karę nie wydano obiadu. Kompania Shen czekała na wieczór, kiedy znów zacznie „ochraniać" transport na wozach. Może kolejnego dnia nastąpi jakaś zmiana.

Nie nastąpiła. Poranek przypominał poprzedni. Żołnierze zgromadzone na podejściach do fortu powoli zaczynały się gotować. Każdy, kto znał wojsko, wiedział, że wystarczy byle iskra, byle przemycona skądś butelka bimbru wypita przez dwie, trzy nieodpowiedzialne dziewczyny, i się zacznie. Morale sięgało dna. Imperialna armia była bliska porażki już tu, pod fortem numer jeden, bez żadnej walnej bitwy, właściwie bez kontaktu z przeciwnikiem.

Kompania Shen ćwiczyła bez wytchnienia. Teraz z dwóch powodów: po pierwsze, żeby nikt się nie przyczepił, a po drugie i najważniejsze, byleby być z dala od reszty wojska.

Mimo to wieczorem dopadło ich przeznaczenie w osobach dwóch obszarpańców. Kompania zamarła, bo te dwie nosiły odznaki wojsk specjalnych, Shen odetchnęła, bo pojawiły się Idri i Nuk.

– Tu się schowała, cwana cholernica!

– A mówiłam, żeby jej tutaj szukać – perorowała Nuk. – Pamiętasz ten miód z magazynu na Tarpy? Ona zawsze wie, gdzie miód stoi. – Wskazała wozy z zaopatrzeniem w pobliskich zagrodach. – No i widzisz, w jakim miejscu się ulokowała? Tam, gdzie żarcie blisko.

– Taaa, ona ma instynkt głodomora.

– Dokładnie. Gdy jej jedzenie zapachnie, to galopem na najlepszym rumaku imperium nie przegonisz.

Shen uczucie ulgi odebrało głos. Stała, czekając spokojnie i pogodzona z losem na opierdol, który teraz nastąpi. O dziwo, nie doczekała się.

– No ale przyznasz – Idri wzięła się pod boki – rozkazy wykonywać to ona umie, nie?

– No. Zaraz się spalę z zazdrości, że to Wae ją wypatrzyła w tłumie rekrutów, a nie ja.

– No, jak pies, jak pies... – Idri kiwała głową. – Wydasz rozkaz i możesz o nim zapomnieć, bo wiesz, że będzie wykonany.

Shen upewniła się, że żołnierze, a przynajmniej te, które stoją wystarczająco blisko, słyszą wyraźnie. A konkretniej, czy słyszy Nanti? Słyszała, słyszała. No to w porządku. Zerknęła na przyjaciółki z ciekawością. Lecz nie śmiała zadać pytania co teraz. Zresztą nie było potrzebne.

– Wojsko podzieli się na dwie części – zaczęła tłumaczyć Idri. – Na tak zwane siły szybkie, czyli to, co może wleźć w las i walczyć, oraz siły wolne, czyli zaopatrzenie dla twierdzy i minimalna ochrona.

– Dlaczego? – wyrwało się Shen.

– Tłumaczą to faktem, że dotychczasowa taktyka się nie sprawdziła. Siły szybkie mają sprowokować i przyjąć walną bitwę, a w tym czasie siły wolne będą mogły nie niepokojone dostarczyć zaopatrzenie.

Shen miała bardzo niewielkie pojęcie o strategii, ale nawet jej ten plan wydał się jakimś koszmarnym idiotyzmem. Konwój na drodze prawie bez ochrony...? I jaka walna bitwa? Z potworami, które walczą przecież jak partyzanci? Przypomniała sobie zdanie chłopca z tobołkiem ze snów: „Pamiętaj, partyzantka wygrywa, kiedy nie przegrywa, a armia przegrywa, kiedy nie wygrywa". Wszystko jasne. Jakakolwiek walna bitwa jest nie do pomyślenia dla potworów. Zupełnie niepotrzebne ryzyko. Im wystarczy nękać. A armia, kiedy nie ma wyników, wygranych bitew, za sobą spalonych wsi i miast, zabija się sama. Co zresztą widać na załączonym obrazku. A skoro Shen to wie, to wielcy stratedzy imperium również muszą wiedzieć. I jeśli nie chodzi o rozgrywki polityczne, w takim razie muszą się orientować, że plan jest bezsensowny. Zasłona dymna? Po co? No a do czego służą siły szybkie? Do szybkiej reakcji, ale tu nie ma na co reagować, wszystko jest jasne z góry. Albo do szybkiego rajdu. O właśnie. Szybki rajd w głąb terytorium przeciwnika. Przypomniała sobie te wszystkie plotki. „Oni coś znaleźli w Wielkim Lesie". Tysiąc lat temu. Sądzą, że coś podobnego jest i tutaj, i chcą to mieć. Tajne akcje na podstawie zapisków sprzed tysiąca lat? Wzruszyła ramionami. Czuła jednak, że dotknęła rąbka jakiejś potwornej tajemnicy i że ta sprawa wchłania ją coraz bardziej. Właśnie ją, pionka na wielkiej planszy do gry.

– My jesteśmy na szczęście w siłach wolnych – dodała Nuk tonem tak uspokajającym, jakby mówiła do chorego dziecka. – Zamierzamy w związku z tym wynieść cało łby z tej awantury.

– Ta, tłusty konwój z garstką wojska na szerokiej drodze. Genialne.

– I tak szansa większa niż uganianie się po obcych chaszczach bez zaopatrzenia, prawda?

– Spokojnie. – Idri zażegnała w zarodku kłótnię między swoimi podoficerami. – I właśnie nadarza się okazja do skombinowania większej ilości wojska do osłony konwoju. Ta kompania nie ma oficera, prawda?

– Tak. – Shen skinęła głową. – Nie ma dowódcy.

– No nie pierdol – upomniała ją grzecznie pani porucznik. – Dowódcę ma, bo ty nim jesteś. Ale skoro nie ma oficera, zgłoszę tę kompanię jako rozproszoną w marszu. I tak załatwię, że zapiszą ją jako... – zawahała się.

– Na straty? – podpowiedziała Nuk.

– A skąd. W to nie uwierzą.

– Jej żołnierzami uzupełniali straty w innych kompaniach i jednostka się rozmyła? – podpowiedziała Shen.

– O właśnie, tylko trzeba to ująć inaczej.

Shen spojrzała na dowódcę niepewnie.

– A co ja mam robić? – spytała.

– To, co dotychczas – odparła Idri. – Sztukę kamuflażu masz opanowaną do perfekcji. Dzięki ćwiczeniom nikt się do was nie przyczepił, prawda?

Shen przytaknęła.

– No i twoje dziewczyny chyba ani razu nie były głodne. – Nuk uważnie przyglądała się wojsku. Podeszła do sierżant i podała jej rękę. – Wygląda na to, że będziemy współdziałać. Zniesiesz jakoś dowództwo speckurew?

Nanti początkowo żachnęła się, ale miała dobry refleks. Odpowiedziała spokojnie:

– Jak na razie mam z tego same korzyści.

– No! – Nuk zerknęła na Idri. – Pani sierżant jest pragmatykiem. Będzie nam dobrze razem.

Nanti skinęła głową. Patrzyła gdzieś ponad dziewczynami na ciemniejącą nieopodal ścianę lasu. Sądząc po napiętym wyrazie twarzy, albo była urodzoną pesymistką, albo po prostu wiedziała trochę więcej o tajemniczym celu ukrytym wśród ostępów. Niepokojąco więcej.

Dopiero teraz Tomaszewski mógł się przyjrzeć Rosenblumowi dokładniej. Komandor liczył sobie jakieś pięćdziesiąt lat, trzymał się prosto, choć to akurat w marynarce nie wyróżnik, i miał ciemne włosy przyprószone na skroniach silną siwizną, która na pewno dodawała mu uroku w oczach kobiet. Jakim człowiekiem mógł być? – Tomaszewski bez przerwy zadawał sobie to pytanie. Na tyle ważne, że od odpowiedzi zależało, ile czasu spędzi bezproduktywnie na lotniskowcu jako „więzień pod słowem". Czy był pragmatykiem? Raport otrzymany na ORP „Dragon" oddał porucznikowi – to minus. A może nie minus? Może źle ocenił Tomaszewskiego i myślał, że teczka zawiera dyrdymały albo miałkie donosy nudzącego się na łodzi podwodnej oficera wywiadu? Nie, przecież widział Kai. Hm... Z drugiej strony ktoś dał porucznikowi rozkaz zajrzenia do raportu. I tu plus dla komandora. Błyskawicznie przerwał swoją misję prowadzoną na „Dragonie", powierzył ją komuś i gubiąc buty, znalazł się na ORP „Sęp". Hm... Tak zachowałby się każdy profesjonalista. To jeszcze o niczym nie świadczyło. No nic, zobaczymy.

– Kawy?

Tomaszewski podziękował skinieniem.

– Dopiero skończyłem. A czy będzie panu przeszkadzało, jeżeli zapalę?

– Absolutnie. Proszę się nie krępować.

Kilka minut rozmawiali niezobowiązująco o tym, co wydarzyło się na ORP „Dragon". W żadnym razie nie przypominało to przesłuchania. Tak naprawdę Rosenbluma niezbyt interesowało zajście na okręcie – wydawało się nawet, że bardziej słucha ploteczek na temat tarć między cywilami i oficerami na pokładzie. Chwilę dłużej zatrzymał się nad tym, w jaki sposób Kai znalazła się na okręcie wojennym. Zaciekawiło go także niewyjaśnione pojawienie się tajemniczego mężczyzny z brodą.

– A wie pan, tak nawiasem mówiąc, że on zmarł, kiedy płynęliście tutaj?

– Nie mam pojęcia.

– Zmarł mi dosłownie na rękach. W każdym razie podczas mojej wizyty w lazarecie.

– Ktoś go otruł?

– Zabawne, takie też było moje pierwsze skojarzenie. – Rosenblum odchylił się na oparciu fotela. – Ale nie, prawdopodobnie zmarł z przyczyn naturalnych. Trzeba i tak poczekać na sekcję. Felczer na okręcie niewiele nam powie.

– Tak.

Komandor otworzył szufladę biurka i wyjął grubą teczkę zawierającą raport Tomaszewskiego. No tak, prawdziwa rozmowa dopiero się zacznie...

– A wie pan... w myślach postawiłem przy pańskim nazwisku ogromny plus.

Plusy, minusy przy charakterystykach postaci – komandor też się w to bawił. Trudno się dziwić, i on, i Tomaszewski kończyli tę samą szkołę wywiadu. Choć różne kierunki.

– Z ciekawości: za co?

– Rozmawiamy od kwadransa, a pan ani razu nie spytał, co na tych wodach robi ORP „Sęp” ze swoją świtą. I jak się tu, do cholery, znalazł.

Porucznik uśmiechnął się, miał nadzieję, z sympatią.

– Przecież byłaby to strata czasu, a ja nie lubię go marnować.

– Ta... I ma pan rację. Nie mógłbym panu powiedzieć.

Patrzyli na siebie, udając obojętność. Rosenblum miał silniejszy wzrok, ale co z tego? To on miał orzech do zgryzienia. Tomaszewskiego niewiele obchodziło, co się stanie, mało interesował się rozgrywkami w resorcie. A poza tym miał wujka w dowództwie wywiadu, i to postawionego blisko samego szczytu, więc... Znowu uśmiechnął się do komandora.

Rosenblum otworzył leżącą przed nim teczkę.

– Są tu krótkie opisy imperium, królestw, różnych politycznych zależności, organizacji systemów państwowych, gospodarki... – Podniósł wzrok. – Skąd pan uzyskał te dane? Bo domyślam się, że to nie szkic pańskiej nowej powieści z gatunku fantazji.

– Wszystko to efekt rozmowy z Kai, dziewczyną, którą wzięliśmy na pokład po zmasakrowaniu i zatopieniu statku, którym płynęła.

Rosenblum skinął głową.

– Są tu także mapy. Domyślam się, że mało precyzyjne, ale nasz oficer nawigacyjny twierdzi, że mogą dać ogólne pojęcie i orientację. Na przykład niezbędną przy zwiadzie.

Tomaszewski zastrzygł uszami. „Zwiadzie"? Komandor naprawdę to powiedział? Od kiedy planowali tę operację? Szlag! Wiedział, że niczego się nie dowie.

– Bo te mapy rysował nasz oficer nawigacyjny.

– Na podstawie czego?

– Moich opowieści, szkiców dziewczyny oraz naszych obliczeń. Na przykład musieliśmy zgadywać, co to jest odległość obliczana w liczbie kroków, w dniach podróży. Czym są jednostki czasu określane liczbą zmówionych modlitw. O jaką porę dnia może chodzić w określeniu „płynąć ku słońcu". Jaki kąt dla nich oznacza „ostro pod wiatr", gdzie dopiero po długim czasie odkryliśmy, że oni w ogóle nie potrafią płynąć pod wiatr i jest to określenie mówiące, że płynie się na wiosłach. Pełne zestawienie tych przeliczników i naszych uwag znajdzie pan zresztą w tabelach na końcu.

Rosenblum westchnął cicho.

– Jak długo trwa naszkicowanie jednej tylko takiej mapy, kiedy trzeba się posługiwać językiem migowym?

Tomaszewski wzruszył ramionami.

– Nauczyłem Kai po polsku. Chyba nie sądzi pan, że cały raport napisałem, porozumiewając się językiem migowym. Wtedy to dopiero byłyby fantazje.

– Czy jej język jest podobny do naszego? Tak jak rosyjski na przykład?

– Nie. Zupełnie nie.

– A co panu przypomina?

Tomaszewski roześmiał się na cały głos.

– Śpiewną odmianę węgierskiego.

– Zna pan węgierski? A w ogóle, ile zna pan języków?

– No... Francuski oczywiście. Trochę... hm... łaciny, jak każdy, i... trochę angielskiego, parę słów po niemiecku.

– Słowem, nie można pana nazwać utalentowanym lingwistą?

– Oczywiście, że nie.

– To w jaki sposób zdołał pan w tak niesamowicie krótkim czasie nauczyć obcą dziewczynę po polsku?

Tomaszewski zawahał się. Wyjął i zapalił kolejnego papierosa.

– Zaskoczę pana. Ja w tym czasie nauczyłem się mówić w jej języku.

– Który jedyne, co panu przypomina, to może śpiewny węgierski? – Rosenblum oklapł za biurkiem. – Dotąd nie wykazywał pan szczególnych talentów językowych, a tu nagle pod wpływem pięknej dziewczyny z innego świata trzask-prask i już pan mówi...

– Mogę zademonstrować.

– O! – Rosenblum westchnął. – Proszę – zgodził się jednak zrezygnowany.

– Mam cię w dupie, ty ośle, i w każdej chwili mogę obrazić twoją matkę, twoją babkę i resztę rodziny, a ponieważ mówię to z uśmiechem, ty też będziesz się tylko uśmiechał – powiedział płynnie w języku Kai.

Rosenblum oczywiście nie zrozumiał ani słowa. Wyraz jego twarzy świadczył jednak, że poprzez analizę ekspresji wiele odgadł z treści oświadczenia. Lekko przygryzł wargi.

– W ten sposób daleko nie zajdziemy – mruknął. – Czy będzie miał pan coś przeciwko, jeśli zaproszę tu pannę Kai?

– Ależ proszę.

Rosenblum nachylił się nad interkomem.

– Przyprowadźcie wię... – urwał w pół słowa i spojrzał na Tomaszewskiego trochę za szybko. No tak, słowo „więzień" byłoby fatalnym faux pas. – Proszę przyprowadzić do mnie tę panią, która... – Znowu kłopot językowy: „jest z panem porucznikiem" brzmi niezręcznie, „mieszka z panem porucznikiem" jeszcze bardziej. – Tę panią, którą chwilowo zakwaterowano z panem porucznikiem – wybrnął nareszcie.

Mimo odległości, którą należało przebyć na lotniskowcu, nie musieli czekać długo. Tu nie było wąskich i klaustrofobicznych korytarzy jak na okręcie podwodnym ani żadnych włazów, przez które musiano by się przeciskać. Kai wprowadzono do kabiny komandora już po dwóch minutach.

Dziewczyna wyraźnie spodobała się Rosenblumowi. Musiał zauważyć jej żywe spojrzenie, miłą twarz i obycie, które sprawiało, że choć onieśmielona wielkością okrętu, mogła czuć się w miarę swobodnie. Każdy inteligentny człowiek od pierwszego spojrzenia wiedział, że dziewczyna jest wykształcona.

– Witam! – Komandor uniósł się zza biurka. Odruchowo, jak każdy, kto spodziewa się, że rozmówca niewiele rozumie, po części posługiwał się gestami. Podszedł do przygotowanego dla dziewczyny krzesła. – Proszę. – Demonstracyjnie wskazał je obiema rękami.

– Witam serdecznie. – Kai, nauczona przez Tomaszewskiego w pierwszej kolejności podstaw wychowania, wyciągnęła w kierunku komandora dłoń do pocałowania. – Bardzo mi miło pana poznać, panie oficerze.

Widzieliśmy się chyba przez moment na tamtym okręcie, ale tak krótko, że nie miałam okazji się przedstawić.

Rosenblum zamarł i stracił oddech, jakby otrzymał właśnie potężny cios w splot słoneczny. Dosłownie go zatkało. Bezwiednie i na bezdechu pocałował wyciągniętą w jego stronę dłoń. Kai dygnęła uroczo i posłała mu zabójcze spojrzenie.

– Jestem zaszczycona, że mogę gościć na tak wspaniałym okręcie, który u nas byłby godny tylko królów. – Ruszyła w kierunku wskazanego krzesła. – Nadal nie mogę zrozumieć, jak taka ilość żelaza może utrzymywać się na powierzchni wody, ale... – Niechcący kopnęła nogę podręcznego stolika. – Kurwa mać! – zdecydowała się na przerywnik, ciągle uśmiechając się do komandora. Tomaszewski skurczył się w sobie, przecież jej tego nie uczył, ale... sama na okręcie pełnym marynarzy... nie było się czemu dziwić. Rosenblum udał, że niczego nie usłyszał. Powoli odzyskiwał panowanie nad mięśniami twarzy.

– Pan porucznik usiłuje mnie wszystkiego nauczyć – ciągnęła, nawet nie zauważywszy, że powiedziała coś nie tak. – Ale sam pan wie, te kobiece głowy...

– Świetnie pani mówi po polsku – komandor odzyskiwał także głos.

– Dziękuję. – Skinęła głową i zajęła miejsce na krześle. – Ale gdyby słyszał pan pana porucznika mówiącego w naszym języku...

– A chętnie usłyszę. – Rosenblum podchwycił natychmiast. – Czy pozwoli pani na pewien eksperyment?

– Z przyjemnością.

Komandor poprosił Tomaszewskiego, żeby stanął przy bulaju, plecami do pomieszczenia. Naskrobał na kartce kilka słów i podał porucznikowi.

– Kai, on chce, żebyś otworzyła książkę, która leży na jego biurku, na stronie pięćdziesiątej ósmej i zagięła prawy górny róg tej strony – rzekł Tomaszewski w „śpiewnym węgierskim".

Dziewczyna błyskawicznie wykonała polecenie. Rosenblum był w szoku.

– Pan rzeczywiście mówi płynnie w tym języku.

– No, z tą płynnością tobym nie przesadzał. – Tomaszewski wrócił na swoje krzesło. – Choć przyznam, że i mnie zdumiewała łatwość, z jaką się uczyłem.

– I przede wszystkim szybkość.

– Tak... Z tego wniosek, że to dziewczyna ma wielki talent dydaktyczny.

– A kim ona jest?

– Czarownicą.

Komandor przełknął ślinę.

– Proszę?

– Czarownicą.

Rosenblum zerknął na Kai. Ta uśmiechnęła się szeroko.

– Przepraszam... – nie do końca wiedział, jak sformułować pytanie. – Czy pani twierdzi, że może mnie zamienić na przykład... w królika?

– Nie sądzę, żebym to potrafiła. Ale zakładając nawet, że jestem największym z mistrzów, to jest pan pewien, że chce, żebym go z wielkim prawdopodobieństwem zabiła? Przecież później mnie zabiją pańscy koledzy, w świetle prawa, jako morderczynię.

– Jak to? To nie zamieni pani w króliki także moich kolegów?

– A tego okrętu w kajak? – zakpiła.

A potem zaczęła się śmiać, prowokując do śmiechu także Tomaszewskiego, który postanowił włączyć się do rozmowy.

– Popełnia pan ten sam błąd co ja na początku, panie komandorze. Kiedy padło słowo „czarownica", to już musiało być w naszym rozumieniu. Kobieta latająca na miotle, z różdżką, za pomocą której rzuca zaklęcia, zatruwa wodę w studni i zamienia królewicza w żabę, do późniejszego odczarowania przez jakąś dziewicę. Tymczasem sądzę, że bardziej pasowałoby tu słowo „szamanka", „kapłanka", „wyrocznia" czy coś w tym rodzaju.

Rosenblum wyjął z szuflady małe lusterko, wydął policzki i przejrzał się krytycznym wzrokiem.

– Szkoda – mruknął. – Całe życie chciałem, żeby mnie wreszcie ktoś odczarował i przywrócił do roli królewicza.

Kai chciała coś powiedzieć, lecz ugryzła się w język, bo zrozumiała, że oni kpią z niej od samego początku, kiedy rozmowa zeszła na temat czarów.

– Tak, ma pan rację. – Komandor schował lusterko. – Taki szaman musi umieć rozmawiać z ludźmi, słuchać uważnie, a poza tym... Jak dowodzi historia wielu plemion, szamani są często ludźmi obdarzonymi wieloma talentami.

– Tak. Też mi się wydaje, że w tym należy upatrywać tej niezwykłej zdolności w nauczeniu siebie i mnie obcego języka.

– No ale z drugiej strony szaman tak wykształcony jak ona... – Rosenblum widział przecież dziewczynę, przeglądał raport napisany na podstawie jej zeznań. Wiedział, że to nie robota wioskowej wyroczni, lecz kogoś po dobrych szkołach.

– W końcu jej cywilizacja to nie prymitywne plemiona.

– No tak, tak. A po co wierzą w czarownice? Zerknąłem sobie do pańskiego raportu i etat czarownicy jest przy każdej dywizji imperialnej armii.

– Tak jak u nas etat kapelana. – Tomaszewski wzruszył ramionami. – W co kto wierzy, co kto lubi.

– Ma pan rację. – Rosenblum znowu pochylił się nad raportem. – Przekazałem opis tego, co się tu znajduje, dowództwu. I przyznam, że wywołałem szok. Kilka grubych ryb jest już w drodze tutaj, a kopia jak najszybciej zostanie wysłana do sztabu. – Komandor podniósł oczy. – Jeśli informacje się potwierdzą... na pana miejscu oczekiwałbym rychłego awansu.

Tomaszewski odruchowo wyprostował się na krześle.

– A ja dostałem pewne poruczenie.

– Tak?

– Jak pan sądzi, na ile dokładne są te mapy?

Tomaszewski od dawna miał przygotowaną odpowiedź na to pytanie.

– Proszę sobie wyobrazić mapę, którą narysował dobry oficer nawigacyjny, z dużym doświadczeniem. Ale... mapa powstała na podstawie relacji księdza. No, ksiądz wykształcenie wyższe przecież ma, geografia w szkole go nie ominęła, jest oczytany, wiele podróżował, jednak... jest księdzem, a nie kartografem.

– Mhm... – Rosenblum przeniósł wzrok na Kai. – Mogłaby mi pani wyjaśnić, co to jest?

Pokazał palcem na mapie obszar, o który mu chodzi.
– To ogromna dolina porośnięta dzikim lasem. Mieszkają w niej potwory...
Komandor przerwał jej, słysząc o „potworach".
– A to tutaj?
– To olbrzymi port, porzucony dawno temu. Potwory sprawiły, że utrzymywanie go z ekonomicznego punktu widzenia było bezzasadne...
– A to? – znowu jej przerwał, stukając palcem w jakiś fragment.
– A, to? – Roześmiała się nagle. – To tylko przybliżone, bo nie wiem, jak dokładnie biegną...
– Przybliżone co?
– Sieć dróg.
Rosenblum opadł z westchnieniem na oparcie.
– No właśnie... – Z grubej koperty na biurku wyjął plik zdjęć. – Teraz tylko dopytam, co to jest droga w pani rozumieniu. – Położył przed dziewczyną pierwsze zdjęcie.
– Czy to jest droga?
– Nie. – Pokręciła głową. – To jakaś leśna ścieżka. Tyle że szeroka.
– Dobrze. A czy to jest droga?
– Nie – padło znowu. – To jakieś wiejskie, piaszczyste przejście dla krów.
– Bardzo dobrze. – Tym razem położył przed Kai zdjęcie brukowanej miejskiej ulicy. – A czy to jest droga?
– To jest droga.
– Jest pani pewna?
– Tak, jestem pewna.
– Słowem, twierdzi pani, że tej klasy drogi znajdują się w tej dolinie?

Dziewczyna aż straciła oddech z zaskoczenia. Machnęła nerwowo ręką.

– Ależ skąd. Czy pan oszalał? To przecież nędzne brukowane coś, na czym pewnie strasznie trzęsie. Nasze drogi są sto razy lepsze!

Rosenblum oniemiały spojrzał na Tomaszewskiego. Ten wzruszył ramionami.

– Jest pani pewna?

– Oczywiście. – Kai wyjęła komandorowi z ręki resztę zdjęć i przez chwilę w nich grzebała. – O. – Położyła przed nim wybraną fotografię. – Nasze drogi są takie.

– Jak autostrada? Takie szerokie?

– Nie, szerokie nie, ale takie równe. No i my nie jesteśmy głupi, nie budujemy dwóch dróg w tym samym kierunku równolegle obok siebie. – Z pogardą wskazała dwa pasy autostrady. – A jeśli jest problem z mijaniem, to co jakiś czas są place postojowe i mijanki dla oddziałów wojskowych. A wozy kupców to się miną wszędzie.

– A ciężarówki?

Nie wiedziała, o co chodzi, więc zaczął szukać innych zdjęć. Trwało to dość długo, bo musiał zdjąć z półki kilka książek. Nareszcie znalazł odpowiednią ilustrację.

– O, to jest ciężarówka. Obok stoi człowiek, można oszacować rozmiar. Miną się dwie takie?

– Chyba tak.

– Zaraz... – Komandor usiadł z powrotem za biurkiem. – Chce nam pani powiedzieć, że jest tam teren z siecią dróg, do którego nikt nie rości pretensji?

– Z tym bym nie przesadzała, panie oficerze. Pretensje roszczą wszystkie państwa mające styczność z lasem.

– A dlaczego go nie zajmują?

– Z powodu potworów.

– Aha, więc te dzikusy w lesie skutecznie wszystkich powstrzymują? I nikt nie będzie interweniował...

Tym razem Kai mu przerwała:

– Jedynym państwem, które utrzymuje skrawek lasu, jest imperium. Zapewniam pana, że to postępowanie jest nieracjonalne. Ale też nikt w historii nie każe imperiom zachowywać się racjonalnie.

Zabawna sytuacja. Tomaszewski, który obserwował dialog z boku, bawił się coraz lepiej. Pytania o drogi i ciężarówki ujawniały oczywiście zainteresowania wywiadu, ale nie było się czemu dziwić. Skoro marynarka już tu dopłynęła, skoro znalazła się na półkuli południowej, siłą rzeczy musiała założyć gdzieś bazę. I wybór miejsca na podstawie szkicowych map okazał się zaskakująco dobry, jeśli się weźmie pod uwagę, ile czasu miał Rosenblum na analizę i zastanowienie. Wszędzie blisko. Do imperium i kluczowych królestw. Oczywiście Kai określiłaby tę odległość jako ogromną, ale... W końcu pytanie o drogi i ciężarówki padło w jakimś celu.

– Dobrze. – Komandor uśmiechnął się do Kai. – Pozwolą państwo, że na chwilę ich opuszczę. Nie będzie mnie dosłownie kilka minut.

– Jest pan u siebie. – Tomaszewski ukłonił się z leciutką kpiną.

Kiedy wyszedł, Kai rozejrzała się wokół niczym stary spiskowiec i przysunęła bliżej.

– Co teraz będzie? – szepnęła.

– Nie wiem – odpowiedział normalnym głosem. – Nic strasznego.

– Dlaczego on wyszedł tak nagle? Zdać sprawozdanie u najwyższego dowódcy?

Tomaszewski wzruszył ramionami.

– Z całą pewnością każde słowo, które tu padło, zostanie błyskawicznie przekazane do sztabu, lecz nie w tej chwili. Rosenblum musi przecież napisać raport.

– No to czemu tak szybko wyszedł?

– Mogę się tylko domyślać. Poszedł albo wydać rozkaz i nie chciał, żebyśmy słyszeli. Albo, co bardziej prawdopodobne, poszedł poprosić kogoś wyższego rangą o wydanie rozkazu.

– Żeby nas wtrącić do ciemnicy?

Roześmiał się, przechylił przez poręcz krzesła i chwycił dziewczynę za dłoń.

– Przestań się denerwować, Kai.

Znowu to poczuł. Kai, słodka przylepa, ubrana w różne fragmenty polskich mundurów, była tak strasznie delikatna, dziewczyńska, kobieca... nie potrafił dopasować określenia. Przypomniał sobie, jak się skupia, usiłując mu coś wytłumaczyć, jak śmiesznie wącha wszystko, co widzi po raz pierwszy, jak próbuje językiem, jak... Cholera, co to jest? Zauroczenie? No nie... Po raz pierwszy poczuł, że zaczyna traktować dziewczynę jak osobę bliską. Patrzyła na niego teraz z taką ufnością. No co jest? Zakochał się czy jak? Nagle przypomniał sobie, że ma jej do przekazania smutną wiadomość.

– Słuchaj, Kai. Twój krajan zmarł...

Dziewczyna, mimo że Meredith ją uprzedził, co się stanie, poczuła nagły skurcz w sercu. Tomaszewski ścisnął ją mocno za rękę, którą wciąż trzymał. Oddała uścisk. I nagle dało się wyczuć drżenie kadłuba okrętu.

– Co się dzieje? – Dziewczyna podskoczyła na krześle. Niestety, wyjęła też dłoń z jego ręki.

– Zmieniamy kurs.

– Płyniemy do miejsca, o które on pytał?

Roześmiał się.

– Nie. Komandor nie jest taki władny, żeby skierować lotniskowiec tam, gdzie chce w dowolnej chwili. – Chichotał w najlepsze, bo niezmiernie zabawna wydała mu się sama myśl, że jakiś komandor mógłby sobie kierować flotą tu i tam w zależności od humoru albo od tego, jaki pomysł wpadł mu do głowy w danej chwili. – Po prostu ustawiamy się pod wiatr.

– A po co?

– Mogę tylko zgadywać. Lotniskowiec niedługo rozpędzi się do maksymalnej szybkości, a z pokładu wystartują samoloty zwiadowcze dalekiego zasięgu.

Rosenblum rzeczywiście wrócił po kilku minutach, jak obiecywał. Był w doskonałym humorze. Znowu nachylił się nad szkicami map rozłożonymi na biurku.

– To jak się nazywa ten obszar, o którym wcześniej rozmawialiśmy? – zapytał Kai.

Dziewczyna odparła natychmiast:

– Dolina Sait.

Rozdział 8

Dolina Sait – krzyczała Nuk – to najbardziej zasrane miejsce na świecie!

– Święte słowa – wtórowała jej Shen. – Jakby sam główny kapłan mówił.

– Przestańcie pomstować. – Nanti powoli zaczynała się zaprzyjaźniać z niektórymi dziewczynami ze „specjalnych".

Właściwie wrogość między piechotą a dziewczynami z oddziałów, które według legend miały im strzelać w plecy podczas prób wycofania, nigdy nie przybrała ostrej fazy. Nikt osobiście nie doświadczył bratobójczych strzałów. Nawiasem mówiąc, trudno się dziwić. Jeśli doświadczył, to nie przeżył przecież, żeby składać świadectwo. Ale trudno było mówić nie o przyjaźni, ale choćby o wzajemnej akceptacji pomiędzy żołnierzami dwóch różnych formacji. Wyjątkiem okazała się Shen, bo piechociarki uważały ją za cwaniarę, która zawsze wykombinuje dla kompanii coś do żarcia i zawsze znajdzie jakiś sposób na uchronienie nierzadko ślicznych żołnierskich głów przed karą od wyższych szarż.

– Długo tu jeszcze będziemy kwitnąć?

– Co? Wolisz okolice pierwszego fortu?

Nanti westchnęła ciężko. Pierwszy fort. Tak zwane siły szybkie nie wyruszyły wcale szybko. Wszystkie musiały czekać, udając, że ćwiczą, dodatkową dobę. A później zaczęły się jeszcze ciekawsze przygody. Część wolna korpusu ruszyła w drogę. O dziwo, już tego samego dnia osiągnęła kolejny założony cel, czyli drugi fort. Potwory atakowały rzadko, w małej liczbie, niemrawo i jakoś tak bez serca. Krążyły plotki, że mieszkańcy lasu skupili się na siłach szybkich, ale prawdopodobnie była to wierutna bzdura. Ganiać po chaszczach za najlepszymi jednostkami, mając podsunięte pod nos tabory w skąpej osłonie? Potwory rzadko postępowały głupio. O co więc chodziło? Nikt nie miał pojęcia poza jedną wspólną myślą: potwory miały inny plan. Następnej doby udało się dotrzeć do fortu trzeciego. Prawie bez strat. Wojsku zaczynał wracać humor. Zasoby topniały, bo trzeba było zostawiać zaopatrzenie dla kolejnych fortów, a w związku z tym szybkość rosła. Kolejny dzień i kolejny sukces. Osiągnęły czwarty fort, ostatnie miejsce postoju przed twierdzą. Tu miały spotkać siły szybkie, a konkretnie, siły te powinny w forcie na nie czekać. I... nic. Dowódca szczupłego garnizonu tylko wytrzeszczała oczy. Oczywiście nie mogła mieć pojęcia o planie rozdzielenia korpusu na dwie części, maszerujące z różną szybkością (lub też realizujące różne rozkazy). Jednak do fortu nie dotarł żaden goniec, żaden oficer łącznikowy, nie dotarł też żaden raport ani rozkaz. W ogóle o istnieniu sił szybkich pani pułkownik dowiedziała się od oficerów eskortujących wozy z zaopatrzeniem. W zaistniałej sytuacji nikt nie wiedział, co robić dalej.

– Przestańcie pytlować o jednym i tym samym! – Wae podniosła głowę z pryczy. Przy tak nielicznych siłach wszystkie zmieściły się wewnątrz fortu. – Lepiej się zastanówmy, co zrobić, jak się zacznie.

– A ty co? – warknęła Nuk. – Na generała się szykujesz?

– Ja nie o strategii. Tylko o tym, co zrobimy, jeśli dojdzie do jakiegoś starcia. Mamy prawie dwustu żołnierzy, jednego oficera i czterech podoficerów. He, he! – Roześmiała się chrapliwie. – Zasadniczo nas nie ma.

– No fakt.

– Kurde, u nas oficerów i podoficerów wystrzelali – wtrąciła się Nanti. – Ale dlaczego nie ma ich w specsłużbach?

Nuk i Wae ryknęły śmiechem.

– Bo u nas byle kto nie awansuje – wyjaśniła Nuk po chwili. – A poważnie: nawet podoficer w wojskach specjalnych ma cholerną władzę. I nie można powierzać stanowiska byle komu. Każda kandydatka musi być wnikliwiej sprawdzona niż kandydatka na księżniczkę.

– Przecież nie ma kandydatek na księżniczki. Trzeba się taką urodzić.

– Oj, nie czepiaj się. Jakby były, toby były tak samo sprawdzane jak my. Byle kto nie przejdzie. Posłuchaj... – Nuk odsunęła od siebie puste naczynia. – Pojechałyśmy na wyspę Tarpy na ćwiczenia przed skierowaniem tutaj i po uzupełnienia. Trochę szeregowych dostałyśmy, ale z podoficerów jedynie dzięki spostrzegawczości Wae mamy jednego kaprala. Tylko! A i to psim swędem, bo ona – stuknęła Shen w ramię – miała papiery, że jest ochotnikiem, że zgłoszono ją na kurs kapralski, a i tak tylko cudem awansowała. Bo się zasłużyła i uratowała dupę naszemu dowódcy przy okazji pewnej kompromitującej egzekucji.

– Dokładnie – dodała Wae. – Shen się udało psim swędem. Ale dalej mamy za mało ludzi.

– Dwie kompanie to sześć plutonów – zaczęła Nanti. – To brakuje...

– Licz po naszemu. W ogniu nasza porucznik bierze jeden pluton bezpośrednio. Ja i Nuk po jednym, więc u nas załatwiamy sprawę. A u was jest do dupy. Jeśli ty weźmiesz jeden pluton, drugi weźmie Shen i będzie jeszcze musiała czuwać nad całością, a niedoświadczona jest, to pozostaje pusty trzeci pluton.

Shen podniosła się powoli i podeszła do leżącej Wae.

– Ty wiesz, dlaczego jesteś w czepku urodzona?

– Dlaczego?

– Boś mnie wtedy wybrała. A ja teraz zagospodarowałam trzeci pluton piechoty.

– O? – Wae uniosła się na łokciach. – Jak?

– Dogadałam się z lekką artylerią, która maszeruje przed nami. Powiedziałam dziewczynom, że dostaną jeden pluton osłony w marszu, żeby mogły spokojnie odprzodkować se działa, jak się zacznie. Ale za to jak krzyknę, żeby mnie kryły, to chcę mieć ich ogień tuż za swoją dupą i na żądanie.

Nuk zaczęła się śmiać. Nie zdążyła jednak skomentować niestandardowych układów, które zapanowały w armii, kiedy drzwi otworzyły się z trzaskiem.

– Alarm bojowy! – Idri miała na sobie pełne oporządzenie. – Obie kompanie na pozycje wyjściowe przy furcie.

– O mamo! – Shen runęła w kierunku ściany, gdzie na specjalnych hakach umieściły swój ekwipunek.

– Ale... – Wae coś się nie mieściło w głowie – mówiąc, że kapral radzi sobie z kompanią... – szarpała się z paskami oporządzenia – miałam na myśli kompanię w marszu. Na prostej drodze. No przecież, kurwa, nie w boju!

– To chyba będzie twój najmniejszy problem – odpowiedziała jej Idri.

Sierżant spojrzała zdziwiona na panią porucznik.

– Kompania wojsk specjalnych nie zostanie użyta na pozycji zaporowej. – Uśmiechnęła się wrednie. – Tylko też w boju.

– Szlag!

Dziewczyny obciążone już sprzętem ruszyły do wyjścia, kłębiąc się w drzwiach. Teraz należało wyprowadzić dwie kompanie na plac z bezpiecznych, zadaszonych miejsc zakwaterowania. No? Kto jest lepiej wymusztrowany? Żołnierze sił specjalnych patrzyły z zazdrością, że piechociarki, choć pozbawione większości kadry, zrobiły to jednak szybciej i lepiej. Shen zameldowała gotowość dobre pół modlitwy przed nimi.

Idri zebrała wokół siebie swoich nielicznych podoficerów, żeby zapoznać ich z sytuacją.

– Ktoś w lesie wystawił znaki „zbliżamy się, korytarz". Ponieważ jest noc, znaki są widoczne dla wszystkich i ze wszystkich stron. W związku z tym możliwe są następujące warianty. Szybka grupa zbliża się naprawdę w formie maszerującego kotła, otoczona przez nieprzyjaciela, i korytarz jest bezwzględnie wymagany. Albo szybka grupa realizuje swoje zadania gdzie indziej, a nieprzyjaciel zdobył po prostu książkę kodową i narzędzia sygnałowe. Wtedy oznaczałoby to pułapkę.

– Zaraz – odważyła się wtrącić Wae. – Nocny sygnał „korytarz" to przecież biały dym podświetlany od dołu. Czy potwory potrafiłyby zrobić coś takiego?

– Jeśli wzięły do niewoli kilka naszych sygnalistek ze sprzętem... – Idri uśmiechnęła się ironicznie, nie kończąc zdania. – Bez znaczenia. Siłami, które są w forcie, żadnego korytarza i tak nie zrobimy.

– To jakie są rozkazy?

– Utworzymy głębokie, bezpieczne przedpole. Jeśli rzeczywiście nadciągają nasi, będą mieli przynajmniej bezpieczne dojście do fortu. Tylko na przedpolu. Głębiej pod żadnym pozorem się nie zapuszczamy. I nie wychodzimy też z zasięgu naszej artylerii.

– Ile wojska tam będzie?

– Wszystkie kompanie z konwoju. W forcie pozostaje jedynie garnizon.

– Strzelamy na komendę?

Idri przygryzła wargi. Najwyraźniej sama nie wiedziała, jaki wariant przyjąć. Komenda: „Strzelać, widząc cel" spowoduje masakrę wśród własnych żołnierzy nadciągających z lasów. Nikt z nich nie zna przecież dzisiejszego hasła. Z drugiej strony strzelanie wyłącznie salwami na rozkaz sprawi, że ewentualny niespodziewany atak może pozwolić potworom wedrzeć się dość głęboko, zanim dowódca zauważy i zareaguje.

– Strzelajcie z rozumem – wydała w końcu nieregulaminowe polecenie. – Wszystko jasne?

– Tak jest!

– No to do roboty. Za chwilę chcę widzieć wszystkie poza granicami palisady.

– Tak jest!

Dziewczyny rozbiegły się każda do swoich ludzi. Tylko Shen szła trochę wolniej.

– Nanti. Mam prośbę.

– No?

– Przejmij dowodzenie podczas wyprowadzania wojska na przedpole.

– Nie ma sprawy.

Jakoś się udało. Piechocie znowu zdecydowanie lepiej, bo to były dla niej rutynowe manewry, ćwiczone w każdych warunkach. Trochę gorzej poszło siłom specjalnym, ponieważ te indywidualistki nocami ćwiczyły dotąd tylko manewry bojowe, a nie zwykłe przemieszczenia oddziału. Po kilku szturchańcach i wiązkach przekleństw udało się je jednak ustawić na rozmokłych, wysuniętych pozycjach osłaniających lekkie działa. Zaczęło się nużące czekanie w ciemnościach, w przeraźliwie zimnej mżawce, przechodzącej niekiedy w zacinający deszcz. Kiedy wiatr się wzmagał, szum gałęzi zagłuszał wszystkie inne dźwięki. Dziewczyny drżały, nie wiadomo, czy z zimna, czy ze strachu. Od czasu do czasu słychać było tylko stłumione głosy wartowników kontrolujących pozycje.

Ciemna postać, która wynurzyła się z mroku kilka kroków od Shen, powinna z miejsca zarobić dwa strzały na korpus. Na szczęście dziewczyny, które zdążyły wycelować i pociągnąć za spusty, nie ochraniały należycie broni i nie podsypały prochu. Tylko i wyłącznie dzięki dwóm niewypałom chorąży zwiadu dotarła do linii swoich wojsk, ciągle żyjąc. Nanti obsobaczała szeregowych, ktoś podbiegł po oficera, przybyła, dysząc ciężko, stała zgięta, opierając się o własne kolana. Wyprostowała się dopiero na widok Idri, która od razu zgasiła jej meldunek.

– Co tam się dzieje?

– Gdzie?

Dziewczyny, które stały w zasięgu głosu, oniemiały, patrząc z niedowierzaniem.

– No jak to, kurwa, gdzie? Kto zapalił sygnały?

– Nic nie wiem o sygnałach. – Chorąży chwiała się na nogach. – Dajcie pić.

Ktoś podał jej manierkę, do której przypięła się błyskawicznie. Idri czekała cierpliwie, aż tamta znowu będzie mogła mówić.

– Jak się tu znalazłaś?

– Chyba była wielka bitwa...

– Chyba?!

– Wysłano mnie na głębokie rozpoznanie. Razem z kompanią saperów miałyśmy znaleźć bród przez rzekę.

– Przez jaką rzekę, do cholery?

– Nie znam nazwy, nie ma jej na mapach.

Idri przerwała chorążemu ruchem ręki. Lepiej, żeby żołnierze nie słyszały o rzekach bez nazwy ani o czymkolwiek, czego nie było na mapach. Shen jednak, bystra zaraza, domyśliła się, co dzieje się w głowie pani porucznik. Ciekawe, po co i gdzie zapuściły się siły szybkie na taki dystans. Z całą pewnością nie miało to żadnego związku z zaopatrzeniem twierdzy ani doraźnymi działaniami przeciwko potworom. Gdzie się armia pchała? I po co? Jaki był cel tych wszystkich tak potwornie kosztownych działań? Nie sposób tego rozstrzygnąć tu, na polanie.

– I co dalej? – Idri wznowiła indagacje.

– Znalazłyśmy bród. Saperzy zaczęły tyczyć. Zwiad zabezpieczył przyczółek na drugim brzegu.

– I?

– Zapadał zmierzch. Po tamtej stronie rzeki zaczęła się strzelanina. Jako zwiadowcy miałyśmy umacniać przyczółek. Razem z saperami okopały się dwie kompanie. Ale zaatakowali i nas, w nocy. – Chorąży pociągnęła jeszcze kilka łyków z manierki. – Najpierw pojawił się opar trującego dymu. Nie można było zmienić dyslokacji, bo przecież stałyśmy na przyczółku, okopane, miałyśmy bronić brodu. Żołnierze dusiły się, wariowały. Nie dało się wytrzymać w okopach. Dziewczyny zaczęły z nich wyskakiwać. Prosto pod strzały tamtych. Te, którym udało się przeżyć, uciekały przez rzekę do naszych. Ale to głupie. Potwory widzą w nocy, no i były dla nich jak na patelni, i...

– I co dalej? – powtórzyła Idri.

– U nas... wśród tych dziewczyn, które zostały na przyczółku, wybuchła panika. Te wołania, wrzaski rannych i zabijanych, to wycie... Nie wiem. Obrona pękła momentalnie, każda zaczęła gdzieś uciekać w dymie, na oślep.

– A ty?

– Też biegłam przed siebie. O coś uderzyłam, biegłam dalej. Potem skryłam się pod jakimś krzakiem i doczekałam świtu.

– I?

– Usiłowałam wrócić. Pamiętałam, że punkt koncentracji jest przy czwartym forcie, szłam w tym kierunku...

– Bez mapy?

– Zgubiłam mapnik podczas bitwy.

– Mhm... – Idri zerknęła w bok. – Nanti... nie, ty jesteś piechociarką. Shen, zorganizuj trzech żołnierzy. Niech odprowadzą chorążego do fortu.

Shen skinęła głową i walnęła łokciem sierżant, której ciężko było przyzwyczaić się, że teraz na froncie nie salutuje się i nie wrzeszczy „tak jest". Obie odeszły na bok.

– Ale szczęściara, co? – Sierżant patrzyła na chorążego z podziwem. – Przejść przez las wśród potworów...

– A co ty widzisz w jej losie szczęśliwego? – Shen wzruszyła ramionami. – Przecież zaraz ją rozstrzelają.

– Co?!

– No jak? Przyszła do fortu nie wiadomo jakim cudem, zgubiła mapnik, porzuciła broń, porzuciła oddział. Dezercja jak nic, jeśli nie zdrada. Kto może wiedzieć, na czyje ona polecenie mówi to wszystko i po co?

Nanti zatrzymała się zaskoczona.

– Jak to?

– Tyś się chyba nasłuchała tych koszarowych bohaterskich opowieści. Jak to cały oddział ginął, a ostatni żołnierz wyrwał się z okrążenia z testamentem dowódcy i pokonawszy nadludzkim wysiłkiem wszystkie trudności, docierał do koszar, gdzie go witano z radością, winem i śpiewem, chlubiąc jego czyny. Toż on pod płot szedł i kula w łeb za zdradę i dezercję! Od czego, jak myślisz, są siły specjalne i dlaczego nazywacie nas speckurwami?

– Zdradę chyba trzeba udowodnić, prawda? Nie można rozstrzelać ot, tak sobie.

– Ty chyba se jaja robisz? Kula w jej czoło poleci za zgubienie mapnika, który jest, kurwa, własnością armii i za który armia zapłaciła, a potem w naiwności swojej powierzyła ten cenny przedmiot chorążemu. A cholera wie co w środku było. Poza tym porzuciła broń. Nie po to wojsko zapłaciło za karabin i go komuś dało, żeby ten se gubił tak po prostu.

– Przecież się bili...

– I za to, że tam nie została, będzie rozstrzelanie przed frontem wojsk. Szykuj się na ciekawy poranny apel.

Nanti ciągle nie mogła uwierzyć. Shen nie wyjaśniała dalej. Wydała rozkaz trzem dziewczynom, żeby odprowadziły chorążego poza zasięg wzroku żołnierzy w linii. Potem w łeb, na sznurek i do sztabu. Te przynajmniej poszły wykonać rozkaz bez komentarzy.

Wróciły na punkt obserwacyjny. Żołnierzy z rozbitych oddziałów pojawiało się coraz więcej. Tuż przy nich, ciężko dysząc, zwaliła się twarzą do ziemi rosła piechociarka. Dziewczyny przewróciły ją na plecy. Nawet chciała się zameldować. Miała swój karabin. Miała też plecak, zrolowany koc, menażkę i całą masę klamotów, w które wyposażyła ją armia. W związku z tym pojawiła się szansa, że nie zostanie rozstrzelana. Tym bardziej że koleżanki z jej oddziału przybywały coraz liczniej.

– Z daleka? Gdzie bitwa?

– Jaka bitwa? Gonią nas pod strzałami prawie dwa dni.

– A gdzie siły główne?

– Pieprz się! Skąd mam, kurwa, wiedzieć? Pewnie gdzieś za nami.

Rozbitkowie z trudem poddawali się identyfikacji. Powoli i z wysiłkiem Idri usiłowała odtworzyć obraz sytuacji na podstawie meldunków. Wae w tym czasie sortowała rozbitków. Na lewo szły te, które miały karabiny, na prawo te bez broni. Ciekawe, jaka była motywacja tych, co szły na prawo. Może w strachu wydawało im się, że lepiej być rozstrzelanym w ludzkich warunkach, niż zostać zamęczonym w lesie przez potwory? A może też po prostu w panice zadziałały najbardziej prymitywne instynkty samozachowawcze? Hm, z tego wniosek, że instynkty samozachowawcze są raczej samozgubne.

Te z dziewczyn, które szły na lewo, podlegały dodatkowej selekcji. Chodziło o to, czy oprócz karabinu miały plecak, koc i całe oporządzenie, jakie dostały. W każdym razie wszystkie miały pewność, że przeżyją tę noc. Te, które zostaną skierowane do karnych kompanii, zaczną kląć dopiero jutro.

Nagle Idri zwierzyła się Nuk:

– Wiesz, mam wrażenie, że ta dziewczyna, która dotarła do nas pierwsza, mówiła prawdę. Ta chorąży, pamiętasz?

Nuk skinęła głową.

– A dlaczego?

– Bo widzisz, te tutaj to rozbitkowie z zaledwie trzech kompanii piechoty. Podczas jakiejś bitwy to wojsko zostało odłączone od sił głównych. I tak potyczką po potyczce jakby je kierowano do czwartego fortu.

– A po co?

– Widzisz, prawdziwa bitwa, ta, w której brała udział chorąży, odbyła się gdzieś dalej. I ta durna baba mogła dotrzeć tutaj naprawdę sama, przypadkiem tuż przed momentem, kiedy zaczęły przybywać te z piechoty.

– Dalej nie kumam.

– No, to proste. Za nimi – wskazała rozbitków – nie ma żadnych sił głównych. Te wystawione znaki z prośbą o korytarz, te resztki wykrwawionych oddziałów... to pułapka!

– O kurwa! Fakt!

– Chcą wyciągnąć resztę sił z fortu i zwabić do lasu.

– Ale to by znaczyło, że... – zaczęła Wae, lecz bała się mówić dalej.

– Że nasze siły główne już nie istnieją. Zostały rozbite w tej bitwie nad rzeką, o której mówiła chorąży – dokończyła Idri. – A teraz potwory chcą nas wciągnąć w pułapkę. Chcą dorwać resztę korpusu.

– O Bogowie! – wyrwało się Shen. – Trzeba o tym powiedzieć dowódcy!

Idri spojrzała na nią z wyraźnym zaciekawieniem. Wae z lekceważeniem, jedynie Nuk objęła koleżankę ramieniem i przyjaźnie palnęła w twarz.

– Tak, tak – tłumaczyła łagodnie. – Oczywiście, że trzeba powiedzieć pani generał. I koniecznie trzeba dodać, że generał ma się natychmiast skonsultować ze wszystkimi kapralami w tej armii oraz wysłuchać ich opinii na temat sytuacji, a także strategii, którą należy przyjąć. Trzeba wyraźnie powiedzieć, że jeśli się generał z kapralami nie skonsultuje, to nie wygramy tej wojny.

Chichotały wszystkie. Idri, Wae, Nuk, nawet Nanti. Miały nieprawdopodobną uciechę.

– Przestańcie ze mnie kpić – zaperzyła się Shen. – To dowództwo w ogóle się nie dowie, że to pułapka?

– Dostanie mój raport – śmiała się Idri. – Ale co se generał pomyśli o sytuacji, to jej sprawa. Nie moja.

– Kiedy dostanie raport?

– Rano, gdy go napiszę.

Nuk odciągnęła Shen na bok.

– Mam jeszcze trochę wina, napij się, może otrzeźwiejesz. – Podała dość spory bukłak. – Zaraz zacznie świtać, robi się cholernie zimno.

Obie zaszyły się pod artyleryjską osłoną, gdzie nikt nie patrzył, co robią. Jeden łyk, przerwa i kolejny. Po kilku ta parszywa noc zaczęła się wydawać nawet jakby do zniesienia.

Niestety, złudne uczucie ciepła ulotniło się wraz z siąpiącym, szarym i zimnym świtem. Sąd polowy wraz z akcesoriami, czyli drewnianym stołem i ławą, ulokował się przed frontem oddziału. Odważne suki. Stołu od niezbyt odległej ściany lasu nie dzieliło już nic. Ale też sędziowie nie zamierzali tam spędzać całego dnia, sprawy do rozpatrzenia okazały się bardzo proste. „Rozstrzelać, rozstrzelać, karna kompania, rozstrzelać..." Nie było nawet sakramentalnego: „Co macie na swoją obronę? Tylko nie gadajcie więcej niż trzy słowa, bo cierpliwości nie mam, a i tak niczego nie zmienicie". Nie. Po co? Z szeregowymi sprawa prosta. Rozstrzeliwano je po sześć, na oczach wszystkich. Ciała leżały, gdzie upadły. Najgorzej miała biedna chorąży, która dotarła do nich pierwsza. Ją trzeba było najpierw zdegradować. Zdarto więc z dziewczyny mundur, zakneblowano i poprowadzono nagą przed frontem oddziałów, żeby każda żołnierz mogła z bliska zobaczyć, jak wygląda zdrajca. Perfidnie nie skrępowano jej nawet rąk, żeby nie wiedziała, czy ma się zasłaniać, czy w tej sytuacji to już bez znaczenia. Potem poprowadzono tam, gdzie dwóm żołnierzom wręczano właśnie medale, kazano klęknąć i opuścić głowę. Podoficer piechoty strzeliła chorążemu w potylicę.

Stół i ławę należącą do sądu wyniesiono sprzed oczu zebranych. Żołnierzy z rozbitych jednostek skierowano do innych oddziałów jako uzupełnienia, a potem pani major w imieniu dowódcy kazała się ustawić do wymarszu.

Shen spanikowana spojrzała na panią porucznik. Idri nie zdążyła napisać raportu, nawet nie zaczęła. Nie miała kiedy.

– Bogowie... idziemy prosto w pułapkę!

Nikt jej nie odpowiedział.

ORP „Sęp" wraz z towarzyszącą mu flotyllą płynął mniej więcej na południe, z lekkim odchyleniem ku zachodowi, powtarzał więc z grubsza trasę, którą odbył ORP „Dragon". Rejs jednak nie odbywał się idealnie po prostej. Lotniskowce były bowiem chyba drugimi po żaglowcach okrętami tak bardzo uzależnionymi od wiatru. A wiało ze wschodu. Co pewien czas okręt musiał zmienić kurs, ustawić się pod wiatr i rozpędzić do maksymalnej szybkości, żeby przyjąć na pokład lub wysłać jakiś samolot. Po wykonaniu wszystkich operacji pokładowych lotniskowiec znowu zwalniał i powoli wracał na poprzedni kurs. Tak było i tym razem, z drobną jednak różnicą. W kilkanaście minut po zmianie kursu do kabiny Tomaszewskiego zapukał chorąży.

– Panie poruczniku, pan admirał prosi o chwilę rozmowy.

Tomaszewski podniósł się z krzesła. Admirał, psiakrew, chorąży nie raczył wymienić nazwiska. Przecież wszyscy powinni wiedzieć, jacy admirałowie są właśnie na pokładzie lotniskowca. Sprawdził jeszcze w lustrze, czy koszula dobrze leży i czy krawat idealnie zawiązany. Szlag!

No i znowu błogosławił, że znajduje się na tak wielkim okręcie. Tu były windy, nie musiał krążyć po jakichś ciasnych zakamarkach. Błyskawicznie dotarli na pokład i co śmieszniejsze, ten poziom okazał się końcem podróży. Tomaszewski poczuł ciarki przebiegające mu po plecach.

– Panie poruczniku – chorąży ręką wskazał kierunek – pan admirał czeka tam.

Tomaszewski oszołomiony od razu jednak rozpoznał charakterystyczną sylwetkę. Prawie marszowym krokiem przebył odległość kilkunastu metrów, wyprężył się, stuknął obcasami i zasalutował.

– Panie admirale, porucznik Tomaszewski...

Tamten odwrócił się, niedbale oddając salut.

– Krzysiu! – Admirał Joachim Wentzel, przez rodzinę z racji podkreślania swych niemieckich korzeni nazywany oberwujkiem, uśmiechnął się szeroko. – Jak miło cię widzieć w zdrowiu.

Tomaszewski zmienił postawę z zasadniczej na rodzinno-czujną. Nigdy nie wiadomo, co wujkowi odbije. Widział go już w akcji, kiedy na rodzinnym przyjęciu musztrował swoją siostrę jak bosmana, który nie przypilnował mycia pokładu.

– Ja również się cieszę.

– Że też los cię tu zaniósł, aż na południową półkulę.

– Też się dziwię. Ale że... ty tu jesteś? – Tomaszewski czuł się niezręcznie, kiedy miał mówić do wuja na ty, czego admirał w sytuacjach prywatnych bezwzględnie wymagał.

– No widzisz. Tak się wszystko poplątało... – Wentzel ręką wskazał kierunek. Ruszyli wzdłuż burty, a właściwie ukrytych tuż pod poziomem pokładu stanowisk artylerii przeciwlotniczej. – Wybacz, że cię tak ciągam na wietrze niby bez potrzeby, ale uwierz mi, potrzeba jest. W każdym z pomieszczeń może być podsłuch. A najmniejsza szansa, żeby usłyszeli, jest jak zwykle na wygwizdowie.

– A kto chciałby słuchać?

– Sam nie wiem. – Admirał podniósł dłonie w obronnym geście. – Sam nie wiem. A sprawę mam bardzo tajną.

Tomaszewski ledwie dostrzegalnie wzruszył ramionami. Po chwili dostrzegł cel ich pieszej podróży. Stolik nakryty śnieżnobiałym obrusem i dwa plażowe krzesełka w najbardziej odległym miejscu pokładu startowego. Obok, choć w znacznej odległości, czekał steward w białej marynarce, z wykrochmaloną szmatą na zgiętym przedramieniu. No tak. Admirałowie zwykle traktowali marynarkę wojenną jak prywatny folwark.

– Twój raport wstrząsnął sztabem, możesz mi wierzyć. Awansują cię w trybie nadzwyczajnym. Już mógłbym ci zmienić papiery i pagony, ale jakoś tak głupio, żeby własny wujek macał cię kordem po naramiennikach. Co by ludzie powiedzieli?

Tomaszewski bez słowa skinął głową, a Wentzel kontynuował:

– Zapoznałem się z nim i przyznam, że też jestem pod wrażeniem. Jak można w tak nieprawdopodobnie krótkim czasie zebrać tak wiele i tak istotnych, konkretnych informacji. A w każdym razie lektura sprawiła, że przyleciałem aż tutaj, choć daję słowo, nie było to łatwe.

– Domyślam się. Jak przebyłeś góry?

Oberwujek zatrzymał się, ważąc coś w głowie.

– Za chwilę. – Skinął na stewarda i wykonał zapraszający gest. – Koniaku?

– Z największą przyjemnością.

Zajęli krzesełka, obaj odruchowo ustawiając je z wiatrem, steward napełnił kieliszki. Admirał poprosił, żeby zostawił butelkę, i odprawił go poza zasięg głosu.

– Na zdrowie. – Pierwszy podniósł pękate szkło.

Tomaszewski zastanawiał się, na ile to może być prowokacja (nie służbowa oczywiście, ale rodzinna) albo test: jak oficer niższy rangą zachowa się nakłaniany do picia alkoholu na służbie. Wzdrygnął się lekko – oberwujek mógł mieć takie pomysły, później długo mógł też pokpiwać z siostrzeńca w zamkniętym gronie. Wzruszył ramionami i spróbował trunku. Będzie wpierał, że przecież nie był na służbie, a koniak smakował doskonale.

– No cóż. – Admirał, na co wskazywała jego mina, też uznał, że serwowane na lotniskowcu trunki są wybitnej jakości. I najwyraźniej nie przywiózł butelki ze sobą. Najprawdopodobniej pochodziła więc z zapasów kabinowych wyższych oficerów z dowództwa okrętu. – Będę chyba musiał zacząć od samego początku.

– Tak byłoby istotnie najlepiej – zgodził się skwapliwie Tomaszewski.

– Pamiętaj jednak, że otrzymasz bardzo uproszczoną wersję tego, co się stało. Właściwie tylko jakiś ersatz, bryk, konspekt, który w żaden sposób nie oddaje rzeczywistości. Historia, którą ci opowiem, nie jest linearna, nie składa się z jednego wątku, tylko z miliona przeplatających się spraw.

– To zrozumiałe.

– Czyżby? – Admirał miał wątpliwości co do swojego talentu narracji.

– Wezmę poprawkę.

– Dobrze. Zacznijmy więc od tego, co nie umknęło uwadze nikomu. Na pewno zauważyłeś, że Rzeczpospolita nie ma się ostatnio za dobrze.

Tomaszewski skinął głową.

– To całe zamieszanie z przemysłem, te strajki, lokauty, pikiety, a do tego zacofanie...

– A Centralny Okręg Przemysłowy?

– No i cóż znaczy COP wobec światowego kryzysu, który dodał swoje? Do recesji, ubóstwa, bezrobocia? Cóż jeden COP może zrobić? – Wentzel potarł brodę i upił kolejny łyk koniaku. – Zresztą nie w tym celu został wybudowany.

– A w jakim? – Tomaszewski aż poderwał się z krzesła. – To nie miał być właśnie środek na wyjście z kryzysu?

– Miał być – zgodził się admirał. – Ale nie taki, o jakim myślisz.

– Hm, chyba czeka mnie popołudnie pełne zdziwień, nieprawdaż?

– Owszem. A powiedz mi, jak się napędza koniunkturę? Jak można zwalczyć kryzys?

– Zamówieniami rządowymi. Autostrady, wielkie tamy, nowe porty.

– A tak naprawdę? Bo wszystko to, o czym mówisz, już zrobiono, i to był tylko plasterek na kryzys.

Tomaszewski uśmiechnął się sceptycznie.

– Tak naprawdę kryzys mogą zlikwidować jedynie zbrojenia. Zamówienia rządowe związane ze zbrojeniami.

Tym razem uśmiechnął się admirał.

– A skąd wziąć pieniądze na zbrojenia?

– O matko! – wyrwało się Tomaszewskiemu. – Mam nadzieję, że nie planujecie nowej wojny.

– Taaak... Wojna istotnie mobilizuje społeczeństwo. A poza wojną?

– Tanie surowce. – Stało się jasne, do czego zmierza oberwujek. – Kolonie zamorskie i tanie surowce. To jest najprostsza recepta na kryzys.

– Podoba mi się twój tok myślenia. I nie pytam już, skąd wziąć zamorskie kolonie z ich surowcami, skoro wszystkie zajęte. Nie pytam. – Admirał rozejrzał się wokół ukontentowany. – Czyż bowiem odgrodzona górami sięgającymi w kosmos półkula południowa nie wydaje się każdemu jedynym rozsądnym rozwiązaniem?

Tomaszewski tylko westchnął.

– I tak trzask-prask przeszliście przez góry i... – zawiesił głos. – Jak to się udało?

– I tu z wątkiem zasadniczym splata się druga historia. Centralnego Okręgu Przemysłowego.

– Cel jego powstania jest ogólnie znany...

– Cele jego powstania oczywiście są. Cel podstawowy już nie, drogi chłopcze. Otóż nasi naukowcy odkryli pewną rzecz. Tak tajną, że nawet w rozmowie z tobą nie wymienię nazwy urządzenia, które powstało na podstawie pewnego nieprawdopodobnego obliczenia.

– Co to jest?

Admirał uśmiechnął się tajemniczo.

– Nazywamy to Dużym Jasiem, Agregatem, Maszyną. Wiele jest nazw, żadna jednak nie zbliża do zrozumienia istoty Urządzenia Ostatecznego.

Tomaszewski podniósł swój kieliszek. Wiedział, że nawet wuj mu nie powie, o co chodzi, ale przecież nie był głupi. Pamiętał książkę czeskiego pisarza, w której autor opisał fantastyczną historię. Podczas wybuchu wulkanu na jakimś zapomnianym przez ludzi archipelagu naukowcy odkryli nowy materiał wybuchowy. Sto razy silniejszy od trotylu. Materiał ten nazwano od imienia wulkanu, a książka jest opisem dramatycznych zmian, jakie ten środek spowodował na świecie. No i co tu ukrywać? Co nazwano Agregatem? Co umożliwiło RP przebicie się przez Góry Pierścienia? Westchnął ciężko. Jakiś nieprawdopodobny materiał wybuchowy. Sto razy silniejszy? Tysiąc? Przypomniał sobie dyskusję z kwatermistrzem na ORP „Dragon" dotyczącą idiotycznych pionowych wyrzutni na okręcie. I nawet dobrze się domyślili, że mogą one miotać powietrzne torpedy. Wtedy pomysł wydał im się bezsensowny. Bo jak: podpłynąć do obcego portu i wystrzelić na niego jedną tonę materiałów burzących? Śmieszne! A kilotonę? Megatonę? Kilka megaton? To już się robiło cholernie mało śmieszne. Ponure nawet. A nazwa? Cóż, Polska wulkanów nie miała, żeby przyjąć jakąś śliczną, poetycką. Środek nazwano więc Dużym Jasiem. Może nie najładniej, ale też adekwatnie.

No i oberwujek miał rację. Za długo utrzymać tego w tajemnicy się nie da. Zabronienie dostępu innym oznacza wojnę światową w najgorszym układzie – Polska kontra reszta świata. Już teraz więc trzeba szukać sojuszników, powoli dopuszczać do tajemnicy, tworzyć unie. Nie można dopuścić do wojny, bo nawet przy polskiej przewadze oznaczać to będzie koniec cywilizacji ludzkiej na świecie. No i słusznie. RP musiała teraz rozsiąść się tutaj jak najszybciej, zaklepać najcenniejsze złoża (ale najpierw je znaleźć!) i wejść w kontakty z tutejszymi mocarzami lub tych mocarzy stworzyć. Hm.

– Skąd wiedzieliście, co tu zastaniecie?

– Nie wiedzieliśmy. Tuż przed ostatecznym otwarciem przejścia przez Góry Pierścienia przygotowaliśmy zwykłą wyprawę ekspedycyjną. Piechota morska, lekkie jednostki armii, właściwie głównie zwiad, trochę lotnictwa, chwilowo na lotniskowcu, do czasu zdobycia czegoś na lądzie.

– A gdybyście zastali cywilizację bardziej rozwiniętą technicznie?

– No... zaczęlibyśmy rozmowy. Dość komfortowe, zważywszy fakt posiadania Dużego Jasia.

Tomaszewski roześmiał się nagle.

– Niby tak... Ale jeśli oni też posiadaliby Agregat?

– Jeśliby mieli, to dlaczego nie zrobili przejścia przez góry?

– No fakt, prawda. – Kiedy admirał podniósł butelkę, Tomaszewski podsunął swój kieliszek.

Kątem oka obserwował marynarzy przygotowujących do lotu ogromny zwiadowczy dwupłatowiec. Samolot miał trzy silniki i niewyobrażalny zasięg. Rzadko widywało się samoloty tej wielkości startujące z lotniskowca. Ciekawe, jak oni rozwiązali start maszyny z tak ogromną ilością paliwa z tak krótkiego pokładu. Po chwili jednak kwestia rozwiązała się sama. Marynarze zaczęli mocować pod skrzydłami rakiety wspomagające.

– Zmieniając temat: „Dragon” dostał się do przejścia w górach przypadkowo? Z powodu krokomierza płynęliśmy złym kursem i...

Admirał skinął głową.

– I wpadliście w silny prąd, który się wytworzył po ostatniej eksplozji. Teraz już przejście jest spokojne, prądu nie ma.

– Jak to możliwe?

Wentzel wzruszył ramionami.

– Nie jestem hydrologiem. W każdym razie, wracając do okrętu podwodnego... Domyślasz się, że nikt z załogi nie wróci do domu przez bardzo długi czas.

– To oczywiste. Z powodu tajemnicy każdy, kto cokolwiek wie czy widział, pozostanie po tej stronie gór bardzo, bardzo długo.

– Właśnie. Dlatego wybierz sobie z załogi „Dragona" tych, z którymi chciałbyś płynąć dalej. Już na innej jednostce.

– Gdzie mam płynąć?

Admirał uśmiechnął się, kręcąc głową.

– A wyobrażasz sobie wyprawę odkrywczą bez jedynego człowieka, który zna miejscowy język, i tej jego szamanki? No co ty, chłopcze, chory jesteś? Myślisz, że cię ktoś zwolni z tego obowiązku? – Wentzel podniósł kieliszek. – No! Na zdrowie! Za twój awans.

Tomaszewski chętnie wypił, i to ogromny łyk. Znakomity koniak rozlewał się w jego żyłach, spowalniając nerwy, a myślom nadając lotność.

– Twój raport to niespodziewany dar od jaśnie pana Przypadku. Zrobił rewolucję w sztabie i myślę, że RP z porucznika, którym jesteś, zrobi z ciebie podporucznika!

– Proszę?

– Z porucznika zrobią z ciebie podporucznika. – Wentzel powtórzył zadowolony z efektu, który wywołał. – Ale podporucznika komandora! – roześmiał się. – Awans o dwa stopnie, z pominięciem stopnia kapitana. Ha, ha, ha...

– Kiedy rusza wyprawa?

– No przecież od samego początku jest w drodze, a wszystko od dawna przygotowane. Jedyne, co się zmieniło, to że dzięki tobie teraz mamy już konkretny cel i miejsce, gdzie założymy bazę, od której zaczniemy.

– Rozumiem.

– Niczego nie rozumiesz. Jako tłumacz jesteś na początku bezcenny i będziesz w miejscach, gdzie będą się działy najbardziej istotne sprawy. Ale pamiętaj też, że jesteś pracownikiem wywiadu marynarki. Marynarki! – powtórzył Wentzel z naciskiem. – To ja chcę wiedzieć wszystko pierwszy! Ja i tylko ja.

– Jakoś zwą ten kierunek w filozofii... Czy nie solipsyzmem?

– Nie bądź taki dowcipny. Bardzo dobrze, że poza zależnością służbową obowiązuje cię także rodzinna. Bo zadanie, które dostaniesz, jest tak poufne, że nie wymyślono jeszcze nazwy na tak wielki stopień tajności.

Tomaszewski zerknął na admirała, ale z twarzy oberwujka nie można było wywnioskować, czy mówi poważnie. Coś jednak musiało być na rzeczy, bo Wentzel umilkł na widok zbliżającego się chorążego. Niedbałym ruchem ręki zgasił meldunek, wziął sporą skórzaną teczkę i pokwitował szybko.

– Jaka to misja? – spytał Tomaszewski, kiedy chorąży oddalił się poza zasięg wzroku.

– Później. – Wentzel wyjął z teczki małą kartkę. – Wiceadmirał prosi, żebyśmy zeszli z pokładu, bo zaraz będzie startował samolot wspomagany rakietami. Chyba nie wiedzą, co się może stać przy okazji.

Wstali obaj, czując pod nogami, że lotniskowiec zaczyna zmieniać kurs.

– Trzymaj. – Admirał podał teczkę Tomaszewskiemu. – Masz tu wszystko, co musisz wykuć na blachę.

– Co to jest?

– Zdjęcia lotnicze miejsca lądowania przy tym zapomnianym porcie, szkice map okolicy wraz z rzeźbą terenu i takie tam. – Wentzel zerknął na samolot przygotowywany do startu. – Wieczorem dostaniesz zdjęcia lotnicze większych obszarów doliny Sait.

Wojsko posuwało się naprzód w żółwim tempie, kierując się tylko mniej więcej na wystawione w nocy znaki. Jeśli jednak siły szybkie mogły, choćby teoretycznie, zachować manewrowość w każdym terenie, to z całą pewnością nie można było tego powiedzieć o siłach wolnych. Po zejściu z drogi to, co pozostało z korpusu, przedzierało się w zasadzie krok po kroku i praktycznie zygzakiem. Kierunek w dużym stopniu nadawały drzewa, a konkretnie – ich gęstość. Gdzie łatwiej było wyrąbać drogę siekierami, tam mniej więcej posuwała się czołówka. Piechota radziła sobie jeszcze jako tako, ale artyleria, choć posiadała jedynie lekkie działa, grzęzła w każdym wykrocie. Niewielką pociechą był fakt, że w razie czego mogły okopać się praktycznie wszędzie. Na brak budulca nie sposób było narzekać.

– Jasny szlag! – Shen rozglądała się niepewnie po chaszczach wokół. – Jak tutaj na nas napadną, to nawet uciekać nie ma gdzie. Bo kiedy się dotrze do swoich, to rozstrzelają.

– Sił specjalnych tak szybko nie rozstrzeliwują – roześmiała się Nuk. – To my rozstrzeliwujemy.

– A ja? – spytała Nanti. Była młodym sierżantem. Zaczynała łapać wisielczy nastrój dominujący we wzajemnych stosunkach panujących między żołnierzami sił specjalnych. – Ja jestem z piechoty.

– No to cię rozstrzelają. Znaczy... – Nuk chwyciła piechociarkę za kark i przyciągnęła bliżej. – Ja ciebie osobiście rozstrzelam, jeśli masz takie życzenie.

– Wolę, żeby ty, a nie Shen, bo ona zawsze skacowana i jej ręce drżą strasznie. Może nie trafić dobrze.

– To nie od picia mi drżą, durna. Zestrachana jestem do zesrania i telepie mnie po prostu z przerażenia!

– A... – westchnęła Nanti. – W takim razie się napij.

– Nie mam czego...

Głowa idącej dziesięć kroków przed nimi artylerzystki rozpadła się nagle, kiedy uderzył w nią oszczep. Porucznik tuż obok nawet otworzyła usta, żeby coś krzyknąć. Po chwili, obracając się wokół własnej osi, zrobiła upiornego zeza, patrząc na strzałę sterczącą jej z gardła. Ten zez utkwił w pamięci Shen, paraliżując na chwilę.

– Padnij! – krzyknął ktoś z boku.

Nie, tylko nie to! Obie razem z Nuk wiedziały, że byłby to koniec artylerii.

– Rozwinąć się! – ryczała Nuk. – Szykować działa!

– Nanti! – Shen popchnęła sierżant. – Osłoń armaty tym plutonem, który im obiecałam.

Runęła do reszty wojska.

– Nie strzelać! Nie strzelać, do kurwy nędzy, pod żadnym pozorem!

Nie mogła doprowadzić do bezsensownej utraty amunicji, w której to piechota była dobrze wyszkolona.

– Pozycje obronne! Zająć pozycje, ubezpieczać się! – Biegła wzdłuż formującej się poszarpanej linii. – Strzelać, tylko kiedy widzicie cel, w który możecie mierzyć!

Ale jak to wytłumaczyć spanikowanemu żołnierzowi? Strach i rutyna sprawiły, że kilka dziewczyn wystrzeliło.

– W co strzelasz?! – rozwrzeszczała się Shen. – No w co?! W liście, w krzaki, w pnie drzew?! No w co strzelasz?

Znowu kilka karabinów wypaliło w bezwładnej salwie. Bogowie, wszystko się wali! Wszystko się wali naraz! Shen nad niczym nie miała kontroli. Nagle, nie wiedzieć czemu, przypomniała sobie swój los, mały domek we wsi nad jeziorem. Przypomniała sobie cały swój ból, wszystkie rzeczy, które chciała dać im, rodzicom, siostrom, przypomniała sobie całe swoje poświęcenie. I pustkę. Niemoc. Ona nic nie dostała. Niczego nie wyniosła. Była pusta.

A może...? Miała się na czym oprzeć czy nie? Miała? Na wierze we własne przemyślenia czy na wczuwaniu się we własny ból? W ciągle jątrzące się rany. W niepoukładanie, w wieczny nieporządek, wicher rozwalający jej malutki światek.

Krótka chwila olśnienia. Przecież stamtąd uciekła. Opuściła niegościnny świat dzieciństwa. Potrafi więc być w ruchu, potrafi walczyć.

Dziewczyna obok wystrzeliła z karabinu. Shen chwyciła ją za kołnierz i popchnęła do przodu, ku zaroślom, skąd nadlatywały strzały.

– Co mówiłam?! – wrzeszczała. – Nie strzelaj, jak nie widzisz celu!

Pchała oszołomioną piechociarkę, sama kryjąc się za nią. Coraz bliżej krzaków. Jedna ze strzał świsnęła tuż obok. Shen usiłowała się wpasować i zniknąć za swoją żywą tarczą.

– Teraz cię zabiją, bo nie masz już z czego strzelać, dupo! Czujesz to? Czujesz to, powiedz!

Dziewczyna z przodu dopiero teraz zrozumiała. Usiłowała się wyrwać, ale Shen trzymała mocno. Czuła, kiedy tamta dostała w brzuch, ale pchała wrzeszczącą dalej. Do zarośli. Nie wiedziała nawet, że niektóre dziewczyny z tyłu wystawiają głowy zza prowizorycznych osłon, żeby lepiej widzieć. Żywa tarcza dostała w szyję, a po chwili jeszcze gdzieś w korpus. Upadła, a Nuk, która podbiegła z tyłu, ścięła Shen z nóg. W ostatniej chwili.

– Ale akcja! – dyszała przyjaciółce w ucho. – Ale, kurwa, akcja! Znakomicie! – Zaczęła się czołgać, ciągnąc Shen w tył. – Zamroczyło cię, co? Taki szał? No, no... – powtarzała w podziwie. – Aleś dała przykład!

Dociągnęła Shen do linii własnych żołnierzy i postawiła na nogi za osłoną przy zabitym mule.

– Otrząśnij się i zbierz myśli. – Przytknęła jej do ust bukłak z winem na czarną godzinę. – Zbierz myśli, bo przyszły rozkazy.

Shen przełykała alkohol bezwiednie. Zaczynało do niej docierać, jak patrzą na nią żołnierze. O dziwo, w żadnej ze ślicznych par oczu nie zauważyła ani oburzenia, ani odrzucenia. Widziała tam strach, ale i podziw.

– Zbierz myśli – powtórzyła z naciskiem Nuk. – Ja muszę wracać do swoich.

– Już, już... Jakie rozkazy?

– Skup się. Piechota ma zaatakować, odepchnąć ostrzeliwujących i zająć jakiś punkt oporowy. Żebyśmy mogły się tu przegrupować. Zrozumiałaś?

– O kurwa.

– Dasz radę. Dasz radę, siostro! Dasz radę. Atakuj, czym masz, odepchnij i zajmij coś, co będzie się nadawało do obrony.

– Zrozumiałam.

– No to jeb do przodu! Ja muszę wracać.

Nuk pchnęła koleżankę w kierunku własnych żołnierzy. Shen nie dała sobie chwili luzu, od razu zaczęła wrzeszczeć:

– Te, które nie mają nabitych karabinów, do przodu, bronić linii gołymi rękami! Reszta formować plutony. Nanti! Nanti!

– Jestem.

– Weźmiesz pierwszy pluton, dobiegniesz do tych zarośli i zabijesz potwory, strzelając z przyłożenia! Potem bagnetami.

– Ale...

– Dasz radę. Będziesz miała osłonę.

Ruszyła w stronę stanowisk artylerii. Dopadła jakąś kapral.

– Słuchaj, durna dupo, żyjesz, bo dałam wam pluton osłony na rozłożenie klamotów. Teraz muszę go zabrać, a w dodatku chcę dwa działa. Mają posuwać się tuż za mną.

– Jak?

– Pchać ręcznie.

– Ale jedynego oficera zabili!

– Mianuję cię głównodowodzącą imperialnej armii, durna dupo! Dwa działa, pchacie je własnymi rękami, amunicję do plecaków i jazda.

– Nie mamy plecaków.

– To zabierzcie zabitej piechocie.

Wróciła na swoje stanowisko.

– Pluton drugi i trzeci!... Przygotować się do ognia opresyjnego! Nie strzelać salwami, kretynki. Tylko nie salwami! Bo rozstrzelam osobiście!

Nachyliła się do przyczajonej Nanti.

– Gotowa?

– Zesrana i gotowa, tak jest!

– No to...

– Do ataku! – Nanti poderwała swój pluton.

– Ognia! – ryknęła Shen.

Ogień opresyjny to nie salwa. Dziewczyny strzelały „na odliczenie". Kiedy wystrzeliły „jedynki", cała reszta mówiła „raz". Potem „dwa" i tak dalej. Gdy wypadł numer kolejnego żołnierza, naciskał spust. Naraz padały więc maksimum trzy strzały. Mała intensywność w porównaniu z salwą, ale dłuższy czas. A kiedy kule ciągle świszczą koło uszu, to mało który z wrogów odważy się wystawić głowę z kryjówki. Ogień opresyjny, żeby spełnić swoje zadanie, musi być bardzo gęsty. Sześćdziesiąt dziewczyn z kompanii musiało wystrzelić swoje ładunki w bardzo krótkim czasie. Wystarczająco długim jednak, żeby umożliwić plutonowi Nanti dobiegnięcie do zarośli i zmasakrowanie wszystkiego, co żyło sobie tam dotąd.

– Ładuj! – ryknęła Shen. – Dwa działa do przodu! Ruszać się!

Wokół trwała masakra. Dziewczyny umierały od strzał ukrytych w zaroślach strzelców. Jedynie ich odcinek lasu był czysty i zabezpieczony. Shen nagle, w tym morzu krwi, zamieszania, paniki, zrozumiała dwie rzeczy. Po pierwsze: dziwna taktyka chłopca ze snu się sprawdza. Po drugie: wrogimi oddziałami nikt nie dowodzi! Potwory strzelały do dziewczyn z prawej i z lewej strony. Nikt nie starał się zatkać luki, którą w szeregach napastników stworzył pluton Nanti. Nikt! Oni nie byli dowodzeni! Strzelali jak partyzanci: każdy do tego, co stał naprzeciwko! Bogowie...

– Pluton drugi i trzeci... Powstań! Naprzód marsz!

Dziewczyny niepewne, rozglądając się wokół, ruszyły w stronę zarośli. Wydawało się niemożliwe, żeby nikt do nich nie strzelał. Wydawało się niemożliwe... Po prawej i lewej stronie żołnierze padały jak muchy, z regularnością, z jaką kafar wodny kruszył skały na budowę drogi. Ciężko było wstać zza osłony czy choćby wyprostować się, żeby nabić karabin i nie dostać. Dodatkowo uporczywa mżawka sprawiała, że było bardzo dużo niewypałów. A oddział Shen dotarł do gęstwiny ze śladowymi stratami na obu krańcach swoich linii.

– Nanti!

– Jestem!

– Co się dzieje?

– No nie wiem, kurwa. Jest tylko cienka linia napastników wzdłuż drogi. – Sierżant rozglądała się, choć drzewa nie sprzyjały obserwacji. – Chyba że mają coś w głębi.

Shen przygryzła wargi. Też rozglądała się odruchowo, bardziej z nerwów, niż spodziewając się cokolwiek dostrzec. Brak jakiejkolwiek akcji przeciwko skrzydłom jej kompanii upewnił ją, że wrogim wojskiem po prostu nikt nie dowodzi.

– To jeszcze nie jest prawdziwa bitwa – zawyrokowała po chwili.

– Co ty pieprzysz?

– Podobno potwory widzą po ciemku.

Nanti wzruszyła ramionami. Też to słyszała. Ale jak każdy, kto z nimi nie walczył, wkładała między bajki rodzące się w umysłach żołnierzy przytłoczonych mrokiem wielkiego lasu. Schyliła się nagle, a potem uklękła nad trupem potwora. Delikatnie odchyliła mu powiekę.

– Widziałaś? – Skrzywiła się z obrzydzeniem. – Oko jest całe czarne. Bez białka.

– Eee... Widziałam to już na targu w miasteczku. Tam trzymali potwora w klatce.

– Patrz. – Nanti rozchyliła wargi trupa. – Ma kły!

– No i co z tego?

– Zwierzęta, które mają kły, bardzo dobrze widzą w nocy.

– No to jednak racja. Widzą po ciemku.

Shen podniosła się i gestami, nie chcąc wydawać rozkazów krzykiem, zaczęła formować wojsko.

– Co robimy? – Nanti wstała również.

– Wykonujemy rozkazy. Znowu poprowadzisz pierwszy pluton.

– Gdzie?

– Tam, gdzie trochę wyżej.

Shen urodziła się w wiosce rybackiej. Na wodzie znała się sto razy lepiej niż na sprawach lasu. No ale drzewo trzeba było skądś brać. A weźmiesz mokre, świeże, to zaraz cię gajowy oskarży, że zdrowe drzewo niszczysz, cudze kradniesz. Kara sroga, nie wywiniesz się łatwo. Nauczyła się znajdować miejsca z odpowiednim drewnem. A właściwie nauczono ją – dobrze wiedziała, jak znaleźć niewielkie wzgórza nawet w gęstym lesie, i to od dziecka. W kilku miejscach odgarnęła posusz, pomiętosiła glebę.

– Tam. – Wskazała ręką kierunek. – Weźmiesz pierwszy pluton, zatoczysz łuk i wyjdziesz im na tyły. Ja zajmę stanowisko na wzgórzu, nagoń ich na mnie.

Nie zdążyła skończyć, kiedy potwory, które wreszcie zorientowały się, że ktoś zajmuje pozycje blisko środka ich linii, uderzyły wściekle od prawej. I bardzo dobrze.

– Wycofywać się – krzyczała Shen. – Wycofywać się!

Kompania ruszyła w tył, w głąb lasu, osłaniając dwa lekkie działa toczone przez dziewczyny z artylerii. Pierwszy pluton oderwał się od nich i nie niepokojony rozpoczął manewr głębokiego obejścia.

– To tylko chłystki, młodziki, niedoświadczone bachory – uspokajała swoich żołnierzy Shen. – Potwory wysłały je, żeby nabrały doświadczenia. To nie są ich regularne oddziały! No i my ich nauczymy. – W myślach oceniła czas i rosnącą wraz z nim euforię potworów na widok cofającego się wojska. Nagle krzyknęła głośniej: – Całość robi stop! Wycelować działa! Nie strzelać, nie strzelać!

Czekała, trzęsąc się z nerwów, ale przynajmniej dla ludzi wokół zdołała jakoś udawać spokój. Przynajmniej ręce nie drżały jej tak potwornie jak na drodze.

– Piechota strzela, widząc cel! Armaty na moją komendę... – zawiesiła głos, wytrzeszczając oczy aż do bólu. Nie pomyliła się. Potwory w euforii pogoni wypadły z gęstwiny kilkanaście kroków od linii imperialnej kompanii. – Ognia!!!

Dwa działa plunęły kartaczami wprost w oczy atakujących, reszta żołnierzy strzelała, mierząc precyzyjnie i w spokoju.

Shen pochyliła głowę, gdy zobaczyła rezultaty.

– No! Państwu już dziękujemy, a kompania cofa się dalej.

Najbliżej stojące dziewczyny zaczęły się śmiać. A Shen nagle poczuła, co to jest poezja wojny. Ta krótka, ulotna chwila, kiedy wydawało się, że wszystko jest w porządku. Oni nas, a my ich. I wszystko zawdzięczała sobie. Poczuła też nagle, co to jest posłuch wśród żołnierzy. I to nie wymusztrowany generalskimi szlifami, tylko tu i teraz. „Będę robiła, co każesz, bo każesz dobrze". Wojsko szło za nią bez wahania nawet do miejsca, gdzie drzewa rosły rzadziej i żołnierz stawał się widoczny z każdej strony. Bez znaczenia. Ufali Shen, a ona potrafiła znaleźć odpowiedni pagórek. Kazała maskować się gałęziami, nabić działa i karabiny. Każda miała wybrać najlepsze stanowisko dla siebie.

Stąd, wśród drzew, mogła nawet obserwować poczynania pierwszego plutonu. Tak jak je nauczyła. Żołnierze rzucały granaty i po chwili ruszały do miejsca wybuchu. Jak na ćwiczeniach. Z tym że nie chodziło o wielką sprawę. To naprawdę nie były najlepsze oddziały potworów. Ilekroć Nanti zbliżała się do kolejnych stanowisk i kazała całej drużynie dać ognia naraz, pętaki rzucały się do ucieczki. Po chwili cała ich linia pękła.

W przeciwieństwie do potworów armia imperium była dowodzona przez cały czas. Ktoś na drodze obserwował rozwój wypadków i widząc, co się dzieje, posłał wojsko do szturmu. Potwory zaczęły uciekać, i to masą. Wprost na zamaskowane pośpiesznie linie Shen.

– Strzelajcie, widząc cel... Armaty na moją komendę...

Potwory rzeczywiście widziały w ciemności lepiej niż zwykli ludzie. Biegnący na przedzie zwalniali. Z kolei dziewczyny Shen kładły się na ziemi, żeby uzyskać bardziej stabilne podparcie dla karabinów. Przez chwilę, zdawałoby się, patrzyli na siebie. Wojsko i potwory. Patrzyli sobie w oczy. Druga nieuchwytna chwila równowagi wszechświata. Czas stanął, wszystko zamarło i trwało. Tę chwilę.

– Ognia! – powiedziała Shen.

W takich momentach nowoczesna armia ujawniała swoją przewagę. Manewr i zmasowany ogień.

Oddziały atakujące z drogi dotarły w to miejsce nieco później. Zaczęła się masakra, też zresztą trwająca dosłownie okamgnienie. Reszty potworów nie opłacało się gonić po chaszczach. Głównie dobijano rannych lub zbyt oszołomionych, żeby szybko uciekać. Wystarczyło, by nakarmić wygłodniałą panią zemstę.

Shen porządkowała swój lekko nadwątlony oddział, kiedy pojawiła się Nuk.

– No i co? Mówiłam, że dasz radę?

– Niech cię, kur... Ożeż, co ty masz na sobie?

Nuk z uśmiechem zaprezentowała nowy strój. Do paska z przodu przymocowała kilkanaście grubych warkoczy. Włosy miały różne kolory i całość tworzyła nawet dość ładną mozaikę. Te z dziewczyn, które stały blisko, domyślały się, że to z zabitych wrogów, jednak kilka z nich odruchowo sprawdziło własne warkocze.

– Tam leży jeszcze sporo. – Shen wskazała miejsce poprzedniej potyczki. – Możesz se uzbierać na całą spódniczkę.

– A nie, nie. Spódniczkę to sobie zrobię tylko z tych warkoczy, których właścicieli zabiłam własnoręcznie. – Nuk uśmiechnęła się radośnie.

Artylerzystki podzieliły się zapasami swojego wina. Gdyby nie okoliczności, atmosfera stawała się prawie piknikowa. Nikt nie zwracał uwagi, że wzdłuż drogi, w innych miejscach, wciąż jeszcze trwa bitwa. Piknik pomieszany z burdelem, bo nikt nie formował oddziałów, żeby pomóc walczącemu wojsku.

Shen przypięła się do bukłaka, jakby chciała go wyssać.

– No nie... – Z boku pojawiła się Idri. – Bogowie mnie pokarali takimi podoficerami. Jedna chleje od rana, druga zdziera czupryny z szanownych zmarłych i się w nie przebiera... Nie.

Zręcznie przejęła bukłak, pociągnęła kilka łyków.

– No co, dziewczyny? – Wierzchem dłoni otarła usta. – Wy też jesteście zdania, że to jedynie przygrywka do tego, co ma się stać w nocy?

Wykształcona Nuk zrobiła mądrą minę i skinęła głową.

– Tak. To tylko gra wstępna.

– Widzisz, chłopcze. – Admirał smętnie pokiwał głową. – Sprawa jest bardzo skomplikowana i w dodatku niezwykle delikatnej natury.

Wielki hangar, po którym spacerowali, lawirując między ustawionymi tu samolotami, okazał się równie dobry jak otwarty pokład, jeśli chodzi o możliwość prowadzenia dyskretnych rozmów. Szczególnie teraz, w nocy, kiedy wokół nie było nikogo. A w dodatku na pokładzie wiało, świst wiatru pewnie uniemożliwiałby cichy dialog. Oberwujek o świcie musiał odlecieć z powrotem na półkulę północną, więc była to ostatnia okazja do zamienienia kilku zdań.

– Całe szczęście – mruknął Tomaszewski. – Już się bałem, że moja misja będzie polegała na zaciukaniu jakiegoś króla i zasiadaniu na tronie skąpanym we krwi.

– Nie – odparł Wentzel z całą powagą. – Tym się zajmie kto inny.

No niech go szlag! Czy to miał być dowcip? Tomaszewski nie wiedział, czy się roześmiać, czy nie, wybrał więc cyniczne skrzywienie warg.

– Mam nadzieję, Krzysiu, że zaobserwowałeś dziwny skok cywilizacyjny, który miał miejsce w naszym kraju?

– Dlaczego dziwny?

– Nic cię nie uderzyło?

Tomaszewski zamyślił się. Nie lubił odpowiadać szybko, jeśli pytanie dotyczyło ważnej kwestii. Nie miał zaufania do ludzi odpowiadających z miejsca na najbardziej skomplikowane kwestie. Od razu można odpowiedzieć na pytanie: „Czy boli cię w tej chwili ząb?". „Nie, nie boli" – sprawa prosta. Jeśli jednak ktoś odpowie natychmiast na: „Czym jest dla ciebie miłość?" – znaczy pieprzy głupoty i w ogóle się nie zastanowił. Nie warto z takim człowiekiem się zadawać.

– Wiesz, myślałem nad tym. Wiele rzeczy wydawało mi się dziwne. To z pozoru idiotyczne przezbrojenie armii i marynarki, ta zmiana orientacji w hierarchii ważności na polu bitwy, ale...

– Ale?

– W kontekście Dużego Jasia, o którym mi wspominałeś, to wszystko zyskuje inny sens. ORP „Dragon", który jeszcze tak niedawno wydawał mi się śmieszną konstrukcją nienadającą się do użytku, w kontekście Agregatu jawi się upiorną, makabrycznie skuteczną bronią jutra. To samo dotyczy wszystkich innych zabawek naszej armii.

Poklepał jedną z łopat wielkiego śmigła dwupłatowego samolotu, który właśnie mijali. Klasyczny myśliwiec, władca przestworzy. Szybkie wznoszenie, niewielka waga, duża powierzchnia płatów dawały świetne wyniki w walce manewrowej. Do wysokości jakichś trzech, czterech tysięcy metrów. Tomaszewski w prasie specjalistycznej czytał już jednak o projektach przyszłych konstrukcji – ciężkich, całkowicie metalowych jednopłatów, z zamkniętą szczelnie kabiną i silnikami chłodzonymi wodą. W walce kołowej przegrałyby z dwupłatowcem. Tyle tylko, że teraz już nie będzie walki kołowej. Nowe maszyny były dużo szybsze i miały jakiś niesamowity pułap. Będzie manewr pionowy. Teraz wrogie maszyny będzie się ścigać na wysokości ośmiu kilometrów albo i wyżej.

Wentzel kiwnął głową w zamyśleniu.

– Myślę o czymś innym. Zastanawiają mnie niektóre fakty. Na przykład taki: powstaje COP, a przy nim ogromne zakłady elektrotechniczne. Są w stanie produkować niewyobrażalne ilości lamp elektronowych i nawet jakieś te nowe rzeczy, zapomniałem...

– Lampy zespolone? To ciągle faza badań, słyszałem.

– A tak, tak. Ale powiedz mi, chłopcze, po co komu tyle lamp elektronowych, kiedy nie ma dla nich żadnego zastosowania?

Tomaszewski zaskoczony wzruszył ramionami.

– Odbiorniki radiowe, nadajniki i ten... no...

– No właśnie. Gigantyczne zakłady zaczęto budować w chwili, kiedy dla tego, co będą produkować, nie było jeszcze prawie żadnego zastosowania.

– Ktoś przewidział rozwój rynku.

– Ktoś przewidział cud? Ktoś przewidział fakt, że w ciągu roku bez mała pojawią się takie wynalazki, jak echolokatory dla lotnictwa i marynarki, szperacze, przeliczniki artyleryjskie, zintegrowane celowniki bombardierskie, krokomierze i cała masa urządzeń, które armia wykupuje na pniu, bo dają nam miażdżącą przewagę? Sama armia składa tyle zamówień, że ten przemysłowy gigant nie jest już w stanie dziś nastarczyć, a o budowie odbiorników radiowych dla ludności w ogóle nie ma mowy i po staremu są produkowane w małych zakładzikach?

– Ktoś przewidział rozwój rynku – powtórzył uparcie Tomaszewski.

– Jak? Wiesz, jakich monstrualnych funduszy potrzeba, żeby wybudować coś tak gigantycznego? I to nie mając w perspektywie żadnych liczących się zamówień? Żadnych technologii, do których znajdzie zastosowanie twój produkt? Inwestor wie, że za rok będzie mógł zacząć produkować coś, czego nikt nie chce! W nieprawdopodobnych ilościach pojawią się przedmioty, których nikt nie chce, bo nie są do niczego potrzebne!

– No ale...

– No właśnie. I staje się cud! W ciągu roku pojawiają się technologie wykorzystujące ten produkt, i to w takiej ilości, że same zamówienia rządowe, mówię o armii, zatykają dosłownie te zakłady. Czyż to nie cud?

– Może zakłady finansował ktoś, kto wiedział...

– Nikt nie wiedział – wszedł w zdanie admirał. – Nawet na najwyższych szczeblach nikt nie mógł wiedzieć. Przecież ktoś, kto zleca badania nad krokomierzem dla marynarki, nie może mieć zielonego pojęcia o tym, że jest ktoś, kto zleca badania nad celownikiem zespolonym dla lotnictwa. Nie ma i nie może być takiej osoby! Nie dość tego: ani jedna, ani druga osoba nie mogła mieć zielonego pojęcia, czy zlecone badania zakończą się sukcesem. I że rząd w swej łaskawości pozwoli złożyć ogromne zamówienia na nowe zabawki dla swoich ołowianych żołnierzyków, prawda?

Tomaszewski przygryzł wargi.

– No fakt.

Wentzel wyjął z kieszeni papierośnicę z wielkim rodowym godłem, zapalił papierosa. Nie zadał sobie trudu, żeby choć zerknąć na wywieszone wszędzie wokół tabliczki z zakazem palenia. Być może sądził, że na dole każdej takiej tabliczki jest napis małym druczkiem: „Nie dotyczy admirałów".

– Czy wiesz, że mamy bombowiec zdolny latać na jakiejś nieprawdopodobnej wysokości, w nocy, i zdolny zrzucać bomby przez warstwę chmur, w ogóle nie widząc celu?

Admirał ruszył znowu w powolny spacer wśród maszyn.

– Bombowiec zaczęto projektować i konstruować ponad trzy lata temu. Urządzenia, które pozwalają mu skutecznie bombardować przez chmury, powstały znienacka, cudem, pół roku temu. Ciągle są w fazie prób. Powiedz mi więc, chłopcze, po co komu trzy lata temu bombowiec latający gdzieś wysoko i zrzucający bomby bez ładu i składu na lasy, łąki, rzeki i góry? Bo celu nie był w stanie z tej wysokości dostrzec.

Tomaszewski milczał. Sam miał wątpliwości co do celu i metod tego gremialnego i gwałtownego przezbrajania armii. A teraz jeszcze usłyszał o takich kwiatkach. Ileś branż zostało zgranych na wiele lat przed osiągnięciem efektu przy utrzymaniu całkowitej tajności, a więc bez możliwości porozumiewania się inżynierów i naukowców między sobą. Nagle przyszło olśnienie.

– Jakiś spisek? – wypalił niespodziewanie, wywołując u admirała wyraz zdziwienia na twarzy. – Mam śledzić Węgrzyna i Wyszyńską? – dodał, żeby zatrzeć poprzednie wrażenie.

Wentzel roześmiał się, wypuszczając kłąb dymu.

– Myślisz i źle, i dobrze jednocześnie – powiedział cicho. – Oczywiście z powodu tajemnicy państwo inżynierostwo nie mogą wrócić na półkulę północną, zatem zostaną tutaj i będą uczestniczyć w wyprawie. Trzeba wykorzystać ich talenty, ale... Chodzi mi o coś znacznie szerszego.

Tym razem Tomaszewski wolał się nie wychylać. Czekał, aż admirał podejmie znowu.

– Wywiad wojskowy, jak wiesz, zwraca baczną uwagę na ludzi pracujących w przemyśle zbrojeniowym. Oczywiście nasze zainteresowanie dotyczy wyłącznie branż związanych z zapotrzebowaniami marynarki, lecz... sam wiesz, jak jest.

Tomaszewski dobrze wiedział. Brukowe gazety, zachłystujące się tytułami na pierwszych stronach o wścibstwie wywiadu marynarki, też wiedziały.

– Od wielu lat intryguje nas pewna grupa ludzi. Grupa wykazująca pewne podobieństwa. Ich kariery są błyskawiczne: od „nikogo", kto pierwszy raz przyjmuje się do pracy, do rangi głównego inżyniera zakładów, dyrektora technicznego albo wręcz prezesa, nierzadko w jeden rok! Współpracownicy niezmiennie określają ich jako ludzi „niezwykle kompetentnych", „o porażającej wiedzy", „zawsze prostą drogą zmierzających do celu, który dla reszty pracowników długo nie jest znany", „prawie nieomylnych", „okrutnie, aż drażniąco szczerych"... I tak dalej.

– Ci ludzie nie mają żadnych wad?

– Pewna komórka w wywiadzie dość długo ich obserwuje.

Admirał rzucił niedopałek na podłoże hangaru i zgasił obcasem. Ruszył dalej, a Tomaszewski kilka razy obejrzał się, żeby sprawdzić, czy na pewno żar został zduszony.

– Mają wady. – Wentzel uśmiechnął się lekko. – Niekiedy nie znają odpowiedzi na zadane im pytanie. Z reguły proszą o parę chwil do namysłu. Wracają do domu, a następnego dnia przychodzą do pracy zawsze z gotową odpowiedzią. Mają często nawet wielowariantowe rozwiązanie postawionego problemu, zawsze najlepsze z możliwych.

– Aha! Pytają kogoś!

Admirał roześmiał się znowu.

– O, gdyby to było takie proste... – westchnął. – Ich domy są obserwowane, telefony podsłuchiwane, a nasłuch radiowy czyha w pobliżu. I to, niestety, daje nam pewność, że nikogo o nic nie pytają. Trzask-prask, w nocy doznają olśnienia, a rano mają gotową, przemyślaną odpowiedź.

– Może w piwnicy trzymają jakichś genialnych mutantów...

– Za dużo powieści grozy czytasz, mój chłopcze. A jeśli sądzisz, że dyskretnie nie sprawdzamy piwnic pod nieobecność właścicieli, to jesteś niekompetentnym pracownikiem wywiadu.

Tomaszewski uznał to za reprymendę. Nie dopytywał już, czy znaleziono w domach tych ludzi jakiś sprzęt radiowy albo sympatyczny atrament i klatki z gołębiami pocztowymi.

– Oni – podjął admirał po chwili – charakteryzują się jeszcze jedną wspólną cechą. Czymś jakby... – zawahał się. – Czymś jakby drobną wadą wymowy.

– Albo dziwnym akcentem – podpowiedział Tomaszewski. To, jak mówią Węgrzyn i Wyszyńska, zwróciło też jego uwagę. I nie tylko jego.

– O właśnie. Widać, że język polski jest ich naturalnym językiem, używanym od dziecka, jednak... coś jest nie tak.

– Sprawdziliście ich przeszłość?

Admirał zatrzymał się nagle, odwrócił i położył Tomaszewskiemu rękę na ramieniu.

– Krzysiu, mówię ci to wszystko, bo wiem, że wpada w bezpieczne ucho. Po pierwsze, jesteś nasz, po drugie, jesteś moją rodziną, a po trzecie, długo nie wrócisz na północną półkulę. Ci wszyscy ludzie, załoga lotniskowca, innych okrętów i całej wyprawy, byli wcześniej jakoś tam, ogródkami, przygotowani. Przypłynęli na ochotnika, na długo, w nieznane. Ty dostałeś się tu przypadkiem. Ale... Widocznie tak miało być. – Wentzel westchnął ciężko. – Jednak nawet wśród nich, nawet tutaj, na długoletnim wygnaniu, w odosobnieniu, jakiego świat nie znał, nie wolno ci z nikim rozmawiać o tych sprawach. Z nikim, rozumiesz?

Tomaszewski skinął głową.

– To, o czym mówię, to „być albo nie być" naszego państwa!

– Rozumiem.

Admirał zdjął dłoń z ramienia siostrzeńca i ruszył dalej, omijając dwuosobowy bombowiec nurkujący, na którego chłodnicy ktoś napisał dowcipnie: „Jeśli widzisz ten napis, znaczy już nie żyjesz". Tomaszewskiemu przemknęła przez głowę dziwna myśl. Ciekawe, czy oberwujek tak kierował spacerem, żeby odpowiednią kwestię wypowiedzieć w tym właśnie miejscu?

– Nie mogliśmy dotrzeć do przeszłości tych ludzi. Miejsce urodzenia? Gdzieś za granicą albo na głębokiej prowincji, albo w wielkich aglomeracjach, zawsze bez podawania szczegółów i adresu. Niesprawdzalne.

– Wyższe uczelnie są sprawdzalne.

– Owszem, ale oni nie tacy głupi, żeby w życiorysie jakieś wymieniać.

– Jak to? Jak można przyjąć do pracy inżyniera, skoro nie wiadomo, gdzie studiował?!

– Tak, tak, coś trzeba w akta wpisać. A oni kluczyli, podając nazwy popularnych uczelni, ale studiowali jako wolni słuchacze, sami w domu, w bibliotekach...

– No zaraz. Przecież na takie ściemnianie nie da się zrobić żaden właściciel fabryki czy zakładu doświadczalnego.

– Nie? A przykładowo: czy przyjąłbyś do pracy w wywiadzie młodego człowieka, który mówi, że owszem, żadnej szkoły wywiadu nie kończył, studiował te sprawy w domu, no i czytał dużo powieści szpiegowskich. Przyjąłbyś go do pracy?

– Oczywiście, że nie!

– A gdybym ja cię o to prosił?

Tomaszewskiego zapowietrzyło. O kurdebalans. O to chodzi... Oni wszyscy są z czyjegoś polecenia. I ten ktoś jest na tyle wielki i władny, żeby nawet ofermę postawić na czele zespołu projektującego bombowiec. Czy w ogóle mógł ktoś taki istnieć?

– Znaleźliście źródło?

– Tak, znalazłem „człowieka zero". Tego, od którego wszystko się zaczęło. Trudne zadanie, zważywszy, że dzisiaj jest to wielka korporacja zatrudniająca tysiące osób. Niemniej wszyscy z interesujących nas dziwnych ludzi mieli od tej firmy gwarancje, referencje i pełne poparcie. Wszyscy co do jednego.

– A kto był „człowiekiem zero"? Tym, który pierwszy pojawił się znikąd, z dziwnym akcentem i tajemniczą historią swojego życia, której nie chciał ujawniać?

Wentzel uśmiechnął się dość dziwnie. Jakby musiał powiedzieć coś niestosownego.

– To był Krzysztof Dębiński. Pojawił się, jak mówisz. Na dworcu kolejowym w Warszawie, w dziwnym płaszczyku, z ciężką skórzaną teczką w ręce. W teczce miał zawiniętą w papier kanapkę, złoto i trochę brylantów. Wiemy, co było w teczce, ponieważ Dębiński ujawnił jej zawartość w banku Rubina i Kellersteina, gdzie część diamentów sprzedał od razu, a część pozostawił w depozycie. Następnie udał się do domu maklerskiego Wojdyłły i za jego pośrednictwem kupił małą, podupadającą firmę farmaceutyczną.

– Jaką?

– „Kocyan i wspólnicy".

– Ożeż... – Brwi Tomaszewskiego powędrowały do góry. „Kocyan i wspólnicy", największa firma farmaceutyczna w Polsce, jeśli nie na świecie.

– W firmie według jego receptury zaczęto produkować lek o nazwie „Priapex". Pierwszy w historii afrodyzjak, który działał i powodował natychmiastową erekcję u mężczyzn. Dębiński zarobił miliardy.

Tomaszewski potrząsał głową.

– To jest... to jest wprost nie do uwierzenia!

– Nieprawdaż? – zgodził się Wentzel z uśmiechem. – Od tej pory wszyscy ci dziwni ludzie mają rekomendację i poparcie tej właśnie firmy. A kto odmówi prezesowi firmy „Kocyan i wspólnicy"?

– No nikt. A przynajmniej nikt o zdrowych zmysłach.

– Notabene firma produkuje teraz lekarstwa oparte na supernowoczesnych technologiach. Podobno rewolucja w medycynie.

– Nie słyszałem dotąd o medycznej rewolucji.

Wentzel uśmiechnął się ciepło.

– Są jeszcze niesprawdzone, ale macie je wszystkie na wyposażeniu w tej wyprawie. Wypróbujecie po tej stronie gór. – Uśmiech admirała stał się jeszcze szerszy. – Po tej stronie gór będzie to bardziej bezpieczne.

Tomaszewski odwrócił głowę. Ciekawe, czy w ten zawiły sposób oberwujek nie poinformował go przypadkiem, że mają na pokładzie broń biologiczną. Zasadniczo słowo „lekarstwo" ma wiele znaczeń, jak choćby w takim zdaniu: „Lekarstwo ostateczne na wszystkie bolączki świata". Nie wypadało drążyć, więc wrócił do podstawowego tematu.

– I skąd ci dziwni ludzie się biorą? Czy wywiad ma jakieś teorie?

Uśmiech znikł natychmiast z ust admirała. Spojrzał na Tomaszewskiego chyba niezbyt widzącym wzrokiem. Obaj pamiętali jedno z pierwszych zadań, jakie otrzymywali kursanci szkoły wywiadu: obserwowany przez was człowiek codziennie o tej samej porze dotyka chodnika zawsze w tym samym miejscu. Hipotezy? Agent wywiadu! To oczywiste! Na to robili się wszyscy kursanci. No, zaraz, odpowiadali niezmiennie profesorowie. A co on tam robi? Zostawia tajne wiadomości. Żadnej nie znaleziono. Daje wspólnikom znaki: jeżeli choć raz nie kucnie i nie dotknie chodnika, to coś się stanie. No ale istnieje przecież milion innych metod dawania znaków komuś tam, a niezwracających powszechnej uwagi. No to on właśnie celowo zwraca na siebie uwagę. Po co? Tu już większość kandydatów miękła wyraźnie i zaczynała się odwracać od teorii spiskowych. Wariat! – brzmiała druga teoria. No tak, można przyjąć co prawda, że znany profesor, autor publikacji naukowych, jest dziwakiem, ale to za proste. Jeśli ktoś śpiewa przy goleniu, wariatem nie jest. A jeśli stepuje?

No właśnie. Samozamykająca się teoria. Czasami lepiej przyjąć, że jeśli nie ma teorii wyjaśniającej obserwacje, to że coś jest nie tak z samym obserwatorem. A może przyjęta metoda jest nie taka. Albo przyjęto złe kryteria. Prosty wybór: szpieg albo wariat na określenie spraw dziwnych nie wystarcza, żeby pojąć ich istotę.

I teraz właśnie Wentzel patrzył na Tomaszewskiego jak wykładowca w szkole wywiadu.

– Masz jakąś hipotezę, chłopcze?

No tak. Oczywiście: wszyscy są szpiegami. Ale byliby to pierwsi w historii świata szpiedzy, którzy przywożą technologie do danego kraju, zamiast je wykradać.

No to idźmy piętro wyżej. Szpiedzy sprzedają nam kiepską technologię, bo sami mają lepszą. Chcą, żeby nasz przemysł i nasze instytuty badawcze same wlazły w ślepą uliczkę, produkując jakieś gówno, podczas kiedy ich kraj ma już i tak coś znacznie lepszego i potrzebuje kilku lat bez konkurencji, żeby zdobyć technologiczną władzę nad światem. Ale śmieszne... wszystko się da wymyślić, kiedy umysł podąża po manowcach. No to idźmy jeszcze dalej. Teoretycznie można sobie wyobrazić, że ktoś kogoś wpuszcza w ślepą uliczkę, żeby tamten nie zajmował się rzeczami, które doprowadzą go do prawdziwego celu. Po kilku latach, samemu prowadząc badania we właściwym kierunku, można zdobyć przewagę. Ale... Cała ta teoria bierze w łeb, jeśli ma się na uwadze Dużego Jasia. Nikt nigdy nie podaruje wrogowi czegoś, czym można przepalić Góry Pierścienia. A skoro Agregat jest urządzeniem realnym i działającym skutecznie na planie rzeczywistym, to choćby wróg miał coś, co może tę rzecz sto razy przebić, to... po co w ogóle dawał Agregat obcym? Coś, co może zrobić kuku całej planecie.

– Nie mam swojej hipotezy.

– Żadnej?

Tomaszewski wzruszył ramionami.

– Oni nie są wrogami – powiedział powątpiewająco. Idea szalonego profesora, jak z kart powieści fantastycznych, który odkrył metodę produkcji geniuszów i teraz wysyła ich, by zmieniali kierunek rozwoju Rzeczypospolitej i prowokowali boom gospodarczy, niezbyt przemawiała mu do przekonania.

Admirał westchnął ciężko.

– Widzisz, czytałem twój raport. Jest wstrząsający dla sztabu. Są pełni podziwu, że w tak szybkim czasie sporządziłeś szkic do kompendium wiedzy o tym świecie. Wszyscy zachwycają się mapami, opisami królestw, administracją, nawet analizą sił, które mogą nam grozić. Genialne! Tak, czytałem twój raport – podjął oberwujek – i zastanowiła mnie inna rzecz. Absolutnie pominięta przez wszystkich pozostałych czytelników.

– Moja czarownica?

– Tak. Lekceważy się ją, nazywając szamanką, kapłanką, znachorką, prymitywnym psychologiem nawet. Usiłuje się ją wcisnąć w nasz zakres pojęć i w nasze ramy świata.

– Masz rację, wuju. Ona nie jest ani znachorką, ani zamawiaczem zaklęć, ani szeptycą. Ani nawet ichnim psychiatrą.

– Właśnie. W swoim raporcie skupiłeś się na konkretach. I bardzo dobrze, dla dowódców ze sztabu. Ale rozmawiałeś z nią trochę o czarnoksięstwie, prawda?

– Owszem. To chyba wynika z notatek, które dostałeś tylko ty.

– Ze zrozumiałych względów w raporcie pozostał tylko szczątkowy opis tych rozmów. I bardzo dobrze. Nie pisz o tym więcej.

Tomaszewski nie zadał pytania: „A co mam pisać w takim razie?". Zaczynał rozumieć, na czym będzie polegać jego główne zadanie. A raczej zadania, bo oberwujek dodał po chwili:

– Odniosłem wrażenie, że oni też czegoś szukają. Mówię i o czarownicach, i o imperium. Popraw, jeśli się mylę.

– Szukają? – Tomaszewski zdał sobie sprawę, że zabrzmiało to jak pytanie. – Eee... Tak, ale...

Admirał wybawił siostrzeńca z opresji zgadywania.

– Poszukują śladów ingerencji – powiedział cicho. – Ingerencji w swoje losy.

– Są na etapie Bogów w tej kwestii – Krzysztof usiłował zbyć to żartem, ale Wentzel nie dał się złapać.

– Dowiedz się, czego szuka ich imperialna armia w jakichś chaszczach, dobrze?

– Tak jest.

Oberwujek musiał naprawdę przestudiować raport słowo po słowie i analizować każde z nich. Sam Tomaszewski był pod wrażeniem. O tym, o czym mówili, w raporcie pojawiła się tylko krótka, niejasna wzmianka.

– No dobrze, czas się żegnać. – Admirał zatrzymał się chyba po raz ostatni. – Kończąc więc, jeszcze jedna uwaga. Pisałeś, że te dzikusy z lasu, z okolic, gdzie będziemy lądować, dysponują czymś w rodzaju gazu bojowego.

– No... – skrzywił się Tomaszewski. – Takie legendy przekazała mi Kai.

– Ach, więc jest to gaz legendarny... Zatem pamiętaj, chłopcze, że tu w ładowniach jest nasz gaz bojowy.

– Przecież użycia gazu zabraniają wszelkie konwencje.

– Konwencje zostały za górami. Pamiętaj: w ładowniach jest gaz na czarną godzinę. Zupełnie nielegendarny.

Rozdział 9

Shen błogosławiła zapadający zmrok. Piła coraz więcej, żeby zmniejszyć choć trochę telepanie całego ciała, a to z kolei sprawiało, że jej krok stawał się coraz bardziej chwiejny. W ciemnościach mniej widać. Bogowie! Nie mogła się otrząsnąć. Naprawdę podczas potyczki chwyciła jakąś dziewczynę, która nie wykonała rozkazu, i wystawiła na strzały wrogów? Naprawdę? Chciało jej się wymiotować, ale alkohol trochę łagodził te objawy. Otumaniał też do tego stopnia, że nie wiedziała, czy ma wyrzuty sumienia, czy też nie. To jakieś wariactwo, czuła się jak szalona. Tak, właśnie. To nie ona. To szaleństwo gdzieś w niej, ukryte głęboko, a za wariactwo nie można odpowiadać. To nie ja! – krzyczała bezgłośnie do siebie. To szaleniec we mnie! I jeszcze łyk. I jeszcze.

Żołnierze wokół natomiast patrzyły na Shen zupełnie inaczej. Czuła, że teraz każda wykona jakikolwiek jej rozkaz bez wahania. Czuła, że mają ją za największą sukę pod słońcem. Za najbardziej skurwysyńskiego dowódcę w całym korpusie. Ale też... za dowódcę potwornie skutecznego, mającego swój cel i potrafiącego go dopiąć. Po trupach do zwycięstwa, a zwycięstwo w ich przypadku oznaczało jedynie większą szansę na przeżycie. I dobrze. Gdy krzyknie: „Mordować się, suki, nawzajem", to zaczną się ciąć.

Potrząsnęła pustym bukłakiem. Gdzie by tu znaleźć jeszcze trochę alkoholu? Rozejrzała się. Wojsko rozłożyło się na noc w lesie. Nie było do dyspozycji żadnej polany, niezalesionych stoków ani niczego w tym stylu, musiały obozować wśród drzew, a nie wszystko da się wyciąć. Zbudowano więc prymitywne umocnienia na chybcika, a właściwie szereg punktów oporu, bo nie udało się ich połączyć z powodu konfiguracji terenu. Zgodnie z regulaminem zajęto obszar z dostępem do wody. Wątły strumień wił się pomiędzy pojedynczymi balami udającymi umocnienia poszczególnych plutonów. Niestety, dzięki temu były w dolinie. Nie jakiejś szczególnej, o stromych zboczach, nic z tych rzeczy. Niemniej zajmowały najniżej położone partie terenu. Regulamin nakazywał zapewnić dostęp do wody, jeśli to możliwe, ale był pisany po doświadczeniach bitwy pod Manui, kiedy to partyzanci otoczyli batalion dowodzony przez major Reni.

Fajnie. Tyle tylko, że batalion okrążony został faktycznie w miejscu oddalonym od rzeki o mniej niż tysiąc kroków. Do żołnierzy dobiegał szum wody, a one znajdowały się na bezleśnej, pokrytej wyschniętą trawą równinie. Przez dwa dni tkwiły w palącym słońcu i pod koniec trzeciego wystarczyło dobić resztki. Stąd zapis w regulaminie. No ale tutaj nie było palącego słońca, wojsko dygotało z zimna. A nieustająca mżawka dostarczyła wody w każdej postaci. Można było zbierać do hełmów, zlizywać z liści albo pić wprost z licznych kałuż. Wszędzie! Dostęp do pieprzonego strumienia nie był w ogóle potrzebny.

– Masz coś do picia? – Shen zagadnęła Nanti, nie mając oczywiście na myśli tego, czego brak zabił batalion major Reni.

– Skombinuj coś u artylerii może...

– Nikt ci nie da tej nocy. Chłepczą same, zaciskając pośladki do bólu.

– Mhm...

Shen wzięła do ust jakieś źdźbło i zaczęła intensywnie rzuć.

– Jasny piorun – mruknęła po chwili. – Powiedziałaś im, żeby w razie czego miały dwa działka na ruchomych pozycjach?

Nanti skinęła głową. Uśmiechnęła się nawet.

– Tak, one też już nie mają wyższych dowódców. Łatwiej się dogadać.

Z oddali, zza drzew, doszedł do nich odgłos pojedynczego wystrzału.

– Zaczęło się? – spytała któraś z piechociarek.

– Niechybnie – usłyszały roześmiany głos Nuk. – Zaraz będziemy się naparzać.

Sierżant sił specjalnych przedzierała się pomiędzy ukrytymi gdzie się dało piechociarkami.

– I co, dziewczyny? – Nuk dotarła nareszcie do stanowiska dowodzenia kompanii piechoty. – Zesrane?

– Zasadniczo prawie, prawie... – Shen nie widziała powodu, żeby ukrywać swój nastrój.

– No to macie po łyku. – Nuk podała im bukłak.

Nanti odmówiła, pokazując, że Shen bardziej potrzebuje.

– Czy mi się wydaje, czy ciemność między ogniskami gęstnieje? – spytała.

– Nie, złotko. – Nuk uśmiechnęła się przyjaźnie. – To tylko strach. Jeszcze nie trujące opary potworów.

Strzelanina za drzewami rozgorzała na dobre. Rozległy się wrzaski. Na razie jeszcze za mało intensywne, jak na walkę wręcz. Po dłuższej chwili zaczęła walić artyleria. Większego kalibru, a nie jak te gówna ustawione na pozycji obok nich. Znak, że potwory atakowały bezpośrednie otoczenie naczelnego dowództwa.

– Skąd wiedzą, gdzie zacząć? – dziwiła się Shen.

– A mało to naszych wzięli do niewoli? – odparła Nuk. – Przypalisz tyłek jakiejś oficer, to od razu powie, co i jak. Jakie jest regulaminowe ustawienie, jakie odstępy między formacjami, jak będziemy się bronić w razie czego.

– A co my na to?

– No... po zebraniu doświadczeń, przedyskutowaniu wszystkich aspektów w sztabie, przeprowadzeniu konsultacji z wyższymi oficerami, za rok, dwa napisze się nowy regulamin.

– Weź nie żartuj.

Do huku armat doszedł odgłos wybuchów ręcznych granatów. Walka za drzewami toczyła się już na bliski dystans. Szlag! Nuk przysunęła się bliżej. Nagle złapała za głowy Shen i Nanti i przyciągnęła je do siebie tak, że stuknęły się czołami.

– To mówię tylko do was – wysyczała. – Jak która puści farbę na zewnątrz, osobiście wyflaczę.

– Idri ma inny plan? – domyśliła się Shen.

– No przecież to głupie zdychać w zasadzce. Uciekać... o, przepraszam, wycofać się bez rozkazu nie możemy, więc słuchajcie: zastosujemy jedyny skuteczny środek obronny. Wiecie, co to jest?

Shen wiele razy widziała we śnie chłopca z tobołkiem, który wyjaśniał jej różne rzeczy. Odpowiedziała pierwsza:

– Atak wyprzedzający?

– Właśnie.

– O kurwa.

– No.

Wszystkie trzy patrzyły na siebie jak znachor na beznadziejne, nierokujące przypadki. No tak, obrona za tym czymś, co tylko przypominało umocnienia, nie miała sensu. A zza drzew dobiegły właśnie wrzaski. Doszło do napierdalanki wręcz.

– No to...? – Na twarzy Shen zagościł cień strachu.

– Ruszaj, kiedy uznasz za stosowne. Byle nie za późno.

– A wy? – spytała Nanti.

– Pójdziemy, ale w drugą stronę. Działamy niezależnie.

– Ja cię pieprzę, ja cię pieprzę – powtarzała Shen.

– Dobrze – zgodziła się Nuk. – Ale nie teraz, bo już nie zdążymy. Muszę wracać do swoich.

Puściła głowy koleżanek i odeszła bez słowa, kręcąc biodrami. Zawieszone na jej pasku warkocze podskakiwały miarowo. Ciekawe, czy tej nocy zdoła skompletować całą spódniczkę. Czy też jej warkocz ozdobi czyjś pasek?

Shen wysunęła głowę zza bali. Poza zasięgiem ognisk nie było widać absolutnie nic. Chybotliwe kręgi świateł ułatwiały jedynie robotę wrogowi. Teraz, kiedy niedaleko stanowisk dowództwa wrzała bitwa, nikt nawet nie odważał się podsycać ognia. Chętnych, żeby się zbliżyć, brakowało.

– Szykować się do ataku... – zaczęła, ale Nanti przerwała jej, również wystawiając głowę:

– Na co?

– Na ślepo! – Upita Shen zaczęła się śmiać. – W ciemność.

Jedna z piechociarek zdjęła plecak. Po chwili wyciągnęła ze środka duże jabłko, które podała w drżącej dłoni Shen.

– Proszę, to dla ciebie.

– Co?

– Nie wysyłaj mnie do ataku, proszę. Proszę! Weź moje jabłko. Nie mam nic innego, żeby cię przekupić.

– Daj mi spokój.

– Weź, proszę. Ty będziesz miała jabłko, a ja będę żyła, co? Co? Proszę, proszę, weź.

Shen zwymiotowała gwałtownie. Na szczęście Nanti ją podtrzymała. Wrzaski dobiegały coraz bliżej. Ktoś chyba oberwał strzałą na pobliskich stanowiskach lekkiej artylerii. Ostatnia chwila. Biec w ciemność? Na oślep, przed siebie? No ale pozostanie tutaj było równie mało racjonalne.

– Jak ci na imię? – Shen dotknęła ramienia piechociarki, ciągle trzymającej zielone jabłko.

– Sharri, pani kapral.

– Poprowadzisz działka tuż za nami. Artylerzystki uprzedzone, mają dwie sztuki przygotowane.

– Tak jest! – Dziewczyna szczęśliwa runęła do tyłu. Wryło ją dopiero na okrzyk Shen:

– E! Jabłko dawaj! No co jest...?

Żołnierze wokół zachichotały. Sytuacja jednak, delikatnie mówiąc, nie była sprzyjająca. Nie wspominając o fakcie, że tylko Nanti wiedziała, iż ich dowódca jest zupełnie pijana.

Shen nie przejmowała się swoim stanem. Wystawiła głowę i patrzyła w ciemność, bo zapomniała, że i tak niczego nie dostrzeże. I po czym rozpoznać, czy nadeszła ta właściwa chwila na atak wyprzedzający? Czy potwory już się czają w otaczających krzakach, czy dopiero podchodzą? A może w ogóle uznały ten kierunek za nieważny i interesuje ich tylko zabicie dowództwa? No szlag! I tak po ciemku nie rozstrzygnie.

– Nanti, weź pierwszy pluton i wal w te krzaki. Nie strzelaj, leć jak na bagnety, tylko biegiem. Jak dostaniecie ostrzał, robisz padnij, a ja cię będę kryła ze wszystkiego, co mam.

– No to żegnaj, piękne życie.

– Powiedziałaś „piękne" czy „pieskie"?

– Aż tak jesteś pijana?

– No! Dawaj, dawaj...

W absolutnej ciszy pierwszy pluton ruszył w gęstą ciemność. Ktoś się potknął, ktoś zaklął, a kto inny rąbnął w drzewo i padł na ziemię. Wroga z przodu nie było. Zaskakująca niedorzeczność w przypadku obcej taktyki. No nic. Shen posłała drugi pluton w ciemność. Tym razem wolniej. Do pozostałych za umocnieniami znowu nie dotarł żaden dźwięk bitwy. Shen ruszyła więc sama z trzecim plutonem i dwoma działkami. Nic. Krzaki naprzeciw linii obronnej były puste. Albo potwory okazały się aż tak niekompetentne, albo aż tak pewne siebie.

Cokolwiek by się działo, ten stan umożliwił Shen przegrupowanie i zwrot. Kompania ruszyła teraz w ciemnościach wzdłuż własnych linii w kierunku bitwy.

– Ale jaja – szepnęła Nanti, a potem wzięła wielki haust powietrza, które po chwili wypuściła z płuc z głośnym świstem. – Gdyby ktoś nimi dowodził, to w tej chwili już dorzynaliby resztki naszych rannych.

– A gdyby nami ktoś dowodził, to nie pozwoliłby na bitwę po ciemku.

– Ale zaraz możemy ich zetrzeć w proch.

– Chyba we śnie. Skoro tak się zachowują, to myślę, że naprawdę widzą w ciemności lepiej, niż ktokolwiek przypuszczał.

– Nie kracz...

Jeszcze kilkanaście kroków i jeszcze... Podchodziły coraz bliżej toczącej się walki. I nagle któraś z żołnierzy widoczna w świetle odległych ognisk wykonała gest „kontakt z nieprzyjacielem". Po chwili ręką wskazała kierunek. Shen nie dostrzegła niczego, Nanti jednak miała lepszy wzrok. Zaczęła w ciszy ustawiać dziewczyny wokół. Potem posłała pytające spojrzenie na dowódcę.

– Na bagnety – szepnęła Shen. – Strzelać, tylko kiedy żołnierze widzą cel.

Nanti na zasadzie „przekaż dalej" wysyłała gest: „Gotowość – patrzcie na mnie".

– Na bagnety!!! – powtórzyła Shen, tym razem krzykiem. – Do ataku!

Linie runęły do przodu. Shen wydawało się, że w coś uderzyła, przeciwników zobaczyła po kilku krokach. Dopiero odwracali się, żeby odeprzeć atak. Co za piękna chwila! W słabym odblasku ognisk widziała, jak jej żołnierze, wrzeszcząc, wbijają bagnety w ciała obcych. Raz, nacisk i z kopa, żeby wyjąć ostrze. Trudna sprawa, czasem się nie udaje. Kilka dziewczyn wystrzeliło w takiej sytuacji. Pocisk, który wbija się w ciało tuż obok osi bagnetu, pozwala go wyjąć prawie bez wysiłku.

Shen na drugiej linii uporządkowała błyskawicznie osłonę i kazała podciągnąć działka. Kiedy potwory zaczęły atakować mieczami i zdobywać przewagę, rozwrzeszczała się:

– Wycofywać się! Wycofać się za osłonę!

Żołnierze pojedynczo odrywały się od przeciwnika. Tamci mieli w rękach już tylko broń białą. W starciu bezpośrednim nikt nie trzymał łuku. No i stało się to, co musiało się stać. Potwory ruszyły w pogoń za żołnierzami. Po kilkunastu krokach osłona wystrzeliła, celując idealnie z odległości kilku kroków. Dwa działa plunęły kartaczami. Ci z goniących, którzy nie zginęli od ognia, zatrzymali się w szoku.

– Kontratak! – wrzasnęła Shen. – Na bagnety!

Druga linia ruszyła do przodu. Bagnety znowu wbijały się w ciała. Shen kazała ładować działka i karabiny tym, które poszły do pierwszego ataku, a teraz zostały z tyłu. Walka na przedpolu wygasała powoli. Potwory nie ruszyły już do kontruderzenia. Do przodu! Kompania posunęła się o kilkadziesiąt kroków. Wróg ciągle nie mógł się pozbierać. Napór na linie obronne imperialnej armii przy potoku wyraźnie słabł z tej strony. Ktoś z wrogich dowódców musiał organizować kontratak. Ale na razie wszystko szło dobrze. Shen nakazała postój i przegrupowanie. Armatki posiały kartaczami po krzakach dla dezorientacji przeciwnika. Teraz dwa plutony na czoło jako ogniowa awangarda, jeden z tyłu dla osłony, działa w środek i...

Przeciwnik wcale nie był ani pokonany, ani zdezorientowany. Linie dostały ostrzał z góry. Łucznicy siedzieli w koronach drzew. Kilka dziewczyn wystrzeliło w listowie wbrew wyraźnemu rozkazowi, że trzeba widzieć cel. Bezsensowna strata czasu na ponowne ładowanie broni, podczas kiedy strzelec jest właściwie bezbronny i sam stanowi łatwy cel. Euforia po udanym ataku znikła momentalnie. W szeregi wkradał się nieład.

Przeciwnik uderzył od strony, z której przyszły. Prosto w osłonę. Na szczęście dziewczyny miały nabitą broń. Armaty strzeliły kartaczami. Shen przesunęła pierwszy pluton w tył dla osłony ariergardy i wszystko zaczęło się sypać. Nie było szans, żeby dotrzymać pola. Wróg z łukami i mieczami, widzący w ciemności miał w tych warunkach miażdżącą przewagę nad nowoczesną armią. Dziewczyny padały zabijane przez cichą, świszczącą śmierć. Prawie żadna nie ginęła jednak od razu. Wycie rannych napełniało pozostałe trwogą. Nie nadążały z ładowaniem karabinów. Topniejące szeregi cofały się pod osłoną bagnetów. Shen doskoczyła do najbliższego działa.

– Czemu nie strzelasz?! – Myślała, że zamorduje dziewczynę ze stemplem.

– Nie ma już kartaczy!

– Ładuj czymkolwiek! Choćby kamieniami!

– Ale w co je włożyć?

– Zawiń w onuce! I ładuj!

– A... w onuce. – Na twarzy artylerzystki pojawił się cień zrozumienia. – Znaczy... smrodem chcesz tamtych zabić?

Shen szarpnęła głupią dziewuchą, ale nie przyniosło to żadnego efektu. Wpadła na nie dziewczyna z rozprutym brzuchem, zalewając obie krwią. Shen nie wytrzymała i targnęła się w tył.

– Nanti! Wycofujemy się! Nanti!

Sierżant na szczęście żyła jeszcze. Trzymała rękę przy poranionej twarzy.

– W tył! Odwrót! Odwrót! Wycofywać się!

Te, które jeszcze były zdolne do jakiegokolwiek działania, skoczyły do tyłu, ku światłu. Tylko kilka miało na tyle rozumu w głowach, żeby zacząć wyć:

– Tu imperialna piechota! Koleżanki, nie strzelajcie! To my...

Nanti zawróciła zszokowaną Shen ku strumieniowi. Obie przewróciły się i chyba temu zawdzięczały życie, bo salwa piechociarek zza umocnień przy strumieniu okazała się bardzo celna. Co najmniej kilka biegnących dziewczyn zaryło w ziemię.

– Nie strzelajcie, koleżanki... Tu imperialna piechota!

Kto zdołał się wyrwać z rąk triumfujących potworów, teraz biegł w dół, pamiętając, że przecież jest czas potrzebny na nabicie broni. Wrogowie mieli miażdżącą przewagę w tym starciu, ale chyba rzeczywiście nikt nimi nie dowodził. Gdyby ruszyli teraz za uciekającymi resztkami kompanii, to na ich plecach mogliby rozstrzygnąć bitwę, dostając się w sam środek prowizorycznych umocnień. Gdyby... A może nie było im to teraz potrzebne. Może walczyli według jakichś plemiennych rytuałów, albo też ich celem mogło być coś zupełnie innego.

Shen razem z Nanti dopadły drewnianych bali dokładnie w chwili, kiedy potworom udało się uporządkować grupy swoich łuczników. Kilka dziewczyn przełażących przez umocnienia dostało w plecy.

– Straty meldować! – darła się sierżant. – Straty, kurwa, meldować!

Shen doczołgała się do jakiegoś opuszczonego stanowiska. Dysząc, oparła się o prowizoryczną faszynową ścianę. Nie była zdolna do jakiegokolwiek ruchu.

– Straty meldować! – darła się Nanti.

Jakaś pani kapitan, która cudem tylko dożyła tej bitwy, nachyliła się nad kapral.

– Odwlekliście naszą egzekucję. To natarcie równolegle do naszych linii było niezłym pomysłem.

Shen skonana podniosła wzrok. Nie miała siły niczego powiedzieć.

– Jak myślisz, czy gdybyśmy powtórzyły ten manewr większymi siłami, jest jakaś szansa na odciążenie tych, które bronią się wokół sztabu?

Shen pokręciła przecząco głową.

– A jakaś szansa na przebicie? Na zewnątrz?

Shen wykonała identyczny gest.

– Aha... – Kapitan opuściła ramiona. – W takim razie zostajemy tutaj... na zawsze. No nic! – Klepnęła kapral kilka razy w policzek. – Dziękuję za waszą akcję.

Podniosła się i nie bacząc na ostrzał, odeszła sprężystym krokiem. Nanti dosiadła się z boku.

– Łaskawca... – Poklepała się po twarzy, naśladując tamtą. – Pozostała nam zbieranina w sile mniejszej niż pluton.

Shen nie była w stanie odpowiedzieć. Płonące wokół ogniska zdawały się przygasać. Dym z mokrego drewna, zamiast wznosić się wysoko białymi słupami, snuł się pasmami mniej więcej na wysokości stojącego człowieka. Jeśli ktoś siedział, wydawało się, że nad głową powstaje coś jakby ruchomy sufit o zmiennej grubości. Tworzyły się na nim fantastyczne cienie, słabnące zresztą z każdą chwilą, bo ogień wyraźnie malał.

– Co jest? – Nanti najwidoczniej miała więcej energii, bo podniosła głowę. Nagle się zorientowała. – Tru... trujące pasma... – Wzięła głębszy oddech i chciała krzyknąć, lecz z jej ust wydobył się tylko głuchy charkot. – Trujące pasma...

Shen zaczęła płakać. Wszystko jej zobojętniało. Przypomniała sobie rodzinną chatkę. Dobre i złe wspomnienia z mało gościnnego domu. Własne nieszczęśliwe dzieciństwo. I nagle wspomniała chłopca ze snu: „Zobaczysz ludzi krzyczących: biada! Krzyczących: zagłada, krzyczących: śmierć!... I ty odpowiesz głosowi temu. Pójdziesz do nich, to twoi ludzie".

Żołnierze wokół zaczęły kaszleć. Kilka dziewczyn, nie mogąc wytrzymać, zerwało się na równe nogi. Dwie z nich od razu zostały trafione strzałami. Dym gęstniał, wojsko nie dało już rady wytrwać w ukryciu, dusząc się i kaszląc, zaczynały gdzieś biec, wpadając na siebie. Kilka osób wystrzeliło na oślep.

– Ratunku! Ratunku! – wył ktoś tuż obok. – Umieram!

Rozkazy podoficerów mieszały się z krzykami rannych. Pozory organizacji pękały szybko, nie pozwalając na jakąkolwiek reakcję.

– Wiązać na twarzach szmaty! – charczał ktoś z trudem, zanosząc się kaszlem. – Wiązać... – charkot urwał się nagle.

Napastnicy mogli być już wśród żołnierzy. Gęsty tuman nie pozwalał na dostrzeżenie czegokolwiek. Nie używali łuków. Na pewno więc są już tutaj!

– To koniec... To już koniec...

Shen otarła łzy. „A będą krzyczeć: zagłada"... Zerwała się na równe nogi. Nie miała żadnego planu, czuła po prostu, że zaczyna wariować i że przede wszystkim ogarnia ją paraliżujący strach, który nie pozwala myśleć.

– Za mną! – wrzasnęła. – Do ataku! Na bagnety!

Ruszyła, pociągając za sobą Nanti. Pobiegły przed siebie, wrzeszcząc i podrywając innych z ich kompanii. Ile? Można było oceniać tylko na słuch. Na pewno biegł ktoś obok i ktoś z tyłu. Ktoś się przewrócił.

– Za mną, za mną... – Straciła oddech. Zakrztusiła się.

Odgłosy walki, a właściwie rzezi, z tyłu nasilały się, a one dotąd nie napotkały żadnego przeciwnika. Dym zaczął rzednąć. Shen myślała, że wypluje płuca. Nanti też niewiele brakowało. Rzężąc, dopadły skraju lasu. W tym miejscu teren lekko się wznosił. Dym stał się wyraźnie mniej odczuwalny. Wśród szarych oparów majaczyły drzewa, a nawet pojedyncze gałęzie. Za to im dalej od ognia, tym robiło się ciemniej.

Zatrzymały się wycieńczone. Nie dały rady biec dalej. Nie słyszały nic poza własnymi chrapliwymi oddechami. Trudno powiedzieć, jak długo tak stały w zimnej mżawce. Krople deszczu przynosiły ulgę, zmywały z twarzy trujące pozostałości sztucznego dymu, oczyszczały powietrze.

– Ile was jest? – odezwała się Nanti szeptem. – Meldować się.

Dziewczyny również szeptem podawały swoje imiona. Dziewięć. Ktoś przedarł się przez krzaki, żeby być bliżej. Dziesięć. Razem z nią – jedenaście.

Shen westchnęła ciężko. Nie miała pojęcia, co robić. Jedenastu żołnierzy. Tyle zostało z całej kompanii. A sądząc po tym, że z pola bitwy nie docierał już żaden głośny odgłos, mogły być też jedyną siłą, która ocalała z całego korpusu.

– Wracamy do światła – szepnęła.

– No coś ty... – odpowiedziała równie cicho Nanti. – Tam są potwory. I dym.

– One widzą w ciemnościach, my nie. Więc jedyną szansę mamy w zasięgu ognisk. A dym się rozwiewa.

– Nie lepiej gdzieś przed siebie?

– A co się robi z polem bitwy i okolicami po walce?

Nanti opuściła głowę.

– Przeszukuje.

– No to jak? Chcesz się pobawić z nimi w chowanego? Ty w charakterze ślepca, a oni normalnie widzących?

– Kurwa! Nie!

– To jazda z powrotem.

Shen ruszyła pierwsza. Ogniska w dole przy strumieniu płonęły jeszcze i można było coś dostrzec. Dym praktycznie się rozwiał albo spłynął wraz z mżawką. Malutki oddział w swojej drodze powrotnej na pole bitwy wykonał dość spory łuk, okrążając źródła światła tak, żeby cokolwiek widzieć, ale żeby nie dostać się w jego krąg. Przerażone dziewczyny obserwowały, jak potwory świętują swoje zwycięstwo. Widziały dobijanie rannych i torturowanie jeńców. Na razie chyba jedynie po to, żeby zaspokoić pierwszy głód okrucieństwa. Wiele dziewczyn zostało spętanych i związanych ze sobą. Te, które prosiły o litość, bito do krwi. Ze wszystkich zdzierano mundury. Nikt ich nie wkładał ani nie brał jako trofeum. Najwyraźniej potwory wolały prowadzić nagich jeńców, bardziej przez to zbitych z tropu i pozbawionych woli.

Shen dała znak, żeby się położyć. Jedenaście dziewczyn bez słowa zaczęło pełzać. Te, które przeżyły aż do teraz, poznały skuteczność swojego dowódcy i wiedziały dobrze, że tylko ścisłe wykonywanie jej rozkazów dawało szansę na przeżycie.

Niewielki oddział dotarł do brzegu strumienia. Żołnierze powoli, jedna po drugiej, zsunęły się do wody. Była lodowata. Odbierała oddech i siły, miało się ochotę albo wyjść natychmiast, albo zwinąć w pozycji małego dziecka pod kołdrą, objąć własnymi rękami i zniknąć.

Z karabinem nie wolno. Żadnych takich myśli. Zamek musi być nad powierzchnią wody.

Parły do przodu, zaciskając zęby do bólu. Nie zważały na dreszcze, na parę, która wydostawała się z ust, na małe jeszcze skurcze. Woda stawała się coraz głębsza, a brzeg stromy. Porastały go gęste chaszcze. Shen zatrzymała się, kiedy woda sięgnęła jej szyi. Z karabinem opartym o czubek głowy podeszła do zwisających nad wodę gęstych traw i ukryła się pod nimi. Pozostałe za jej przykładem zrobiły to samo. W jedenastu umysłach jak na komendę pojawiło się to samo spostrzeżenie: w tych warunkach, w tym zimnie i z karabinem na głowie nie da się wytrzymać ani chwili!

Najpierw pogłębiły się dreszcze. Byle nie chlapać za głośno. To stawało się nie do opanowania. Szczękanie zębów, wzdrygnięcia, nagłe skurcze różnych mięśni. Woda jakby gęstniała. Wstawał nad nią jakiś opar, lekka mgiełka snująca się nad powierzchnią. Każdy ruch, podniesienie ręki, żeby obetrzeć twarz, sprawiały, że dosłownie czuły opór lodowatej wody, która, zdawało się, przyjmuje konsystencję płynnego szkła. Potem dreszcze ustały. Dziewczyny drętwiały powoli. Czucie ulatywało z palców rąk, zabierając siłę i sprawność. Na szczęście niewiele miały do roboty. Wystarczyło stać z karabinem trzymanym na ramieniu jak maczuga, za lufę i kolbą do góry. Owinięty szmatami zamek musiał być nad powierzchnią wody. Tylko stać... A co, jeśli mięśnie odmówią posłuszeństwa? I nie zdołają wyjść na brzeg? Utoną, bo nie będą mogły się ruszyć?

Nie sposób było określić upływu czasu. Ogniska na polu bitwy dawno wygasły. Niemniej teraz dopiero przekonały się, jak słuszną podjęły decyzję, żeby powrócić i znaleźć sobie kryjówkę jeszcze w świetle płomieni. Dosłownie zewsząd, z całego lasu dookoła, dochodziły odgłosy poszukiwań, gonitw, a potem krótki wrzask mordowanych żołnierzy. Gorzej, gdy słychać było długie, słabnące powoli jęki torturowanych. Próba ukrycia się w lesie nie była dobrym pomysłem. Tylko niekiedy, naprawdę bardzo rzadko zganiano jeńca w pętach do grup gromadzonych na polu bitwy.

Dziewczyny w kryjówce mogły to ocenić wyłącznie na słuch. Z poziomu wody niczego nie zobaczyłyby na wyższym brzegu. A nie czuły potrzeby ryzykowania, by spróbować się wychylić. Ciemności uniemożliwiały zobaczenie czegokolwiek, i bardzo dobrze. Szkoda, że zostały zmuszone do słuchania.

Najgorsze były błagania. Nikt z żołnierzy tkwiących w kryjówce w potoku nie wyobrażał sobie, do jakich szaleńczych granic można się posunąć w błaganiu o litość. Jak można się upokorzyć. Co oferować... A przecież nie można tu mówić o przedmiotach, te i tak wpadły w ręce zwycięzców. Dziewczyny, ogarnięte zgrozą, odruchowo przytulały się do siebie, szukając nie ciepła już, ale zwykłej zwierzęcej bliskości kogoś, kto jest skazany na ten sam los.

Świt nie oznaczał końca męki. Zaczęły się egzekucje. Takie dla zabawy. Zdrowi jeńcy może i mogli się do czegoś przydać, ale ranni? Z ciężko rannych nie było uciechy. Albo dobito ich wcześniej, albo zdychali sobie sami. Lekko rannych nie opłacało się pędzić przez las gdzieś do miejsca przeznaczenia, więc postanowiono udekorować nimi pobojowisko. Tu już, niestety, stromy brzeg nie stanowił przeszkody w obserwacji. Pale, na które wbijano jeńców, były na tyle wysokie, że nawet z powierzchni wody można było dostrzec, co działo się z nadzianymi nań ludźmi. Bogowie... Zaciśnięte z całych sił powieki zaczęły szybko boleć. Dlaczego nie można zamknąć uszu?! Kilka dziewczyn rozpaczliwie walczyło, usiłując nie poddać się odruchom wymiotnym. Hałas mógł je zdradzić. Co chwila któraś łamała się przy jakimś głośniejszym krzyku i otwierała odruchowo oczy. A potem żałowała tego, usiłując zniknąć, wyłączyć umysł, zablokować wszystkie emocje. Nic z tego.

Tkwiły w potoku do południa. Właściwie nie miały pojęcia już, czy stały same, czy też woda po prostu unosiła ich bezwolne ciała, a nie odpływały tylko dlatego, że gęste trawy wplątały się w paski ich oporządzenia. Żołnierze nabite na pal jeszcze żyły, ale osłabły, nie stanowiły takiej atrakcji jak na początku. Potwory chyba zaczynały się zbierać.

Grupka w kryjówce słyszała, jak tuż nad nimi przepędzano batami grupy jeńców. Sądząc po odgłosach, biedne musiały biec, co chwila któraś się przewracała, budząc śmiechy oprawców i nowe świsty batogów. Shen miała nadzieję, że nikt się nie potknie aż tak, żeby wylądować w wodzie. Nie chciała popatrzeć takiemu jeńcowi w oczy. Co gorsza, po tym, co słyszała wcześniej, miała pewność, że zostałyby natychmiast wydane potworom.

Kiedy potwory wraz z jeńcami odeszli, Shen nachyliła się do ucha Nanti.

– Bawią się tak krótko? – szepnęła.

W zasadzie wybełkotała, tak była skostniała. Miała wrażenie, że język zupełnie jej skołowaciał. Na szczęście sierżant zrozumiała.

– Z tego, co wiem, oni nie piją alkoholu – szept Nanti wcale nie brzmiał lepiej. Shen musiała włożyć maksimum wysiłku, żeby coś zrozumieć. – No to i zabawa trwa tylko do chwili, aż się wyczerpią atrakcje.

– Może będą świętować w swoich wioskach?

– Może. Musimy dotrzymać nocy i...

– Wyjść? Chcesz powtórzyć błąd tych wszystkich, które zamordowano teraz w lesie?

– A co ty chcesz zrobić?

– Wyjść za dnia. Kiedy my też będziemy coś widzieć.

– Bogowie... Przecież oni mogą tu wrócić, mogą czaić się gdzieś blisko.

Shen uśmiechnęła się bezwiednie.

– Chcę wyjść za dnia... ale jutro.

Nanti szarpnęła się. Na szczęście lekko, bo nie miała sił.

– Nie wytrzymamy tyle w tej wodzie! Umrzemy tutaj!

Shen pochyliła głowę. Następna noc w rzece? Rzeczywiście. Mogły tego doświadczenia nie przeżyć.

– A co proponujesz?

Nanti odwróciła wzrok. Milczała bardzo długo.

– Trzeba się przywiązać do wystających z wody korzeni. Żeby te, co stracą przytomność, nie odpłynęły do morza.

Najstarsze tradycje polskiej marynarki to zasady zawierające się w haśle: „Kryjcie dupy swoje!" oraz sposobie postępowania: „Jeśli nie wiesz, co zrobić, zrób coś głupiego". Tak było i tym razem. Na brzeg miała wysiąść cała admiralicja, wszyscy notable wyprawy. Brzeg był nieznany, a teraz, poza zwiadem lotniczym, nierozpoznany. Cóż więc będzie, jak tajemnicze „potwory", opisane wszakże w raporcie Tomaszewskiego, postanowią zaatakować i zabić całe bez mała dowództwo wyprawy? Najprościej byłoby wytłumaczyć wyższym oficerom, żeby nie wysiadali i zrezygnowali z wejścia do historii, a przynajmniej na karty przyszłych podręczników. Ale czy ktoś by posłuchał? No cóż, w takim razie postanowiono teren „wstępnie ostrzelać". Nic bardziej głupiego wymyślić się już nie dało.

Dwa ścigacze podpłynęły do brzegu, zwolniły i zrobiły zwrot, ustawiając się równolegle do plaży. Po wstępnych oględzinach terenu przez lornetki wydano odpowiednie rozkazy. Dwa wielkokalibrowe karabiny maszynowe zaczęły strzelać na oślep, tak mniej więcej do linii drzew. Oczywiście można powiedzieć, że przy takiej broni nic nie daje osłony przed pociskami. Można się nawet ukryć za drzewem i nic z tego – drzewo zostanie przebite. Jednak... najpierw trzeba w coś trafić.

Niewiele osób spodziewało się, że kaemiści w coś trafią, ale odstrzelone gałęzie, a nawet konary w widowiskowy sposób latały na różne strony, co zostało uwiecznione na wielu pamiątkowych zdjęciach. Dwa ścigacze ostrożnie wpłynęły do ruin portu, dyskretnie badając dno. Nie spodziewano się min okrętowych oczywiście. Chodziło jedynie o sprawdzenie głębokości, czy kuter admirała zdoła tędy przepłynąć. Mało kto wiedział, że na dość odległej plaży, niewidocznej z miejsca oficjalnego lądowania, dwie kompanie tatarskiego zwiadu wyładowują się właśnie na brzeg i że to one będą stanowić prawdziwe, choć dyskretne ubezpieczenie.

Wyniki sondowań dna musiały wypaść pomyślnie, bo kuter wiozący admirała skierował się do portu, powodując wiwaty tłumów zgromadzonych na licznych jednostkach wokół.

– Admirał naprawdę pierwszy zejdzie na ląd? – dopytywała Kai. Niestety, ani dla niej, ani dla Tomaszewskiego nikt nie przewidział miejsca w pierwszej grupie. Czekali na sygnał, tłocząc się z innymi na małej łodzi patrolowej, która nawet nie była wyznaczona do lądowania w porcie. Płynęła powoli, żeby nie wyprzedzić Najważniejszej Jednostki, w stronę pobliskiej plaży.

– Tak, rodzina Ossendowskich niczego nie robi bez pompy. A pan admirał nie jest wyjątkiem. – Tomaszewski przyłożył do oczu lornetkę. – Myślę nawet, że dojdzie do oficjalnego wbicia flagi.

– Port chyba cały wybrukowany. W kamienie niczego nie wbije.

– Podstawią mu doniczkę do zdjęć. Ale... przecież to nie dziewicza ziemia, tylko czyjaś. A wbicie flagi to symboliczne objęcie czegoś władaniem.

– A czyjaś, czyjaś. – Kai skinęła głową. – Wiele państw ma ochotę, lecz żadne nie może tu postawić władczej stopy. – Zaczęła się śmiać. – Tak że jeśli pan admirał ma chęć, to niech sobie wbija, gdzie chce. Nikt słowa nie powie.

W oddali rozległy się wiwaty i strzały oficjalnego salutu. Pan admirał zatem właśnie zszedł na ląd, albo nawet już wbijał. Nie mogli go widzieć, z tego miejsca port był zasłonięty drzewami rosnącymi na małym cyplu. Ich łódź dobijała do brzegu. A przynajmniej usiłowała. Zaryli dnem w piasek, w chwili kiedy brakowało jeszcze kilku metrów.

– Szlag! – Tomaszewski, jak wszyscy oficerowie tego dnia, założył wyjściowy mundur, którego częścią był elegancki czarny płaszcz o długich połach. Pal piorun spodnie i lakierki, które trzeba będzie zamoczyć. Ale płaszcz? W mokrym do połowy będzie wyglądał śmiesznie. Na szczęście marynarze z poświęceniem wskoczyli do wody i zaczęli montować jakąś konstrukcję na bazie ich trapu.

Kai tylko się śmiała. Ona jedna ubrała się odpowiednio na eksplorację nowego lądu. To znaczy miała na sobie to, co wygrzebała w przepastnych magazynach lotniskowca. Ciężkie spadochroniarskie buty, zimowe spodnie w czarno-białe ciapki (ciekawe, po co w tropikach taka część umundurowania dywizji górskich?), lotniczą kurtkę na baranku, pustynną chustę, która mogła służyć za siatkę maskującą, i czapkę oficera piechoty, bez dystynkcji. Wszystko na niej było nieregulaminowe, ale po pierwsze, jako gość nie podlegała regulaminowi, a po drugie, jako śliczna dziewczyna w za dużych na nią rzeczach budziła powszechną sympatię.

Marynarzom udało się zbudować coś na kształt pomostu. Tomaszewski pierwszy ruszył po chwiejnych deskach. Ujdzie. Trap kończył się metr od plaży, zamoczył więc nogi po kostki. Kai dołączyła natychmiast, a po niej reszta oficerów z łodzi.

– Coś cudownego! – Siwecki rozglądał się z zachwytem. – Dawno nie widziałem tak zdrowego lasu.

– Znajdźmy jakieś przejście na górę. Nie będziemy się przecież wdrapywać po piaszczystym klifie.

– I niby gdzie znajdziesz przejście?

– Tam. – Tomaszewski machnął dłonią. – Jakieś dwieście metrów stąd jest łagodny wąwóz. Powinien zaprowadzić nas na brukowaną drogę.

– Skąd wiesz?! – Kai wybałuszyła oczy.

Nachylił się do niej.

– Mam zdjęcia lotnicze, ale ciiii... – Mrugnął porozumiewawczo. – Dostałem półprywatnie.

Całe towarzystwo ruszyło we wskazanym kierunku. Dojście do wąwozu trochę trwało, ponieważ każda kałuża, każdy wyrzucony na piasek kawałek drewna okazywały się warte sfotografowania. Przecież to był kawałek drewna na... obcym lądzie! Kiedy nareszcie dotarli do koryta wyschniętego strumienia, Kai zaciekawiona pierwsza pobiegła do góry. Po kilkudziesięciu krokach zatrzymała się nagle jak wryta.

– Potwór! – wrzasnęła. – Potwór! Ratunku!!!

Mężczyźni rzucili się na ratunek. Z boku pewnie przypominało to slapstickową komedię. Długi, ciężki płaszcz nie jest najlepszym okryciem, jeśli chodzi o bieg po piasku. Poza tym oficerowie mieli przy sobie tylko regulaminowe służbowe pistolety w eleganckich kaburach. Po osiem nabojów w każdym – przecież lśniące, paradne oporządzenie nie przewidywało żadnego miejsca na zapasowe magazynki. Szkoda, że tej właśnie akcji nikt nie fotografował. Album „Pierwsza polska szarża w dolinie Sait" musiałby trafić na listy bestsellerów.

Tomaszewski dotarł do dziewczyny. Zaklął, schował pistolet do kabury i zaczął dawać uspokajające znaki innym, którzy nie wykazali się taką kondycją jak on.

– Potwór... – powtórzyła Kai, ale już bez przekonania.

– Nie, to nasz żołnierz z kompanii zwiadu.

– Ale popatrz na jego twarz!

– Oj, Kai. Nie wypada komentować... – Nie wiedział, jak się zachować, na szczęście żołnierz w maskującym mundurze i z pistoletem maszynowym nie zwracał na nich uwagi. Odwrócił się i ruszył w przeciwnym kierunku. Zwiadowcy, a szczególnie z tych formacji, nie musieli się meldować przypadkowo spotkanemu oficerowi. Taka tradycja.

– Ale on... on miał...

– No co? Skośne oczy! – Tomaszewski wypowiedział te słowa, dopiero kiedy tamten odszedł poza zasięg słuchu. – To Tatar po prostu.

– On w ogóle nie miał oczu, tylko takie szparki.

– Miał, miał. A oni zawsze tak groźnie wyglądają.

Siwecki dobiegł do nich zdyszany.

– Za to są najlepszymi zwiadowcami RP – wysapał.

– Tak. Jak Tatarzy cię chronią, możesz spać spokojnie.

– Pod warunkiem, że jesteś mężczyzną – zakpił Siwecki. – Jedynie wtedy można zasnąć przy Tatarze...

– Aleś dowcipny. Ciekawe, czy powtórzysz to przy nich?

Nie czekając, aż zbierze się cała grupa, ruszyli dalej. I rzeczywiście, za grzbietem klifu, po kilkudziesięciu metrach, napotkali drogę z kamienia.

– O kurde blade! – Siwecki nie mógł powstrzymać słów podziwu. – Czegoś takiego jeszcze nie widziałem.

Schylił się i dotknął równej, gładkiej nawierzchni.

– Tyle lat bez konserwacji, wśród drzew i... – nie dokończył, kiwając głową.

– Tak się robi drogi! – Kai roześmiała się na cały głos. – Patrzcie i uczcie się, dzikusy zza gór!

– Tylko nie dzikusy – droczył się Tomaszewski.

– A potraficie zrobić taką drogę? Potraficie?

– Nie – jęknął Siwecki z kolan, bo już badał palcami spoiny. – Wykorzystując bezwzględnie ciężką ludzką pracę, nie przestrzegając praw obywatelskich i nie tworząc związków zawodowych, każdy by taką mógł zrobić.

– Mógł zrobić, ale nie zrobił! – Śmiała się ciągle.

Rozległ się warkot i zza zakrętu wyłoniła się ciężarowa półgąsienicówka. Widocznie barki desantowe ze sprzętem też już wylądowały. Kierowca zahamował łagodnie, z szoferki wyłoniła się głowa porucznika piechoty.

– O, tu też już są nasi... – Zasalutował niedbale. – Cholera, gdybyśmy wiedzieli, że tu są takie drogi, tobyśmy nie brali pojazdów gąsienicowych i czołgów.

– O matko! To mamy też czołgi?

Porucznik wzruszył ramionami.

– Kto by się spodziewał, że tu bardziej potrzebne limuzyny.

Półgąsienicówka ruszyła dalej. Żołnierze z paki rozglądali się wokół w bezbrzeżnym zdumieniu. Tomaszewski poszedł za ich wzrokiem.

– Patrzcie. – Wskazał jakieś budowle wśród drzew. – Zdaje się, że są w doskonałym stanie.

– A coście myśleli? U nas jak budują, to stoi i stoi. Setki lat!

Ich spacer coraz bardziej przypominał niedzielną wycieczkę. Albo wręcz piknik. Tuż przed nielicznymi zabudowaniami portu, na wolnym od drzew bruku, żołnierze rozpalali ogniska. Na polowych stołach kucharze już przygotowywali szaszłyki. Na razie gotowe do wzięcia były zimne zakąski i zimna wódka. Skorzystali z poczęstunku, podsłuchując przy okazji rozmowę jakiegoś komandora z kapitanem kwatermistrzostwa.

– Ten port, choć naturalny i piękny, jest za mały. Trzeba będzie zrobić sztuczny gdzieś dalej.

– Gdzie?

– Widziałem na zdjęciach lotniczych. Dwa, trzy kilometry stąd jest odpowiednio ukształtowany brzeg.

– A nie lepiej podpłynąć do jakiegoś czynnego portu i go sobie zabrać?

– Zabrać?

– No... niech admirał powie, że nie chce więcej widzieć tego miasta, działa krążowników wykonają robotę, a port zostanie gotowy do wykorzystania.

– Tu chyba nie ma w ogóle odpowiednich portów już gotowych. Oni nie mają dużych jednostek...

Tomaszewski aż się skrzywił na myśl, że Kai usłyszy tę szowinistyczno-ksenofobiczną wymianę zdań. Zresztą tu nawet nie o szowinizm chodziło. Raczej kolonializm. Światli my z karabinami i dzikusy ze swoimi dzidami. Takie podejście nie wróżyło dobrze całej wyprawie. Miał nadzieję, że może w dowództwie jest ktoś, kto myśli mózgiem, a nie armatami.

Dowództwo tymczasem kończyło część oficjalną na nabrzeżu. Wojskowa orkiestra wygrywała właśnie ostatnie takty starej góralskiej melodii. Tomaszewski miał nadzieję, że tytuł melodii nie jest proroczy. „Taniec zbójników" nie brzmiał dobrze na początek.

Wyżsi oficerowie, znużeni przemówieniami, rozchodzili się do zastawionych już stołów. Jeśli chodzi o organizację żywienia i zaopatrzenie, marynarka wojenna słusznie szczyciła się w tej dziedzinie tytułem „królowej wszystkich rodzajów wojsk". Niestety, nie zadbano o jedno. Na „niedzielnej" imprezie dramatycznie brakowało kobiet. Pani inżynier Wyszyńska, oblegana dosłownie z każdej strony, radziła sobie jeszcze. Ale kiedy tłum mężczyzn skorych do zabawiania dam runął na Kai, Tomaszewski razem z Siweckim wzięli ją między siebie i odprowadzili w bardziej bezpieczne rejony. Chcieli zwiedzić stare portowe budynki z jasnego kamienia, niestety, zwierzęta uczyniły sobie z nich własne kryjówki i strasznie śmierdziało.

– Od dawna ten port jest opuszczony? – Tomaszewski zwrócił się do Kai.

– Pojęcia nie mam. – Wzruszyła ramionami. – Ale od paruset lat na pewno.

– I budynki są w tak zaskakująco dobrym stanie?

– Popatrz. – Siwecki podszedł do ściany i usiłował wbić ostrze scyzoryka w spoinę. – Te kamienie nie są połączone żadną zaprawą. Są wpasowane.

– Znakomita robota kamieniarska – mruknął Tomaszewski. – Nie tłumaczy jednak wytrzymałości więźby dachowej.

Niestety, nie mieli latarek, żeby stwierdzić od wewnątrz, dzięki czemu wszystko tak dobrze się trzymało. A Kai nie była architektem i nie miała pojęcia o obciążeniach dynamicznych wywieranych przez wiatr i śnieg. A może tu śnieg w ogóle nie padał? Dziwna kraina albo też dziwna anomalia pogodowa. Znajdowali się przecież w strefie podzwrotnikowej, tymczasem dolina Sait przywitała ich chłodem, a przez cały czas zbierało się na mżawkę. No i roślinność. Nic nie przypominało spalonych słońcem pustyń, ani nawet dżungli. Piękny, zdrowy las, charakterystyczny raczej dla cieplejszych miejsc stref umiarkowanych.

– Jest wykonana albo z kamienia, albo z takiego drewna, które leżało długo w wodzie i jest twarde jak kamień. – Kai usiłowała sobie przypomnieć cokolwiek ze swoich skromnych wiadomości na temat budownictwa i więźb dachowych w szczególności. – Tak się zawsze buduje w portach i w ogóle na wybrzeżach.

– Jestem pod wrażeniem tych budowli. Naszej cywilizacji nie stać na osiągnięcie takiej trwałości. – Siwecki skrzywił się lekko. – Ani perfekcji wykonania.

– Co fakt, to fakt – zgodził się Tomaszewski. – Skupiamy się głównie na wymyślaniu zabójczych broni. Budownictwo jest kwestią poboczną.

Mężczyźni zaczęli się śmiać. Kai podeszła do kamiennego postumentu przy wschodniej ścianie pomieszczenia. Kiedy dotknęła go dłonią, poczuła wyraźne, choć delikatne mrowienie.

– Co to jest? – zainteresował się Tomaszewski.

– Ołtarz. – Uśmiechnęła się. Była pod wrażeniem mocy czarownicy, która kiedyś święciła to miejsce. Po tylu latach wciąż działała magia, bardzo wyraźnie słyszała szept tamtej.

– Ach, jesteśmy w portowej świątyni?

– Nie. – Zaprzeczyła ruchem głowy. – Mnie ciężko to wytłumaczyć, a wam będzie ciężko zrozumieć przy tym waszym pragmatyzmie. Nie bardzo umiem powiedzieć w waszym języku. Nie ma pojęć.

– Spróbuj chociaż.

– Hm... – westchnęła. – To takie miejsce, gdzie czarownicy mogą się porozumieć. No... poopowiadać sobie różne historie. No... poplotkować.

– Aha, i brakuje ci drugiej czarownicy?

– Nie, nie brakuje. – Parsknęła śmiechem. – One tu są. Ich... no, ich... – Wzruszyła ramionami. – Bogowie, nie mam pojęcia, jak to powiedzieć w waszym języku. No... ich coś jest tu ciągle. Nawet tej pierwszej, która kazała wznieść ten ołtarz przed setkami lat.

– Jej co tu jest?

– No... słyszę ją po prostu.

– Ona żyje? Mówi?

– Nie żyje. Mówi.

Obaj mężczyźni wymienili się znaczącymi spojrzeniami.

– No... – Usiłowała wyjaśnić więcej – No... jakoś tak mówi. W pewnym sensie.

– Można ją o coś spytać?

– Można.

Znowu wymiana znaczących męskich spojrzeń.

– Spytajmy w takim razie, jaka była pogoda w dniu, kiedy zbudowano ten ołtarz. – Siwecki, niczym prawdziwy aktor z wodewilu, rozpostarł ręce w dramatycznym geście. – Czuję to, czuję. Widzę! – Przybrał jeszcze bardziej filmową pozę. – Strasznie wiało, okropny deszcz zacinał jak...

– Prawie zgadłeś – mruknęła Kai. – Trochę wiało, ale zamiast deszczu ledwie się z nieba sączyło.

– I ona ci to powiedziała?

Kai wzruszyła ramionami.

– Powiedziała. Złe słowo. Niewiele znaczy. Złe słowo...

– No to użyj jakichś innych.

Dziewczyna myślała intensywnie. Czy uda jej się sprowokować u siebie błysk i dostrzec przyszłość? Nie miała żadnych ziół, które mogły w tym pomóc. Nie miała też żadnych umiejętności czarownic wojskowych. Nie szkolono jej ani do rozpoznawania terenu, ani aury przeciwnika. Właściwie nie miała o tym zielonego pojęcia poza faktem, że takie umiejętności istnieją i że można je doskonalić. Tyle dała jej wiedza wyniesiona ze szkoły. Ale... z drugiej strony koleżanki wiedziały o pewnych rzeczach, o których wykładowcy twierdzili, że są zakazane. Zawsze przecież... Zagryzła wargi. Zawsze przecież w wywoływaniu błysku można się na kimś przewieźć albo pod kogoś podczepić. A do tego stary budynek z ołtarzem nadawał się doskonale.

Chciała dopiec Siweckiemu. Oparła ręce na postumencie. Najpierw osiągnęła skupienie, regulując oddech, a potem zaczęła powtarzać w myślach. „Pomóż mi, pomóż mi..." Aury starych, związanych z tym miejscem czarownic były doskonale wyczuwalne. Czuła też wyraźnie tę pierwszą. Twórczynię wszystkiego. Tak, czuła ją, coraz bliżej, bliżej... I nagle – szlag, to jednak powinno pozostać zakazane – dosłownie wskoczyła w wir cudzej energii, kradnąc ją prawie w całości.

Ciałem dziewczyny szarpnął paroksyzm. Moment totalnego zamroczenia, coś nią zachwiało, o mało nie upadła na ziemię i nagle błysk! Zobaczyła! Maszerujące wojsko, bitwa, śmierć przeciwko śmierci. Puściła postument, zataczając się, by wpaść w ramiona Tomaszewskiego.

– Co się stało?

– Nic, nic... Ściągnął mnie mój amulet.

Nie wiedziała, jak mu wytłumaczyć. Jej dziwny, wykonany absolutnie w zaprzeczeniu wszelkich zasad amulet, który dała bezimiennej rekrutce kiedyś w porcie, zadziałał tak, że zamiast pozwolić rozwinąć się błyskowi i dostrzec jej przyszłość, ściągnął Kai do teraźniejszości. Zdołała zobaczyć coś, co widziała ta dziewczyna. Oraz wszystko, co ją otaczało. Dość mgliście. Musiała być więc gdzieś w miarę blisko.

– Zagraża wam ogromne niebezpieczeństwo tutaj – wyszeptała. – Widziałam...

– Co widziałaś? – obruszyli się mężczyźni. Ich racjonalizm był niepodważalny.

Kai odsunęła się od Tomaszewskiego, stając na chwiejnych jeszcze nogach.

– Widziałam niebezpieczeństwo, które wam zagraża. Śmierć z zewnątrz i taką, która uderzy od wewnątrz. Zagraża wam nie jedna siła, ale dwie. – Z trudem utrzymywała równowagę. Odwróciła się i ruszyła na zewnątrz, na świeże powietrze. – Dwie. Jedną zobaczycie niedługo, a druga od dawna jest w waszych szeregach.

Potknęła się na progu, opadła na czworaka i zwymiotowała gwałtownie. Obaj podskoczyli błyskawicznie. Oficerowie przechadzający się obok patrzyli w zdumieniu.

– Przepraszamy, pani się źle poczuła po morskiej podróży. – Siwecki błyskawicznie opanowywał sytuację. – Czy ktoś z panów ma aviomarin?

Następnego dnia z dziewczyn wbitych na pal przy życiu pozostały tylko nieliczne. Od czasu do czasu poruszały lekko głową czy rękami, cichutki jęk należał też do rzadkości. Najważniejsze jednak, że od dawna poza nim nie dobiegał żaden inny odgłos. Potwory musiały odejść.

Shen spojrzała w bok. Nanti miała maślany wzrok, przypominała bardziej niemowlaka, kogoś, kto nie miał siły ani możliwości w jakikolwiek sposób wpłynąć na swój los.

– Ruszamy.

Brak reakcji. U pozostałych dziewczyn też.

– Sierżancie... – Nie, to był błąd. Wszystkie tak skostniały z zimna i bezsilności, że głupotą było odnoszenie się do jakichkolwiek racjonalnych przyczyn, dla których powinno się zmienić istniejący stan powolnego umierania. Shen, sama otępiała, postanowiła wypróbować inną taktykę i sięgnąć do pokładów położonych głębiej. – Jedzenie... – szepnęła.

I o to chyba chodziło.

– Co?

– Potwory musiały zostawić na górze coś do jedzenia.

Nanti poruszyła się nareszcie.

– A jeśli nie?

– Idę się przekonać. Wy możecie zostać, ale jeśli coś znajdę, to zjem. Sama.

Nanti rozejrzała się otępiałym spojrzeniem.

– Nie da rady się tędy wspiąć.

Co do tego Shen nie miała najmniejszych wątpliwości. Była zbyt wycieńczona, żeby podjąć jakąkolwiek zdecydowaną akcję. Jej marzeniem było odplątać się od korzeni, do których się wczoraj przywiązała. Palce miała zbyt słabe, żeby podołać nawet najprostszym i najbardziej prymitywnym węzłom. Nanti usiłowała pomóc, ale też brakowało jej sił. Najlepiej szło Sharri stojącej z drugiej strony. Dziewczyna nie odzywała się przez cały czas pobytu w wodnej kryjówce, lecz teraz ona jedna zachowała w sobie jakieś resztki energii. A może to wzmianka o jedzeniu zadziałała jak ostrogi na wyścigową klacz. W każdym razie jej jednej udało się rozplątać oporządzenie. Shen usiłowała zrobić krok. Potok był bardzo głęboki w tym miejscu. Głowa błyskawicznie znalazła się pod powierzchnią, po chwili jednak woda wypchnęła ciało i dziewczyna, szorując dłonią po skarpie, zaczęła dryfować w dół biegu. Coś strasznie jej przeszkadzało. Usiłowała pozbyć się tego, ale zaciśnięta dłoń nie bardzo chciała puścić. Kiedy potok stał się płytszy, woda rozlewała się szeroko, a ona sama uderzyła w piasek całym ciałem, zrozumiała, że to karabin. A jednak. Nie puściła do końca.

Usiłowała poruszać się na czworakach, podpierając jedną ręką. Kiedy zrobiło się jeszcze płycej, zaczęła pełznąć niemrawo. Nie była zdolna do uczynienia jakiegokolwiek energicznego ruchu. Siły opuściły ją ostatecznie, kiedy głową dotknęła trawy. Leżała, dysząc, a paraliżujące zimno znowu odebrało jej wolę. Spod półprzymkniętych powiek obserwowała, jak obok czołga się ktoś inny. Sharri, potem Nanti i ktoś jeszcze. Wszystkie tak samo wyczerpane. Chyba zasnęła.

Obudziła się, kiedy słońce stało wysoko. Po raz pierwszy, od kiedy wkroczyły do puszczy, nie padało. Nieśmiałe, ciepłe promienie przedzierały się przez gęste korony drzew. Uniosła głowę, żeby przeliczyć leżące obok dziewczyny. Dziewięć. Jednej brakowało.

– Ktoś został w wodzie?

Nanti ocknęła się również.

– Chyba tak. Albo była za słaba, albo nie zdołała się rozplątać.

– Albo spłynęła potokiem do morza i jest już w jurysdykcji marynarki wojennej. – Okazało się, że Sharri może i była okropnym tchórzem, ale jeżeli chodzi o umysł, trzymała się zdecydowanie najlepiej.

– Trzeba po nią zejść z powrotem do potoku – mruknęła Shen, licząc na zdecydowany opór pozostałych żołnierzy. Nie mogła sobie nawet wyobrazić, że dokona takiego wysiłku. – Trzeba jej pomóc.

Dziewczyny odwracały głowy, usiłując nie patrzeć dowódcy w oczy, nie chciały zostać wybrane do tej samobójczej misji. I znowu Sharri uratowała sytuację:

– Wodzu, prowadź! – jęknęła, patrząc na Shen, a ta, wyczerpana do imentu, parsknęła śmiechem. Dziewczyny również zaczęły się śmiać. Zawsze to lepsze niż śmiertelna apatia. Okazało się, że ta tchórzliwa dziewczyna wcale nie jest taka zupełnie do chrzanu.

– Ktoś zna jej imię? – spytała Nanti.

– Czyje?

– No tej, co została w wodzie.

Wszystkie zaprzeczyły.

– W takim razie trzeba krzyczeć: „Hej, ty!" – zaproponowała jedna z piechociarek. – Może usłyszy...

– Ja ci krzyknę! – W Nanti powoli zaczynała wstępować szczątkowa energia. – Ja ci, kurwa, krzyknę!

Miała rację. Wróg ciągle mógł być blisko, a one nie miały siły, żeby nawet myśleć o obronie czy ucieczce. A co tu dopiero mówić o ratowaniu dziewczyny, która pozostała w potoku. Shen rozejrzała się. Miejsce, w którym wyszły na ląd, stanowiło przesmyk pomiędzy dwoma prowizorycznymi umocnieniami z bali. Wokół nie leżało dużo trupów. Zaczęła więc pełznąć w kierunku najbliższego szańca. Niektóre z dziewczyn poszły jej śladem, inne pozostały na brzegu.

Shen, kiedy dotarła wyżej, zdołała stwierdzić, że lekkie podręczne wozy z zaopatrzeniem zniknęły. Potwory musiały wszystko zabrać. Tak samo jak polowe kuchnie. Przynajmniej w pobliżu nie dostrzegła żadnej. Podniosła się na rękach i usiadła. Zaczęła przeszukiwać plecaki tych zabitych, które leżały w zasięgu. Szlag! W pierwszym poza regulaminowymi i prywatnymi rzeczami poległej znalazła tylko chustkę, w którą kiedyś zawinięty został ser. Teraz jednak mogła wytrzepać do ust jedynie okruchy. Drugi plecak to w ogóle pudło. Trup nie dość, że zginął regulaminowo, na stanowisku, to jeszcze żył przedtem też wyłącznie regulaminowo. W środku nie było nic prywatnego! Kurwa mać! I nareszcie coś. W trzecim plecaku znalazła całkiem spory kawałek suszonego mięsa. Wsadziła go w całości do ust i zaczęła intensywnie żuć. Z wdzięczności aż poklepała po zakrwawionej twarzy właścicielkę plecaka, która przebita strzałą spoczywała tuż obok.

– Daj trochę! – Nanti szarpała się z czyimiś jukami.

– Ejeee nee oahhaaa. – Shen z pełnymi mięsa i śliny ustami nie była w stanie powiedzieć, że jeszcze nie odgryzła mniejszego kawałka, żeby móc się podzielić.

Sharri miała spory fart. Znalazła kuchenną torbę do przenoszenia zapasów. Ogołoconą już przez kogoś i porzuconą, ale oko głodnego jest bardziej bystre niż sytego. Udało jej się jeszcze wytrząsnąć dobre dwie garście okruchów placka, który w wojsku uchodził za deser, bo nosił ślady słodkości.

Wszystkie pożerały, co im w ręce wpadło. Dopiero po zagłuszeniu pierwszego głodu poszukiwania stały się bardziej racjonalne. Stopniowo też wracało poczucie nie ciepła może, lecz... trudno to wyrazić... mniejszego zimna.

– Brać naboje – zakomenderowała Shen, kiedy przełknęła ostatni kęs i odzyskała zdolność porozumiewania się artykułowaną mową. – Nasze po tej wodzie są już do dupy.

– Trzeba by zebrać jakieś zapasy.

– Ale migiem. – Znowu rozejrzała się wokół. – Musimy spadać natychmiast.

– A ta, co została w wodzie?

Było absolutnie nie do wyobrażenia, żeby ktokolwiek odważył się wejść ponownie do wody. Shen nie wiedziała, co robić. Nanti wybawiła ją z kłopotu.

– Wy dwie – wskazała piechociarki – podpełzniecie na brzeg strumienia, wychylicie się i zawołacie tamtą. Tylko po cichu, kurwa mać!

– A gdzie to mniej więcej jest?

– Gdzieś... tam? Mmmm... Tam, gdzie te, co je na pal naciągnęli. Tam! – Nanti niepewnie wskazała ręką kierunek.

Nikt nie liczył, że akcja przyniesie jakikolwiek skutek. Zresztą nie było czasu. Wszystkie czuły się na tym polu bitwy, jakby ich gołe pośladki wystawiono na strzelnicy.

– Spadamy!

Obolałe, wciąż drżące z zimna zaczęły się podnosić. Strach, nerwy i ten okropny, nieskończenie długi pobyt w lodowatej wodzie sprawiały, że ledwie mogły się poruszyć.

– I co z tą, co została w potoku?

– Nikt się nie odzywa...

– No to idziemy.

Ruszyły odruchowo w kierunku, skąd przyszły siły wolne podzielonego korpusu. Opamiętanie przyszło jednak dopiero w chwili, kiedy zanurzyły się w wydeptany nogami żołnierzy imperium trakt między drzewami. Pierwszą tknęło, o dziwo, Sharri. Młodziutkie dziewczę może i bało się własnego cienia, ale jak spora część tchórzy na świecie miało dość dobrze poukładane w głowie, jeśli chodzi o ochronę własnego dupska.

– Chyba głupio robimy – mruknęła niepewna, czy może się odezwać przy szarży.

Shen zatrzymała się natychmiast.

– No. Coś mi się też wydaje...

Nanti również się ocknęła. Ale ona już nie miała żadnych wątpliwości.

– Wyjątkowo głupio. Po pierwsze, jeśli wrogowie mają czekać na maruderów, to właśnie przy drodze powrotnej do fortu. Sam fort zapewne jest obstawiony ich zwiadowcami, więc nas załatwią tak czy tak.

– Moment – przerwała sierżant któraś z piechociarek. – A niedobitki z sił szybkich to jak się dostały do fortu?

– Tylko jedna, ta chorąży, co ją potem rozstrzelali. A resztę przepuścili, żeby wciągnąć nas w pułapkę. Ale czekajcie, bo jest jeszcze „po drugie".

– No wal.

– Po drugie, co nam da dotarcie do fortu? – Nanti potoczyła wzrokiem po oniemiałych koleżankach. – Nawet jeśli nas nie rozstrzelają, to wiemy, że więcej sił imperialnych nie ma w lesie. Więc będziemy tam tkwić do usranej śmierci, aż zdechniemy z głodu w przyszłym roku.

– Myślisz, że nie przyślą nowych sił?

– Gdy stracili cały korpus? Skąd wezmą?

– Kurwa, ty tylko...

– Spokój! – warknęła Shen. – I cicho, mordy w dupy se wsadźcie, bo zaraz jakichś maruderów ściągniecie.

Myślała intensywnie. Planów dowództwa oczywiście nie mogła znać, ale Nanti miała rację. Posiłków nie będzie, a pojedynczych kurierów potwory wyłapią. Tylko ktoś o małej inteligencji mógł jeszcze nie pojąć, że właśnie zaczęła się wojna o las. Wojna, w której potwory zdobyły szybką, miażdżącą przewagę. A imperium? Pewnie się wyliże. Pewnie obmyśli nową strategię i taktykę, wyszkoli nowe siły na nową modłę, zastosuje kilka nowych wynalazków i znowu wyruszy w pole. A kiedy? W cesarstwie nic nie dzieje się szybko. Gorączkowe ściąganie wojsk z innych frontów nie miałoby sensu. Piechota, która walczy na otwartym terenie z cywilizowanym wrogiem, tu, w lesie, da się pokonać szybciej niż imperialny korpus, z którego przynajmniej część wojsk przeszła szkolenie specjalne na wyspie Tarpy.

No to gdzie iść? Zastanowiła się. O dotarciu do portu Sait nie sposób było myśleć realnie. Albo nie trafią (bo przecież nie mogą iść teraz traktem), albo ich złapią. Więc do brzegu morskiego. Każdy, kto się zna na gwiazdach i słońcu jak ona, wie, jak dotrzeć do morza. Morza nie sposób ominąć lub zgubić, można tylko iść w przeciwnym kierunku, lecz to im nie groziło. Więc do brzegu... i co dalej? Do portu Sait po piasku albo na granicy klifu, kryjąc się na linii drzew? A co będą jadły? Bez sensu.

Przypomniała sobie słowa chłopca ze snu: „Najgorzej to uznać się za pępek świata, za tego jedynego, wybranego...". Racja! Powinny dołączyć do innych grup, które przecież również musiały ocalеć z pogromu. Szczególnie siły specjalne, w całości wyszkolone na Tarpy. Lecz gdzie mógłby być punkt zborny? No jak to gdzie? Takim punktem jest twierdza. Jej dowódca to nie byle watażka z fortu, któremu nie wolno wykazać się inicjatywą, ale dowódca, który może podjąć decyzję na wieść o zagładzie korpusu. Może nakazać przedarcie się do portu, mając za alternatywę śmierć głodową na posterunku. Rozproszone resztki oddziałów mogły się też spotkać gdzieś na zewnątrz. Na miejscu się zobaczy, jak wygląda sytuacja.

Pozostawał tylko jeden kłopot. W jaki sposób znaleźć twierdzę bez możliwości skorzystania z drogi i bez mapy?

– Idziemy do twierdzy – wydała rozkaz Shen.

Nanti położyła dłoń na czole.

– Jak?

Pozostałe dziewczyny też patrzyły na kapral z niedowierzaniem.

– Bez mapy? Wiesz, jak tam dojść?

– Znam kogoś, kto wie.

Shen ruszyła w bok, skręcając między drzewa. Wydała rozkaz: „Za mną" i mały oddziałek ruszył, przedzierając się przez chaszcze mniej więcej po łuku, okrążając pole bitwy nad strumieniem. Rozumowała w prosty sposób. Skoro potwory pokonały korpus, co będzie ich następnym celem? No właśnie twierdza. Teoretycznie powinny wycofać się do swoich siedzib, wylizać rany, wcielić uzupełnienia, przeznaczyć trochę czasu na ćwiczenia, żeby armia się nie demoralizowała. Ale nie. Tak być może myślałby dowódca nowoczesnej, cywilizowanej armii. Nie wódz bandy dzikusów. Wódz miał prawdopodobnie proste, instynktowne podejście. Wykorzystać sukces, pójść za ciosem i zaatakować twierdzę w momencie, kiedy ta jest pozbawiona zaopatrzenia i jakichkolwiek perspektyw, bez posiłków i bez nadziei na rychłą poprawę. Teraz! Kiedy ludzie są rozgrzani bojem i upojeni zwycięstwem. Kiedy euforia zastąpi brak armat! I najważniejsze. Wódz w przeciwieństwie do oficera dowodzącego nie może pójść z wojskami na leże i odpocząć. Tu nie ma miast, nie ma garnizonów ani koszar. Wojsko rozbije obóz, skądś trzeba będzie wziąć zaopatrzenie, bo to zdobyte niedługo się skończy. A jeśli wojsko się rozlezie po własnych osadach, to później je zwołuj tatka latka, do usranej śmierci na powrót. Wódz albo ruszy teraz, wykorzystując zdobyczne zaopatrzenie i jego brak u przeciwnika, albo w przyszłym roku, a wtedy cholera wie co może się zdarzyć i co wymyśli urażone w swej godności imperium.

Czuła, że miała rację. Że instynktownie odgadła, jaki jest sposób myślenia obcego wodza. Uśmiechnęła się do siebie.

– Czego szukamy? – spytała Nanti.

– Traktu, którym nasi wrogowie opuścili teren bitwy.

– A po co?

– Będziemy szli po ich śladach – mruknęła. – Za nimi.

– Z pozoru to nie jest głupie – zgodziła się Nanti. – Przecież w obecnej sytuacji nie będą myśleć, że ktoś ich ściga. Mogą nas nie odkryć... – zawiesiła głos.

– Ale?

– Jak chcesz znaleźć ich ślady? Z tego, co wiem, potrafią przemykać bezszelestnie i niewidocznie, nie gniotąc trawy, nie łamiąc gałązek, nie zostawiając niczego po sobie.

– Oni być może tak. Ale nie nasi jeńcy. – Shen roześmiała się nagle.

Nanti zawtórowała, a po chwili chichotał cały oddział.

– No niby tak. Lecz skąd pewność, że będą ich taskać ze sobą?

– Myślę, że będą chcieli zaatakować twierdzę. A przeciwko armatom bardzo przydadzą się żywe tarcze. Prawda?

Trudno było się nie zgodzić. Jednak nikt nie miał wątpliwości, że odgadywanie zamiarów istot żyjących w lesie i tylko z wyglądu przypominających ludzi nie ma większego sensu. Nikt w każdym razie nie miał nic innego do zaproponowania. Maleńki oddział wlókł się za swoim dowódcą wyprany z sił, z woli, poza może niewielką wolą przetrwania, i raczej pozbawiony złudzeń. Dotarcie do twierdzy już samo w sobie wydawało się niepodobieństwem, a co dopiero potem dalsze poszukiwanie innych oddziałów w jej pobliżu. A sama twierdza, nawet gdyby udało się przeniknąć do jej wnętrza, nie była fundamentem, na którym można oprzeć optymizm. Wątpliwości więc pozostały.

Pierwsza noc wydawała się koszmarem. Dziewczyny pochowały się w płytkich jamach i pozakrywały liśćmi. Znowu doświadczały przejmującego zimna. Legenda doliny Sait sprawdzała się w całości. W nocy oblazły je jakieś ohydztwa. Co gorsza, nie było jak sprawdzić, co pełza, drepcze, skacze i wpija się w skórę pod mundurem. Nie można było wykonywać żadnych gwałtownych ruchów. To potwory widziały w nocy, one nie. I w związku z tym: czy to coś, co pełznie po plecach, gdzie czucie jest niewielkie, to jadowity wąż, pijawka czy zwykła glizda? Czy to, co gryzie w łydkę, chce tylko wypić troszeczkę krwi, wpuścić tam jad czy złożyć swoje jajka? Czy to coś na karku chce wyssać z człowieka wszystkie soki, czy tylko zwabione ciepłem układa się do snu, a dziabnie śmiertelnym jadem, dopiero kiedy się tego dotknie? A dzikie zwierzęta? Na mur węszą wokół. Kiedy więc zdecydują się na solidny posiłek, który nie może szybko uciekać, a nawet nie może się skutecznie bronić?

Shen nie miała pojęcia, czy ktokolwiek z oddziału chociaż zmrużył oczy. Usiłowała wstać wraz z pierwszym świtem, okazało się jednak, że nie jest w stanie. Samo wygrzebanie się z pokrytej liśćmi jamy zabrało jej czas aż do wschodu. Pozostałe dziewczyny nie wyglądały lepiej. Głód znowu zaczął dawać się we znaki. Z pola bitwy nie mogły zabrać żadnych zapasów i teraz musiały ograniczyć się do intensywnego przełykania śliny. Mimo to długo trwało, zanim obolałe, ze swędzącą skórą na całym ciele zdołały ruszyć dalej.

Na szczęście wyraźnie widziały ślady po przejściu jeńców, nie sposób było zgubić drogi. Zgodnie z przypuszczeniami nikt też nie pilnował drogi za kolumną. Tylko dlatego chwiejący się na nogach oddział mógł posuwać się naprzód bez przeszkód. Dziewczyny nie miały sił nawet na podstawowe środki ostrożności. O zwiadzie poprzedzającym nikt nie pomyślał. Ważniejszą kwestią okazało się, czy czarne jagody rosnące na niskich krzakach są trujące. Do południa panował pogląd, że są, potem zmienił się, że mogą być, ale może nie są. Po południu stało się jasne, że jagody nie mogą być trujące, a każda z dziewczyn przypomniała sobie tysiąc argumentów na poparcie tej tezy. W nocy, na kolejnym postoju, okazało się, że jagody istotnie nie są śmiertelne. Powodują jedynie uporczywą biegunkę. Noc upłynęła więc na przeróżnych ekscesach i coraz bardziej intensywnym poszukiwaniu wody.

Ranek niewiele różnił się od poprzedniego poza drobnymi szczegółami. Dziewczyny oblizały wszystkie pokryte rosą liście w okolicy. Niewiele pomogło. Do uczucia głodu doszło też uporczywe pragnienie. Umysły ogarniało szaleństwo, a ciała gorączka. Szły, wpadając na siebie wzajemnie, żując wilgotne liście. Biegunka to nasilała się, to folgowała. Ciężko było zogniskować wzrok. Kiedy zmrok sprowokował następny nocleg, nikt już nie sprawdzał, co go gryzie, ssie czy co tam robi. Dziewczyny waliły się na ziemię i przytulały, nie bacząc, że są brudne, spocone, oblepione jakimś świństwem. Mimo zmęczenia mało kto zasnął. Gdzieś w środku nocy brzuchy przestały burczeć. Tuż przed świtem, jak to nazywali żołnierze, w chwili litości, kiedy zasypiają nawet najboleśniej ranni w lazaretach, zanurzyły się na krótki czas w wypełnioną majakami nieświadomość.

Wstać jednak potem było bardzo ciężko. Ruszyły dalej już nie późnym rankiem, lecz wczesnym przedpołudniem. Szły jak somnambuliczki. I nagle któraś krzyknęła:

– Tam!

Shen też to dojrzała. Przed nimi na ziemi leżały... podarte płócienne worki na wojskowe racje żywnościowe. Dziewczyny opadły na kolana i zaczęły gorączkowo szukać resztek.

W tym miejscu najprawdopodobniej po raz pierwszy nakarmiono pędzonych batami jeńców, rzucając im ich własne armijne racje. Worki jednak zostały dobrze zabezpieczone przed wpływem niekorzystnej pogody. A jeńcy mieli związane ręce. Mimo więc zwierzęcego głodu mogli rozszarpywać porcje wyłącznie zębami. Prawdopodobnie walcząc o każdy kęs z innymi. Musiało coś zostać. Musiało! A żołnierze z oddziału Shen miały przecież nieskrępowane ręce. Ile dawało to możliwości. Istotnie, coś znalazły. Nędzne resztki, ale jednak. Dziewczyny na czworakach wyglądały jak dziki ryjące uprawne pole. Nie ustawały. Głodu co prawda nie udało się zabić, ale długo, długo potem, kiedy umazane błotem opadły na plecy, mogły się doszukać czegoś na kształt choćby cienia zwykłej zwierzęcej satysfakcji.

Shen oparła się o pień drzewa.

– Nanti... – Z trudem rozglądała się wokół. – Czy mnie wzrok myli, czy nasz oddział liczy tylko osiem sztuk?

– Nie myli cię – rozległo się po dłuższej chwili. – Osiem – potwierdziła sierżant.

– Wczoraj było dziesięć.

– No.

– Ktoś coś wie? Co się stało z dwiema?

– Jedna chyba nie ruszyła z nami z noclegu – mruknęła któraś z siedzących dalej piechociarek. Nie sposób było je rozpoznać, jednolite wyposażenie, umazane błotem twarze... szlag! – Nie pamiętam dokładnie. Byłam ledwie przytomna.

– A druga?

– Druga upadła na pobocze – odezwała się Sharri. Siedziała bliżej i wycierała czymś twarz.

– I?

– I co? Zatrzymałam się, żeby zobaczyć, co z nią. Chyba nie żyła.

– Aha. A czemu nie zameldowałaś?

– Nie miałam siły, żeby cię dogonić.

– Aha...

Shen nie miała ochoty wydać rozkazu do dalszego marszu. Zmrok zapadał powoli, można było jeszcze pokonać jakiś dystans. Ale nie potrafiła. Głowa opadła na pieniek, o który się opierała. Nie wiedziała, kiedy zasypia. To samo chyba działo się z pozostałymi.

Rano w dalszą drogę ruszyło siedem. Nikt nie sprawdzał, dlaczego oddział znowu zmniejszył liczebność. A potem zdarzyło się coś, co znowu rozbudziło nadzieję. Późnym popołudniem spadł deszcz. Na tyle rzęsisty, że nareszcie można było zaspokoić pragnienie. Wokół powstawało sporo kałuż, woda ściekała zresztą zewsząd. Szybko napełniły swoje manierki. Wraz z deszczem przyszło też otrzeźwienie. Dziewczyny myły przynajmniej twarze.

– Czujecie? – powiedziała nagle Nanti. – Czy to dym?

Shen również zaczęła węszyć.

– Dym!

– No jasny szlag, wlazłyśmy prawie do ich obozu!

– Nie. – Sharri potrząsała głową. – Ten dym jest słodki. Nie czujecie?

– Pieprzysz, to dym z ogniska. Może tam gdzieś są nasi!

– Są, są. W twojej wyobraźni. – Sharri, oddychając głęboko, zrobiła kilka kroków przed siebie. – Jest słodki, to nie zapach pieczeni z ogniska. Pochodzi z bardzo daleka.

– A to niby skąd możesz wiedzieć? – włączyła się do dyskusji Shen.

– Nie ma wiatru, a powietrze z góry schodzi w dolinę. Dym trzyma się przy ziemi, tworzy pasma. Nie jest nawiewany, tylko przesuwa się powoli. Ktoś pali intensywne zioła, ale bardzo daleko stąd.

Nanti wzruszyła ramionami.

– Kurwa mać! – Splunęła, odwracając głowę na bok. – Kim ty byłaś w cywilu, zanim cię armia przygarnęła?

Sharri skromnie opuściła głowę.

– Miałam być kapłanką. Ale trochę nie wyszło.

Pozostałe zaczęły się śmiać. Dzięki oczyszczającej ulewie dziewczynom wróciła chęć do życia. W każdym razie nie były już tak śmiertelnie apatyczne jak starcy pogodzeni ze śmiercią.

– Co robimy? – Nanti zerknęła na dowódcę. – Ja bym... – trochę nagięła wojskowe zwyczaje, sugerując decyzję. – Ja bym poszła za tym dymem. Może uda się komuś ukraść coś do jedzenia.

Shen wzruszyła ramionami. Ona również czuła, że jeśli czegoś nie zje, to straci wszelką inicjatywę, kucnie gdzieś pod najbliższym pniem i po prostu umrze. Z drugiej strony nadzieja, że potwory w swoim obozowisku nie wystawią wart i nie będą uważać... Co? Czy to bezsensowna nadzieja? A czego niby mieli się bać u siebie? Jakaś armia może im zaszkodzić? Zaraz, zaraz, spokojnie, karciła się w myślach. Umysł, który chce jeść, okłamuje mnie samą, przekonując, że obrabowanie potworów jest łatwe jak kradzież grzechotki niemowlęciu. Pod żadnym pozorem nie wolno iść w kierunku ich obozu!

– Dobra – powiedziała sucho. – Idziemy tam, gdzie nas zaprowadzi ten dym. Sharri, prowadź.

Dziewczyny odetchnęły z widoczną ulgą. Nadzieja to dobra rzecz, łatwiej niż groźba i prośba zaprowadzi wprost w ramiona okrutnych wrogów.

Nie minęło południe, kiedy napotkały pierwszy od czasu bitwy dowód okrucieństwa potworów. Na grubej, niskiej gałęzi wisiały dwa nagie ciała ze skrępowanymi na plecach rękami. Zastanawiające było to, że dziewczyny wisiały na tym samym przełożonym przez konar sznurze.

– I co to niby ma być? – Sharri ze strachem malującym się na twarzy podeszła bliżej.

– Już to widziałam – mruknęła Nanti. – Te dwie musiały czymś podpaść w transporcie. Albo... po prostu oprawcy zrobili sobie postój i załatwili je dla zabawy.

– Niby na czym polega ta zabawa?

– Oj. Wiążesz za szyję dwie baby tak, żeby patrzyły sobie w oczy. Długość sznura przerzuconego przez gałąź jest taka, że obie muszą stać na palcach. No i robi się zakłady, która dłużej wytrzyma. Szybka zabawa, bo długo w ten sposób nie ustoisz.

– Ale dlaczego dwie naraz?

– Bo jak jedna opadnie z palców na stopy, to czuje ulgę, ale jednocześnie poddusza drugą, a patrzą sobie w oczy. Tamta nie może nic zrobić...

– No to nie lepiej, żeby obie obwiesiły się razem?

Nanti roześmiała się chrapliwie.

– Oj, Sharri, Sharri... Obyś nigdy nie znalazła się w takiej sytuacji i nie zobaczyła, jak to łatwo odbiera się sobie życie w męczarniach. Żebyś tylko nie zobaczyła...

Weteranki kiwały głowami. Tylko któraś z młodych spytała:

– Odetniemy je i pochowamy?

– Ani się waż! – warknęła Shen. – Przejdzie tędy patrol i od razu będzie wiedział, że był ktoś obcy. Ruszamy!

– Sprawdzić karabiny! – dodała Nanti.

Po przygodach w potoku wszystkie zebrały na pobojowisku nowe naboje, a karabiny nie leżały w wodzie, więc to, co było w lufie, nie zdążyło pewnie zamoknąć, wszystkie też przetkały otwory zapłonowe specjalnymi szpikulcami. Pozostało dosypanie prochu na panewki i silna wiara, że w razie czego karabin wypali. Podobno wiara czyni cuda.

Ruszyły w dalszą drogę w lepszych, o dziwo, nastrojach. Nawet prędkość marszu wzrosła. Umysły opanowały słodkomdlące myśli o zdobyciu jedzenia albo oddaniu się dobrowolnie na męki. Do czego doprowadzi ślepy traf? Do rozkoszy smaku pierwszego kęsa czy do bólu ostatniego tchnienia wydartego rękoma oprawców? Niektóre z nich teraz dopiero zrozumiały, jak bliskie to są uczucia. Jeść, jeść albo umrzeć w beznadziei... Rozkosz może mieć różne źródła.

Shen potrząsała co jakiś czas głową, chcąc się pozbyć dusznych, powodowanych gorączką myśli. Ta cholerna puszcza zdawała się prowokować jakieś dziwne wyprawy w głąb siebie, do miejsc, które niekoniecznie chciałoby się odwiedzić. Miejsc przyjaznych i obcych jednocześnie, przyciągających i odpychających z tą samą siłą. Przystanęła, żeby wypić łyk wody z manierki. W powietrzu oprócz słodkawego dymu pojawiały się pasma mgły sunące leniwie nad ziemią. Znowu przypomniał jej się chłopak ze snu. „Pamiętaj, że podjęcie nawet złej decyzji jest lepsze niż niepodjęcie żadnej". No i dobrze. Decyzja właśnie została podjęta.

– Sharri, czy potrafisz powiedzieć, jakie to zioło?

– W tym dymie? – Dziewczyna pociągnęła nosem. – Nie jestem pewna. Ale to raczej coś odurzającego.

– Coś, żeby wprowadzić kapłanów w trans?

– Chyba tak.

– Ale z taką aż intensywnością, że tu czujemy?

Sharri wzruszyła ramionami.

– A cholera wie jakiego transu oni potrzebują i do czego. A poza tym jesteśmy już bardzo blisko.

– Jak blisko?

– Nie wygłupiaj się! Nie wymyślono jeszcze czegoś, co potrafi przeliczyć stężenie dymu na ilość kroków.

– No fakt... – Shen zagryzła wargi. – To powiedz mi jeszcze jedną rzecz. Czy kiedy kapłani wpadają w trans, to w świątyni jest dużo wiernych?

– Zwariowałaś? Świątynia musi być pusta.

– A lud gromadzi się przed świątynią?

Sharri westchnęła ciężko.

– Wydaje mi się, że ty słyszałaś tylko o świątyniach w miastach. Głupi lud przychodzi, składa ofiary, prosi o zniknięcie wrzodu na własnej dupie albo o wywołanie tego wrzodu na dupie matki męża. W zależności od potrzeb w danej chwili.

– I to są te gorsze świątynie?

– Dlaczego gorsze? Dają ludziom ulgę albo przynajmniej nadzieję. Albo... złudne wrażenie, że nie są sami na tym świecie. Zabawne, jak wielu głupków wbrew dowodom dokoła i wbrew rozsądkowi uważa, że znajduje się pod czyjąś opieką. Powódź zabrała plony, rodzina umarła z głodu, przyplątały się śmiertelne choroby, ale nie... Przecież jest się pod czyjąś opieką. Trzeba dać na ofiarę w świątyni. Niech Bogowie ześlą jeszcze pożar, potop i gangrenę...

Shen poklepała Sharri po ramieniu.

– Spokojnie, spokojnie... Już wszystkie wiemy, dlaczego wyrzucili cię ze szkoły kapłańskiej.

Dziewczyny zachichotały.

– Ale nie filozofuj – ciągnęła Shen – tylko odpowiadaj na pytania.

– No to je zadaj.

– O jakich świątyniach mówiłaś?

– O tych, gdzie kapłani wpadają w głęboki trans. Proste jak kawałek wyjętego z deski gwoździa. Muszą być na odludziu.

– Dlaczego?

– Bo tam się rozstrzyga sprawy ważne, a nie wrzododupne. Tam sam władca zjeżdża i o coś pyta. Lecz nawet władca nie może przebywać w pobliżu, gdy kapłani udają się w rejony niedostępne maluczkim. Świątynia musi być pusta.

– Dlaczego?

– Oj, znasz tylko jedno pytanie? Kiedy kapłan zapada w trans, to nie mogą mu towarzyszyć żadne ludzkie emocje w pobliżu. Musi być wyciszony. Sam. Z kilkoma innymi kapłanami najwyżej.

– Żadnych sług?

– No nie przeginaj. Ktoś mu wodę nosi, ktoś kaszkę gotuje. Jest kilka sług, którzy przez lata praktyki umieją panować nad emocjami. To z reguły starcy.

– I nikogo innego? Tak jest też tutaj, w lesie?

Sharri spojrzała gdzieś ponad wierzchołki drzew.

– Wiesz co? Proponuję taką zabawę: ty będziesz o to pytać mnie, a ja będę pytać ciebie, co? – Wzruszyła ramionami. – No skąd mam wiedzieć, jak tu jest? Wiem tylko, że u nas, jeśli chcesz wpaść w trans, musisz być sama!

– Ciiiii... – przerwała im Nanti. – Coś dziwnego przed nami.

Shen przyspieszyła kroku.

– Co widzisz?

– Ślady pobytu wielu ludzi.

– Dawno temu?

– Nie jestem zwiadowcą. I nie wróżę z fusów.

Dziewczyny nagle przystanęły, potem ruszyły znowu, powoli i ostrożnie. Ślady rzeczywiście były. Przygnieciona trawa i podściółka, a jeśli się dobrze przyjrzeć, to nawet kosmyki włosów na gałęziach.

– Naszych tędy pędzili.

– Widzę. – Shen rozgarniała lufą karabinu gałęzie przed sobą. – Tam coś jest.

Przed nimi rozciągała się niewielka polanka. Tak zadeptana, że prawdopodobnie trzymano tu jeńców dłuższy czas. Coś się musiało odbywać w tym miejscu. Na pewno nie był to postój dla odpoczynku. Brakowało śmieci po opakowaniach racji żywnościowych imperium, którymi potwory żywiły wrogich żołnierzy. Więc co?

– Selekcja. – Nanti odpowiedziała na niezadane pytanie. Podeszła do głazu na skraju polany. Najwyraźniej ktoś na nim siedział, podczas kiedy jeńców doprowadzano przed jego oblicze. Na ziemi przy głazie jedna z dziewczyn zauważyła sprzączkę do torby kurierskiej. Kilka kroków dalej leżało trochę papierowych strzępów. – Tu chyba oddzielano oficerów od zwykłych żołnierzy.

– I co z nimi robili?

Nanti wzruszyła ramionami.

– Szeregowych w całej masie popędzono dalej. O tam. – Wskazała ręką rozdeptaną ścieżkę w lesie.

– A oficerów?

– Kurwa, nie wiem!

– Tam. – Sharri zaskoczyła je, pokazując ręką kierunek.

– Skąd wiesz?

– Zgaduję, że poprowadzono je do świątyni. A świątynia jest tam.

– Skąd wiesz, do cholery? – powtórzyła pytanie Shen.

– No co wy, ślepe? Przecież tu wota jakieś wiszą na drzewach. Nie widzicie?

Rzeczywiście.

Okoliczne drzewa zostały ozdobione jakimiś plecionkami z traw czy z wikliny. Kiedy podeszły bliżej, zauważyły naszyjniki z zeschniętych roślin, bransolety i różne takie drobiazgi. I rzeczywiście: wydawało się, że są zawieszone wzdłuż jakiegoś przejścia. Mogło prowadzić do świątyni.

– I co? Myślisz, że oficerów poprowadzono właśnie tam?

– Pojęcia nie mam. – Sharri zrobiła parę kroków w stronę ozdobionej wotami ścieżki. – Ale po coś je wyławiali z tłumu.

– Jeśli tak było naprawdę – mruknęła Nanti. – Ale jeśli było... – Wzdrygnęła się. – Złożyli je w ofierze?

– Albo zjedli.

– Przestańcie – warknęła Shen. – Co robimy?

Sharri podeszła do niej i dotknęła amuletu zawieszonego na szyi.

– Dała ci go jakaś czarownica, tak?

– Tak. W porcie. – Shen uśmiechnęła się do wspomnień. – Byłam wtedy zupełnie zielona i chyba zrobiło jej się mnie żal.

– Dała ci w dobrej wierze?

– Chyba tak.

– Czy przed wejściem do lasu amulet... chciał ci coś przekazać?

Shen pamiętała mgliście jakieś majaki, lecz z jej snem nie zawsze wszystko było dobrze. Nie miała pojęcia, czy to amulet, czy raczej chłopiec, który odwiedzał ją nocami od bardzo wielu lat.

– Chyba tak – powiedziała ostrożnie.

– No widzisz. W lesie czekało na ciebie śmiertelne niebezpieczeństwo, naszyjnik próbował cię ostrzec.

Może. Amulet sprowadzał majaki, strach i niejasne przeczucia. Chłopak przeciwnie, zapraszał do lasu. Po raz pierwszy zrozumiała, że działają na nią dwie siły i każda chce czegoś zupełnie innego.

– I co to nam daje?

Niedoszła kapłanka tylko westchnęła nad cudzą niewiedzą w tak podstawowych sprawach dla czarownic i wszystkich, którzy mieli cokolwiek wspólnego ze świątynnym życiem. Podniosła do góry dłoń Shen i położyła ją na amulecie. Potem wzięła kapral pod rękę i poprowadziła kilkanaście kroków w głąb ścieżki.

– Czujesz coś?

– Nic.

– No to wszystko jasne. – Sharri zdawała się nie mieć wątpliwości. – Możemy iść.

Dziewczyny ruszyły skwapliwie za nimi. Świątynia! Może nie będzie pilnowana przez liczne oddziały, może tam będzie coś do jedzenia. Głód eliminował jakiekolwiek próby racjonalnej analizy sytuacji. Na nic zdawały się tłumaczenia Shen, że gdyby wykrywanie niebezpieczeństw było takie łatwe, to imperialny korpus nie wpadłby w pułapkę. Oni mieli przecież czarownice, których mocy i doświadczenia nijak nie da się porównać z jakimś otrzymanym za darmo amulecikiem i wiedzą niedoszłej młodej kapłanki. Niestety. Do żołnierzy bardziej trafiały argumenty Sharri, która twierdziła, że korpus istotnie miał potężne czarownice, ale na każde czary znajdą się przeciwczary. A w ich przypadku, malutkiego zagubionego oddziałku, nikt nie przeciwdziała, bo nikt się niczego nie spodziewa. Przeciwnik ma po prostu w dupie kilka zestrachanych, zagubionych i głodnych dziewczyn, żeby przeciwdziałać.

Jasny, pieprzony szlag! Na to Shen nie znalazła żadnej kontrargumentacji. Dyskusja zresztą umarła śmiercią naturalną, kiedy idąca przodem Nanti pokazała im wielkie drzewo rosnące z boku, niedaleko ścieżki. Shen nie mogła dostrzec szczegółów w półmroku pod rozłożystą koroną. Ktoś tam leżał? Podeszła bliżej i o mało nie zwymiotowała. Ożeż... Nie mogła ochłonąć. Poświęciła resztę wody z manierki i wylała ją sobie na twarz. Tuż przy szerokim pniu leżało nagie ciało kobiety. Ktoś wcześniej rozpruł jej brzuch, wyjął kawałek jelita i przybił do drzewa. Potem pochodnią zmuszono ofiarę, żeby biegała wokół pnia, nawijając na niego własne flaki. Potworna, długa śmierć w męczarniach.

– Czy ma ktoś jeszcze wodę?

– Ona już nie potrzebuje – szepnęła Sharri, odwracając twarz, na której malował się wyraz przerażenia. – Prawdopodobnie takich miejsc męki jest więcej. Otaczają świątynie szerokim kręgiem.

– Po co? – Shen też szeptała odruchowo.

– Męki i agonia wrogów mają otaczać kapłana albo czarownika, który wpada w trans. Są o tym wzmianki z czasów, kiedy cesarzowa Achaja paliła Wielki Las na granicy z królestwem Chorych Ludzi. Nasi znajdowali pozostałości po takich świątyniach.

– To było prawie tysiąc lat temu.

– No to co? Tu przetrwało. – Sharri rozejrzała się ukradkiem wokół. Strach mącił jej myśli, ale dziewczyna dzielnie z tym walczyła. – To dobrze.

– Co dobrze?

– Miałam rację. Jeśli tu jest tak samo jak w lesie, gdzie walczyły wojska Achai, to oznacza, że dookoła naprawdę nie ma żadnych ludzi.

– Dlaczego?

– Już ci mówiłam. To jeden z mateczników lasu. Świątynia świątyń. Dokoła nie może być innych emocji oprócz tych, które są potrzebne kapłanom.

Dziewczyny patrzyły na Sharri z nadzieją, której potrzebowały. Jedynie Shen zareagowała racjonalnie.

– Żadnych emocji? To, kurwa, opanuj swój strach, bo wszystkich pobudzisz!

Nanti zaczęła się śmiać, ale Sharri potraktowała ostrzeżenie poważnie.

– Możesz mieć rację. To teraz wóz albo przewóz.

– Czyli?

– Lećmy pędem do świątyni, weźmy coś do żarcia i chodu!

Długo patrzyły na siebie w milczeniu. To chyba głupie tak wierzyć starym podaniom i temu, że po tylu klęskach los może im sprzyjać. Nie no, zdecydowanie głupie. Ale z drugiej strony jaki miały wybór? Cofnąć się, gdzieś zaszyć i powoli zdychać z głodu? Iść nie wiadomo gdzie? No kurde blade – Shen chciała poprosić w duchu Bogów o radę, ale zrezygnowała na wspomnienie losu korpusu i widoku nagiej ofiary tuż przed sobą.

– Sprawdzić broń!

Dziewczyny jeszcze raz podsypały proch na panewki.

– Idziemy! – Ruszyła przodem z karabinem trzymanym w „pozycji patrolowej", czyli z lufą w zgięciu lewego ramienia i prawą ręką na chwycie. Reszta dziewczyn poszła jej śladem. Wystarczyło kilkadziesiąt ostrożnych kroków, żeby usłyszeć cichy szczęk jakichś naczyń i czyjś stłumiony głos. O kurde, o kurde, o kurde... Czy ta niedoszła kapłanka ma rację? Kilku starców do obsługi czy wrogi oddział gotowy do akcji? Jasny szlag! Życie czy śmierć?

– Bagnet na broń! – zakomenderowała szeptem. – Przygotować się do ataku z marszu!

Przyspieszyła. No to teraz się rozstrzygnie. Kilka sług czy elitarny oddział? Życie czy śmierć? Otworzyła usta, biorąc głęboki wdech.

– Do ataku na bagnety! – wrzasnęła. – Za mną!!!

Dziewczyny runęły do przodu. Dwadzieścia, dwadzieścia parę kroków, nie zdążyły się nawet zadyszeć, kiedy wypadły na niezbyt rozległą polanę z ustawionymi tam sągami drewna, jakby przygotowanymi do podpalenia. Nanti dopadła jakiegoś człowieka, który właśnie się odwracał, z biegu wbiła mu bagnet w brzuch i naparła, przekręcając karabin. Kiedy się przewrócił, stanęła na nim i chwytając obiema rękami za lufę broni, wyciągnęła bagnet. Z wielkim trudem. Piechociarka obok poradziła sobie trochę lepiej z napastnikiem uzbrojonym tylko w długi nóż. W biegu zrobiła lekki zwód, wbiła bagnet i naparła karabinem do góry, tworząc dźwignię, która gdy mężczyzna przewrócił się do tyłu, po prostu złamała bagnet. Dziewczyna miała więc ciągle w rękach broń gotową do strzału i prawie nie zwolniła tempa.

– Dalej! Dalej!

Maleńki oddział w coraz większej rozsypce lawirował między sągami drewna. Nikt nie widział przeciwnika.

– Nie dajcie im podpalić tych ognisk! – krzyczała Sharri, sama jednak przezornie trzymając się trochę z tyłu.

Kto miał podpalać? Nie było żadnej obrony. Sharri mogła mieć rację, przewidując, że w świątyni będą jedynie kapłani. Biegły, dysząc coraz ciężej, wprost do wylotu jaskini udekorowanego pękami suchych ziół. Dopiero przy wejściu ukazał się ktoś z prawdziwą bronią. Nagi mężczyzna ze smolistoczarnymi oczami. Miał w rękach ni to oszczep, ni to dzidę. Jedna z dziewczyn poszła na zwarcie, bijąc lufą w bok drzewca. Gibnęła się w bok i wbiła w potwora bagnet. Mężczyzna upadł plecami na ziemię, ale bagnet i karabin razem z nim. Ostrze uwięzło w ciele na dobre. Dziewczyna wykonała więc instrukcję odzyskania broni. Odciągnęła kurek i pociągnęła za spust. Odruchowo, tak jak ją nauczono na ćwiczeniach, zanim Shen zdążyła krzyknąć, żeby nie strzelać. Kula wbiła się w ciało potwora wzdłuż osi bagnetu, powiększając ranę tak, że teraz ostrze można było wyciągnąć bez trudu. Wszystko według instrukcji. Ale kogo mógł zaalarmować strzał?

Dziewczyny nerwowo rozglądały się wokół.

– Zwiad dwójkowy... – zaczęła Shen, ale ugryzła się w język. – Nie, stój! – Oddział był po prostu za mały na takie cuda.

– Kurwa mać, ten strzał... – Nanti podbiegła do ścieżki prowadzącej w las. – Jeśli ktoś, kurwa, słyszał...

– Nie martwcie się.

Jak na komendę odwróciły głowy, żeby stwierdzić, że jedyną pewną osobą, która mówi tak spokojnym tonem, jest... Sharri.

– Nikt nie usłyszał.

– Bo?

– A jak myślicie? – Dziewczyna postukała palcami w najbliższy sąg drewna, pod którym dogorywał właśnie przebity i postrzelony mężczyzna. – Po co im tyle drewna przygotowanego do podpalenia?

– Jakiś rytuał?

Niedoszła kapłanka zaczęła się śmiać.

– Zaraz rytuał. A można myśleć prościej: gdy kapłani skończą trans i związane z nim obrzędy, słudzy podpalą te sągi, żeby dym wezwał wojowników, którzy będą mogli wysłuchać woli Bogów. Proste?

– Jak daleko są ich wojska? Poza zasięgiem huku z broni?

– A widzisz, jak wiele drewna zgromadzono? Przecież to będzie słup dymu widoczny z odległości dnia drogi.

– No dobra, dobra... a jeśli ktoś z tych sług uciekł? I właśnie biegnie po pomoc?

– No to ma przed sobą jeden dzień w jedną stronę, drugi w drugą. Pojutrze nas dopadną – śmiała się Sharri i to właśnie, fakt, że tak się zachowuje ktoś, mówiąc delikatnie, o nie największej odwadze, napawało pozostałych pewnością siebie. – Pod warunkiem, że się staruszek nie zatchnie ze zmęczenia po drodze.

– Jesteś pewna?

Sharri wzruszyła ramionami.

– A gdyby była szybsza i pewniejsza możliwość, po co im to drewno? Co?

Shen wzruszyła ramionami.

– Miejmy nadzieję, że nie do opiekania jeńców wojennych, żeby ich spożyć na ciepło.

– Że niby są kanibalami, tak? To czemu nie przyprowadzili zapasów do kuchni, tylko ganiają po lesie? Chcą, żeby im ludzina skruszała?

– Aleś ty się pyskata zrobiła! – warknęła Shen. – To powiedz mi jeszcze, gdzie mają żarcie.

– Pod ręką. – Niedoszła kapłanka udawała zdziwienie. – W jaskini.

Dziewczyny zaczęły się śmiać. Shen pokręciła głową i wzorem oficer z ostatniej bitwy, która pokazała wobec niej swoją wyższość, poklepała koleżankę dłonią po twarzy. Nie mogła zrobić większej uciechy Nanti, która przecież pamiętała ten akt protekcjonalizmu tamtej nocy.

– Grzeczna baba. Idziemy!

Dziewczyny wskakiwały do jaskini pojedynczo i w dużym napięciu. Niepotrzebnie. Po pierwsze, wewnątrz rzeczywiście nikogo nie było. A po drugie, w środku było dość jasno. Jaskinia przynajmniej z jednej strony, od zbocza góry, miała ściany z licznymi otworami, przez które wpadało światło. Zapach ziół wzmógł się, jednak Sharri uspokajała. Przypadkowi wędrowcy nie wpadną od tego w żaden trans.

Szły powoli wśród zawieszonych wszędzie trofeów czy świętych wotów. Szlag ich wie! Wokół zgromadzono naszyjniki z kłami i pazurami dzikich zwierząt, jakieś skóry, czaszki. Trochę dalej wisiały części wyposażenia różnych armii, nie tylko imperialnej. Złocone odznaki oddziałów, szczególnie cenna broń, sztandary, totemy i cała masa zdobyczy. Sharri zatrzymała się przy jednym z wykuszy.

– Patrz – szepnęła do Shen, pokazując spatynowany hełm. – Tu jest znak cesarstwa.

– No przecież nie naszego...

– Cesarstwa Luan. Które Achaja wraz z Biafrą zniszczyli tysiąc lat temu.

– O kurde...

Szły dalej, przyglądając się uważnie eksponatom. Dalej jaskinia się rozszerzała. Zobaczyły w oddali blask ognia. I nagle któraś krzyknęła:

– Tam!

Reszta zauważyła dopiero po chwili. Spory kociołek zawieszony nad małym ogniskiem i naczynia dookoła. O mało się nie stratowały, biegnąc. Nikt już nie zważał na nic. Psiakrew! Kociołka nie dało się dotknąć, tak parzył. Gorączkowo odstawiały karabiny i zrzucały plecaki, gdzie miały menażki. Głód nie pozwalał na racjonalne myślenie. Któraś odkryła leżące obok zawinięte w szmatkę placki. Napchały sobie nimi usta tak, że miały problemy z zaczerpnięciem oddechu. Żuły zapamiętale, prawie się dławiąc. Na szczęście zapach gulaszu pozwolił zakończyć nierówną walkę z plackami.

– Mam, kurwa, tylko nadzieję – westchnęła Shen, z dużą ostrożnością biorąc do ust kawałki gorącego mięsa – że to nie jest ludzina.

– Oj, przestań! – wściekła się Nanti. – Nie obrzydzaj innym!

– Nie jest – usiłowała ich uspokoić Sharri. – Nie ma żadnego udokumentowanego przekazu o kanibalizmie potworów.

– A jest w ogóle jakiś przekaz o ich żarciu?

– Hmmm... Też nie ma. Ale to o niczym nie świadczy.

– Przestańcie! – wrzasnęła Nanti. – Ludzina jest słodka!

– A to mięso jest jakie?

– Zaraz, skąd wiesz, że słodka? Jadłaś kiedyś?

Coś poruszyło się w korytarzu prowadzącym do głębiej położonych zakamarków. Któraś z dziewczyn odstawiła menażkę, sięgnęła po karabin i ciągle siedząc, strzeliła w tamtym kierunku. Huk o mało nie rozerwał im uszu.

– Nie strzelać w zamkniętym pomieszczeniu, psiakrew! – Shen trzymała się za głowę. Bluzę munduru miała upapraną gulaszem.

Nanti, nie widząc niczego w kłębach dymu, wstała i również chwyciła za karabin, ciągnąc za sobą inne. W korytarzu leżał jakiś starzec z okropną raną ramienia. U młodego może postrzał nie okazałby się śmiertelny, ale widać było, że staruszek nie ma żadnych szans. Ostrożnie ruszyły dalej. W następnym pomieszczeniu też palił się ogień. Było tu znacznie ciemniej. Wokół paleniska wydzielającego silną woń ziół ustawionych zostało kilka leżaków. Kiedy wzrok przyzwyczaił się do mroku, dziewczyny zauważyły, że na każdym leży zawinięta w koc postać.

– To są ich kapłani – Sharri chciała szeptać, ale w uszach dzwoniło im tak, że musiała podnieść głos.

– To oni kierują tamtymi wojownikami – odezwała się któraś z tyłu.

– To z ich rozkazów zginęło tylu ludzi. Oni zamęczyli oficerów...

– Ja tam nie muszę szukać usprawiedliwienia! – wycedziła inna. – To się robi tak!

Przyłożyła lufę karabinu do głowy najbliżej leżącej postaci i wystrzeliła. Mózg rozbryzgnął się na ścianie.

– Nie strzelać! – wrzasnęła Shen, czując, że zaraz zwymiotuje od dymu i huku.

Nikt jej nie słyszał. Dziewczyny zacięły się w gniewie i zemście. Niektóre strzelały do ludzi pogrążonych w transie, inne niszczyły zgromadzone wokół przedmioty. Jedna chodziła wokół ogniska, powtarzając w kółko:

– Ja cię pierdolę, ja cię pierdolę... – Nagle strzeliła do jednej z postaci na leżaku, sprawdziła, czy bagnet jest prawidłowo osadzony, i zaczęła ciąć nim zwisające ze ścian plecionki. – Ja pierdolę to wszystko...

– Spokój! – wrzasnęła Shen. Z powodu prochowego dymu prawie nic nie było widać. W uszach dzwoniło, a jednak wydawało jej się, że z boku dobiega jeszcze jakiś inny dźwięk. – Cisza!

Zaczęła nasłuchiwać. Obok przystanęła Nanti, którą też coś zaniepokoiło.

– Jakby ktoś wzywał pomocy. – Podeszła do wylotu jednego z korytarzy. – Mylę się?

Shen nie rozpoznawała dźwięków. Jedna z piechociarek potwierdziła:

– Masz rację. Ktoś woła.

Wszystkie chciały od razu ruszyć wzdłuż korytarza, skoro wołającym był prawdopodobnie ktoś z imperialnej armii, ale Shen osadziła je w miejscu.

– Stać! Ładować karabiny, suki bure!

Na szczęście piechota potrafiła ten akurat rozkaz wykonać błyskawicznie. Nanti poszła przodem, zaraz jednak okazało się, że nie jest to takie proste. Tu nie docierało już żadne światło i musiały się cofnąć, żeby sporządzić prowizoryczne pochodnie. Trwało to dłuższą chwilę, a efekt daleki był od oczekiwań. Jednak ruszyły. Poza tym stan słuchu wszystkich poprawiał się zdecydowanie, im więcej czasu mijało od karabinowej palby w zamkniętym pomieszczeniu. Teraz słyszały wyraźnie:

– Pomocy! Jestem oficerem łącznikowym armii Arkach!

– Szlag! – zaklęła któraś z tyłu. – Jeszcze oficera, kurwa, tu trzeba.

– A co ci przeszkadza oficer?

– A kogo zabiłaś przy ognisku? Przypadkiem nie bezbronnych cywilów?

– Pieprzyć. Nie będzie się czepiała.

Prowizoryczne pochodnie wypalały się właśnie, lecz przed nimi na szczęście było inne źródło światła. Ogromna olejowa lampa wykonana przez najlepszych rzemieślników, pewnie w dalekiej Dahmerii. Ciekawe, komu potwory to zrabowały?

Jasny szlag! Idąca przodem Shen zobaczyła u podnóża lampy liście jakichś ogromnych roślin. Wydawało jej się, że wśród nich, drżących lekko w powiewach powietrza krążącego korytarzami, widzi ludzką postać. Ostrożnie podeszła bliżej, potem, wstrzymując oddech i z palcem na spuście, rozchyliła gałęzie. Ożeż... Na pniu, z którego wyrastały wszystkie odnogi, siedziała naga kobieta. A pnącza wrastały w nią, przerastały jej ciało, wnikały gdzieś nisko, by pojawić się, dziurawiąc skórę, gdzieś wyżej. Shen nagle zdała sobie sprawę, że z ran prawie nie wycieka krew. Może trochę, pomieszanej z jakimś gęstym, śluzowatym sokiem. Wzdrygnęła się, o mało nie strzelając odruchowo, kiedy kobieta otworzyła oczy.

– Pomocy... – wyszeptała. – Jestem oficerem armii Arkach.

– Kapral Shen melduje...

– Zdobyliśmy to miejsce? – We wzroku umęczonej ofiary mignął ślad nadziei.

– Nie – Shen postanowiła być szczera. – Prawdę mówiąc, spieprzamy zygzakiem na oślep przed siebie. Tu tylko zabiłyśmy paru kapła... wrogów, żeby zdobyć jedzenie.

Wydawałoby się, że nadzieja powinna teraz sczeznąć w oczach tamtej, ale stało się coś wręcz przeciwnego. Podniosła głowę i przedstawiła się bardziej dziarsko.

– Major Dain, oficer łącznikowy przy sztabie korpusu.

O, ja cię!... Oficer łącznikowy w randze majora. Ciekawe, jak ważne były sprawy, których miała dopilnować, skoro wyznaczono do realizacji zadania aż taką szarżę.

– Możemy pani jakoś pomóc, pani major?

– Nie. – Dain zdawała się odzyskiwać jasność myśli. – Inni powiedzieliby, że to Bogowie was zesłali. – Podniosła wzrok i spojrzała Shen prosto w oczy. – A ja powiem, że wykazaliście się wzorową postawą, kapralu! Jesteście właściwym człowiekiem na właściwym miejscu.

– Tak jest, pani major! Dziękuję, pani major!

– Dokonałaś już czegoś niesamowitego, dziewczyno. Ale musisz zrobić coś jeszcze.

– Tak jest!

– Chcę, żebyś wydostała się z lasu, żywa. I dotarła do sztabu generalnego cesarstwa. Żywa.

Zanim Shen zdołała podzielić się wątpliwościami na temat możliwości realizacji tego zadania, Dain dodała:

– Pomogę ci w wykonaniu tego rozkazu. Nawet stąd, nawet w moim obecnym stanie.

Shen i stojąca za jej plecami Nanti oniemiały. Major ciągnęła dalej:

– Ale po kolei. Skoro zabiłyście wszystkich kapłanów, albo choćby tak wam się wydaje, to znaczy, że macie minimum dwa dni, podczas których nikt nie będzie was niepokoić.

Przysłuchująca się rozmowie Sharri uśmiechnęła się nagle i wyprostowała z dumą. Wszystkie jej przypuszczenia właśnie okazywały się słuszne.

– Tam dalej, w głębi tej pieczary, znajduje się nisza, gdzie trzymają szczególnie cenne wota. Między innymi moją teczkę z papierami. Musicie mi ją przynieść. Jest tam także ich najstarsza kapłanka. Nią się nie przejmujcie. Jest w transie i nie obudzi się bez pomocy innych kapłanów.

Shen gestami wysłała dwie dziewczyny, żeby wykonały zadanie. Szepnęła też, żeby nie zabijać tej „starszej", czy jak jej tam. Skoro się nie obudzi samodzielnie, to może się jeszcze przydać.

– Torturowali mnie... – wyszeptała Dain. Spojrzała na swoje ciało przerośnięte pnączami. Na jej twarzy pojawił się wyraz obrzydzenia. – Te rośliny wydzielają dziwny sok. On zmusza do mówienia, łagodzi ból albo potęguje do niewyobrażalnych granic. W zależności od woli przesłuchującego.

– Odetniemy to – zaoferowała Shen.

– Wtedy umrę. – Major podniosła głowę. – Wiele się ode mnie dowiedzieli. Ale nie wszystko. Za to ja podczas przesłuchań wiele dowiedziałam się o nich.

Dwie piechociarki przyniosły oficerską torbę. Były czymś wyraźnie oszołomione. Jedna z nich ukradkiem pokazała Shen, co ma w zaciśniętej dłoni. Cholera!... Złote monety!

– Otwórz torbę – zakomenderowała Dain. – Powinien tam być mój pistolet. Sprawdź, czy gotowy do strzału, i połóż tak, żebym mogła sięgnąć.

Shen wyjęła broń. Wyciorem sprawdziła nabój i odruchowo podsypała proch na panewkę. Potem położyła w zasięgu ręki Dain. Domyślała się, do czego pistolet posłuży już niedługo.

– W teczce są dokumenty. Nie ma co zaglądać, wszystko zaszyfrowałam wcześniej. – Major z coraz większym trudem brała kolejny oddech. – Musisz je dostarczyć do pałacu. Bezpośrednio do rąk samej imperator!

Shen zmiękły nogi. Co?! No tak. To gorączka telepie panią major, która sama nie wie, co mówi.

– Zapamiętaj, co masz powiedzieć.

Nanti szturchnęła kaprala i oczami dała do zrozumienia, żeby śmiertelnie poranionej potakiwać, cokolwiek by mówiła. Dain zauważyła te manipulacje i nawet lekko się uśmiechnęła.

– Na razie mi nie wierzysz. Ale to nie szkodzi. Nic przecież nie przeszkadza ci zapamiętać słów.

– Co mam powiedzieć?

– Że imperialny korpus zginął. Ale zadanie wypełnił.

Znowu jakby piorun uderzył w Shen.

– Co?

– To, co słyszysz. Zadanie wypełnione, a wszystko jest w tych zaszyfrowanych papierach. One muszą dotrzeć do stolicy.

– Przecież to niepodobieństwo! Nie wyrwiemy się stąd za żadne skarby!

Dain znowu opuściła głowę. Długo zbierała siły do dalszej rozmowy.

– Na szczęście znowu się mylisz, mała.

– Jak mam opuścić las?

– Zgodnie z planem. Był moment, że ja też uważałam to za rzecz niemożliwą. Jednak teraz stało się coś, jakieś niezwykłe, sprzyjające nam wydarzenie, które sprawiło, że plan jest znowu wykonalny.

– O czym pani mówi, pani major?

Dain spróbowała się oprzeć o podstawę dahmeryjskiej lampy, żeby zyskać trochę oddechu. Dwie stojące najbliżej dziewczyny usiłowały pomóc, ale odgoniła je słabym gestem.

– Myślałam, jak wszyscy trzymani tu oficerowie, że zagłada korpusu umożliwi potworom atak na twierdzę, zdobycie jej i zakończenie obecności Arkach w lesie na wiele lat. I taki musiał być rzeczywiście ich plan. Zgromadzili tutaj ogromne siły, naszych jeńców, byli gotowi do ostatecznego uderzenia. I nagle stało się coś dziwnego. Ich wielkie siły podzieliły się. Część zgodnie z wcześniejszymi zamierzeniami poszła na twierdzę. A część, i to większa, została wysłana w zupełnie innym kierunku.

– Na kogo?

– No właśnie. Na kogo? – Dain z trudem otarła kropelki krwi gromadzące się w kącikach warg. – W lesie musiał się pojawić jakiś inny zbrojny oddział. I to nielichy, skoro skierowali przeciwko niemu większość swoich wojsk.

– Nasi?

– Skąd mam wiedzieć? Chociaż... wątpię. Jako oficer łącznikowy musiałabym wiedzieć jeśli nie o planie operacji, to przynajmniej że w ogóle mamy jakieś duże siły z drugiej strony lasu. A nie mam pojęcia o czymś takim. Wedle mojej wiedzy imperium nie ma w okolicy nic poważniejszego.

– Jakieś inne królestwa graniczące z lasem wysłały swoje wojska?

– Nie wiem. Jednak siły potworów wyruszyły w stronę wybrzeża.

Shen zerknęła na Nanti, ale ta również nie znała odpowiedzi. Kto dysponował taką liczbą żołnierzy, żeby wysadzić desant na plaży? Imperium mogłoby od biedy o tym śnić, dla pozostałych królestw podobna akcja nie znajdowała się nawet w zasięgu sennych marzeń. Taka siła, która pozwalała wysadzić armię w polu, wyżywić, zaopatrzyć bez jakichkolwiek osad ludzkich, bez portów, bez transportu i łączności była trudna do wyobrażenia. No przecież wszystko, dosłownie wszystko trzeba im dowozić. Mocarza, którego stać na to, nie było przecież na całym świecie. A jeśli nawet był, jedno pytanie nie dawało spokoju. Można wysadzić armię na ugorze, gdzie nic nie ma wokół. Tylko po co?

– A jeśli ten ktoś ma taki sam cel, jaki miał osiągnąć imperialny korpus ekspedycyjny?

Dain zaprzeczyła natychmiast.

– Niemożliwe.

Ucięła całą dyskusję. I znowu długo walczyła z ogarniającą ją słabością. Podniosła wreszcie głowę.

– Czy któraś z was umie czytać i pisać?

Sharri wysunęła się do przodu.

– Ja umiem, pani major.

– A czytać mapę?

– Ja trochę umiem – powiedziała Nanti.

– Dobra, ty weź czystą kartkę. Zapiszesz, co oznaczają numery i symbole na mapie. Ta druga niech patrzy, po wyjściu będzie musiała zorientować mapę i pokazać drogę dowódcy.

– Tak jest!

– Pojawienie się nowego gracza w lesie sprawiło, że wcześniejszy plan znowu wydaje się możliwy do realizacji. – Dain popatrzyła na Shen, czy słucha uważnie. – Podczas tej operacji twierdza nie miała być w ogóle broniona.

Shen zatkało ze zdziwienia.

– Dowódca garnizonu pewnego ściśle określonego dnia opuści twierdzę i ruszy na spotkanie z wycofującym się korpusem. Nie wie oczywiście, że korpusu już nie ma. Ale miejsce spotkania było znane kilku oficerom sił specjalnych, więc możecie natknąć się tam na jakieś niedobitki. Po połączeniu sił garnizonu i korpusu imperialna armia miała wyrwać się z lasu i dostarczyć wszystko, co jest w tej teczce, wprost do imperialnego sztabu.

Na usta wszystkich cisnęło się pytanie: co jest w tej teczce? Żadna jednak go nie zadała. Dain podawała daty kolejnych etapów operacji, punkty orientacyjne i miejsca spotkania, podstawowe oraz awaryjne, a Sharri zapisywała wszystko na czystej kartce. Nanti usiłowała zgrać zapiski z symbolami na mapie.

– Ta mapa i wcześniejszy plan powinny wyprowadzić was z lasu. Potwory główne siły skupią teraz na kimś innym. Szansa jest.

Sharri dmuchała na kartkę, chcąc wysuszyć atrament. Dain kazała jej wziąć nową i podyktowała list żelazny dla

Shen, który potem opatrzyła własnym podpisem. Major chwilami odpływała, bełkotała półprzytomnie i dziewczyny bały się, że odpłynie zupełnie, a chwilami stawała się rzeczowa, służbista, gorsza niż najgorszy sierżant w pułku szkoleniowym.

– To wszystko, jeśli chodzi o strategię. Zrozumiałaś, co powiedziałam?

– Tak jest! – Shen wyprężyła się na baczność.

– No to na koniec jeszcze jedno. Jeśli pójdziecie w kierunku niszy, gdzie spoczywa w transie kapłanka, tam gdzie mają szczególnie cenne wota, znajdziecie drugie wyjście. Przed jaskinią są składy, a przynajmniej coś w tym rodzaju. Mają tam nasze zrabowane porcje żywieniowe, alkohol. Możecie uzupełnić braki w wyposażeniu.

– A... – Shen postanowiła jednak zadać to pytanie, które męczyło ją od początku. – A pani?

Dain podniosła głowę.

– Zrozumieliście rozkazy, kapralu?

– Tak jest, pani major!

– Wykonać!

– Rozkaz!

Dain oparła głowę o dahmeryjską lampę.

– Spalcie tę budę! – Włożyła do ust lufę pistoletu i pociągnęła za spust. Kula przebiła czaszkę i wylatując z tyłu, strzaskała lampę. Oliwa wraz z krwią bryznęła na ścianę, a pozbawiony dopływu paliwa układ zapłonowy zaczął się dusić. Przez kilka chwil światło drgało jeszcze, ukazując w krótkich odsłonach szczegóły sceny przed nimi. Potem zgasło, ustępując miejsca ciemnościom.

– No szlag! – rozległ się czyjś głos.

– I co teraz?

– No kurde, no... chyba chciała, żeby było ciemno. Wtedy te rośliny w jej... w jej ciele zamrą. Czy co?

– Chciała, żeby spalić – mruknęła Shen. – Jak spalić jaskinię?

– Oj, mnożysz trudności – powiedziała Sharri. Usłyszały odgłos pocierania wojskowego krzesiwa. Dziewczyny odskoczyły odruchowo. W samą porę. Sharri zapaliła rozlaną oliwę, wywołując całkiem przyzwoity pożar. – No! I o to chodzi, pani major. – Usiłowała jednak nie patrzeć na płonące zwłoki. – Rozkaz wykonany!

– Spierdalamy stąd!

– Czekaj! – Dziewczyna, która przyniosła teczkę oficera łącznikowego, znowu pokazała, co trzyma w dłoni. – Daj nam zabrać trochę tego... Ty wiesz, jakie tam są cuda?

– To rabunek – mruknęła Shen bez przekonania.

– Ale za linią wroga.

– Też zakazany. Eeee... – Shen odsunęła się od ognia. W jaskini robiło się coraz goręcej. – No przekonajcie mnie jakoś.

– Mamy list żelazny, nikt się nie dowie i nie będzie mógł rewidować.

– Czekaj. – Nanti powstrzymała piechociarki jedną ręką. – Przeprowadzałyśmy rekwizycję zrabowanych dóbr, żeby po powrocie skarby oddać rodzinom ofiar.

– No, to brzmi lepiej – zgodziła się Shen. – Chodźmy rabować, a ty – wskazała Sharri – sprawdź, co z tym drugim wyjściem.

– Tylko nie zabierzcie wszystkiego same...

– Spoko wodza. Tam jest tego tyle, że nie uniesiesz.

Prawie po omacku dotarły do niszy. Dopiero wewnątrz zapaliły kilka namoczonych oliwą szmat. Szybko połamały jakieś drogocenne, starożytne meble, zdobyte nie wiadomo jak dawno na nie wiadomo kim, i zrobiły z nich ognisko. Głęboka nisza rzeczywiście zdawała się oazą bogactwa. Oszołomione grzebały niemrawo w zbiorach wotów składanych tu przez stulecia. Co chwila jednak zerkały niepewnie na wielkie łoże, na którym trwała w transie stara kobieta. Uspokoiła ich dopiero Sharri, która wróciła z pękatym bukłakiem i dzbanem oliwy.

– Nie ma się czego bać. – Zerknęła na „starszą". – Sama się nie obudzi.

– A może weźmiemy ją jako zakładnika? – zastanawiała się Shen.

– Niby jak? – Nanti wzruszyła ramionami.

– A wziąć drąg i podwiązać od dołu jak dzika po polowaniu. Lekka jest, dwie dziewczyny poniosą bez trudu.

– No... głupie to to nie jest.

Wszystkie miały w pamięci biedną panią chorąży, która uniknęła zagłady sił szybkich, powróciła do fortu i potem została rozstrzelana.

– No, wrócimy ze zdobyczą.

– I źródłem informacji – włączyła się Sharri.

– Przecież śpi w jakimś letargu.

– Spokojnie, spokojnie. Już ją nasze czarownice obudzą i grzecznie skłonią do gadania. Ciekawe, czy nasi znają ten sposób, w jaki oni potraktowali Dain?

– Wyluzuj. – Nanti poklepała Shen po ramieniu. – Jeśli nie znają tego konkretnie, to na mur znają jeszcze lepsze.

Zaczęły się śmiać. Bukłak krążył pomiędzy grzebiącymi w stosach dóbr dziewczynami. Ktoś wystrzelił nad głową leżącej na łożu kapłanki, żeby sprawdzić, czy naprawdę się nie obudzi. Nie obudziła się, lecz pocisk rozwalił dość sporą, bezcenną rzeźbę z kryształu. Znowu dzwoniło im w uszach po wystrzale, ale mimo to jedna z dziewczyn, która znalazła jakiś prymitywny strunowy instrument, zaczęła na nim grać. Bum-bum, bum-bum, bum-bum inna piechociarka wybijała rytm na starożytnych metalowych tarczach. Pito coraz mocniej. Plecaki powoli wypełniały się monetami i szlachetnymi kamieniami. Od czasu do czasu ktoś strzelał do kolejnej rzeźby zamierzchłego bohatera.

– Patrz! – Nanti znalazła miedzianą tubę. – To się tak śmiesznie rozciąga!

Okazało się, że to trzy nasunięte na siebie rury. Jak pociągnąć z jednej strony, to całość robiła się trzy razy dłuższa. A jak spojrzeć przez to coś, to szkiełka umieszczone w środku sprawiały, że rzeczy stawały się bliższe. Obie nie mogły tego rozgryźć.

– Co to może być?

– Pojęcia nie mam. Trzeba zobaczyć, jak działa w słońcu.

– Ha... Po co komu takie coś? – Nanti schowała dziwną tubę do plecaka.

– Tu masz lepsze. – Shen wyciągnęła ze stosu kosztownych rupieci inne rury. Były zupełnie nieprawdopodobne. Wykonane na pewno nie ze złota czy srebra, ale też nie z miedzi, lśniły tak, że dziewczyny mogły się w nich przejrzeć. Ta gładka powierzchnia nie mogła powstać poprzez długie polerowanie. To było coś, czego żadna z nich nie widziała nigdy w życiu. Nie mogły nawet odgadnąć, w jaki sposób układ rur został ze sobą połączony. Wyglądały jak przyklejone do siebie, jednak przecież metalu nie da się kleić. No i waga. Z całą pewnością to był metal. Ale metal tak lekki?

Tym razem Shen wsunęła dziwaczny przedmiot do plecaka. Fascynująca zagadka. Resztę wolnego miejsca dopełniła złotymi monetami.

– Kończymy! – krzyknęła, chcąc opanować coraz bardziej huczną pijacką imprezę. – Brać tę kapłankę i wychodzimy na zewnątrz.

Dziewczyny ociągały się strasznie. Shen nie dyskutowała. Kopnęła przyniesiony przez Sharri dzban oliwy, która momentalnie zapłonęła od ogniska.

Rozdział 10

Kai nie miała dotąd pojęcia, że istnieje coś takiego jak maszyna do wycinania drzew. Wydawało jej się, że wiele już wie o maszynach ludzi zza gór. Widziała traktor, lekki czołg i ciężarówkę. Ale to... Ogromny, dymiący i ryczący potwór podjeżdżał powoli do ściany lasu, mieląc wszystko gąsienicami. Upiorne stalowe ramiona chwytały drzewo, coś jazgoczącego i wyjącego cięło je niżej, a potem trach! – gruby pień walił się na ziemię. Chwilę potem z tyłu podjeżdżał inny potwór, z długiego ramienia opuszczał stalowe szpony, chwytał powalone drzewo i ciągnął w tył, do obróbki. Jego miejsce zajmowało kolejne monstrum, którego zadaniem było usunięcie korzeni. Widok naprawdę straszny. Maszyny ogałacały ziemię systematycznie i powoli, ale miało się wrażenie, że wystarczy odwrócić wzrok na moment, a łysa i poraniona będzie ogromna połać ziemi.

– Czemu aż tyle lasu trzeba wyciąć? – spytała.

Tomaszewski wzruszył ramionami.

– To dopiero początek. Pierwszy etap.

– To będą następne?

– Tak, będą, choć to ciągle prowizorka. Potrzebujemy lotniska.

– Będą tu startować samoloty? Jak z tego okrętu, na którym byliśmy?

Roześmiał się.

– Tak. Z tym że lotnisko na ziemi ma dużą przewagę. Żeby z lotniskowca mogło cokolwiek wystartować, trzeba go ustawić pod wiatr i rozpędzić. W nocy jest z tym spory kłopot, bo tak wielki okręt nigdy nie płynie sam, no i cała grupa musi robić nagłe zwroty.

– A gdzie będzie to lotnisko?

– To drugi etap. Ci ludzie tutaj – wskazał dymiące maszyny – na razie wyrąbują wyłącznie pola ostrzału.

– Tu będzie fort?

Zaprzeczył ruchem głowy.

– Po staremu wykorzysta się wojenne doświadczenia. Patrz. – Odwrócił się plecami do lasu. – Tam powstają okopy, a przed nimi stawia się zasieki. W linii okopów będą stanowiska karabinów maszynowych i już. Koniec. Nikt nie przejdzie.

Teraz ona się uśmiechnęła.

– Potwory podobno widzą po ciemku. Co zrobią żołnierze, kiedy tamci zaatakują w nocy?

– W nocy strzela się race. W górze wybucha magnez i zaczyna płonąć, oświetlając wszystko wokół. A kiedy opadną na spadochronach i zgasną, strzela się następne.

– I tak przez całą noc? Nie zabraknie?

– Przez całą noc – potwierdził. – Nie zabraknie.

– A jak jednak skończy się zapas?

Ujął Kai za ramiona i popatrzył głęboko w oczy. Coś tam tłumaczył, że się nie skończy, a nawet gdyby, to są jeszcze reflektory, miotacze ognia i bomby z napalmem. Opowiadał o tym, że w razie zagrożenia artyleria okrętowa może udzielić wsparcia i posłać kilka oświetlających salw i takie tam... Kai nie słuchała. Tomaszewski wydał jej się taki cholernie przystojny. W tym swoim idealnie odprasowanym czarnym płaszczu, z białym szalikiem i białą czapką, z wyglansowanymi na połysk butami i spodniami w kant. Bogowie. A nie tak dawno, kiedy opieprzał swoich ludzi ustawiających znaki lądowania dla wiatrakowców... Ten jego chrapliwy, głęboki głos, kiedy pokrzykiwał. Czuła, że mięknie. Jasny szlag, wśród załóg okrętów nie było kobiet, nie mogła więc zaobserwować, jak kobiety i mężczyźni wzajemnie się do siebie odnoszą. Kai nie wiedziała, co począć. Jako kobieta czuła, że to przecież Tomaszewski powinien zacząć pierwszy. Łapała jego spojrzenia, wczuwała się w jego nastroje, całą sobą wiedziała, że mu się podoba. Ale też racjonalna część jej kobiecości wiedziała, co go krępuje. Był za nią odpowiedzialny. A jak by wyglądało, gdyby opiekun powierzoną mu przez władze w opiekę kobietę po prostu, mówiąc wulgarnie, zerżnął. Hm. W dodatku, co również jej wrażliwa natura wyczuwała idealnie, oni tu traktowali Kai prawie jak nieletnią. Nie wiedziała, jaki jest wiek „poborowy" u ludzi zza gór, i nie miała pojęcia, jak powiedzieć, że tu, „po właściwej stronie gór", ona jest od dawna pełnoprawną kobietą, ze wszystkimi przywilejami, od wolnego wyboru partnera poczynając. Nawet wyobraziła sobie tego rodzaju scenę. Oto staje naga w drzwiach jego kajuty, wypina się powabnie i mówi: „Według naszych obyczajów jestem od dawna gotowa do rżnięcia!”.

– O czym myślisz? – spytał Tomaszewski. – Poczerwieniałaś na twarzy.

A niech go szlag, bystrzaka, z jego zmysłem obserwacji!

– Zmarzłam trochę na tym wietrze.

Dobra, dobra, wszyscy na świecie wiedzą, że jeśli ktoś zmarznie, to staje się blady, a nie purpurowy. Ale nie wnikał na szczęście. Był zbyt zajęty obserwowaniem podchodzącego do lądowania wiatrakowca.

– Puścić sygnały dymne, panie poruczniku? – spytał jeden z towarzyszących im marynarzy. Malutkie lądowisko stanowiło własność marynarki i Kai wielokrotnie już zdążyła wyczuć animozje pomiędzy różnymi rodzajami wojsk. Marynarze od rana ręcznie przygotowywali maleńki skrawek terenu mimo wielu ciężkich maszyn pracujących tuż obok. Nikt im jednak nie pomógł. Maszyny były własnością wojsk lądowych.

– Nie trzeba. Widoczność jest doskonała.

Wiatrakowiec szybko ustawił się pod wiatr. Odgłos silnika zmniejszył się nagle i niewielka maszyna właściwie na autorotacji opadła na ziemię. Pilot wyhamował po kilkunastu metrach i wyłączył zasilanie.

– Po co wam lotnisko, skoro możecie używać takich maszyn? – spytała Kai.

– One są za małe, zbyt powolne i nie nadają się do wielu zadań. Nie mówiąc o zasięgu, jaki ma samolot.

Marynarze podskoczyli do pojazdu, żeby przymocować liny do zaczepów bezpieczeństwa. Wiatr nie był oczywiście ani w części tak silny, żeby zrobić coś złego maszynie na ziemi, ale po pierwsze, z regulaminem pisanym dla lotniskowców nie należy dyskutować, a po drugie, marynarze właśnie byli szczególnie wyczuleni na tym punkcie.

Pani inżynier Wyszyńska, która wysiadła jako pierwsza, nie wyglądała na zadowoloną z wyników eksperymentu.

– Jak lot? – zagadnął Tomaszewski, czym wpakował się na minę.

– Wie pan co? – Śliczna pani inżynier spojrzała na niego wściekle. – Obsługanci na stacji benzynowej, którzy myją w samochodach szyby, są lepiej przygotowani do obsługi sprzętu niż technicy marynarki wojennej!

Tomaszewski już miał odwarknąć, powodując kolejną kłótnię między „żołdakami" i „cywilbandą", na szczęście Kai wykazała się refleksem.

– Strasznie chciałabym umieć pilotować taki wiatrakowiec. – Weszła pomiędzy interlokutorów szykujących się już do walki na słowa.

W poczuciu kobiecej solidarności Wyszyńska złagodniała natychmiast.

– Masz rację, dziecko – powiedziała. – Tam, na pokładzie, tylko pilot wiedział mniej więcej, co do niego należy.

No nie... I ona też! Per „dziecko". No co oni tutaj? Ile powinna mieć lat, żeby zostać potraktowana jak prawdziwa kobieta? Pięćdziesiąt? Postanowiła ignorować ten problem.

– A co to był za eksperyment?

Wyszyńska objęła Kai ramieniem i razem ruszyły w kierunku portu, stawiając Tomaszewskiego w niezręcznej sytuacji. Musiał zostawić obsługę wiatrakowca, żeby radziła sobie sama, i iść za kobietami, trochę z tyłu, jak ktoś mniej ważny.

– Widzisz, mam takie prototypowe urządzenie, które wykrywa promieniowanie podczerwone. Czekaj... Nie zrozumiesz. Które wykrywa ciepło człowieka. Nie możesz zobaczyć, co jest na ziemi, bo przeszkadzają na przykład liście, to uruchamiasz takie wielkie pudło z wieloma lampami w środku i teoretycznie powinnaś zobaczyć ludzi mimo zasłony z góry.

– Można widzieć ciepło ludzkiego ciała?

– Teoretycznie – powtórzyła Wyszyńska. – Gdyby technicy byli w stanie dobrze wyregulować to pudło. Tymczasem osiągnęliśmy dokładność taką, że co najwyżej można byłoby dostrzec duże ognisko.

Kai zatrzymała się nagle.

– Z tego, co wiemy, potwory bardzo rzadko palą ogniska – powiedziała. – Jeśli już, to po jakiejś bitwie. Ogień jest dla nich święty. Palą go oczywiście, żeby przygotować jedzenie, ale to są malutkie, ledwie wystarczające ogieńki. Najczęściej gdzieś w ukryciu, w jaskiniach, chaszczach i takich tam. Natomiast po bitwie rozpalają wielkie ognie, żeby duchy zmarłych mogły wstąpić na nieboskłon...

– Hm... – Wyszyńska zamyśliła się, pocierając palcami brodę. – Co powiedziałaś?

– Że potwory rozpalają wielkie ogniska tylko po bitwie.

– Ciekawe... To znaczy, że albo nasz aparat jest zupełnie rozregulowany, albo, jak to nazywasz, „potwory" stoczyły jakąś wielką bitwę.

Przywiązana do kija i niesiona przez żołnierzy kobieta w transie wcale nie była przeszkodą w marszu. Prawdziwą przeszkodą okazały się złote monety i najróżniejsze precjoza obciążające plecaki. Malutki oddział Shen wlókł się więc noga za nogą, grzęznąc w coraz bardziej podmokłym gruncie. Bardzo zbliżyły się do drogi. Tak przynajmniej pokazywała mapa. Ale bały się do niej dojść i dalej posuwać w ludzkich warunkach. Nikt nie miał pojęcia, co potwory robią w tej chwili.

– Właściwie dochodzimy do punktu koncentracji – powiedziała Nanti, studiując mapę na kolejnym postoju. – O, tu mamy się spotkać z garnizonem twierdzy. – Pokazała palcem.

– Jeśli on w ogóle ruszył zza obwarowań i wyrwał się z okrążenia.

– Mniejsza z tym. Tam też powinnyśmy spotkać jakieś niedobitki z naszego korpusu.

– Jeśli są, to kryją się w pewnej odległości. Jak my w tej chwili.

– Fakt. Duży maszerujący oddział łatwo zauważyć i usłyszeć. Jeśli są jakieś niedobitki, to chcą dołączyć w ostatniej chwili.

Sharri przysunęła się bliżej.

– A może wysłać kogoś nocą, żeby...

– Kiedy ty się wreszcie nauczysz? – Shen wpadła jej w słowo. – Potwory widzą w nocy jak w dzień! To za dnia musimy się przekradać.

– No fakt.

– A jeśli trzeba kogoś wysłać, to może sama zgłosisz się na ochotnika? – wtrąciła któraś z dziewczyn.

Pozostałe roześmiały się, widząc minę Sharri.

– Cicho! – Nanti podniosła gwałtownie rękę. – Słyszycie?

– Niby co? Ktoś się zesrał ze strachu?

Wszystkie wytężały słuch. Po chwili dobiegł ich jakiś dziwny, niespotykany dźwięk, który coraz mocniej zaczynał wyróżniać się z tła. Jakby ktoś coś piłował z makabryczną szybkością? Warczał regularnie? Stukał z ogromną prędkością? Każda miała inne skojarzenie. Wszystkie jednak wiedziały, że takiego dźwięku jeszcze nie słyszały nigdy w życiu.

– Co to jest?! – poderwała się Shen.

– Ciii...

Niewiarygodny warkot i szum zdawały się być coraz bliżej. Łoskot rósł do takiego poziomu, że trudno było wytrzymać. Wszystkie naraz, jak na komendę, uniosły głowy. I wszystkie naraz zobaczyły monstrum, które przemknęło nad koronami drzew, może raptem kilkadziesiąt kroków nad nimi. Nie miały czasu, żeby się schować, nawet nie zdążyły o tym pomyśleć. Zdrętwiały dokładnie w tej pozycji, w jakiej zastał je dziwny dźwięk. Trwały nieruchomo, dławiąc się strachem.

– Bogowie... – Nanti wreszcie otworzyła usta. – Co to było?

– Wyśledzili nas – ni to jęknęła, ni stęknęła Sharri.

– Kto?

– Ich potwór!

Shen potoczyła niezbyt przytomnym wzrokiem po zamarłych koleżankach.

– Jakby ryba. – Sharri odzyskała przynajmniej częściową władzę w członkach i zaczęła pakować się pod najbliższy krzak. – Jakby ryba.

– To świeciło...

Shen, sama sparaliżowana strachem, instynktownie czuła jednak, że oddział rozprzęgnie się, jeśli nie wyda jakiegoś rozkazu. Dziewczyny zaczną albo uciekać, byle gdzie, przed siebie, albo zaszyją się w jakichś bezsensownych kryjówkach i nikt już ich stamtąd nie wyciągnie.

– Nanti, według mapy jesteśmy prawie w punkcie koncentracji, tak?

– No... – Sierżant niepewnie rozglądała się wokół.

– Nanti! Mówię do ciebie!

– Tak jest!

– Na pytanie odpowiedz!

– Jesteśmy w punkcie zero, pani kapral!

– Nie drzyj się tak!...

Rozkaz padł zdecydowanie za późno. Coś się poruszyło w zaroślach ze dwadzieścia kroków dalej. Shen podniosła karabin i złożyła się do strzału. Druga Nanti, reszta dziewczyn nawet nie drgnęła, oprócz Sharri, która gdzieś znikła. Było za późno na jakąś zorganizowaną akcję.

– Strzelać? – szepnęła sierżant.

– A widzisz coś?

Krzaki poruszyły się dużo bliżej. Obie odciągnęły kurki.

– Chcecie, żebym się zesrała ze strachu? – usłyszały głos, i to znajomy. – Dajcie spokój, głupie baby.

– Ty...

Gałęzie rozsunęły się, przepuszczając kobiecą postać. Od razu zobaczyły spódniczkę zrobioną z obciętych wrogom warkoczy.

– Nuk?!

– Co jest? Meldować się! – warknęła sierżant, ale raczej żartobliwym tonem. Śmiała się wyraźnie, podchodząc bliżej.

– Ale jaja... Przeżyłyście!

– Zależy kto. – Dziewczyny padły sobie w ramiona. Nuk ze zdumieniem patrzyła, że ktoś jeszcze stoi za plecami Shen. – Ożeż. Nie sądziłam, że sama przeżyjesz i że... jeszcze kogoś przyprowadzisz.

– Powierzyłyście mi kompanię. A ja przyprowadziłam tutaj tylko kilka zestrachanych dup.

– Idri też miała kompanię. I to wojsk specjalnych. Ale to ja ją tu przyprowadziłam.

– A Wae?

– Nie żyje. Jak i reszta wojska. Zostałyśmy tylko my dwie. Idri ranna, z małą szansą na ciąg dalszy.

– To ile tu w ogóle jest wojska?

– Może z sześćdziesiąt kilka dziewczyn. Same z sił specjalnych. Tylko ty przyprowadziłaś piechotę, i to... od razu jedną dziesiątą naszego obecnego stanu.

Nuk znowu przytuliła Shen. Nie mogły pytać dalej. Tysiące szarpiących myśli, ukłucia strachu, postępujący wraz ze zmęczeniem paraliż woli... To wszystko zniknęło nagle. Ciepło ciała. Na karku oddech kogoś, kto czuje dokładnie to samo. Dwie zagubione istoty, rozrzucone gdzieś w krainach na krańcach świata, nagle się odnalazły.

– Bogowie! – szepnęła Shen tak cicho, żeby słyszało tylko najbliższe ucho. – Ale mi brakowało twojego gadulstwa, Nuk.

– A mnie twojego niezgulstwa, siostro.

– Brakowało mi ciebie...

– Już, już... Już jesteśmy razem.

Dopiero po dłuższej chwili oderwały się od siebie, żeby nie rodzić plotek o babskiej miłości. Ach, psiamać, przecież nie o taką miłość chodziło, którą świntuchy mogły mieć na myśli. Ale... ale... Nanti dyskretnie odwróciła wzrok, widząc, że obie ciągle trzymają się za ręce, jakby chciały pójść dalej jak małe dziewczynki, koleżanki z podwórka.

– Skąd wiedziałaś, gdzie jest punkt koncentracji? – Nuk zauważyła spojrzenia innych i odsunęła się o krok.

– O, to dłuższa historia. – Shen wskazała kobietę w transie przywiązaną do transportowego kija.

– No to chodźmy do dowódcy. – Nuk pokazała ręką kierunek. – W tę stronę.

Ruszyły przez krzaki do niewielkiej, łagodnej kotliny. Teren był tu tak podmokły, że przemarsz obcych wojsk akurat tędy okazałby się niemożliwy. Dobre miejsce na kryjówkę kilkudziesięciu żołnierzy. Shen jednak umieściła swój oddział trochę dalej, separując go od sił specjalnych. Z dwóch przyczyn. Po pierwsze, jej dziewczyny miały w plecakach jedzenie, a siłą rzeczy dla wszystkich nie wystarczy. Po drugie, jej dziewczyny miały w plecakach złote monety i inne drobiazgi. A siłą rzeczy... no właśnie.

Stanowisko dowodzenia znajdowało się ciut dalej, w gęstwinie kolczastych krzewów, wśród których wycięto kilka przytulnych, absolutnie niewidocznych z zewnątrz przejść do centralnej polanki. Tu zobaczyła mało przytomną z gorączki Idri. Shen nie znała się na tym, lecz nawet na jej pierwszy rzut oka prawa noga pani porucznik nadawała się do natychmiastowej amputacji. Ale tutaj? Rozumiała ten stan rzeczy doskonale. Czym? Bagnetem na przydrożnym pieńku? Czy saperską siekierką?

Nuk ominęła kilku podoficerów i zameldowała się pani major Hernike, jedynej chyba oficer w otoczeniu mającej na sobie mundur z wszystkimi naszywkami i odznakami. Podziwu godna lekkomyślność. Albo zuchwałość, jak kto woli, w każdym razie wychodziło na jedno. Major wstała lekko i szybkim ruchem ręki powstrzymała meldunek Shen.

– Masz dobrych ludzi w swojej kompanii. – Zerknęła na Idri.

U pani porucznik gorączka właśnie się nasilała. Nie zareagowała.

– Opowiadaj! – nie doczekawszy się odpowiedzi pani oficer, major zwróciła się do Shen.

Kapral starała się mówić zwięźle, dokładnie, jednak bez pewnych szczegółów. Przecież nie było niczym interesującym, że parę dziewczyn z jej grupy gdzieś się kolejno zagubiło, a reszta nie podjęła poszukiwań. Albo... co kogo obchodziło, jakiego rodzaju wota zabrały ze świątyni potworów.

Ze szczegółami jednak opowiedziała o losie major Dain i pokazała list żelazny. Hernike ledwie zerknęła na pismo.

– Nie do mnie adresowany, tylko do kogoś o kilka stopni wyżej. Wiesz... powinnam dać ci jakiś order. Albo chociaż medal. Ale nie dam, bo po co wrodzy łucznicy mają strzelić do ciebie w pierwszej kolejności.

Shen zdecydowała się na nieśmiały uśmiech.

– Pewnie chcesz wiedzieć, jak sytuacja?

– Najbardziej chciałabym się przespać i nie trzymać warty – zdobyła się na odwagę, żeby odpowiedzieć szczerze.

– Doskonale cię rozumiem, dziecko. Jednak podejmij jeszcze jeden wysiłek. No i musisz wiedzieć kilka rzeczy, gdyby znowu miało dojść do rozproszenia.

Pani major rozłożyła mapę.

– Jesteśmy tutaj. – Postukała palcem w oznaczony na czerwono punkt. – Czytasz mapę?

– Troszkę czytam. Nauczyła mnie sierżant Nanti przez ostatnie dni.

– To dobrze. Tu jest miejsce spotkania jutrzejszej nocy...

Shen zaklęła w duchu. Spotkanie oczywiście, kurwa, w nocy! Kiedy potwory widzą, a żołnierze są ślepe jak krety. Czy one się naprawdę niczego nie nauczyły? Hernike musiała coś zauważyć.

– Wiem, co myślisz o regulaminie – powiedziała. – Po tym wszystkim, co się stało...

– Ale...

– Posłuchaj. Te plany pisali sztabowcy na długo przed wkroczeniem korpusu do tego pieprzonego lasu. A wtedy jeszcze to, co nakazuje regulamin pola bitwy, wciąż było jedynym możliwym wyjściem. Teraz wiele się zmieniło...

To chyba widział już każdy. Pani major tłumacząca coś kapralowi nie tak dawno temu było czymś absolutnie nie do pomyślenia.

– Wiele się zmieniło, nie na tyle jednak, żebyśmy uzyskali cudowną możliwość powiadomienia dowódcy twierdzy o zmianie planów. Ona w określonym wcześniej terminie wyprowadzi garnizon z twierdzy, ruszy tą drogą – znowu pokazała szlak na mapie – połączy się z nami... jeśli jej się uda oczywiście... i razem będziemy się usiłowali przebić tu!

Nagle jakby coś ciężkiego uderzyło Shen w piersi. Poczuła ból, osunęła się do tyłu wprost na Nuk, która na szczęście miała refleks i zdołała chwycić koleżankę. Traciła oddech, dusiła się.

– Co się stało? – Hernike rozejrzała się, sądząc, że ktoś rzucił oszczepem. Chyba niewidzialnym, psiamać, wokół nie było nikogo obcego.

Shen nie mogła wykrztusić ani słowa. Wskazała swoje płuca.

– No szlag, nie mamy żadnego medyka...

Shen zaprzeczyła gwałtownie.

– To... to chyba... – z trudem odzyskiwała władzę nad swoim głosem. – To chyba mój amulet.

– Ożeż! – Major pokręciła głową. – Dairin, chodź tu i zerknij. Bo ja czegoś takiego w życiu nie widziałam.

Spod drzewa kilka kroków dalej podniosła się dywizyjna czarownica. Bardzo młoda – raptem w randze kapitana.

– Widziałaś kiedyś amulet, który potrafi aż tak oszołomić właściciela?

Czarownica nachyliła się nad Shen z ciekawością. Bała się jednak włożyć dłoń pod tunikę. Amulet wydobyła na zewnątrz, ciągnąc za sznurek, na którym wisiał. Jej twarz nie wyrażała jakiegoś szczególnego podniecenia.

– No i co? To on coś robi? – dopytywała Hernike. – Reakcja dziewczyny nastąpiła dokładnie wtedy, kiedy pokazałam jej, dokąd będą zmierzać nasze połączone siły.

– Amulet nie jest istotą rozumną. Nie może niczego chcieć ani niczym się kierować – powiedziała czarownica. – On może tylko coś pokazać.

– No ale ewidentnie to się stało, kiedy kapral poznała cel drogi. Amulet chce czegoś innego?

Czarownica westchnęła cicho.

– Amulet nie może niczego chcieć – tłumaczyła powoli. – Nie ma własnej woli. Nie jest kimś, nie jest żadną istotą. To zwykła rzecz, która co najwyżej może reagować na uczucie właściciela.

– Możesz wytłumaczyć, co się stało?

Dairin puściła sznurek, ciągle nie dotykając samego amuletu. Ciekawe, czego się bała?

– Mogę. To cudo na szyi wskazuje po prostu, gdzie jest ta, która rzuciła czar. Tylko tyle.

– Nie rozumiem.

Dairin wzruszyła ramionami. Zwróciła się do Shen:

– Dostałaś amulet od jakiejś czarownicy, prawda? Bardzo młodej?

Shen potwierdziła.

– No właśnie, wszystko w nim jest wykonane źle. Czar miał chronić właścicielkę przed złym losem. – Zrobiła minę w rodzaju: „Tak, tak, są na świecie aż tacy idioci, którzy wierzą, że to możliwe". – Ale to oczywiście nie działa. Amulet po prostu pokazuje, gdzie jest miejsce, w którym przebywa młoda czarownica. I tyle.

– Co zatem poczuła kapral?

– Ona sama nie ma daru. Odczuwa to, co pokazuje amulet, w najbardziej prymitywny sposób. – Czarownica podniosła ręce w obronnym geście. – Choć to tylko przypuszczenia.

– Mów.

– Co poczuła? Że nie idzie do miejsca, gdzie jest ta, która rzuciła czar. Nie idzie tam, gdzie ciągnie amulet. No to ją zamroczyło. Nie ma daru i sposób odczuwania jest bardzo prosty.

Hernike podniosła głowę.

– A ty wiesz, gdzie jest tamta młoda czarownica?

– Teraz już wiem. – Kapitan nachyliła się nad mapą. – I to dość dokładnie. Czuję ją... O, tutaj.

Hernike nie mogła uwierzyć, a Nuk i Shen zaciekawione zerkały, co pokazuje palec czarownicy.

– To okolice jakiegoś portu. Chyba jest nieużywany od setek lat.

Dairin uśmiechnęła się, odgarniając włosy z czoła.

– Nie mylę się.

– Nasza czarownica jest aż tak blisko?

– Nie mylę się – powtórzyła kapitan. – Dzięki amuletowi czuję ją jak na wyciągnięcie ręki.

Major zszokowana kiwała głową.

– Przecież czarownica nie chodzi sobie spokojnie sama na brzegu morza i nie czeka, aż ją ustrzelą potwory. To najdzikszy i najbardziej zapomniany fragment wybrzeża... – Hernike znowu zerknęła na mapę. – Zresztą tam nic nie ma!

– Teraz już jest – mruknęła Dairin.

– Niby co?

– Nasz desant. I zwróć uwagę, że bliżej niż nasz wydumany przez sztab cel po drugiej stronie lasu, do którego możemy po prostu nie dojść.

– A niby dlaczego nie wiemy niczego o tym desancie?

Czarownica wzruszyła ramionami.

– Możemy nie znać wszystkich planów sztabu generalnego, prawda?

W głowach obu oficerów zalęgło się silne podejrzenie. Skoro sztab nie poinformował dowództwa korpusu o desancie, to widocznie albo miał inny plan wypełnienia tajnej misji, jeśli nie uda się korpusowi piechoty, albo ktoś chciał im rzucić brzytwę jak tonącemu. A pojawienie się desantu mogło odciągnąć znaczne siły potworów w inne miejsce. Co zresztą potwierdzała opowieść kaprala. Dziwne. Bo tak czy owak pozostawała do wyjaśnienia kwestia łączności.

– Dobrze. – Hernike podniosła głowę. – Sama i tak nic nie ustalę bez dowództwa garnizonu. A wy, kapralu, odpocznijcie teraz.

Na okrętach nie znaleziono tyle szkła do zagospodarowania, brakowało również wykwalifikowanych cieśli, żeby zrobić okna. W budynkach starożytnego, zajętego teraz przez siły ekspedycyjne portu w otworach montowano więc zwykłe kraty z kontenerów transportowych i jeśli to było potrzebne, zaklejano półprzezroczystą folią. Po odczyszczeniu ze śladów bytności zwierząt oraz wstawieniu olejowych piecyków „zdobyczne" pomieszczenia stawały się miejscami przyjaznymi, sprzyjającymi mieszkańcom. Jedynie Kai załamywała ręce.

– Tu jest ogrzewanie podłogowe, wy barbarzyńcy! – krzyczała. – Wy dzikusy zza gór! Tu jest ogrzewanie podłogowe.

– I wytrzymało kilka setek lat bez konserwacji? – Tomaszewski był raczej sceptyczny.

– U nas buduje się solidnie, a nie jak u was, w prymitywnych plemionach zamieszkujących namioty!

Lubili sobie dogryzać na temat różnic cywilizacyjnych. W dziedzinie budowli kultura Kai zdecydowanie wygrywała. Wszystko tu okazało się proste, funkcjonalne, trwałe. Potwornie kosztowne na początku, łatwe później w utrzymaniu, bo wznoszone zgodnie z zasadą: „Budujesz drogo, żyjesz tanio".

Ogrzewanie podłogowe istotnie było. Okazało się, że kafelki na podłodze osadzone zostały na specjalnych trzpieniach, które sprawiły, że pomiędzy posadzką i szczytem podłogi powstała kilkucentymetrowa pustka. W piwnicy znajdował się kamienny zbiornik z powietrzem połączony również kamiennymi kanałami ze wszystkimi pomieszczeniami. Wystarczyło ogrzać powietrze w zbiorniku i dom stawał się ciepły. Opał nie stanowił problemu, bo tu ogrzewało się powietrze, które krążyło w instalacji samo. Nie tak jak w kaloryferach, gdzie stosuje się wodę, którą trzeba podgrzać do ogromnych temperatur, a potem jeszcze wymusić jej obieg. No ale kaloryfery w cywilizacji Tomaszewskiego i tak stanowiły przecież kosztowną techniczną nowinkę, stosowaną w budynkach reprezentacyjnych. W domach po staremu królowały kaflowe piece.

Kolejną rzeczą, która szokowała Polaków, była trwałość konstrukcji dachu. To, że kamienne ściany wytrzymały tyle lat bez konserwacji, można jeszcze zrozumieć. Widywano i starsze w równie dobrym stanie. Ale dachy? Nie do pomyślenia! Kiedy saperzy chcieli wybudować wieżyczki strażnicze wokół wewnętrznego pierścienia obrony, okazało się, że nie trzeba ich wznosić od podstaw. Mogli oprzeć się o konstrukcję dachów budynków leżących na obrzeżach, uzyskując w ten sposób wiele dodatkowych korzyści – jak choćby odseparowanie podstawy stanowiska strażników od otoczenia. Tomaszewski miał wrażenie, że nie odkryto jeszcze dziesiątków udogodnień, które pozostawili zmarli przed kilkuset laty budowniczowie.

– Moglibyśmy tutaj zostać na noc? – spytała nagle Kai. – Chciałabym nie wracać dzisiaj na okręt.

– Jasne. Tylko... – Zastanawiał się, gdzie można by tu znaleźć jakąś prowizorkę do zamieszkania na jedną noc. Zabudowania starożytnego portu nie nadawały się na razie dla oficerów. Brakowało jeszcze infrastruktury, jaką dawał okręt. Trochę był w związku z tym w kropce. Jakoś głupio tak wejść do jakiejś żołnierskiej kwatery i wywalić mieszkańców rozkazem gdzieś indziej. – Co? Chciałabyś spędzić znowu noc we własnym kraju?

– We własnym kraju? – Roześmiała się. – W pewnym sensie. Ostatnio imperialna armia gościła tu kilkaset lat temu, więc nie wiem, czy to ciągle mój kraj. – Wzruszyła ramionami. – Chyba mamy inne pojęcie na temat tego, co jest, a co nie jest „naszymi krajami".

– Być może – zgodził się chętnie. – W każdym razie wpadłem na pomysł, jak to zrobić. Chodźmy do magazynu.

Główny magazyn mieścił się w ogromnym budynku o rozbudowanych funkcjach obronnych. Przed laty jego przeznaczenie zresztą musiało być identyczne, a ówcześni inżynierowie przewidzieli wszelkie ułatwienia, jak rampy rozładunkowe, windy towarowe i dźwigi w wykuszach. Wystarczyło założyć liny z kołowrotami, podłączyć silniki elektryczne w miejsce ręcznie obsługiwanych korb, odpalić generator prądu i... Dosłownie arcydzieło. Które dodatkowo po wprawieniu krat do okien odzyskało funkcje obronne. Jak widać, pijanych marynarzy, którzy rabowali zapasy, obawiano się niezmiennie i wtedy, i dziś.

Magazyn był zresztą jedynym na razie budynkiem w porcie, którego i wnętrze, i otoczenie oświetlono elektrycznym światłem. Dopiero tu mogli zgasić swoje latarki bez obawy, że któreś się potknie i straci zęby na jakimś wystającym kamieniu. Magazyn, choć zawierał materiały wielu rodzajów sił zbrojnych, znajdował się jednak pod jurysdykcją marynarki wojennej, więc Tomaszewski nie przewidywał wielkich trudności w uzyskaniu zgody na nocleg. Nie przeliczył się. Porucznik Jabłoński, który sprawował tam faktyczną władzę, nie mnożył trudności.

– Zaraz wyślę kaprala, żeby przyniósł polowe łóżka i wszystko, co potrzebne. – Zaprosił ich do centrali telefonicznej, najlepiej urządzonego pomieszczenia w całym budynku. – Napiją się państwo kawy?

– Nie za późno na kawę? – Tomaszewski zerknął na zegarek. Zbliżała się północ.

– Polecam też herbatę. Świeże dostawy z magazynów lotniskowca.

Usiedli przy stole, na którym leżały schematy połączeń telefonicznych. Szczególnie ważne połączenia, jak choćby te z dwoma kompaniami Tatarów obozujących w bazie ogniowej poza obszarem portu, zostały zaznaczone na czerwono.

– Pani, domyślam się, przeszkadza we śnie kołysanie okrętu? – zapytał Jabłoński.

Kai uśmiechnęła się rozbrajająco.

– Wprost przeciwnie, proszę pana. On się w ogóle nie kołysze, a ja przecież ciągle mam świadomość, że jest zrobiony ze stali, czegoś, co nie pływa, a jednak jakimś cudem unosimy się na powierzchni morza. Kiedy tylko zamknę oczy, mam wrażenie, że czar pryśnie, a ja z całą tą górą metalu błyskawicznie runę na dno, zaleje mnie woda i nie będę mogła się wydostać.

Mężczyźni zaczęli się śmiać. Kai zamierzała się odciąć, ale na szczęście wszedł kapral wysłany z misją i zameldował, że dwa małe pokoje na górze są już zaopatrzone w łóżka polowe i inne niezbędne sprzęty. To sprawiło, że myśli dziewczyny natychmiast skierowały się w inną stronę.

Ciekawiła ją kwestia, czy na jednym łóżku polowym zmieszczą się dwie osoby. Czy wartownicy chodzą po korytarzach, przeszkadzając w realizacji jej planu. Czy w pokojach są drzwi. I jak daleko od jej kwatery będą spali żołnierze. Rozmyślania Kai stawały się coraz bardziej frapujące. Na przykład kwestia, czy...

Ryk syreny na zewnątrz przerwał tę zadumę.

– Co to jest? – Tomaszewski nie znał procedur, które obowiązywały na lądzie. Lecz sygnał brzmiał jak alarmowy. Po chwili do zawodzącego odgłosu dołączył drugi, a sekundę później trzeci.

– To alarm! – potwierdził Jabłoński tak samo zdziwiony jak oni. – Ale to wewnętrzne syreny. Nie od strony bazy ogniowej.

Rzeczywiście, Tomaszewskiemu również wydawało się, że ryk syren dochodzi od strony wież strażniczych na dachach, a nie oddalonych okopów chronionych zasiekami. O co mogło chodzić? Kto zdołałby się pojawić od razu w wewnętrznym pasie obrony, bez alarmowania przedpola?

– Zamknijcie drzwi! – Jabłoński podniósł się gwałtownie. – Pełna obsługa centrali do mnie.

Dwóch żołnierzy rzuciło się wykonać rozkaz. Telefonista, który został przy centrali, ze zdumieniem wskazywał położenie zapadek na konsoli. Wszystkie tkwiły na zielonych polach. Nikt więc, kto dysponował w bazie aparatem telefonicznym, nie ogłosił żadnego alarmu.

– Drzwi są tylko z kraty, panie poruczniku! – zameldował kapral, który pierwszy wrócił z obsadą stanowiska. – Mogą nam wlać płonącą benzynę!

– Oni nie mają benzyny – wtrącił się Tomaszewski. Nie mógł sobie wyobrazić, że mityczne potwory zaatakowały ich port. I to od razu w samym środku.

– Wzmocnijcie drzwi grubym materacem. I poślijcie kogoś na dach!

– Okien trzeba pilnować...

Przerwał im wystrzał z karabinu. Gdzieś blisko. Potem usłyszeli drugi strzał, a potem serię z karabinu maszynowego.

– Alarm! – rozdarł się Jabłoński. – Obsadzić stanowiska! Pobrać długą broń!

Zaskoczony Tomaszewski, ciągnąc Kai, ruszył za żołnierzami do zbrojowni. Jego służbowy pistolet z ośmioma nabojami w magazynku nie na wiele mógł się zdać, gdyby zaczęła się jakaś prawdziwa walka. Słyszał jeszcze z tyłu, jak Jabłoński łączy się z bazą ogniową.

– Selim? A, to ty, Dżennet. Daj mi Selima albo Osmana.

Czekał, aż wskazana osoba podejdzie do aparatu.

– Osman? Co się tam u was dzieje?

Ze ściągniętymi brwiami słuchał meldunku.

– Jak to nic? To kto strzela...? W porcie? Nic nie wiecie?

W zbrojowni oczywiście nie było długich karabinów. Bo i po co zresztą. To nie punkt zaopatrzenia armii, tylko co najwyżej strażników i służb tyłowych. Magazynier wydawał więc wszystkim pistolety maszynowe i po dziesięć pełnych magazynków, jeszcze fabrycznie zaklejonych z góry papierem. Kai nie dała się wypchnąć z kolejki. Chwyciła swój pistolet i magazynki, krzycząc do sierżanta z zaopatrzenia, czy ma miecz albo chociaż sztylet. Nie miał, ale dał dziewczynie bagnet i nóż saperski. Kai dostała też rakietnicę z nabojami w bandolierach, granaty oświetleniowe w chlebaku, ładownice i wielki stalowy hełm. Nowe wystrzały za ścianami sprawiły, że żołnierze wypchnęli ją nareszcie z kolejki.

Zaczęła się szybko uzbrajać pod przeciwległą ścianą.

– A wiesz przynajmniej, jak tego używać? – spytał sceptycznie Tomaszewski, szamocąc się z własnym pistoletem maszynowym.

Zaskoczyła go.

– Wiem! Jestem wyszkolona przez fachowca.

Przypomniała sobie lekcję, jakiej udzielił jej dahmeryjski kupiec podczas sprzedaży bandoletów.

– I niby co należy robić?

– Jak to co? – odwarknęła, nakładając na siebie kolejne części wyposażenia. Szczególnie bandoliery z wepchniętymi w szlufki ogromnymi nabojami do rakietnicy robiły piorunujące wrażenie. – Trzeba się bardzo ostrożnie obchodzić ze spustem. Nie dotykać niepotrzebnie – przypominała sobie instrukcję kupca. – A jak się zacznie coś dziać, to wycelować lufę w przeciwnika, odciągnąć kurek, zacząć głośno piszczeć, zamknąć oczy i pociągnąć za spust. Im bliżej stoi przeciwnik, tym lepiej, bo nie ma sensu strzelać daleko...

Tomaszewskiego zatkało. Instrukcja w przypadku tej broni i dziewczyny naprawdę była bardzo fachowa.

– Tylko pamiętaj, że to się samo przeładowuje. – Pokazał Kai, że zamiast kurka jest suwadło, a magazynki wymagają wymiany.

– Co?

– To się samo ładuje. Można strzelać wiele razy za jednym pociągnięciem spustu.

– A! To dobrze. – Spojrzała na broń zachwycona. – Bo ładować mnie nie nauczyli. A tu proszę, wymyślili... sama się ładuje dla mojej wygody. Ha!

Razem z grupą żołnierzy zbiegli na dół, gdzie Jabłoński dzielił żołnierzy na strażników (jego zdaniem, lepiej wyszkolonych), i ci mieli zająć stanowiska na parterze, oraz magazynierów, którzy mieli postępować z grubsza według instrukcji, którą znała Kai. Tych posłał na dach. Potem kazał zgasić światło na zewnątrz i wewnątrz budynku.

– Nie ma sensu gasić – włączyła się Kai. – Oni widzą po ciemku!

– Ale tak to jesteśmy jak na tarczy. – Podszedł do schodów na piętro i ryknął do tych, którzy gramolili się, żeby objąć stanowiska na dachu. – Strzelać flary! Nie żałować, mamy przecież pełny magazyn.

Strzelanina na zewnątrz nie była intensywna. Kilka strzałów, seria, wybuch granatu i cisza. Jakieś wrzaski, niezrozumiałe nawoływania. Potem przybrała na sile, a jeszcze chwilę później odezwała się z całą mocą, lecz z zupełnie innego kierunku. Baza ogniowa! Ktoś zaatakował przedpole. Jabłoński nie chciał opuszczać swojego stanowiska dowodzenia przy drzwiach, skąd mógł obserwować, co się dzieje przed magazynem.

– Podłącz głośnik do telefonu, a mnie daj sam mikrofon – rozkazał kapralowi z obsługi centrali. – I połącz mnie z Osmanem!

Porucznik usiłował dostrzec cokolwiek przez lornetkę. Jednak w świetle strzelanych gęsto flar nie było to łatwe.

– Jest połączenie.

– Osman?

– Tu Dżennet – z głośnika dobiegł ich kobiecy głos z silnym wschodnim akcentem.

– Co się tam u was dzieje?

– Ot, nic, panie poruczniku. Nic się nie dzieje. Zaatakowali, psy.

– To czemu nie wezwaliście wsparcia artylerii okrętowej?

– A na co nam wsparcie, własne armaty mamy. Ale niepotrzebne. Atakują, to my ich zabijamy, ot co. Nikt nikogo o armatę nie pyta.

Któryś z żołnierzy z tyłu zaczął się śmiać. Tatarska córa po tamtej stronie też jednak miała niezły ubaw.

– O! Nasi jednego wroga złapali.

– Trzeba przesłuchać, przyślijcie...

– A co on nam powie? Co słychać u niego w lesie albo czy grzyby obrodziły? – Dziewczyna z niesamowitym wschodnim akcentem zachichotała nagle. – Jaja mu uciąć i posłać nazad. Niech swoich straszy.

Jabłoński odłożył mikrofon. Westchnął ciężko. Potem zerknął na Tomaszewskiego.

– Czy pan myśli o tym, o czym ja myślę?

– Ta.

Skoro Tatarzy sobie robili jaja, a raczej je ucinali, to atak nie był niczym poważnym. Pozoracja mająca związać dwie kompanie zwiadu na przedpolu. Celem zatem jest port i jego załoga, a prawdopodobnie i konkretnie dowództwo. Powinni więc połączyć się ze sztabem na brzegu. Ale... na przeszkodzie stała instrukcja użycia środków łączności. Instrukcja ta bardzo wyraźnie zakazywała łączenia się z dowództwem w razie ataku. Po prostu sztab nie mógł zostać sparaliżowany nawałą telefonów w rodzaju: „Panie generale, melduję, że gdzieś strzelają. Nie wiem, gdzie i kto, ale słyszę wyraźnie!". Nie można było zatykać linii komunikatami: „Panie generale, melduję, że u mnie wszystko w porządku" ani: „Chciałem się dowiedzieć, co słychać? Czy wróg napiera mocno i jakie mamy szanse?". Łączność z dowódcą można było nawiązać tylko w kilku przypadkach, z których ani jeden nie został spełniony: nie nawiązali kontaktu wzrokowego z przeciwnikiem, nie mogli określić liczebności wrogich sił, ich pozycji nie zagrażało bezpośrednie przełamanie. I koniec. W tej sytuacji należało wyłącznie czekać na rozkazy.

– Niech pan się połączy z kimś innym w samym porcie – Tomaszewski poddał myśl porucznikowi. – Może nam opiszą, czy tam się coś dzieje.

– Słusznie. – Jabłoński odwrócił się do kaprala przy konsoli. – Daj mi przeładunek.

Bardzo długą chwilę wsłuchiwali się w szum prądu w głośniku.

– Nikogo. Daj mi agregat.

Znowu nastąpiła długa cisza przerywana cichym burczeniem głośnika.

– Daj budowę trapu. Obserwację. Budowę wieży...

Za każdym razem obecnych w pomieszczeniu porażała cisza.

– Warsztaty.

Tym razem słuchawka została podniesiona natychmiast.

– Kurwa, nareszcie! – szeptał ktoś w stanie najwyższego zdenerwowania. – Gdzie jesteście? Gdzie pomoc?

– Dzwonię z magazynu.

– Z jakiego, kurwa, magazynu?

– Porucznik Jabłoński...

– Pierdol się! Jak nie przychodzisz z pomocą, to po co dzwonisz? Tu dokoła są jakieś dzikusy i usłyszą...

– Jakie dzikusy?

– Szlag! Wyszły z wody. Z tego, co tu widzę, to wyrżnęli załogę kutra i coś się działo na brzegu.

– A dowództwo?

– Gówno stąd widać. Wystrzel kilka flar w moim kierunku.

Jabłoński przekazał rozkaz ludziom na dachu. Na efekty nie musiano czekać.

– Już wszystko jest w świetle – w głośniku znowu rozległ się szept człowieka po tamtej stronie. – Widzę trupy na pokładzie kutra i transportowca. Zwłoki leżą głównie przy wyjściach, jakby ci ludzie uciekali przed czymś, co pojawiło się we wnętrzach statków. Są też zwłoki na polderze.

– Gdzie strzelają?

– Nie wiem. Gdzieś dalej.

– A sztab?

– Budynek dowództwa jest ciemny. Nie dochodzi żadne światło.

Jabłoński i Tomaszewski spojrzeli po sobie.

– A przedtem strzelali w tej okolicy?

– Nie wiem, nie widziałem, bo tamtą okolicę spowiła taka biała mgła. Potem sam się ukryłem.

– A...

– Ja cię pierdolę... Idą tu! Idą...

Głośnik zadziwiająco dobrze przeniósł trzask uderzającej o ziemię słuchawki. Potem tupot czyichś nóg, jakiś nieartykułowany okrzyk, chwilka, dosłownie sekunda szarpaniny i odgłos walącego się na ziemię ciała.

– No... kurwa – odezwał się ktoś od strony konsoli.

Jabłoński zapalił papierosa.

– Spróbuj połączyć się ze sztabem – rozkazał kapralowi. – A pan niech przejmie dowództwo.

– Jakie dowództwo? – żachnął się Tomaszewski.

– Obrony portu.

– Pan też jest porucznikiem.

– Kwatermistrzostwa, a pan ze służby liniowej.

– Ale z wywiadu!

– No to co? Ma pan więcej pojęcia o strzelaniu niż magazynier jak ja!

– Nie mam żadnego pojęcia o strzelaniu! A poza tym... może jeszcze żyje ktoś wyższy stopniem?!

Kłótnię przerwał ryk silnika na zewnątrz. Kiedy rzucili się do prowizorycznych otworów obserwacyjnych, zauważyli lekki czołg z czterdziestomilimetrowym działkiem, zatrzymujący się tuż przed wejściem. Nie, nie, dowództwo operacji nie planowało bitwy na wrogim terytorium i nie zabrało ze sobą dywizji pancernej. Ten lekki pojazd gąsienicowy miał służyć po prostu za opancerzony pojazd zwiadowczy.

– Hej tam! – Ktoś otworzył właz, ale nie wystawił głowy. – Magazyn jeszcze w naszych rękach?

– Tak. A kto pyta?

– Chorąży Włast, Pierwsza Pancerna, chwilowo w składzie kompanii zwiadu sił...

– Dobra, dobra. Wjedźcie tu obok, do boksu, to ci nikt głowy nie odstrzeli.

Jabłoński skinął na swoich ludzi, każąc im obarykadować jedno z pomieszczeń załadunkowych starego magazynu. Lekki czołg mieścił się w nim nawet ze sporym marginesem. Chorąży jednak ukazał się w otworze włazu, dopiero kiedy pojazd ukrył się w środku.

– Amunicji potrzebuję! Ludzie bronią się w stołówce, ale już zaczyna brakować.

Nikt się nie dziwił. W porcie przecież nie stacjonowały wojska uderzeniowe, ani nawet frontowe. Każdy miał tyle nabojów, ile przewidywał oszczędny regulamin, a nie, kurde, zapas do prowadzenia wojny w okopach.

Tatarzy na przedpolu mieli zapasy. Ci tutaj nie mogli. Wszystko było w magazynie.

– Jak panu zapakować skrzynki przez właz? – zapytał Jabłoński. – Nie zmieszczą się.

– Kładźcie skrzynki wprost na pokrywie silnika. Oni nie wiedzą, co to jest.

– Jest pan pewien? – zapytał Tomaszewski.

– Tak. Nie zabierają broni zabitym. Widziałem na własne oczy.

Coś niepojętego. Dzikusy, które nie zabierają broni. Pewnie też nie tną kabli telefonicznych, bo nie wiedzą, że taki kabel jest gorszy i groźniejszy od karabinu maszynowego. Nie tną, bo wygląda niepozornie.

– Dobra. – Tomaszewski podjął nagle decyzję. – Zmieści pan w czołgu dodatkowego człowieka?

– Dwóch! – dodała natychmiast czujna Kai. – To znaczy dwoje?

Włast uśmiechnął się do niej.

– Nie ma problemu, proszę pani. Jestem sam z kierowcą.

– O czym pan myśli? – Jabłoński również dostrzegł w niespodziewanym pojawieniu się czołgu możliwość rozwiązania problemów z przejęciem dowództwa. Naturalną siłą rzeczy on brałby na siebie obronę magazynu, a Tomaszewski podsyłałby mu ludzi zbieranych w terenie.

– Niech pan załaduje skrzynkę z maskami przeciwgazowymi.

Jabłoński zatrzymał się w pół ruchu.

– Boi się pan tego białawego dymu? – spytał z powątpiewaniem.

Tomaszewski jednak miał trochę lepsze informacje od wujka admirała.

– Nie, proszę pana. Boję się naszej histerycznej odpowiedzi!

– A! – zrozumiał nagle kwatermistrz. Jego twarz stężała. – Wydać wszystkim maski! – krzyknął do kaprala, a potem zerknął na Kai. – A pani chyba nie miała z tym do czynienia na ćwiczeniach. Proszę więc włożyć kombinezon przeciwgazowy. To potrwa sekundę.

Kiedy Kai przy pomocy kilku chętnych żołnierzy zaczęła wkładać ciężkie zwoje gumowanej tkaniny, Włast opowiadał, co się dzieje w samym porcie. Nikt się nie spodziewał ataku od strony morza i teraz łatwo było się domyślić, jakie to miało skutki. To, że ktokolwiek jeszcze tam żył, zawdzięczali wyłącznie wypracowanemu przez lata systemowi, którego częścią były wieże strażnicze. Napastnicy prawdopodobnie dostali się do portu wpław. Od strony pełnego morza. Po cichu zabili w porcie wartowników i załogi dwóch statków. Mistrzostwo. Zlikwidowali prawdopodobnie wszystkich śpiących na tymczasowych kwaterach i... Natknęli się na wieże strażnicze. Dla nich to nic, byli mistrzami w strzelaniu z łuku, jedynej broni, z której można kogoś zabić na taką odległość bez żadnego hałasu. A ci tutaj okazali się naprawdę mistrzami, geniuszami, istotami natchnionymi w precyzji strzału. Zabili więc wszystkich wartowników na wieżach. Pechowo dla siebie zabili tylko tych, których widzieli. Zasada wieży jest bowiem bardzo prosta. Jeden strażnik stoi i pilnuje, drugi ma się nie wychylać zza osłony. Może sobie drzemać, może parzyć kawę, palić papierosy. Co chce. Jego zadaniem jest tylko, gdy już zwali się na niego trup kolegi, uruchomić syrenę alarmową. I wszystkie syreny zostały uruchomione. Żadnych funkcji bojowych wieże nie pełniły, bo nie zdążono zainstalować na nich cekaemów. I tylko przez to w zabudowaniach wokół trwała ciągle walka.

Wedle chorążego, jeśli żołnierze bronią się w domach, mają sprzęt i nie stracili nerwów, to napastnicy zasadniczo mają niewielkie szanse na zwycięstwo. Wręcz iluzoryczne. Na ulicy jednak sytuacja się odwraca. Widzący po ciemku wrogowie są panami sytuacji nawet wobec uzbrojonych w nowoczesną broń żołnierzy.

– Ruszamy! – Tomaszewski zerknął na zegarek. Natężenie strzelaniny na zewnątrz zdawało się rosnąć, ale też wydawało się, że odgłosy dochodzą z wielu różnych stron.

Kai ledwie zmieściła się w otworze włazu. Dopiero w środku, w ciasnocie, zaczęła się uczyć, jak wykonywać podstawowe ruchy, mając na sobie tyle sztywnej gumowanej tkaniny. Od smrodu wewnątrz czołgu momentalnie rozbolała ją głowa.

– Jak można stąd wyjrzeć? – Rozglądała się z lekkim przestrachem. Niby przyzwyczaiła się już do dziwnych wynalazków ludzi zza gór, ale ten okazał się szczególnie nieprzyjemny i klaustrofobiczny.

– Proszę usiąść tutaj. – Włast pomógł Kai zająć metalowy fotel z przodu. – Tu jest szczelina obserwacyjna, ale proszę do niej nie zbliżać oczu. Oni mogą tu włożyć miecz, czy co tam mają, i dziabnąć. Jak pani chce, to można opuścić klapkę. Oczy będą bezpieczne, za to prawie nic nie widać przez otworki.

– To po co patrzeć, skoro nic nie widać?

– Ma pani jeszcze peryskop, o tutaj. Można patrzeć nawet na boki, chociaż też niewiele widać.

Nie mogła tego zrozumieć. Ale też otoczona taką ilością metalu z małymi jedynie otworkami poczuła się naprawdę bezpieczna. Gdzieś minęło uczucie ściskania w żołądku, które ją prześladowało od chwili, kiedy dowiedziała się, że potwory zaatakowały port. No i ten dziwny śmierdzący strój, który miała na sobie. Ludzie zza gór twierdzili, że to ochroni ją przed białym gazem potworów. A oni z reguły wiedzieli, co mówią.

– A to?

– Na tych rękojeściach niech pani położy ręce. Jak zobaczy pani kogoś z przodu, proszę to pociągnąć.

Pociągnęła. Nic się nie stało.

– Sekundę, przeładuję pani. – Włast szarpnął jakąś dźwignię. – Ale teraz proszę zdjąć palce ze spustu.

– Zamknąć oczy i strzelać? – upewniła się jeszcze.

– Dokładnie – potwierdził. – Byle tylko nie strzelać do góry.

– No i chyba nie za nisko – włączył się Tomaszewski.

– A wprost przeciwnie. Tu są bruki, więc tamci dostaną rykoszetami.

Kierowca, sprawnie operując sprzęgłem i przekładniami, wycofał ich z boksu. Wykręcił zgrabnie tyłem i zmienił kierunek. Kto mógł, przypadł do szczelin i peryskopów. Na szczęście czołg został przerobiony na pojazd zwiadowczy. Miał silny reflektor na wieży i cztery szperacze, dwa z przodu i dwa na burtach. Kierowca dodał gazu, a Kai zaczęła dziękować Bogom, że ma na głowie wielki stalowy hełm.

– Tam ktoś jest! – Tomaszewski wskazał ręką. Dwa szperacze skierowały się w tamtą stronę. Włast obrócił wieżę.

– To trupy.

– Może ktoś żyje? To nasi.

Włast nakierował główny reflektor w stronę kilku beczek, które ktoś rozrzucił przy wejściu do niskiego budynku z kamienia. Wyraźnie zobaczyli leżące na bruku ciała.

– Zwłoki.

Kierowca nawet nie zwolnił. Czołg gładko przedostał się przez niewielkie wzniesienie, na którym kiedyś chyba znajdował się portowy targ. Podjechał do stóp następnego wzgórza, zwolnił i zaczął szukać najbardziej odpowiedniego podjazdu z dala od ścian dość wysokich murków, które tutaj rozgraniczały poszczególne posesje. Strzały karabinowe stały się lepiej słyszalne. Stalowy potwór powoli piął się pod górę, ciągle bez kontaktu z nieprzyjacielem. Znajdowali się już na tyle blisko, że oprócz strzałów słyszeli także czyjeś wrzaski.

– Teraz niech pani zdejmie palce ze spustu. – Włast ostrzegł Kai skupioną przy karabinie maszynowym. Potem mrugnął do Tomaszewskiego, chcąc wybadać, czy dostatecznie dobrze zabawiał panienkę podczas emocjonującego przejazdu. Tomaszewski uśmiechnął się w odpowiedzi. Doceniał spokój i opanowanie chorążego w ogniu toczącej się wokół niemrawo bitwy. Zbliżył oczy do peryskopu. Widział już oświetloną płomieniami podpalonych obok zabudowań gospodarczych drewnianą stołówkę. Umieszczono ją tu, w zbudowanym naprędce pawilonie, z powodu bieżącej wody. Tuż obok niewielki strumień ciut wyżej tworzył kaskadę. Proste ujęcie, kilka rur i świetne stanowisko do gotowania oraz zmywania czekało gotowe do użycia. Wystarczyło tylko dobudować odpowiednie pomieszczenie. Teraz okazało się jednak, że poza plusami w dziedzinach kulinarnych stołówka ma też świetne właściwości obronne – była położona z dala od jakichkolwiek innych budowli, na stoku wzgórza, z wolnym przedpolem. Idealny punkt oporu, dodatkowo z własną wodą.

Kierowca skręcił nagle i zawrócił. Potem na wstecznym podjechał do wąskich drzwi, które natychmiast się otworzyły.

– Ty tu zostajesz! – krzyknął Tomaszewski do Kai. – Idę tylko z chorążym.

Nie obraziła się. W pancernym wozie najeżonym karabinami czuła się naprawdę bezpiecznie. W obecnej sytuacji ten pojazd bardzo przypadł jej do gustu.

Obrońcy sami otworzyli ogień osłaniający, umożliwiając im przeskoczenie z włazu do drzwi. Na widok porucznika zameldował się jakiś sierżant. Załoga prowizorycznej twierdzy liczyła trzydziestu siedmiu żołnierzy. Mieli też dwóch zabitych i dwóch rannych.

– Dobra – Tomaszewski nie wnikał. – Przywieźliśmy wam amunicję i maski przeciwgazowe.

– Maski? – Sierżant zerknął na żołnierzy zdejmujących skrzynki z pokrywy silnika czołgu. – Myśli pan, że ten ich biały dym jest aż tak szkodliwy?

– A co? Widzieliście jego skutki?

– Widziałem, jak spieprzałem tam z dołu. Puścili to z jakichś ognisk. No fakt, że w panice to powoduje jakąś histerię, nawet płacz u facetów i takie tam... Ale ludzie kaszlą nie dlatego, że się duszą. Tylko to strasznie nieprzyjemne jest... w oddychaniu. Niedobre.

Sierżant miał wyraźne problemy w określeniu słowami swoich doznań.

– Cholera, że też o tym nie pomyślałem... – Tomaszewski zmarszczył brwi. – Puszczają to z ognisk? To znaczy wrzucają coś do ognia?

– Widziałem jedynie, że robili takie dymiące kupki. To nie był otwarty płomień, tylko jakby się coś żarzyło. I do tego wkładali jakieś liście. Ale spokojnie. Tu, na wzgórzu, wiatr wieje, nie uda im się nas okadzić. No a maski mają wszyscy, którzy spieprzali z wyposażeniem. A tym, co spanikowali i wiali w gaciach, zaraz każę maski pobrać.

– Ja cię chrzanię! – nie wytrzymał Tomaszewski. – Tak się dałem zwieść opowieściom o gazach bojowych dzikusów, że dopiero teraz się domyślam, co to jest!

– Niby co? – zapytał sierżant.

– Narkotyki! Zioła!

– O kur!... – sierżant na szczęście powstrzymał się w porę. – Znaczy marihuaną nas chcieli potruć?

– No, czymś mocniejszym i bardziej depresyjnym. Ale mniej więcej tak.

– A im to nie szkodzi? Czy na haju walczą?

– Działanie takich narkotyków zależy bardzo od nastawienia. A nastraszony żołnierz w ciemności, w panice, gwałtownie oddychający w strachu... Trzy niuchy i nawet facet może się popłakać.

Tomaszewski, chichocząc, podszedł do Własta. I to jest ten legendarny gaz bojowy dzikusów, który uruchomił w dowództwie niepokojące mechanizmy. Zioło palą po prostu. Jakieś nieznane, ale zwykłe zioło!

– Czemu pan taki wesoły, panie poruczniku?

– Ach, coś mi się wyjaśniło. Nieważne.

Rozejrzał się. Obrońcy byli w dobrej formie. Prawdopodobnie strzelali trochę na oślep, nie widząc przeciwnika. Sądził, że forteca nie została poważnie zaatakowana. Wolał nie pytać o to żołnierzy, bo z ich bohaterskich opowieści na pewno usłyszałby, że odpierali co najmniej odpowiednik dywizji. W wywiadzie nauczono go nie słuchać opowieści frontowych, tylko patrzeć na fakty. Obrona nie miała broni ciężkiej, a wynik szarpaniny wynosił dwóch zabitych i dwóch rannych – tyle mówiły fakty. Żadnej bitwy w tym miejscu nie było.

– Tu powinny być jakieś ciężarówki do przewozu prowiantu.

– Są dwie, tam, z tyłu – odparł chorąży. – I półgąsienicówka.

– No to ją weźmiemy.

– Chce pan opuścić tę twierdzę?

– Nie, wystarczy nam dziesięciu ludzi. Sierżantowi dobrze idzie, więc zostanie i będzie dowodził dalej.

– Przydałby się im cekaem.

– No to zdemontujmy ten zewnętrzny z wieżyczki czołgu.

– On nie ma podstawy.

– Będą strzelać z parapetu. Na tych tu napastników wystarczy.

Tomaszewski odszedł zerknąć na sprzęt zaparkowany za stołówką. W myślach klął na typowe minusy polskiej armii, która może i walczyła dzielnie, ale jedynie wtedy, gdy była dowodzona. Jeśli zabrakło oficerów, żołnierze od razu przestawali przejmować jakąkolwiek inicjatywę.

Półgąsienicówka rzeczywiście stała zaparkowana obok dwóch ciężarówek. Powinna w zupełności wystarczyć. Kazał na pancernych burtach zamontować kilka stołów, a właściwie blatów, żeby zrównoważyć brak dachu. Powinno wystarczyć przeciwko strzałom z łuków, którymi dysponowali napastnicy. Wybranie dziesięciu żołnierzy do zaimprowizowanego oddziału szturmowego również nie sprawiło trudności. Sierżant dowodzący stołówką z przyjemnością pozbył się kilku najmłodszych zapaleńców, ciągle molestujących go pytaniami w rodzaju: „Panie sierżancie, kiedy kontratakujemy?". Wyraźnie się cieszył, mówiąc:

– O, z panem porucznikiem pojedziecie guzów szukać. Albo się nareszcie wrogów nazabijacie, albo was zabiją, wszystko jedno, tam wasze miejsce.

Tomaszewski nie dostał nawet kaprala, więc dowódcą półgąsienicówki zrobił starszego szeregowego. Co zresztą mogło nie być złym pomysłem, kiedy zobaczył entuzjazm chłopaka.

– Jedziecie za czołgiem, który toruje drogę – wydawał instrukcje. – W solidnym odstępie, żeby w razie czego nie oberwać naszym granatem.

– Tak jest!

– Amunicji weźcie do oporu. Będziemy zbierać naszych, którzy się bronią w różnych punktach, jeśli będą chcieli. Na pewno będą wystrzelani, więc musicie się dzielić.

– Tak jest!

– No to zabieraj skrzynki, maski i ludzi. Jazda!

Odsalutował sierżantowi, znowu wyraźnie zadowolonemu z faktu, że jego osobiście nie wyznaczono do żadnej akcji. Odszukał Własta i razem wrócili do czołgu. Żadne strzały na szczęście nie przeszkodziły im w dotarciu do włazów.

– I jak? – spytał Kai opartą o rękojeść cekaemu. – Trzymasz się?

– Może nie pachnie tu najładniej – mruknęła – ale to akurat jest najlepsze miejsce, żeby w nim być podczas tego, co dzieje się dookoła. – Uśmiechnęła się. – Tu nareszcie czuję, że ktoś o mnie zadbał.

– Kto? – dał się zaskoczyć.

– Konstruktor tego stalowego potwora i ludzie, którzy wymyślili to. – Poklepała rękojeść ciężkiego karabinu przed sobą. – Tu nareszcie kobieta może się czuć bezpiecznie. Nawet z powodu stroju, który choć nie przypomina balowej sukni, to jednak w zaistniałych warunkach jego posiadanie napawa optymizmem. Nieprawdaż?

Obaj z Włastem zaczęli się śmiać. Kai rzeczywiście zdecydowanie trzymała się dobrze.

– Dobra, jedziemy.

– A wolno spytać gdzie? – nieśmiało upomniał się chorąży.

Tomaszewski skrzywił się nagle. No nic, pierwsza wpadka na stanowisku dowódcy właśnie została zaliczona.

– W stronę dowództwa. Musimy sprawdzić, co się tam stało. A po drodze zbieramy naszych.

– Jedna półgąsienicówka może nie wystarczyć.

– To na początek. W miejscu, gdzie mieli założyć warsztaty, powinien być lepszy sprzęt.

Ruszyli łagodnie w dół zbocza. Półgąsienicówka przerobiona na pojazd szturmowy po chwili też wyskoczyła zza budynku. Jej kierowca udowodnił, że słucha rozkazów, zwolnił, zaczekał i od tej chwili trzymał odpowiedni dystans.

– Kieruj się w stronę najbliższych strzałów. – Włast nachylił się nad kierowcą.

– To znaczy gdzie?

W pancernym wnętrzu rzeczywiście prawie nie sposób było określić kierunków na słuch.

– Kto z nas wystawi głowę? – Tomaszewski zerknął na chorążego.

– Nie radzę – usłyszał w odpowiedzi. – Absolutnie nie radzę, żeby ktokolwiek cokolwiek wystawiał. Widziałem ich absolutną precyzję w strzelaniu.

– Z łuku?!

– Tak, panie poruczniku.

– Szlag! No to zróbmy coś, żeby to nasi się odzywali. Mamy tu jakiś klakson?

Włast zaczął się śmiać.

– Klakson? – Kręcił głową. – Mamy gwizdki ratunkowe, jak każdy z wozów bojowych.

Tomaszewski spodziewał się cholera wie czego. Jeśli już nie urządzenia, jakie mają lokomotywy, to przynajmniej syreny napędzanej gazem z butli. Tymczasem Włast wyjął z kieszeni zwykły wojskowy gwizdek, trochę tylko lepszy od tych w posiadaniu sędziów sportowych, uchylił lekko właz i zaczął dąć z całych sił.

– Bogowie! – Kai z przodu obiema rękami zasłoniła uszy. – Co to jest?!

Kiedy jednak chorąży przestał gwizdać, wyraźnie usłyszeli dobiegające z zewnątrz krzyki.

– Tutaj! Tutaj, koledzy!

– Jasny szlag! – Włast nie mógł dostrzec szczegółów przez szczeliny w pancerzu. Otworzył specjalną klapę z zabezpieczeniem i wyrzucił granat oświetlający. – To jakiś pieprzony zaułek.

– Nie musimy tam wjeżdżać. To robota dla desantu.

Na szczęście kierowca jadący z tyłu domyślił się, o co chodzi. Wykonał zgrabny, jak na ten sprzęt, półobrót i zatarasował wylot zaułka. Ktoś w najbliższych drzwiach rozwalał kopniakami prowizoryczną barykadę z wojskowych skrzynek.

– Tu Wołyń, nie strzelajcie! – krzyczał ktoś inny, wybiegając na zewnątrz. – Tu Wołyń!

Tomaszewski nie mógł sobie darować. Otworzył właz i wystawił głowę.

– Wołyń, mówicie? Zajechaliśmy aż tak daleko?!

– No nie, kolego. – Ciemna, zwalista postać zawahała się lekko. – Tu Wołyńska Brygada...

– Cała?! – Tomaszewski tym razem nie mógł darować jemu.

Kiedy tamten, jeszcze bardziej skonfundowany, podszedł bliżej, Tomaszewski w odbiciach reflektorów od ścian zobaczył naszywki kaprala.

– Niecała – mruknął kapral z Wołynia. – Tylko siedmiu ludzi. Czterech rannych.

– No to ładuj ich na pakę.

Kapral dopiero teraz dostrzegł mundur i stopień Tomaszewskiego. Zasalutował sprężyście.

– Koledzy! – Odwrócił się na chwilę. – Dawać wszystkich na półgąsienicówkę. Marynarka wojenna na czołgu przyjechała na ratunek.

Zdecydowanie nie był to człowiek, z którym należało o czymkolwiek dyskutować. Tomaszewski zamknął właz i dał znak, żeby ruszać dalej. Nieco niżej, na lekkim wzniesieniu górującym już bezpośrednio nad portem, napotkali następną grupę, trzech snajperów dowodzonych przez kaprala podchorążego. Ten okazał się bardziej do rzeczy. Tomaszewski kazał mu wsiadać do czołgu, a kolegów posłał do tyłu.

Młody chłopak, kapral podchorąży, miał przynajmniej średnie wykształcenie i był kandydatem do szkoły oficerskiej. Tomaszewski mógł wreszcie czegoś się dowiedzieć.

– Jak wygląda sytuacja tutaj?

– Nie jest najgorzej. Wzięli z zaskoczenia cały port. I chyba wszystkich zabili.

– A potem?

– Poszli dalej i ugrzęźli. Na początku jatka i rzeź. No ale przeciwko granatowi rozpryskowemu to oni niewiele mogą zrobić. W ogóle na golasa chodzą albo co. Zaczęły się przepychanki wszędzie tam, gdzie byli nasi. Po ciemku oni mają nawet sporą przewagę, jednak kiedy z dachu magazynu ktoś kazał strzelać tyle flar, że gwiazdy przesłoniło, to nawet na zewnątrz nie bardzo się mogą posunąć dalej. No tak, ale w porcie to nie wojska liniowe. Jeśli się nie przegrupują i nie dostaną uzupełnień, zaraz im się amunicja skończy i będzie do...

– Dupy – mruknął Tomaszewski, kończąc wywód chłopaka. – A dowództwo?

– Wątpię, żeby ktokolwiek tam przeżył. Najgoręcej było w samym porcie. Potem jeszcze chciała zawinąć tam jakaś motorówka, przypłynęła spoza portu, ale zrobiła dwa kółka, strzelając flary, i spieprzyła z powrotem.

– Zwiad z okrętów?

– Chyba. Panie poruczniku, jak krążowniki zaczną grzać, chcąc udzielić wsparcia, to przecież poleci po wszystkim. Tu kamień na kamieniu nie zostanie! I nas też zabiją.

– Toteż nie zaczną bez rozpoznania. A żeby zorganizować desant, potrzebują sporo czasu.

– A Tatarzy się nie cofną z linii?

– Nie. Mają swoje zajęcia. – Tomaszewski włożył do ust papierosa, lecz nie zdecydował się zapalić w ciasnym wnętrzu. – No dobra. Jedźmy do sztabu. Tam musi być radiostacja.

– A tamci jej nie zniszczyli? – spytał chłopak nieśmiało.

– Oni nawet kabli telefonicznych nie pocięli. Ruszaj!

Czołg szarpnął do przodu. Teren z tej strony opadał w kierunku basenu portowego, gąsienice ślizgały się coraz bardziej na łagodnych zakrętach, które należało pokonać. Nie żeby jakoś szczególnie pojazd mógł ucierpieć od uderzenia w cokolwiek, jednak nie można tego było powiedzieć o stłoczonych w środku ludziach. Dużo lepiej radziła sobie sunąca z tyłu półgąsienicówka, aczkolwiek, sądząc po światłach reflektorów, też zarzucało nią przy każdej próbie pokonania zakrętu ze zbyt wielką prędkością.

– Uwaga! – kierowca wrzasnął nagle, szarpiąc drążkami sterowniczymi.

Coś spadło na nich, pozbawiając jakiejkolwiek możliwości widzenia.

– Do ściany! – krzyknął Włast do kierowcy. – Uderz w nią!

– Co to jest? – Tomaszewski usiłował dostrzec cokolwiek, ale peryskop i dostępne dla niego szczeliny obserwacyjne były ślepe.

– Zrzucili na nas kawał dachu. I jakieś płótno, psiakrew!

Czołg szarpnął ostro i uderzył w coś. Sądząc z krótkiego wrzasku i jęku, musieli kogoś przygwoździć. Kierowca cofnął się trochę, zmienił kąt natarcia i uderzył jeszcze raz. Kai ponownie dziękowała Bogom za to, że ma na głowie wielki stalowy hełm.

– Jeszcze raz! – komenderował chorąży. – Bardziej bokiem!

Kierowca spróbował ponownie. Tym razem udało mu się ustawić czołg pod takim kątem, że w łoskocie i głośnych trzaskach zdołali ruszyć dalej, szorując bokiem o ścianę budynku. Usłyszeli, jak kule walą w pancerz. To załoga półgąsienicówki musiała strzelać do nich, chcąc zdjąć z pancerza niewidocznych ze środka ludzi. Kierowca zatrzymał się nagle, a potem ruszył do przodu pełnym gazem. Jazgot w środku stał się nie do zniesienia. Ale udało im się zaczepić o coś i zwalić z góry fragmenty dachu razem z tym pieprzonym materiałem. W peryskopach nareszcie było coś widać. Kierowca zatrzymał się i cofnął, żeby gąsienicami ściągnąć płótno do końca. O dziwo, pierwsza zdążyła zareagować Kai. Widząc w światłach reflektorów jakieś sylwetki, ujęła rękojeść karabinu maszynowego, przepisowo zamknęła oczy i nacisnęła spust. Huk ją nie tyle ogłuszył, co w ogóle pozbawił boleśnie słuchu. Właściwie nie słyszała, lecz domyślała się, że mężczyźni krzyczą „brawo", klepiąc ją po plecach. Włast uruchomił kaem sprzężony z działkiem w wieży, znowu ruszyli do przodu.

– Szlag!

Ktoś dziabnął kierowcę mieczem. Wsunięte przez szczelinę ostrze rozorało mu policzek, krew spłynęła na mundur. Kai usiłowała przekosić lufę karabinu, ale nie sposób było uzyskać aż takiego kąta. Znowu usłyszeli na pancerzu pociski piechociarzy z tyłu, strzelających do własnego czołgu. Włast otworzył specjalną klapkę z zabezpieczeniem i wyrzucił z wieżyczki granat. Tomaszewski zrobił to samo po swojej stronie. Dwie eksplozje powinny oczyścić okolicę.

– Możesz prowadzić?

– Nic nie widzę! – wrzasnął kierowca.

Kai nachyliła się, żeby zetrzeć chłopakowi krew z twarzy. Oczy wydawały się nienaruszone, choć może w szoku żołnierz chwilowo oślepł. A poza tym bał się teraz zbliżyć twarz do szczeliny.

– Poprowadzę was! – Młody kapral podchorąży, który dowodził snajperami na dachu, znowu pokazał klasę. Błyskawicznie przepchnął się do góry i otworzył właz. – Hej, wy tam, na ciężarówce! Osłaniajcie mnie i przyświećcie trochę!

Wyskoczył na zewnątrz. Z półgąsienicówki zaczęli strzelać race. Włast również nie wytrzymał i wystawił głowę przez właz.

– W lewo! W lewo!

Kierowca ruszył pod dyktando chorążego. Kai bała się strzelać, żeby nie trafić ich nowego przewodnika, który biegł przodem, wskazując drogę. Ranny kierowca mógł się już trochę zorientować w sytuacji. Tomaszewski otworzył drugi właz i zaczął strzelać po dachach z pistoletu maszynowego. Zerknął do tyłu. Sunąca za nimi półgąsienicówka przypominała pancernik powoli płynący środkiem przesmyku i ostrzeliwujący się w każdą ze stron. Zamontowanie blatów na górze okazało się doskonałym pomysłem, sądząc z ilości przedmiotów rozbijanych o tę przeszkodę. Zdawało się jednak, że teraz już małemu konwojowi nie grozi poważniejsze niebezpieczeństwo. Wyjechali na szerokie nabrzeże idealnie oświetlone nadmiarem wystrzeliwanych z dachu magazynu flar. Budynek mieszczący dowództwo był o wyciągnięcie ręki.

– Powoli. – Tomaszewski wygramolił się na pancerz, usiłując nie spaść. – Kai, zostajesz tutaj! Uważaj na siebie!

Kiedy czołg się zatrzymał, flankując szerokie drzwi wejściowe, Tomaszewski zeskoczył na bruk.

– Sześciu ludzi z latarkami do mnie!

Kapral podchorąży był już wewnątrz. Pozostali żołnierze dobiegali z tyłu.

– Wchodzimy!

– Teren czysty! – rozległ się okrzyk ze środka.

Jeden za drugim, ostrożnie i osłaniając się wzajemnie, zaczęli wchodzić do budynku. Jasny szlag! Pomieszczenie za niewielkim przedsionkiem miało wysokość dwóch kondygnacji z wąską galeryjką na wysokości piętra. Dlatego chyba zostało wybrane na siedzibę sztabu. Na środku na dole stał ogromny stół z mapami, z boku dwa biurka telefonistów i centrala. Obok stanowisko radiotelegrafisty. Człowiek w mundurze łącznościowca ciągle siedział na swoim miejscu. Nie było widać na nim, a przynajmniej nie na wygiętych w łuk plecach, żadnej rany. Telefonista, leżący tuż obok, przeciwnie. Został cały pocięty, a raczej porąbany czymś niezbyt ostrym. Tak samo jak sekretarz leżący w pobliżu schodów. Straszna śmierć, bo musiało to trochę trwać. Widać było, że uciekał. Szczęście w nieszczęściu, że ubranie, choć zakrwawione, nie zostało poszarpane. Nikt go zatem nie torturował przed śmiercią.

Kontradmirał i kapitan piechoty leżeli pod stołem z mapami. Nie ukrywali się tam, ktoś ich prawdopodobnie odkopnął, żeby ciała nie przeszkadzały pod nogami. Atak musiał być błyskawiczny i przeprowadzony wielką liczbą żołnierzy. Nieład na głównym stole i mniejszych dla ludzi obsługi pod ścianami wskazywał nie na to, że ktoś je przeszukiwał, a raczej że w jednej chwili pchała się tu masa ludzi chcących jak najszybciej osiągnąć swoje cele. Ciała reszty oficerów pozostały więc w swoich kwaterach, w pokojach wokół galeryjki i dalej, na zapleczu budynku.

– Jest tu ktoś?! – Tomaszewski rozglądał się uważnie. Nie dostrzegał śladów strzelaniny. Ale nic dziwnego. Sztab został zaatakowany jako pierwszy albo jeden z pierwszych. Czego to dowodziło? Że ktoś naprowadzał napastników? Wiedzieli, gdzie najpierw trzeba uderzyć? Jeśli tak, skąd mogli wiedzieć?

– Jest tu ktoś?! – Żołnierze dostali się na galeryjkę i otwierali kolejne drzwi. Sądząc po ich minach, tak jak podejrzewał, oficerowie leżeli w środku.

Kai uznała najprawdopodobniej, że w budynku jest już bezpiecznie, i zignorowała rozkaz Tomaszewskiego. Pojawiła się w drzwiach w swoim kombinezonie przeciwchemicznym i z pistoletem maszynowym w rękach. Rozglądała się z ciekawością. Wbrew oczekiwaniom porucznika widok zwłok nie robił na niej jakiegoś szczególnego wrażenia.

– Ale się tu prali, co? – rzuciła do Tomaszewskiego.

– Raczej pacyfikowali. Nie widzę jakichś szczególnych śladów zaciętej walki.

– Aha. – Podeszła bliżej. – A czego szukasz?

– Jest tu kto? – nawoływali żołnierze, obszukując budynek.

– Zastanawiam się, skąd napastnicy wiedzieli, gdzie uderzyć w pierwszej kolejności.

– Może złapali któregoś z waszych żołnierzy i dowiedzieli się od niego?

– Niemożliwe. Nie znają języka.

– Ale mają czarowników.

– Tak? To jeśli mieli naszego, dlaczego nie wydobyli od niego dużo ważniejszej informacji? O wieżach strażniczych, które tak naprawdę sprawiły, że ich atak „rozpuścił się" wśród potyczek z uzbrojonymi żołnierzami i nie przyniósł spodziewanego efektu?

– Aha... – Zamyśliła się, przyjmując jego argumentację. Rzeczywiście, wieże były nawet ważniejsze niż sztab. – Hm... No to może ktoś obserwował port od kilku dni i domyślił się, gdzie jest sztab. Nietrudno to poznać po mundurach, stawaniu na baczność, salutowaniu i tak dalej.

– To prawda. Domyślić się łatwo. – Tomaszewski skinął głową. – Ale gdzie mógłby ukryć się szpieg? I jak przeniknął do środka naszych linii?

Kai zamyśliła się znowu. Kto mógłby? Istotnie. To prawie niemożliwe. Wśliznąć się do ludzi pochodzących z innego miejsca, mówiących niezrozumiałym językiem, należących do zupełnie innej cywilizacji. Nie znając ich zwyczajów, sposobów postępowania, regulaminów i procedur. Zwykły człowiek na pewno by tego nie dokonał, nie przekradłby się do obcego otoczenia i nie przetrwał tu ani dnia. Kto więc mógłby? Odpowiedź wydawała się prosta. Jedyną szansę miała czarownica. Jakaś potężna, wyrafinowana czarownica mogłaby tego dokonać. Bogowie, kto narażałby kogoś tak cennego, wysyłając z misją śledzenia pionków? Kai nie potrafiła zrozumieć. Kto posyłałby największego generała, żeby ten wyszpiegował, kiedy obce wojsko zamierza wyjść z okopów i ruszyć do ataku. No, informacja cenna sama w sobie, i to bardzo, ale nie aż tak, żeby ryzykować generałem. Nie mogła pojąć, o co tu chodzi. No dobra. Nasuwają się w związku z tym dwie myśli. Po pierwsze, nawet jeśli podjęto takie ryzyko, że wszystko wyszpiegowała czarownica, przecież nikt nie będzie jej narażał na udział w walkach ulicznych. A zatem po drugie: ona ciągle musi być ukryta gdzieś tu, w pobliżu.

Kai rozejrzała się odruchowo. To na nic. Na pewno nie zauważy czarownicy, bo tamta dobrze się zamaskowała. A swoimi zmysłami i umiejętnościami ze szkoły magii Kai nie mogła jej odkryć, ponieważ wokół walczyło i wysyłało emocje wiele potworów. Wielu członków ludu czarownicy. Nic z tego.

Ponure rozmyślania dziewczyny przerwał czyjś okrzyk:

– Tutaj! Tutaj!

Tomaszewski poderwał głowę. Dwóch żołnierzy wyprowadziło na galeryjkę słaniającego się na nogach oficera. Mężczyzna miał na sobie zakrwawioną koszulę, w prawej dłoni trzymał rewolwer, w lewej granat. Żołnierze ostrożnie prowadzili go w dół. Ktoś rzucił się z opatrunkiem.

– Major Witecki. – Mężczyzna, kiedy znalazł się już na parterze, spojrzał na porucznika. – Pan tu dowodzi?

– Dowodzę tylko tym oddziałem. Mam jeszcze czołg i półgąsienicówkę. Około dwudziestu pięciu ludzi z różnych formacji i w różnym stanie – zameldował Tomaszewski.

Major skinął głową. Dał sobie odebrać granat i zdjąć zakrwawioną koszulę. Miał paskudną ranę, ktoś go ciachnął po lewej stronie od obojczyka przez żebra aż do pachwiny. Płuca nie wyglądały na uszkodzone – nic na to nie wskazywało. Ale... odporny na ból, sukinsyn! Rewolweru z dłoni nie wypuścił.

– Co na mieście?

– Magazyn jest nasz i dowodzony przez oficera. Mamy też stołówkę.

Major usiłował się uśmiechnąć, ale zaczął kaszleć.

– To znaczy, że najpotrzebniejsze budynki ciągle w naszych rękach. Gdybyśmy mieli jeszcze burdel, moglibyśmy się bronić przez rok.

– W samym mieście – kontynuował Tomaszewski – trwają pojedyncze potyczki w różnych miejscach. Jest także wiele odosobnionych punktów oporu.

– Jak rozumiem, pan i ten kwatermistrz jesteście jedynymi oficerami, którym udało się dzisiaj ruszyć tyłek i coś zrobić?

Tomaszewski wolał nie komentować. To, że nie zagarnęła go pierwsza fala napaści, zawdzięczał niechęci Kai do powrotu na okręt. Przypadkiem znaleźli się w magazynie, jak się okazało, najlepszym miejscu na przetrwanie ataku. Reszta oficerów w nocy ściągnęła do swoich kwater, w pobliże sztabu. Oficer dyżurny pewnie nie żył, a oficerowie tatarscy mieli swoją robotę gdzie indziej. Major Witecki zresztą nie oczekiwał żadnego komentarza.

– Niech pan nas połączy z flotą – powiedział sucho.

No tak. Lądowym się wydaje, że jeśli jest się porucznikiem marynarki, to na mur umie się obsługiwać każdą radiostację. No bo przecież okręty pływają daleko od siebie, a nie ma między nimi kabli. Więc trzeba umieć. A jeśli jest się dodatkowo oficerem wywiadu marynarki, to już mus robić to po śpicy, z zamkniętymi oczami, recytując na głos instrukcję obsługi.

Tomaszewski zerknął na ogromny aparat na specjalnym stole pod ścianą. Pierwszy raz w życiu widział coś takiego. Może i wiedziałby, gdzie znajduje się wyłącznik... A może nie?

Z opresji wybawił go na szczęście kapral podchorąży. Chłopak zdawał się wiedzieć wszystko. Włączył sprzęt, nastawił, przyniósł mikrofon na długim kablu i podregulował głośnik.

– Tu sztab sił ekspedycyjnych – zaczął Witecki. – Tu sztab...

– No nareszcie! Co tam się działo?! – rozmówca po drugiej stronie nie przestrzegał żadnych procedur. Musiał mieć wysoką rangę.

– Major Stanisław Witecki melduje...

– Do diabła z meldunkiem. Co tam się u was dzieje?! Wysłaliśmy motorówkę na rekonesans i dowiedziałem się, że na nabrzeżu leżą trupy!

Witecki stłumił westchnięcie. Tomaszewski rozumiał go doskonale. Rozumiał też desperację sztabu floty, który nie bardzo wiedział, co robić. Teoretycznie najprościej byłoby udzielić przepotężnego wsparcia ogniowego. Ale po pierwsze komu? A po drugie, w co strzelać? Konkretnie, gdzie zrobić księżycowy krajobraz, bo przecież jak zaczną walić na oślep w port, to zabiją resztki własnych wojsk na brzegu.

No to co? Wysadzić desant w porcie. Ale jak po nocy? Bez współpracy z kimś na brzegu? Kiedy trupy leżą wokół? To posłanie ludzi po prostu na śmierć. Nikt nie zatwierdzi takiego rozkazu.

Zatem pozostawał jeszcze desant klasyczny. Gdziekolwiek na dzikiej plaży. Gdy już piechota się wyokrętuje, to może sobie sama pomaszerować do portu i na miejscu zobaczyć, co się dzieje. Tak. Byłoby to złamanie wszystkich zasad taktyki. Desant bez rozpoznania, bez zwiadu, bez znajomości sytuacji i bez orientacji choćby ogólnej w siłach przeciwnika. W podręcznikach określa się to mianem samobójstwa. Ale dałoby się coś takiego przeprowadzić. Najpierw zmasakrować kilka hektarów lasu najcięższą artylerią i bombardowaniem, potem polać napalmem, wysadzić ludzi na brzeg i niech sobie, kurde, radzą sami!

Poza utratą ton sprzętu było to i tak trudne do przeprowadzenia. Po pierwsze, wymagało czasu na organizację. Po drugie, wymagało dnia. Samoloty nie będą operowały po nocy z pokładu lotniskowca, a w dodatku sam lotniskowiec nie rozpędzi się po ciemku na nieznanych wodach. Koniec. Tak czy tak, flota musiała czekać świtu. Zgłoszenie Witeckiego sprawiło im więc wielką ulgę.

Major krótko opisał sytuację. Niestety, dłużej rozwodził się nad opisem tajemniczego białego dymu. Tomaszewski chciał dodać, co odkrył, ale Witecki urwał tę próbę jednym ruchem ręki. Opis sytuacji zakończyło zdanie, że teraz żołnierze walczą w odosobnionych grupach, pozbawieni dowództwa i do rana na pewno skończy im się amunicja. Major nie widział możliwości choć w miarę skutecznego dostarczania poszczególnym grupom amunicji z magazynu. I miał w tym rację, ale po takim opisie wniosek dowództwa floty mógł być tylko jeden: walki należy przerwać natychmiast.

Tomaszewski wiedział, że tak się stanie. Wiedział! Bezsilnie zacisnął pięści. Wysokiej rangi rozmówca majora zadał jeszcze jedno pytanie:

– Jest pan pewien, że większość walczących jeszcze odosobnionych grup nie dotrwa do rana?

Witecki zrobił ruch, jakby chciał zerknąć na zegarek, ale nie miał go na nadgarstku. Kapral podchorąży podsunął swój.

– Tak, jestem pewny.

Po drugiej stronie nie było więc cienia wątpliwości.

– Teraz nastąpi identyfikacja rozmówcy i identyfikacja celu. Czy ma pan dostęp do sejfu?

– Tak, mam. – Witecki posłał kaprala do stalowej skrzyni pod ścianą. Półgłosem udzielał instrukcji, jak otworzyć pancerne drzwi.

– Proszę wyjąć kopertę, której numer podam panu alfabetem sygnałowym.

Z głośnika dobiegł ich ciąg wystukiwanych kluczem kropek i kresek. Wszyscy, którzy służyli w marynarce, od razu odczytali numer. Major piechoty musiał użyć kawałka papieru.

– Podajcie kopertę numer osiemnaście – rozkazał kapralowi.

– Proszę złamać pieczęć.

– Tak. Mam zawartość w ręku. – Major odczytał kod nagłówka.

– Potwierdzam identyfikację rozmówcy. Teraz identyfikacja celu. Proszę odczytać hasło, jakie widnieje przy rejonie, na który mamy przeprowadzić atak.

Major powoli studiował położenie kwadratów, którymi podzielono mapę okolicy. Bez pośpiechu wybrał jeden z nich.

– Podaję hasło dla wybranego rejonu: „Pokój na ziemi".

– Proszę powtórzyć hasło.

– Powtarzam: „Pokój na ziemi".

– Zrozumiałem. Potwierdzam przyjęcie hasła. Potwierdzam wykonanie ataku. Czas: trzy minuty.

– Zrozumiałem. Atak za trzy minuty.

Tomaszewski zauważył, że żołnierze wymieniają się spojrzeniami. Ktoś głośno przełknął ślinę. Każdy odruchowo sprawdzał, czy jego maska jest na swoim miejscu. Sam usiłował rozszyfrować wiszący na ścianie schemat połączeń telefonicznych. Na szczęście nie był skomplikowany i już po chwili udało mu się włożyć odpowiednią wtyczkę do odpowiedniego gniazda. Podniósł słuchawkę.

– Tu magazyn. No nareszcie ktoś się zgłosił.

– Jabłoński, to pan?

– Tak.

– Niech pan każe wynieść na dach syrenę i ogłosi atak gazowy!

– Zrozumiałem. To będzie ten ich biały dym, tak?

– Nie! – Tomaszewski nie pozostawił kwatermistrzowi złudzeń. – To będzie nasza odpowiedź na to ich kadzidło!

– O kurwa!... O ja cię...

– Niech się pan pospieszy. Za trzy minuty zaczynają.

– Tak jest!

Odłożył słuchawkę i podszedł do Kai. Dziewczyna orientowała się dobrze w tym, co będzie. Najwięcej powiedziały jej nerwowe reakcje i strach żołnierzy wokół. Odruchowo dotknęła swojego kombinezonu. Przyda się... Dziękowała Bogom, że go ma. Bezwolnie poddawała się zabiegom Tomaszewskiego, który założył jej maskę. Wcale się nie dusiła. Kiedy się stało spokojnie, to można było prawie normalnie oddychać. Tylko każdy oddech ogłuszał. Tomaszewski naciągnął Kai na głowę gumowy kaptur i starannie dociągnął wszystkie paski. Było duszno i gorąco, lecz dało się wytrzymać. Przez okrągłe szkiełka obserwowała z trudem żołnierzy, którzy też zaczęli się przygotowywać. Ktoś pobiegł ostrzec ludzi na zewnątrz. Gdzieś daleko rozległ się zawodzący sygnał syreny. Wyczuwała, że stanie się coś strasznego.

Ogień dochodzący zewsząd zdawał się słabnąć. Walczący strzelali zdecydowanie rzadziej. Intensywność strzelaniny zmalała jeszcze, gdy rozległy się głuche, niewiarygodnie ciche odgłosy eksplozji okrętowych pocisków. Po dłuższej chwili dobiegł ich za to głośny huk wystrzałów z armat. I jeszcze raz: głuchy huk eksplozji pocisków, potem świst, a potem grzmot wystrzałów.

Karabinowa palba na ulicach ucichła zupełnie. Kapral podchorąży wyjął z pokrowca, w którym nosił swoją maskę, kilka buteleczek ze specjalnym środkiem chemicznym. Mocnym uderzeniem o blat stołu z mapami stłukł jedną fiolkę. Bezbarwny preparat zabarwił się na zielono.

– Jeszcze do nas nie doszło – wydyszał.

Jego stłumiony głos zrobił jednak duże wrażenie na Kai. Dopiero teraz zaczęła się bać. Nerwowo rozglądała się, patrząc, jak zachowują się ludzie w maskach.

– Nie wiadomo, skąd teraz wieje – nie mogła rozpoznać, kto mówi.

– Już marynarka wie skąd...

Kapral stłukł następną buteleczkę. Tym razem płyn powoli zabarwiał się na czerwono. Chłopak podtykał okienko odczytu najbliżej stojącym pod okulary.

– No to dostaliśmy.

– Uch, pełna dawka!

Wokół nie zmieniło się nic. Jedynie zduszone głosy brzmiały bardziej nerwowo.

– Kur... mogiła!

– Ja cię pieprzę.

– Koniec skali. – Kapral podchorąży porównał kolor próbki z wzornikiem i odrzucił buteleczkę na stół. – Pełna dawka!

– Swędzi mnie nos... – Ktoś wierzchem dłoni zaczął trzeć swoją maskę.

Cisza przedłużała się nieznośnie. Kai też dyszała coraz mocniej, mimo że nic się nie działo.

– Może coś zaśpiewamy?

Nie wiadomo, czyj to był głos, ale kilka osób zaczęło się śmiać. Brzmiało to bardziej upiornie niż cisza. Tomaszewski ujął Kai za rękę.

– Chodź, wyjdziemy na świeże powietrze – powiedział.

Teraz już wszyscy żołnierze ryknęli śmiechem. Atmosfera grozy została opanowana. Nawet major skinął głową i powiedział chyba coś, co brzmiało jak: „Brawo, poruczniku".

– No co? Tak mi się tylko powiedziało. – Tomaszewski prowadził dziewczynę do drzwi. – Tam, na zewnątrz, wiatr szybciej rozwieje gaz.

Kai zatrzymała się przed progiem.

– A jak ktoś do nas strzeli?

Tomaszewski wyszedł na zewnątrz i odwrócił się do dziewczyny.

– Tu już nie ma nikogo, kto mógłby do ciebie strzelić. Nie ma nikogo. Pokój na ziemi. – Rozłożył ręce, rozglądając się po okolicy. – Pokój na ziemi!

Kai ostrożnie zrobiła kilka kroków. Na zewnątrz właściwie też nic się nie zmieniło. Włast siedział na wieżyczce czołgu z nogą założoną na nogę – chyba to ją najbardziej uderzyło. Facet w masce, ze splecionymi ramionami, znudzony czeka, aż śmierć sobie pójdzie. Tak po prostu. Jakiś żołnierz masował te miejsca na skórze, gdzie kończyła się maska. Tam piekło najbardziej. Kai z powodu szeleszczącego kombinezonu nie odczuwała niczego poza gorącem.

Nie mogła tego w pełni ogarnąć rozumem. Dzięki przybyszom zza gór świat stał się zupełnie inny. Tu o losach bitew rozstrzygał ktoś obcy, oddalony o jakieś niewyobrażalne odległości i dużo, dużo wcześniej, niż komukolwiek wpadło do głowy, że taka bitwa w ogóle się odbędzie. Tak będą więc teraz wyglądały zwycięstwa? Żadnych szturmów, patriotycznych poświęceń, wycia walczących? Znudzeni żołnierze, którzy zaprosili śmierć, czekający potem, aż ona sobie pójdzie? Patrzyła, jak Tomaszewski stłukł swoją fiolkę i wstrząsnął płynem. „Ciągle czerwony!” – krzyknął do kogoś wewnątrz budynku. I co? Flaga na maszt obronionej twierdzy? Triumfalne werble? Nie? Czekamy dalej.

Poczuła coś dziwnego. Jakby czyjąś obecność tuż obok. Wstrząsnęło nią nagle. Czarownica! Czarownica potworów. Słusznie przewidywała, że tamta musiała czekać w ukryciu gdzieś tutaj, tuż obok. Wtedy nie mogła jej odkryć – zbyt wiele emocji potworów koncentrowało się wokół. Teraz już wszyscy jej współplemieńcy nie żyli. Była sama – łatwa do odkrycia nawet przez tak mało doświadczoną uczennicę magicznej szkoły jak Kai.

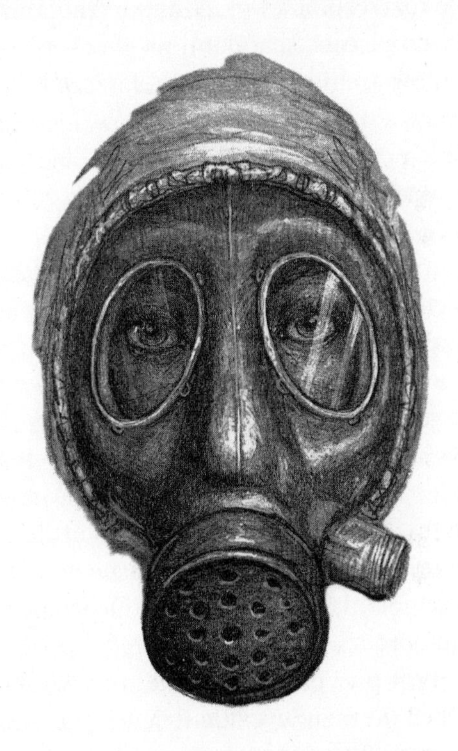

Dziewczyna przesunęła na pasku pistolet maszynowy do przodu, na brzuch. Zrobiła kilka kroków i rozejrzała się. Nikt nie zwracał na nią uwagi. Ot, baba chce się przejść trochę z nerwów. Jej sprawa. I dobrze, jeszcze kilka kroków, teraz już czuła wyraźnie. Jak tamta mogła przeżyć w tym gazie wokół?! Przecież nie da się wstrzymać oddechu na tak długo. Jak to w ogóle możliwe?

Idealny spokój okolicy pomagał w koncentracji. Jeszcze kilka kroków, skręciła za róg budynku. Wąski portowy zaułek idealnie nadawał się na kryjówkę. Ściana była dosłownie rozrzeźbiona wykuszami, ryzalitami, jakimiś wejściami do piwnic, schodami na górę – istna plątanina elementów architektonicznych. Jeszcze kilka plaskających z powodu kombinezonu kroków. I jeszcze...

Nagle ich oczy się spotkały! Obie kobiety przeżyły szok, choć każda spodziewała się, że zaraz zobaczy inną czarownicę.

Kai zamarła z przerażenia, widząc smukłą, prawie nagą kobietę z rękami przy twarzy. Spomiędzy jej palców wydobywało się mżące, sine światło, nadmiar magii robił coś z powietrzem, i to tak, że zaczynało świecić. Kai nigdy w życiu nie widziała czegoś podobnego. W ogóle nie mogła sobie wyobrazić aż takiej mocy. Tamta żyła mimo śmierci wokół, potrafiła się ochronić nawet przed niewidzialnym! To wydawało się absolutnie niemożliwe, ale przecież Kai widziała na własne oczy. Cholernica potrafiła dokonać niemożliwego. Ochronić się przed wszystkim oprócz... drugiej czarownicy.

Ale w tym przypadku nie miało to wielkiego znaczenia. Obca od razu wyczuła dziewczynę. Młoda, nic nie umie, nie potrafi dobrze kontrolować mocy, słaba jak puszek. Nie stanowiła żadnego zagrożenia. Właściwie nie wiadomo, jakim cudem jeszcze żyje. Ach... Ten przedziwny strój, którego zwoje piszczały i szeleściły przy każdym ruchu, to dziwne szczelne nakrycie głowy, które sprawiało, że na świat można patrzeć tylko przez dwa okrągłe otworki. Ta rura stercząca z ust. Obca też zrozumiała, że świat się zmienia nie do poznania. To coś, ten dziwny ubiór, chroniło przed śmiercią w powietrzu lepiej niż czary, z którymi młoda by sobie nie poradziła na taką skalę. Stara czarownica wiedziała dobrze, że i tak nie ma żadnego niebezpieczeństwa. Zrozumiała, że może zabić dziewczynę jedną ręką, i to nie robiąc hałasu.

Niestety, Kai również to zrozumiała, dokładnie w tej samej chwili. Szarpnęła suwadło swojego pistoletu maszynowego, wycelowała i nacisnęła spust.

Rozdział II

Pułkownik, dowódca garnizonu twierdzy, była zszokowana faktem zagłady korpusu ekspedycyjnego. To, że na jej wojska czekała tylko niecała setka żołnierzy, głównie sił specjalnych, i to w różnym stanie, sprawiło, że należało zrewidować dalsze plany działania. Wszystkie zapasy ewakuowane z twierdzy, przeznaczone na uzupełnienia dla sił ruchomych, musiano teraz zniszczyć. Sens maszerowania na drugi koniec lasu stawał pod znakiem zapytania. Może i taki manewr w sztabowych założeniach miał zaskoczyć potwory oraz zdezorganizować ich plany. Teraz jednak okazał się nierealny i niewykonalny z powodu szczupłości sił imperium. Co prawda potwory nie atakowały jeszcze i nic nie wskazywało, że się zbierają. Wojska garnizonu bywały atakowane podczas marszu, ale raczej chodziło o zwykłe potyczki patroli niż jakąś lepiej zorganizowaną akcję. Strat dużych nie zanotowano. I łatwo można to zrozumieć. A po co potwory mają ganiać po chaszczach pojedynczych żołnierzy lub małe grupki? Nie lepiej poczekać, aż to, co pozostało z oddziałów imperialnej armii, samo zbierze się do kupy i wystawi na dorżnięcie? Po co tracić siły na bezsensowną gonitwę – sami w końcu przyjdą.

Mimo że dziewczyn nie dopuszczono do rozmów na poziomie sztabu, same, we własnym kręgu, poruszały dokładnie ten sam temat.

– Z takimi siłami to raczej nie dojdziemy do celu, nie? – Nanti żuła jakieś trawy znalezione przy drodze. Twierdziła, że odpędzają zmęczenie. Inne dziewczyny też spróbowały, lecz źdźbła były gorzkie i miały ostre krawędzie kaleczące język. A z tym zmęczeniem to chyba tylko pic.

– Wątpię, żebyśmy uszły ze dwa dni w szyku – odezwała się Nuk. – Będziemy maszerować do pierwszego uderzenia potworów.

– Ale tamte podnieciły się moim amuletem – powiedziała Shen, myśląc jednak o własnych oficerach. – Może naprawdę na wybrzeżu są jakieś nasze okręty?

– Akurat! – Nanti wypluła kolejną trawę. – Cała flota czeka. Tylko siąść przy burcie, wyciągnąć nogi i wystawić twarz do słońca.

– Ona ma rację – Nuk wyjątkowo zgodziła się z sierżant piechoty. – Żeby skręcić na wybrzeże, trzeba zejść z drogi. A już wszystkie wiecie, co się dzieje, jak imperialna armia schodzi z drogi.

– Wtedy umiera.

– No. – Nuk uniosła głowę z plecaka, na którym ją opierała. – Shen, co ty dziwnego masz w rękach?

Kapral rozłożyła mosiężną tuleję na całą długość.

– Zabrałam ze świątyni potworów. Takie wotum.

– Ale cudo. Pokaż.

Shen podała Nuk tuleję. A ta zaczęła ją składać i rozkładać. Potem uderzyła się w dłoń.

– Eeee... jako pałka się nie nada. Za lekka.

– A szkoda – wtrąciła się Nanti. – Mieć taką malutką pałeczkę w dłoni. Spacerujesz se po porcie, podchodzi jakiś bęcwał, szura, a ty sru! I masz trzy razy dłuższą pałę w łapsku. I co?

– Co? Co? Tu są jakieś szkiełka na końcach. Ale niewiele widać.

– Widać, widać, tylko nie patrz, jak masz to oparte na kolanie.

Nuk podniosła tuleję i patrzyła w szkiełko po jednej stronie.

– No, kolory są i jakieś światło, i coś się rusza... – Rozciągnęła rurę na całą długość. – O! A teraz nawet lepiej. Wszystko jaśniej widać.

– Ta... i do czego to służy?

– No do czegoś musi.

Nuk potrząsała mosiężną rurą, stukała w nią, a potem zaczęła kręcić poszczególnymi elementami, trzymając przy oku. Aż przygryzła język w skupieniu.

– O! Coś widzę.

– Co?

Nuk, zamiast odpowiedzieć, wrzasnęła nagle i zerwała się na równe nogi.

– P... pta...

– Co pta?

– Ptak przeleciał.

Zaczęły się śmiać.

– Rura strachów. Daj to Sharri, to nie zaśnie z przerażenia.

– Nie. Ptak przeleciał naprawdę, ale tu był tak strasznie blisko.

– Co?

Nuk podniosła rurę ponownie do oka. Znowu zaczęła kręcić poszczególnymi segmentami, patrząc na pochyłe drzewo w oddali.

– O kurwa mać... – westchnęła po chwili. – To jakiś pieprzony cud świata. Ale się przestraszyłam.

– Dlaczego cud? – Shen zaciekawiona aż wstała. – Co tam jest?

Nuk podała jej rurę, pomogła przytknąć do oka i nakierowała na pochylone drzewo.

– Bogowie! – Shen również nie mogła powstrzymać się od okrzyku. – Widać drzewo, ale jakby blisko! – Oderwała tuleję od oka, popatrzyła normalnie i znowu przytknęła. – Ono jest jakieś sto kroków stąd, a tutaj widać, jakby było o dziesięć. Korę widać! Korę widać normalnie!

– Daj, daj! – Pozostałe dziewczyny zrywały się z ziemi zaaferowane. – Ja też chcę!

– Zostawcie... No zaraz. Każda zobaczy.

– Aleee... – Sharri też kręciła poszczególnymi segmentami. – Tam się pojawia jakiś napis i trójkąciki!

– Gdzie?

Wszystkie szarpały się jeszcze z tuleją dłuższą chwilę, aż pierwsza ciekawość została zaspokojona.

– Shen, co z tym zrobisz?

– Trzeba by pokazać jakiemuś oficerowi.

– Zwariowałaś?! – Sharri aż podskoczyła ze zdumienia. – Od razu ci zabiorą. Nikomu nie pokazuj!

Dziewczyny wokół przytakiwały. W tej kwestii najwyraźniej były zgodne.

Ożywiona dyskusja trwała jeszcze trochę, choć problem zasadniczy został już rozstrzygnięty. Na pewno zagadkowego przedmiotu nie wolno nikomu pokazywać, bo zabierze. I tyle z tego będzie.

– Ciekawe, skąd to może być? – zastanawiała się Sharri, kiedy emocje opadły. – Tam są jakieś napisy.

– To nie jest alfabet – powiedziała Nuk. – Te „napisy" nic nie znaczą.

– Jakby cyferki? Albo odpowiedniki cyferek.

– No może. Pewnie coś znaczą dla kogoś, kto umie je czytać. Ale te znaki na obudowie to rzeczywiście ułożone są jak litery. Tyle że nic nie znaczą.

– Może ktoś pisał szyfrem?

– A po co? Zresztą...

Shen schowała miedzianą rurę do plecaka. Potem rozejrzała się po twarzach koleżanek. Przynajmniej dwie były wykształcone. Nuk, której tatuś fundnął porządną szkołę, i Sharri, która miała zostać kapłanką.

– Dziewczyny – zwróciła się do nich – słyszałyście kiedyś o czymś takim?

Obie zaprzeczyły.

– A ktokolwiek słyszał? – Zerknęła po pozostałych.

One również zaprzeczyły. Nikt nigdy nie słyszał o przyrządzie, który zbliżał oko do przedmiotu i pozwalał widzieć z bliska bez przenoszenia ciała. Nikt. Nigdy. Skąd więc to było? Wydobyte ze zbioru wotów w świątyni potworów. Pewnie przeleżało tam Bogowie jedni wiedzą ile lat. Ale skąd się tam znalazło? I kto mógł wykonać coś takiego?

Shen nie miała czasu na rozmyślania. Dowództwo musiało dojść do jakichś wniosków co do dalszego postępowania. Sztab wydał rozkaz wymarszu.

Admirał Ossendowski przypłynął do portu osobiście. I to od razu o świcie. Ci, którzy znali rytuały floty, pochowali się po wszystkich kątach. Jeśli jaśnie admirał nie wzywał na dywanik, tylko fatygował się osobiście, znaczyło to, jak w każdym imperium, że na pewno polecą czyjeś głowy. Jedynym szczęściem, które dawały współczesne czasy, było, że to nie kat będzie publicznie i krwawo ścinał czerepy. W jego zastępstwie zrobią to oficer administracyjny rządzący etatami i przydziałami, za pomocnika mając księgową.

Tomaszewski, Jabłoński i opatrzony już major Witecki musieli asystować w egzekucji, bowiem książę Ossen... tfu! admirał Ossendowski życzył sobie wysłuchać ich osobistych relacji. Byli jedynymi oficerami, którzy przeżyli w obrębie ścisłego portu. Na szczęście głównodowodzący okazał się pragmatykiem. Ograniczył się do suchych faktów, zadał kilka konkretnych pytań i tyle. Po wszystkim. Niestety, musieli nadal uczestniczyć w upiornej uroczystości, na szczęście wyłącznie jako świadkowie. Na ogromnym tarasie jednego z kamiennych domów nad wodą podano kawę, słodkie wina i biszkopty. Na bruku poniżej odpowiednie służby układały ciała tych, którzy zginęli. Po jednej stronie żołnierzy Rzeczypospolitej, po drugiej obcych. Nikt jednak nie zwracał uwagi na makabryczną scenerię. Rzeczy budzące prawdziwą trwogę działy się na tarasie, wśród stewardów w lśniąco białych marynarkach, kręcących się wokół z tacami, na których mieli srebrne, parujące dzbanki i patery z ciastem.

Admirał dociekał, kto konkretnie jest winny tak strasznej hańby w dziejach polskiego wojska. Chciał też wiedzieć, jak tę hańbę szybko zmazać.

– Ile mamy ofiar?

– Do tej chwili zebrano sto trzy zwłoki naszych żołnierzy – adiutant usłużnie podawał dane.

– A ranni?

– Mamy sześciu rannych.

– Jak to możliwe?

Oficerowie wokół pospuszczali głowy. Rzeczywiście nigdy, w żadnej bitwie, proporcje nie wyglądały w ten sposób. Kto jednak, jak nie głównodowodzący, zaakceptował rozkaz o ataku gazem? No i odpowiedź staje się jasna. Rannych było oczywiście o wiele więcej. Ale albo byli za słabi, żeby nałożyć sobie maski, albo nieprzytomni, albo po prostu nie mieli masek. Kto więc zabił tylu żołnierzy? Nikt nie wypowiedział na głos nasuwającej się odpowiedzi. Najwyraźniej samobójcy w korpusie oficerskim nie służyli.

– Co to za obrona? – grzmiał tymczasem admirał. – Żeby mi dzikusy tak skutecznie sztab na lądzie wycięły?! A gdzie pola minowe? Gdzie...

– Zaatakowali od strony morza – w korpusie znalazło się jednak kilku desperatów. – Nie da się zaminować podejść do portu przeciwko pojedynczym pływakom.

– Ilu zabiliśmy napastników?

– Na razie zniesiono około tysiąca zwłok – poinformował natychmiast adiutant.

– Co? Dziesięć do jednego? – Ossendowski poczerwieniał na twarzy. – Supernowoczesna armia w starciu z leśną dziczą i jest tylko dziesięć do jednego?! To hańba!

Selim Michałowicz, pułkownik tatarski, strzelił głownią szabli przypasaną do paradnego munduru.

– Proszę nas wysłać do lasu – zawołał. – Ja bym tam parę łbów uciął dla polepszenia statystyki.

Tu nawet stary admirał się otrząsnął. I nie chodziło o to, że posyłanie do lasu dwóch kompanii bez rozpoznania nie jest czynem rozsądnym. Admirał bardziej bał się tego, co będzie, jak Michałowicz znajdzie parę wiosek ze starcami, dziećmi i kobietami. Znając skuteczność oddziałów tatarskich w akcjach pacyfikacyjnych, statystyka mogłaby zostać zmieniona błyskawicznie.

– Chciałbym się dowiedzieć, czy możemy jakoś wyeliminować te oddziały, które nas zaatakowały. Oczywiście ci, którzy znaleźli się w porcie, zostali zabici, ale przecież nie byli jedyni...

– Nasze krążowniki mogą strzelać na trzydzieści pięć kilometrów – powiedział któryś z dowódców okrętów. – Dzikusy na pewno nie uciekły jeszcze nawet na trzydzieści.

– I zamierza pan siać kulami po lesie ot, tak sobie? Gdzie poniesie?

– Ależ nie. Potrzebne jest rozpoznanie.

– Panie admirale! – wtrąciła się pani inżynier Wyszyńska. Ciekawe, co razem z inżynierem Węgrzynem robili na tym czymś w rodzaju odprawy? Aż takie koneksje? Czy czyjeś wpływy, o których wspominał Wentzel?

– Czy ma pani jakieś kompetencje, żeby wypowiadać się w kategoriach wojskowych? – Ossendowski nie był zbyt uprzejmy.

– Nie. Po prostu rozwiązałam sprawę w sposób naukowy. – Podała mu zapisaną do połowy kartkę. – Skoro dla spokoju ducha potrzebuje pan odwetu, to proszę bardzo.

Tomaszewski spojrzał na Wyszyńską z zaskoczeniem, ale i dużą dozą podziwu. Była aż tak pragmatyczna? Nie po kobiecemu emocjonalna, tylko właśnie po męsku logiczna? I to bardziej od głównodowodzącego, który chciał jakiejś operetkowej zemsty, żeby wszystko lepiej wyglądało w raportach. Chce? To ona mu daje, proszę bardzo. I robi to z miną w rodzaju: „Pozbądźmy się wreszcie kaprysów tego dziecka, dostanie, co chce, a my ruszymy nareszcie z prawdziwą robotą". Niech to szlag! Nie miał pojęcia, czy jego przemyślenia są słuszne, ale zauważył coś jeszcze. Z równie wielkim podziwem przyglądał się kobiecie komandor Rosenblum. Tak samo zresztą zaskoczony.

– Co to jest? – Admirał tymczasem zwinął kartkę w rulon i machał nią jak buławą.

– Panna Kai twierdzi, że po każdej bitwie dzikusy palą w lesie ogniska, żeby dusze zabitych wojowników znalazły drogę do nieba czy jakoś tak. Śmiem się z nią zgodzić na podstawie odczytów...

– To zlokalizujemy ich po dymie – przerwał Wyszyńskiej któryś z oficerów marynarki. – A wtedy...

– Nie są aż tak głupi. Wielkie sągi mają tylko przy swoich świątyniach, daleko stad. Tu zapalą małe ogniska bez dymu. A przynajmniej my ich nie dostrzeżemy przez listowie.

– To czemu pani o tym mówi?

– Możemy je zlokalizować tym eksperymentalnym urządzeniem do detekcji ciepła.

– I co wtedy? – zainteresował się admirał.

– Pierwszy samolot zrzuci ładunek...

– Bzdura! – niezbyt grzecznie przerwał jej Ossendowski. – Muszę pani przypomnieć, że na lotniskowcu mamy jedynie czterdzieści sześć bombowców. Z czego połowa to bombowce nurkujące. Świetne do niszczenia okrętów wroga albo jego fortyfikacji. Ale nie do bombardowania lasu! Przecież te dzikusy nie zbiorą się dla pani przyjemności na jednym wiecu, w dużym ścisku. Będą rozproszeni. A wtedy skuteczność wygląda tak: jedna bomba na jednego zabitego, jeśli będziemy mieć szczęście. Ogólne straty: ze dwadzieścia osób!

– Panie admirale, dlatego właśnie przedstawiłam...

– Proszę nie mówić takich rzeczy. Proszę mi przedstawić plan, jak ochronić bazę przed podobnymi atakami w przyszłości.

Wyszyńska naprawdę pokazywała klasę i pragmatyzm. Tomaszewski z Rosenblumem obserwowali ją z niekłamanym podziwem.

– Oczywiście, panie admirale. Wystarczy na całym nabrzeżu zwiesić dość luźno metalową siatkę pod kątem czterdziestu pięciu stopni. Każde podciągnięcie spowoduje alarm, każde dotknięcie to porażenie prądem. Dzikusy nie zdołają się na nią wspiąć.

– Wolałbym coś bardziej konkretnego.

– No ale po co? Przecież to nie jest docelowa baza na zawsze. Zbyt łatwa do zdobycia.

Admirał znowu poczerwieniał.

– Zaraz, sugeruje pani, że jak zlikwiduję dzikusów, to zlikwiduję też podstawowy atut tej bazy, tak?

– Tak. Te ich jakieś królestwa będą tu sobie mogły dotrzeć i patrzeć nam na ręce. A tego nie chcemy, prawda?

Ossendowski nie odpowiedział. Wyszyńska wykorzystała ciszę i kontynuowała:

– Przecież to baza podstawowa, szkieletowa w pewnym sensie. Nasz matecznik na tej półkuli. Główną bazę z powodu kosztów i tak musimy założyć gdzie indziej.

– Czytałem najnowsze założenia strategiczne sztabu równie pilnie jak pani.

– No właśnie. Musimy znaleźć jakiegoś sojusznika i założyć bazę na jego terytorium, żeby płacić grosze za usługi, bo przywozić tutaj wszystko z Polski wypadnie stanowczo za drogo.

– Co to ma do obecnej sytuacji?

– Proszę pana, nie róbmy żadnych przesadnych zabezpieczeń i nie zabijajmy dzikusów. Chce pan teatralnej zemsty dla odstraszenia i utemperowania ich zakusów, proszę bardzo. Nastraszmy sukinsynów, pokażmy moc. Ale żadnej pacyfikacji! Żadnego wysyłania Tatarów, którzy gołą ziemię i puste niebo pozostawią za sobą. Ja pana bardzo proszę, panie admirale!

– Zaraz pani powie, że dzikusy są nam potrzebni.

Wyszyńska zrobiła minę przestraszonej pensjonarki, a potem koniuszkiem języka oblizała wargi. Było w tym cholernie dużo seksapilu.

– Dzikusy są nam potrzebni – powiedziała cicho.

Rosenblum podszedł bliżej i dyskretnie odciągnął Tomaszewskiego na bok. Skinął na stewarda i kazał nalać dwie kawy. Z filiżankami w rękach stanęli przy balustradzie, gdzie poniżej znoszono zwłoki poległych. Byli tu jednak z dala od towarzystwa skupionego przy Ossendowskim.

– Dziwna wymiana zdań, nieprawdaż? – Rosenblum wychylił łyk kawy.

– W rzeczy samej – przytaknął Tomaszewski. – Bardzo dziwna.

Rosenblum wypił jeszcze łyk, rozkoszując się aromatem.

– Ach, byłbym zapomniał! – Uśmiechnął się szeroko. – Gratuluję awansu. Właśnie przyszedł rozkaz ze sztabu.

– No proszę. Będę komandorem podporucznikiem.

– Tak. A ponieważ dzień nominacji zbiegł się z pańskim udziałem w obronie portu, więc odtąd każdy żołnierz będzie przekonany, że dostał pan awans właśnie za obronę.

Tomaszewski roześmiał się cicho.

– To dobrze czy źle?

– Nie wiem. Ale odtąd wszyscy będą pana uważać za Wielkiego Tatara i rębajłę! Nominacja o dwa stopnie naraz musi przecież być za atak gazowy na wroga. Lud potrzebuje prostych skojarzeń.

– Taaak...

Tomaszewski wychylił kawę duszkiem. Smakowała i pachniała doskonale. Natomiast trupy poniżej zalatywały musztardą.

– Co pan myśli o tym wszystkim?

Rosenblum nie zorientował się, czego dotyczy pytanie.

– Dziwne. Te dzikusy mają trochę inną anatomię niż my. Na przykład smolistoczarne gałki oczne bez źrenicy. No i jest parę innych szczegółów. Ale tajemnicę powinny rozwiać specjalistyczne sekcje zwłok...

– Ja nie o tym.

– Ach...! – Oficer kontrwywiadu zerknął na Wyszyńską, ciągle dyskutującą z admirałem. – Ciekawi pana wpływ, jaki pani inżynier ma na Ossendowskiego?

– Dokładnie.

– No cóż. Dziś jeszcze przekonamy się, kto ma decydujące zdanie. Czy wygra jakaś inna koncepcja, czy też zaraz wystartuje wiatrakowiec z tym eksperymentalnym wykrywaczem ciepła.

Eksperymentalne urządzenie na wiatrakowcu sprawowało się zaskakująco dobrze. Setki małych ognisk udało się odkryć bardzo szybko, lecz tak jak przewidywał Ossendowski, zostały one rozsiane w rozproszeniu na ogromnej przestrzeni. Pilot zaznaczył więc ten obszar na mapie i przekazał współrzędne przez radio.

Samolot, który nadleciał pół godziny później, zrzucił swój ładunek i niespiesznie zawrócił. Na tej półkuli żadna artyleria przeciwlotnicza ani myśliwce wroga nie zagrażały.

Wojownicy czuwający nad ukrytymi pod drzewami z gęstym listowiem ogniskami zaczęli podnosić głowy. Z nieba spływał właśnie różnokolorowy, lśniący cudownie obłok. Odważniejsi zaczęli nawet podchodzić bliżej, żeby sprawdzić, co tak dziwnie świeci. Nic nie świeciło.

Złota i srebrna folia lśniła tylko, odbijając promienie południowego słońca. Widok był urzekający, przepiękny i poruszający do samej głębi. A jeszcze większe zdziwienie czekało wojowników po chwili, kiedy malutkie, pięknie opakowane przedmioty zaczęły opadać na ziemię. Wiele zatrzymywało się w koronach. Ktoś nareszcie odważył się podnieść złote cudeńko. Nie dość, że śliczne, to jeszcze pachniało urzekająco, jak nic, co do tej pory poznali w życiu. A może to coś do jedzenia? Towarzyszące wojownikom czarownice wypowiedziały się jasno. To nie jest trucizna. Te przedmioty nie zabiją w żaden sposób nikogo, kto ich spróbuje. Bogowie! Czekolada, cukierki, kandyzowane owoce. Nie znali oczywiście tych nazw, ale cudowne opakowania kusiły. Co to miało być? Ofiary dla Bogów? Czy okup dla wojowników, uniżona prośba, żeby więcej nie atakowali obcych? Najstarsi pamiętali przecież, że przed laty kupieckie konwoje usiłowały dawać okup ze złota i srebra, byleby tylko przejść bezpiecznie. Głupcy! A poza tym ich okup nie pachniał tak urzekająco jak ten.

Po kwadransie nadleciał następny samolot i znowu zrzucił cudowny, lśniący wszystkimi kolorami ładunek. Wojownicy na dole nadbiegali z dalszych części obozowiska i gromadzili się w coraz większej ciżbie.

A potem nadleciało pięć bombowców w szyku krzyżowym, które zrzuciły na punkt koncentracji bomby z napalmem.

Samoloty chwilę później położyły się w łagodnym wirażu, ciągle z gracją i w szyku. Przecież na tej półkuli nie groziła im artyleria przeciwlotnicza ani myśliwce wroga.

Choć było to absolutnie zakazane, na najbliższym postoju kilka dziewczyn oddzieliło się od konwoju i zeszło z drogi. W krzakach za linią wart mogło co prawda kryć się coś strasznego, lecz każda z nich czuła, że ten marsz jest inny niż wszystkie do tej pory. Potwory nie atakowały kolumny marszowej. Żadnej sieczki jak podczas pierwszych dni kampanii, kiedy zabijały oficerów i podoficerów, chcąc wywołać bałagan w szeregach przeciwnika. Owszem, zdarzały się pojedyncze strzały z łuku, zabijano wartowników, prowadzących oddziały czy siano po szeregowych. Ale to były pojedyncze akcje, bardziej na zasadzie przekazu: „Pamiętajcie, jesteśmy tu i wiemy, gdzie wy jesteście – nie wymkniecie się". Zakrawało to na cud, ale jak dotąd nie nastąpiła żadna większa akcja, nawet w terenie sprzyjającym wrogom, na przykład podczas przeprawy przez rzekę. Dziwne. Jednak nikt nie miał wątpliwości. Rozprawa i ostateczny atak prędzej czy później nastąpią.

Teraz jednak te kilka dziewczyn, które zeszły z drogi, nie zawracało sobie głowy wrogami, którzy mogli czaić się w pobliżu. Przypadły pod krzakami i rozwinęły mapę, którą Shen dostała od major Dain. Oficerowie o niej nie wiedzieli, więc nie skonfiskowali. A dziewczyny miały możliwość zorientowania się w sytuacji.

– Tu jest ta rzeka. – Palec Nanti błądził po doskonałej jakości pergaminie. – O, tędy szłyśmy. Tu są te wzgórza, co się nam wydawało, że stamtąd uderzą. Widzicie?

– Widzimy – mruknęła Shen, która sama nie rozumiała symboli stosowanych na mapach i musiała wierzyć na słowo. – Dawaj dalej.

– Patrzcie... No i jakoś tak dziwnie, idziemy tędy.

– Co w tym dziwnego?

– Idziemy jakby dłuższą drogą.

– Wcale nie dłuższą. – Nuk odebrała mapę sierżantowi piechoty. – Patrzcie. Teoretycznie tędy jest krócej. Ale zależy, co jest naszym celem.

– Jak to co? – obruszyła się Sharri. – Mamy spierdalać szybko.

Mimo że była tchórzem, jednak przyjęto ją do „towarzystwa". Szczególnie za sprawą Nuk, bo z niedoszłą, ale wykształconą kapłanką dawało się pogadać. Teraz jednak spiskowczynie nie potrzebowały żadnej błyskotliwej teorii o zachowaniu potworów ani ciekawostek z ich mało znanych obyczajów. Zastanawiały się, co może się stać i jaką taktykę powinny przyjąć, żeby przeżyć. W to, że potwory wypuszczą wojsko z lasu, nie wierzyły.

– Niby tak – mruknęła Nuk.– Wydostanie się stąd jest priorytetem. Ale w dziwny sposób skręcamy w stronę wybrzeża.

– Mityczny desant, który to rzekomo ma pokazywać mój amulet? – roześmiała się Shen. – Gówno tam znajdą, a nie wojsko i okręty.

– Nie znam się na tym. – Nuk dotknęła amuletu wiszącego na szyi koleżanki. – Czy amulet może wskazać drogę?

– Nie – odpowiedziała Sharri. – Może za to wskazać miejsce, w którym znajduje się jego twórca. Z bliska. A konkretniej: z bardzo, bardzo bliska.

– Aha. – Nuk skinęła głową. – No to dzisiejszej nocy jesteśmy najbliżej tego opuszczonego portu. I stąd nasz manewr. Jeśli coś pójdzie nie tak albo zaczniemy przegrywać, to skręcą w stronę wybrzeża i chodu.

– A jeśli ta młoda czarownica jest po prostu jeńcem potworów albo przeszła na ich stronę? Amulet obecności okrętów i wojsk nie pokaże.

Shen chciała coś odpowiedzieć, lecz przerwał jej cichy jęk dochodzący z kępy krzaków kilka kroków opodal. Zerwały się na równe nogi, błyskawicznie przyjmując pozycje. Nawet z boku widać było, że to zupełnie inne wojsko od tego, które wkraczało w knieje na początku kampanii. To były dziewczyny, którym udało się przeżyć, a to znaczyło więcej niż wojskowe stopnie, tytuły i ordery.

Nuk pokazała palcami: Sharri w lewo, Nanti w prawo, Shen na wprost. W czasie krótszym niż oddech posuwały się już powoli w stronę potencjalnego zagrożenia. Po kilkunastu ostrożnych, ale bardzo szybkich krokach Shen rozchyliła lufą gałęzie. Osłaniająca ją Nuk podeszła z lewej. Jeszcze krok, trochę głębiej w zarośla.

– O kurwa! – Shen nie mogła powstrzymać się od okrzyku.

Sharri o mało nie zemdlała. Nuk i Nanti zbliżyły się wiedzione ciekawością.

– O jasny szlag!

Tuż przed nimi leżał potwór, najwyraźniej w agonii. Choć jego lewa ręka wykonywała jakieś powolne, niezborne ruchy, on sam nie był chyba przytomny. Prawie całą prawą połowę ciała miał spaloną. Wydawało się, że spaloną na węgiel, ale to przecież niemożliwe. Nie dotarłby tutaj po takiej torturze. A nie torturowano go w pobliżu, bo nie było śladów monstrualnego ogniska, które należałoby rozpalić, żeby wywołać takie efekty.

– Ty, kapłanka... – Nuk zwróciła się do koleżanki.

– Nie jestem kapłanką. – Sharri usiłowała opanować szczękościsk.

– Uczyli was podstaw anatomii, prawda? Powiedz, jakim cudem udało się zrobić mu coś takiego?

– Nie da rady tego zrobić. To pewnie czary.

– Jak to nie da rady?

– No przecież patrz! Prawa strona jest prawie zwęglona, a lewa prawie nietknięta! Jak to zrobisz? Jeśli będziesz zwęglać jedną połowę, to ta druga część się ugotuje. Nie da rady z jednej strony oparzyć kogoś totalnie, a z drugiej w ogóle. No chyba żeby przylepić jakoś ogień do skóry. Ale wtedy ogień będzie za mały, żeby tak sparzyć. Nie wiem! – Machnęła ręką. – To niemożliwe. Czary.

Pozostałe dziewczyny patrzyły z fascynacją. Widok zupełnie nieprawdopodobny. Wiedziały jedno. Żadnym narzędziem ani bronią, którą dysponowała imperialna armia, nie dałoby się osiągnąć takiego efektu. Okolica wydała się nagle bardziej straszna.

– Wymarsz! Wymarsz!

– Szlag, wracamy.

Ruszyły z powrotem do drogi, przedzierając się przez zarośla. Nanti zaczęła gwizdać cicho jakąś melodię, żeby jakiś narwany wartownik nie strzelił do nich znienacka.

– Komu o tym powiemy? – ekscytowała się Sharri.

– Nikomu.

– No ale przecież...

– Nie wychodź przed szereg, durna – uspokajała ją Shen. – W wojsku podstawowa zasada to: „Stój tam, gdzie ci dobrze"!

Wydostały się z chaszczy na drogę tylko po to, żeby wpaść w ręce porucznika garnizonowej piechoty.

– Gdzieście były?!

– Za potrzebą – odpowiedziała spokojnie Nuk.

– Wszystkie naraz?!

– W tym lesie strach srać samemu. A tak plecami do siebie, na jeża, każda mierzy z karabinu w swoją stronę... szansa przeżycia jest.

– Był wyraźny zakaz schodzenia z drogi! Żeby mi to był ostatni raz!

– Z całym szacunkiem, pani porucznik... – Nuk uśmiechnęła się bezczelnie. Co jej mogła zrobić jakaś tam garnizonowa porucznica? – Nie jestem w stanie rozkazać mojemu ciału, żeby to był ostatni raz.

Żołnierze wokół chichotały ukradkiem. Porucznik, mimo że głupia garnizonówka, zrozumiała jednak, że w tej sytuacji lepiej podać tyły. Nie jej mierzyć się z liniowym sierżantem, dla którego śmierć, sądząc choćby po spódniczce z ludzkich włosów, była czymś równie naturalnym jak ziewanie.

Szyk formował się powoli, wyjątkowo niemrawo, nawet zważywszy zmęczenie. Wymarsz... Do zmierzchu wiele nie brakowało. Co ci w dowództwie? Chcą zafundować wojsku nocny marsz? Niczego się nie nauczyli?

Zrozumienie przyszło o zmroku. To czarownica Dairin musiała coś wyczuć. Jakąś niebywałą okazję. Ewentualnie coś strasznego. Albo jedno i drugie naraz. Maszerowały przy światłach pochodni, a mimo to nikt ich nie atakował. Z głębi lasu lekki wiatr przyniósł jakiś upiorny zapach. Coś jakby spalenizna, odór zwęglonego mięsa pomieszany jednak z dziwnym, ostrym, niespotykanym nigdzie zapachem. Nikomu z niczym się nie kojarzył oprócz Sharri.

– Wiecie, co mi to troszeczkę przypomina?

– No?

– Rdzenną pustynię. Tam, gdzie wypływa olej skalny.

– A co to jest olej skalny?

– Taki płyn... maź właściwie. Stosuje się go do smarowania osi wozów. Albo do leczenia ludzi.

– Ja znam ten smar. – Shen skrzywiła się na samo wspomnienie. – Czasem trochę tego potrzeba do łodzi. Ale żeby tym ludzi leczyć...?

– Pasożyty tym się wytruwa. I wiele innych rzeczy, ale trzeba strasznie uważać.

– Żeby nie spłonąć?

– No co ty?

– Ciiii... – ktoś z przodu zaczął uspokajać dyskutantki. – Słyszycie?

Rzeczywiście, dobiegły ich jakieś odgłosy. Nawoływania potworów? Jakieś krzyki? Jęki? Żadnej z żołnierzy nie wydawało się, że to nawoływania do ataku. Dziwne. Czyżby etatowej czarownicy naprawdę raz coś się udało?

Przynoszony zamierającym wiatrem ostry zapach był coraz słabiej wyczuwalny. Mniej więcej po północy zanikł zupełnie. Oddziały mimo koszmarnego zmęczenia maszerowały bez przystanku. Nawet wodę wydawano w marszu, a wiadomo przecież, do jakich przykrych rzeczy to może doprowadzić. Nie było litości ani żadnej ulgi. Pojawiły się pierwsze przypadki, że ktoś już nie mógł iść dalej. Wtedy padał lub zalegał na poboczu i zostawał. Nikt z maszerujących nie zwracał na to uwagi.

Zaczął siąpić uporczywy deszcz, w każdej chwili mogący zamienić się w ulewę. Szum kropel na liściach drzew to się nasilał, to słabł. Do maszerujących znowu docierały dalekie okrzyki. Już nie przypominały nawoływań kogoś, kto na polu bitwy szukał rannych. Teraz, pełne agresji, przypominały wrzaski wściekłych ludzi zwołujących się, żeby wywrzeć na kimś zemstę. Ale co takiego mogły im uczynić resztki imperialnego korpusu, żeby chcieć zemsty? A może nie o te resztki chodziło? Może o kogoś, kto rozsiał w lesie dziwne, nienaturalne zapachy i spalił pół ciała temu wojownikowi, którego w stanie agonii znalazły pod krzakiem? Tak czy owak, wszystkie wiedziały, że odpowie za to korpus – choćby dlatego, że był krańcowo słaby, no i pod ręką. Nigdy dotąd potwory nie zwoływały się do walki tak, żeby przeciwnik słyszał. Stąd prosty wniosek: wojsko miało wiedzieć, dlaczego zginie. Strach dosłownie dławił żołnierzy na drodze. A kolumna posuwała się dalej w szyku marszowym, nic nie wskazywało na rychłe przygotowania do obrony. Dziewczyny, te przynajmniej, które jeszcze były jako tako przytomne, traciły nadzieję.

A potem oddziały zatrzymały się nagle. Zagrały podstawowe zasady musztry: zastawa, rygiel, osłona. Zwrot! Kolumna będzie robić zwrot! Szybko stało się jasne, że to nie jest zwykły zakręt. Przed nimi znajdowała się rzeka, dość szeroka i rwąca, a wojsko robiło zwrot w lewo, skręcając zgodnie z nurtem. Jednak kolumną nie dowodzili tacy zupełni idioci. I wybrali kierunek na wybrzeże. Teraz pomaszerują w dół rzeki, mając jedną stronę idealnie osłoniętą. Do obrony pozostaną trzy, ale każde żołnierz doskonale będzie wiedziała: nawet jeśli dojdzie do rozproszenia, to kierunek marszu i tak jest wszystkim znany. Nikt się nie zgubi.

Mimo pogorszenia warunków oddziały ruszyły naprzód z nowym impetem. W setkach głów pojawiło się nareszcie coś na kształt nadziei. Potwory jednak, choć zaskoczone nagłym manewrem, nie zamierzały rezygnować.

Wściekły atak na bok kolumny został przeprowadzony jeszcze na długo przed świtem. Pieprzona mżawka spowodowała, że było bardzo dużo niewypałów, a atak w sam środek sprawił, że już po pierwszych sukcesach potworów dziewczyny z dwóch stron musiały prawie strzelać do siebie. Pozostali przy życiu oficerowie szybko jednak zaprowadzili porządek w szeregach. Precyzyjny, koncentryczny ogień zmusił wroga do ucieczki. Żołnierze zbierały rannych. Zabitych musiały porzucić. Oddziały powoli i z trudem, ale jednak formowały się do dalszego marszu. Tylko bliskość morza sprawiała, że w ogóle miały siłę wykrzesać z siebie resztki energii.

Kai drgnęła nagle, o mało nie wybijając Tomaszewskiemu zębów, bo akurat nachylał się nad nią, żeby... no właśnie, co „żeby"? No przecież opowiadał jej teraz różne romantyczne historie, robiło się coraz ckliwiej, udało się znaleźć punkt na nabrzeżu, który był poza zasięgiem wzroku wartowników, zwłoki napastników leżały odpowiednio daleko i... I wtedy szarpnęło nią tak, jakby ktoś wbił Kai nóż w piersi. Poczuła to dokładnie. Miejsce, gdzie powinno się mieć amulet. Ten, który zrobiła w swej krótkiej karierze czarownicy, odezwał się właśnie? Tutaj? Niemożliwe. No niemniej coś się stanie. Czuła to wyraźnie, a uczuciu temu towarzyszyła pewność, że romantyczną atmosferę cholera wzięła i już!

– Panie komandorze! Panie komandorze!

Szlag! Na twarzy Tomaszewskiego pojawił się grymas złości. W takiej chwili?! A poza tym nie był jeszcze żadnym komandorem. Oczywiście wszyscy wiedzieli już o awansie, lecz oficjalna, uroczysta nominacja nie miała się jak odbyć. Głupia sytuacja zawieszenia.

– Czemu się drzesz po nocy, człowieku?!

Zdyszany kapral zatrzymał się, zasalutował i zameldował służbowo.

– Co jest?

– Pan major prosi pana komandora do sztabu.

– Co się stało?

Kapral nie miał pojęcia. Natomiast skwapliwie pokazywał im drogę, jakby sami nie wiedzieli. Sztab był tuż-tuż. Notabene, podobnie jak w dniu ataku dzikusów, wewnątrz siedział tylko major Witecki, bo dokuczały mu rany i nie mógł spać, wraz z porucznikiem, oficerem dyżurnym.

– Wiedziałem, że pan też na służbie o tej porze. – Witecki uśmiechnął się, zerkając na Kai. Dziewczyna posłała mu niby to wściekłe spojrzenie, on zrewanżował się, udając przeprosiny prawie teatralnym ukłonem. – Dowództwa nie interesują przywidzenia, ja nie mogę się stąd ruszyć, więc tylko pan...

– Co się stało? Kto ma przywidzenia?

Witecki podał Tomaszewskiemu słuchawkę telefonu.

– Tatarom coś się śni, a to wiadomo...

No tak, wszystko jasne. Dwóm okopanym kompaniom nudno. Przygód się zachciewa. Fajnie byłoby znaleźć jakiś powód do wycieczki za druty, a tam już zaraz znajdzie się ktoś, komu można uciąć głowę albo przynajmniej jaja. Wesoło będzie.

Tomaszewski rozumiał też Witeckiego. Major nie bardzo mógł zareagować na jakieś cudze wymysły, ale zignorować ich po ostatnich wydarzeniach też nie mógł. Wysłanie zatem kogoś, choćby nieoficjalnie, na kontrolę było najlepszym pomysłem. A komandor, oficjalnie w stopniu porucznika, wydawał się najlepszym kandydatem.

– Porucznik Tomaszewski, co się tam dzieje? – rzucił do telefonu.

– Oj tam, panie poruczniku. Wartownicy od strony lasu strzały słyszą.

– Jakie strzały? Dlaczego tutaj niczego nie słychać?

– Strzały z bardzo daleka, panie poruczniku. Ledwie tu dobiegają.

Wymienili się z Witeckim kpiącymi spojrzeniami. No to ładnie sobie Tatarzy wymyślili. Nie wzięli udziału w bitwie o port, a ręce swędzą! A po wyjściu poza zasieki na pewno jakaś przytulna wioseczka się znajdzie. No przecież gdzieś te dzikusy muszą mieszkać! No to przyjdą z wizytą i zapytaniem: „Co dobrego słychać?". Pohulają... Fajnie będzie.

Tomaszewski usiłował sobie przypomnieć imię Tatara, znajomego porucznika Jabłońskiego, z którym kwatermistrz rozmawiał pamiętnej nocy. Przypomniał sobie.

– Jest gdzieś tam pod ręką Osman?

– A jest, już go daję.

Przestrzeganie procedury oraz standardów meldowania się i odmeldowywania w oddziałach tatarskich właściwie nie istniały. Nikt się tym jednak nie przejmował. Oddziały tatarskie nie istniały po to, żeby ćwiczyć musztrę.

– Hallou? – rozległo się po drugiej stronie.

– Osman, to ty?

– Ja. Witam Wielkiego Tatara.

Tomaszewski nie musiał się przedstawiać, a Rosenblum miał rację – tytuł już przylgnął. No tak, w mniemaniu Tatarów był facetem, który przeprowadził atak gazowy na obezwładniony przez wrogów port. Wśród rębajłów stał się kimś.

– Słuchaj, co tam się dzieje z tymi strzałami?

– Ja z artylerii, słuch u mnie stępiony jest.

– No ale ktoś słyszał?

– Mówią, że słyszeli. Z daleka bardzo.

Zakrył mikrofon dłonią, żeby wymienić z Witeckim kilka zdań. Czy w lesie mógł znajdować się jakiś polski oddział? No skąd? No nie... w zasadzie mógłby. Tu, w porcie, nikt nie miał pojęcia, jakie okręty i gdzie wysyłało dowództwo floty na zwiad. Więc teoretycznie taki okręt mógł gdzieś zatonąć, z powodu burzy na przykład, a załoga wylądować w dziczy. Czemu nie dali znać? Bo radiostacja utonęła razem z okrętem. No dobrze, to czemu flota nie zawiadomiła wszystkich, że zaginął jej jakiś okręt? No właśnie. A może to załoga samolotu, który się zepsuł? Obaj stwierdzili, że niczego mądrego nie wymyślą. Witecki obiecał więc, że zaraz przygotuje do wyjazdu zwiadowczy czołg. Ten znajomy, z Władkiem w wieżyczce.

– Słuchaj, Osman. Na razie niczego nie róbcie. Jadę do was.

– A ta dupeczka, tłumaczka, też będzie?

Tomaszewski zesztywniał. Kai stała wystarczająco blisko, żeby wszystko słyszeć. Dziewczyna jednak zaskoczyła go ponownie. Zbliżyła usta do mikrofonu i powiedziała łagodnie:

– Będę, będę, Osman. Nic nie zostanie wam darowane.

Kai miała ochotę się przejechać. Po pierwsze, polubiła czołgi. A po drugie, od czasu walki z obcą czarownicą, rozstrzygniętej na własną korzyść, polubiła też samą walkę.

Po pierwszym ataku, który został odparty, potwory zmieniły taktykę. Strzelcy zaczęli razić żołnierzy, którzy nieśli pochodnie. Początkowo nawet wywołało to niewielką panikę, a przedzierające się brzegiem rzeki wojsko utknęło na chwilę. Szybko jednak podjęto środki zaradcze. Okazało się, że dwa plecaki wypchane trawą są świetną tarczą, a koleżanki, które na chybił trafił dokonują wypadów w dogodne dla strzelców miejsca, często kończą swoją akcję powodzeniem.

Znowu coś jakby nadzieja pojawiło się w szeregach maszerujących, nieludzko zmęczonych dziewczyn. O dziwo, również teren zmieniał się na bardziej sprzyjający. Las wyraźnie rzedł tutaj, pojawiły się rachityczne drzewka, rosnące jedno od drugiego w rozsądnych odległościach, umożliwiających nawet przejście w szyku pomiędzy nimi. Płaski teren ustępował miejsca łagodnym wzgórzom, a rzeka stała się wyraźnie szersza, o bardziej łagodnym nurcie. Po kilkuset krokach zrobiło się już na tyle luźno, że udało się sformować coś na kształt regularnej kolumny marszowej przewidzianej przez regulamin w niesprzyjającym terenie. We wszystkich głowach pojawiła się nagle ta sama myśl.

Dlaczego potwory nie zaatakowały wcześniej, w gęstym lesie, który sprzyjał im idealnie, i pozwoliły na dotarcie imperialnych wojsk do miejsca, gdzie te czuły się o wiele lepiej? Gdzie warunki i otoczenie prawie sprzyjały toczeniu bitew według cywilizowanych norm, a nie wariackiej partyzantki.

– Cienko przędą – powiedziała Nanti, wylewając na twarz resztkę wody z manierki. – W końcu te wszystkie napierdalanki z naszym korpusem też musiały ich drogo kosztować.

– Bzdury – Nuk była bardziej racjonalna. – Coś szykują. Ale nie w sensie taktyki.

– A w jakim?

– Strategii. Wypuszczą nas po prostu na brzeg morza i pozwolą maszerować wzdłuż linii plaż. I będziemy całkiem na widoku, oni w lesie. No i... – Przesunęła sobie palcem po szyi. – Wykończą nas spokojne, dobrze wycelowane strzały na dużą odległość, zza bezpiecznej osłony.

– A kontratak?

– Z plaży? A jak wojsko wdrapie się na klif?

– Obie się mylicie. – Shen wypluła źdźbła, które żuła, żeby mieć w ustach odpowiednio dużo śliny. Picie wody w nadmiernych ilościach nie pomagało, tylko pociła się jak mysz. – Po mojemu to desperacja.

– Co? Jaka desperacja? – Nuk zerknęła na koleżankę z powątpiewaniem.

– U nas czy u nich? – wolała się upewnić Nanti.

– U nich, u nich. Zwróćcie uwagę, że oni w ogóle nas nie atakują. Nie to, że atakują małymi siłami czy atakują od czasu do czasu. Oni... nie atakują nas w ogóle!

– Tak? A ta jatka, kiedy o mało nie rozdzielili naszych linii?

– Eee... jakiś szczyl, mało doświadczony dowódca małego oddziału, nie wytrzymał. A cała reszta to tylko opóźnianie. Też jakby nieintensywne, prawda?

Trudno było się z tym pogodzić, ale myśląc zupełnie racjonalnie, Shen miała rację.

– I skąd taka taktyka?

– Po mojemu: desperacja – powtórzyła Shen. – Zbierają teraz wszystkie siły, które potrafią zebrać, żeby w ostatniej chwili zadać nam jeden miażdżący cios i skończyć z obecnością wojsk imperium w tym lesie na bardzo długi czas.

– Jeden miażdżący cios – powtórzyła Nuk jak echo. – W niesprzyjającym dla nich terenie, zadany w ostatniej chwili, żeby móc zebrać jak najwięcej wojowników. Hm... W ostatniej chwili przed czym?

– No właśnie. A może za tymi wzgórzami rzeczywiście jest coś, co jest w stanie nas uratować?

– O kurwa! – Nanti wypiła resztę wody z manierki. – Przynajmniej potrafisz obudzić w człowieku nadzieję.

Nuk znowu okazała się bardziej racjonalna.

– Myślisz o jakimś naszym desancie? Po co miałby tam lądować, co mógłby zdziałać na lądzie i... – Sierżant machnęła ręką. – I tak dalej, i tak dalej. To bzdura.

– Nie zwracasz uwagi na wiele dziwnych rzeczy dookoła. Kto na przykład potrafi spalić pół człowieka? Jaki czarownik?

– Nie przeginaj.

– Posłuchaj, wiem o tajnych machinacjach naszej armii takie rzeczy – odruchowo zerknęła na swoją torbę, gdzie niosła materiały wywiadu – że potrafię wyobrazić sobie wszystko. Najdziksze rzeczy!

Przerwały im gwizdki od czoła kolumny. Zwrot? Pomiędzy rachityczne, z rzadka rosnące drzewa? Sygnał brzmiał jednoznacznie.

– O kurwa – jęknęła Nanti. – Miałaś rację. Manewr wymijający.

– Szlag.

Ostre gwizdki. Zwrot bojowy. W absolutnych ciemnościach nikt nie widział przeciwnika. Z dala dobiegały strzały. Trudno nie uderzyć w marszu o najbliższe drzewo. Resztki wojsk specjalnych jakoś poradziły sobie z manewrem w marszu. Wojsko garnizonowe pogubiło się zupełnie. Żołnierze wpadały na siebie, klęły, zatrzymywały siebie i koleżanki, po kilku chwilach zamieniły się w bezładną kupę wojska.

– Do ataku! Do ataku!

– O, ja cię pierdolę! – Nanti o mało nie stratowała Shen, usiłując nasadzić na lufę bagnet.

Ruszyły do przodu właściwie na oślep.

– Szybciej! Za mną! – ryczała jakaś niewidzialna dla nich oficer z przodu.

No to parły do przodu, a za nimi kupa bezwładnego wojska. Żadna nie spodziewała się jakiegokolwiek efektu ataku na bagnety po ciemku. Tym bardziej że wrogi wojownik miał tylko łuk, kołczan, ewentualnie nóż, miecz albo dziryt. Mógł przemieszczać się błyskawicznie. One musiały dźwigać na sobie całe wyposażenie nowoczesnego żołnierza. Objuczone jak oślice o ściganiu się w chaszczach nie mogły nawet pomarzyć. Wzgórze nie było ani wysokie, ani strome, lecz i tak dotarły na szczyt zziajane i wyczerpane do granic możliwości. Dopiero teraz stało się jasne, dlaczego podjęto tak dziwną akcję. Stąd mogły coś dostrzec. Saperzy rozrzuciły wokół nasmołowane szczapy i w ich chybotliwym świetle można było jako tako ocenić sytuację. Oddziały imperialnej armii, przyparte do brzegu rzeki, broniły się ospale, a oddziały tyłowe, omijając walczących z przodu, wyszły z lewej strony idealnie w bok kup atakujących potworów. Idealne zastosowanie musztry na polu walki, wprost doskonałe! Grupa Shen mogła teraz atakować dokładnie w odsłonięty bok wroga, który niczego się nie spodziewał. Uderzenie jak siekierą w blok masła. Tyle tylko, że potwory nie musiały niczego dźwigać, jak nasmołowanych szczap chociażby. I dlatego, widząc zbliżającego się przeciwnika, zaczęły po prostu uciekać. Dziewczyny, zdyszane i zipiące, dotarły do własnych oddziałów.

– No cześć, cześć – mruknęła na powitanie jakaś sierżant piechoty. – Fajnie biegłyście.

– Pierdol się! – Shen chyba miała najlepszą kondycję, bo jako jedyna mogła wydobyć z siebie słowa. – W życiu ich nie dogonimy.

Nuk osunęła się na ziemię. Nie miała siły, żeby sięgnąć po własną manierkę.

– Pamiętam, jak czytałam... – dyszała.

– Co?

– W kronikach. Jak Achaja walczyła z Luan. Jeszcze jako szeregowy.

– I co?

– I nawet wygrała jedną potyczkę. Tylko dlatego... że wtedy żołnierze Arkach nie musiały niczego dźwigać! A walczyła przeciwko ciężkozbrojnym.

– Faktycznie miała fart.

– Ale teraz sytuacja się odwróciła.

Oficerowie usiłowały uporządkować żołnierskie szeregi. Najwyraźniej same nie wiedziały, co dalej. Maszerować po ciemku tuż pod nosem przeciwnika zdecydowanego już na prowadzenie walki czy okopać się i czekać do rana. Jedno i drugie rozwiązanie nie zwiastowało jakiegoś szczęśliwego zakończenia, ale wybór czegoś da przynajmniej pewność, że nie zaprzeczyły starej żołnierskiej zasadzie: nawet podjęcie złej decyzji jest lepsze niż niepodjęcie żadnej. Bo wtedy całą inicjatywę oddaje się w ręce przeciwnika.

Potwory jednak też chyba hołdowały tej zasadzie. Zaatakowały wściekle chwilę później.

– Nie strzelać wszystkie naraz! – krzyknęła Shen. – Nie strzelać salwami!

Dziewczyny, te przynajmniej, które ją znały i walczyły pod jej rozkazami, sprawnie podzieliły się na trójki. Dwie osłaniały, kiedy jedna ładowała broń. Innym po oddaniu strzału zostawała walka na bagnety. Potwory jednak nie atakowały frontalnie. Jedna grupa związała ze sobą to skrzydło wojsk imperialnych, które wcześniej stanowiło awangardę pochodu. Pozostali wojownicy strzelali precyzyjnie z ciemności, chcąc najpierw wyłowić ludzi wydających rozkazy.

Shen i Nuk zrozumiały to natychmiast. Nakazały powszechne „padnij" i zaczęły się wycofywać za jakąkolwiek osłonę, która pozwoli choć kilku żołnierzom wstać i ładować broń. Pani porucznik, z którą starły się słownie na drodze, musiała to opacznie zrozumieć.

– Stać, tchórze! – wyła, biegnąc w ich kierunku. – Stać, suki!

Była o dwa kroki od Shen, kiedy jedna ze strzał precyzyjnie przerwała jej okrzyk: „tchó...". Porucznik zrobiła zeza, chcąc zobaczyć, co się stało z jej gardłem. Zatrzymała się, a wtedy druga strzała rąbnęła ją w brzuch. Upadła wprost na Shen, zalewając kapral krwią.

– Psiakrew! – Dziewczyna szarpała się, chcąc strząsnąć z siebie ciało. Ich spojrzenia spotkały się na moment. Oficer chciała coś powiedzieć, ruszała ustami, ale z gardła wypływała krew zamiast słów. Shen odwróciła wzrok, nie chcąc widzieć przerażenia w oczach pani porucznik. Nuk bez ceregieli ściągnęła z Shen targane już pierwszymi konwulsjami ciało.

– Do tych drzew. – Wskazała palcem, usiłując nie krzyczeć i nie podnosić głowy. – Szybciej!

Chorąży Włast prowadził czołg, jakby to była limuzyna, sunąc po niesamowicie równych drogach. Wyraźnie chciał zaimponować Kai, która siedziała w wieżyczce i wysunięta z włazu do połowy usiłowała osłaniać głowę przed smagającymi ją gałęziami. Nie musiał jej imponować. Pancerna maszyna okazała się wystarczającą atrakcją. Niestety, droga była bardzo krótka. Baza ogniowa Tatarów znajdowała się niedaleko portu.

Czołg wpuszczono między zasieki bez żądania hasła i bez przestrzegania jakichkolwiek procedur. Co prawda dzikusy nie miały prawdopodobnie własnych sił pancernych i nikt nie przypuszczał, że mogłyby jakiś pojazd porwać, ale nie o to chodziło.

Tatarzy po prostu nie uznawali jakichkolwiek wojskowych rytuałów. Mieli swoje prawa wojskowe oraz szlacheckie, nadawane i dodawane przez jakichś królów setki lat temu, mieli własną tradycję i nic nie mogło ich zmusić do przyjęcia żadnych nowoczesnych norm. Bitwa o to, żeby zrezygnowali ze swych koni i przesiedli się nareszcie do pojazdów pancernych, była chyba największą z wygranych przez wojsko polskie bitew w całej jego historii.

Kiedy wysiedli, okazało się, że Osman, z którym Tomaszewski rozmawiał przez telefon, jest kapitanem. Porucznikowi zrobiło się głupio. Niepotrzebnie. Tatarzy stopnie wojskowe traktowali jako zbyteczną część wojskowej administracji. Ważne było nie to, co kto miał na epoletach, ważne, czy był gierojem, czy smutasem.

Osman, zamiast odpowiedzieć na salut, wyciągnął rękę i szeroko się uśmiechnął.

– Cieszę się, że przyjechał pan osobiście. – Ścisnął mocno dłoń Tomaszewskiego. – Każę ludziom sprawdzić, czy mają sprawne maski przeciwgazowe.

Własт zakrztusił się i spuścił oczy, obsługa czołgu odwracała spojrzenia, a to przecież najprawdopodobniej miał być komplement.

– Sądzi pan, że te wystrzały naprawdę miały miejsce? Czy raczej wartownicy się nudzili?

Tatarski kapitan wzruszył ramionami. Zrobił zapraszający gest i poprowadził ich w stronę najbliższej wieżyczki strzelniczej.

– Ja z artylerii – powtórzył, co mówił już przez telefon. – Mnie można strzelać za głową i nie obudzić. Ale ludzie twierdzą, że słyszą.

– Nawet w tej chwili?

– No tak. Mówią, że tak. Była przerwa, ale teraz znowu słychać.

Tomaszewski wytężył słuch, ale on z kolei, z marynarki wojennej, z okrętów podwodnych, miał zużyte bębenki przez ciągłe zmiany ciśnienia. Włast, czołgista, też zaprzeczył ruchem głowy.

– A ja słyszę – powiedziała Kai, zaskakując ich wszystkich. – Bardzo wyraźnie.

– No sami widzicie. Jeden słyszy, inny nie. – Zatrzymali się pod wieżyczką strażniczą. – Rodlin, jesteś tam czy śpisz z tym drugim?

– Jestem, jestem.

– A strzelają teraz, słyszysz?

– No słyszę. Strzelają.

– A to nasi czy kto?

– A skąd mnie wiedzieć, a? Ogień mało intensywny. Karabinów maszynowych nie słychać.

Osman opuścił głowę.

– No to macie wszystko jasne. Jedni słyszą, inni nie słyszą. Ot co.

– Co pan proponuje? – spytał Tomaszewski.

– Dam panu pluton pancerny. Niech pan jedzie i sprawdzi. Drugi pluton z piechotą będzie w gotowości jechał paręset metrów za panem, a ja będę czuwał przy artylerii.

– Jak to? Pojazdy pancerne mają jechać po nocy między drzewa? Bez rozpoznania, bez zwiadu?

– To my jesteśmy zwiadem, panie poruczniku. – Osman roześmiał się gardłowo, mrużąc zabawnie swoje skośne oczy. – To właśnie my jesteśmy zwiadem i rozpoznaniem. – Rechotał naprawdę ubawiony. – A oni nie mają granatników ani dział pepanc. Nie mają nawet butelek z benzyną.

Tomaszewski zerknął na Kai, czy zauważyła jego wpadkę. Ta jednak wydawała się zadowolona perspektywą przygody i nie zwracała uwagi na nic wokół.

– Posłuchaj. – Położył jej dłoń na ramieniu. – Czy to możliwe, że w tym lesie stacjonuje wojsko twojego państwa?

– Skąd mam wiedzieć? – Wzruszyła ramionami. – Ale nie sądzę. To sam środek głuszy, gdzie nikt się nie zapuszcza.

Zreflektowała się nagle.

– Ale mnie zagadujesz! – fuknęła. – Chcesz, żebym nie pojechała, prawda? Żebym się nie narażała, prawda?

– Ależ skąd...

– Aha, to znaczy, że jadę! O!

Zrezygnowany machnął ręką.

Shen walczyła rozpaczliwie o niedopuszczenie do walki wręcz. Udało im się znaleźć małą rozpadlinę, w której prawie spokojnie można było wyprostować się i nabić karabin pod osłoną koleżanek. Byle tylko nikt nie stracił nerwów. Strzelać, jedynie kiedy żołnierz widzi swój cel i jest szansa, że trafi. Żeby nie stracić nerwów, żeby nie doprowadzić do sytuacji, że tamci podejdą bliżej, a nie będzie z czego strzelić. Do tego pierdolona mżawka. Dużo niewypałów. Za dużo! Dosłownie chwile dzieliły niewielką grupkę od rozprzężenia.

Nuk usiłowała zapewnić jakąkolwiek łączność z innymi grupami. Imperialne wojsko nie miało już jednolitego frontu. Każdy oddział walczył w okrążeniu, na pozycjach, na jakich zastał go przeciwnik. Jedyna szansa podjęcia jakiejkolwiek skoordynowanej akcji to przesyłanie meldunków wodą. Rzeka okazała się zbawienna, umożliwiając wybranym kurierom przekazanie rozkazów. Robiło się coraz trudniej. Pojedyncze wyizolowane punkty oporu łatwo stawały się łupem potworów, kiedy tylko dochodziło do walki wręcz.

– Jak długo damy radę? – Nuk, mokra, bo wyciągała jakiegoś kuriera z wody, doskoczyła do Shen.

– Nie mam zielonego pojęcia. Jeśli dojdzie do mordobicia, to nas mają w krótką chwilę.

– Nie mów.

Shen zastanawiała się nad miażdżącą ripostą, lecz życie dostarczyło jej lepszego argumentu. Pomiędzy nie wpadła ranna dziewczyna, obryzgując obie krwią. Chwyciły ją, usiłując przytrzymać w miejscu i zająć się strzałą sterczącą z boku, ale ranna zerwała się i wrzeszcząc coś niezrozumiałego, zaczęła biec na oślep przed siebie. Miała cholerne szczęście, bo nie uderzyła w żadne z drzew po drodze, a kolejna strzała, która dosięgła dziewczyny po opuszczeniu własnych linii, zakończyła jej żywot szybko i bez męczarni.

– No... – Shen brudną chustą, którą miała na szyi, ścierała krew z twarzy. – Wszystko pod kontrolą. Możemy się tu trzymać aż do przyszłego roku.

– Dowództwo chce, żebyśmy podjęły marsz!

– Ocipiały?

– Obojętnie, marsz czy ucieczka. Mamy być w ruchu, bo nas tu zgniotą.

Shen uśmiechnęła się smutno. Zgniotą... A w marszu po ciemku rozsmarują. Co lepsze?

– Ciągle liczą, że jeśli dotrzemy do wybrzeża, Bogowie cud sprawią?

– Obojętnie, czy są tam nasze okręty, czy nie. Ale ty sama najlepiej wiesz, że kilku kombinującym głową grupom może się udać. Prawda?

Shen przytaknęła. Zupełnie spokojnie przyjęła meldunek Nanti, że kończy się amunicja. Z ich karabinów sprawny pozostał jedynie co drugi. Kilka dziewczyn zdjęło już buty. Wszystkie miały przywiązane do dużego palca u prawej stopy sznurowadło. Jedyna szansa, żeby z karabinu o długiej lufie popełnić samobójstwo. One po prostu za dużo widziały i słyszały, co potwory robią z jeńcami.

– Jaki sygnał wymyślił nasz sztab?

– Gwizdki jak w sygnale „do mnie!". Ale poszczególne oddziały nie mają gromadzić się wokół sztabu, tylko wszystkie naraz ruszyć w stronę wybrzeża.

– No to...

Shen nie zdążyła dokończyć zdania. Kilka ledwie widocznych w poświacie dalekiego ognia postaci przemknęło po lewej stronie. Za blisko! Za blisko... Skoczyła, żeby wspomóc obronę, ale było już za późno. Wróg wykorzystał lukę i umieścił kilku łuczników tak, że mógł ich ostrzeliwać z flanki.

Koniec.

– Wszyscy padnij! – zawyła. – Czołgać się w tył.

Coś wbiło jej się w nogę, kiedy padała. Jasny szlag! Koniec. Dwie dziewczyny, które ładowały karabiny, zostały zabite w czasie krótszym niż oddech. Nie mogła się odwrócić, żeby zobaczyć, czy ktokolwiek spełnia jej rozkaz i usiłuje dostać się do rzeki. Zerknęła więc w dół, w udzie tkwiła strzała, ale z boku, przeszła prawie na wylot. Po opatrzeniu być może będzie mogła kuśtykać. Nie, to koniec. Co za brednie. Płacząc z bólu, złamała strzałę i odrzuciła koniec z grotem.

Ktoś upadł tuż obok niej, trochę z tyłu. Poczuła, jak na jej stopach zaciska się pętla. Nie da się wziąć do niewoli! Wyszarpnęła nóż i zamarła w bezbrzeżnym zdziwieniu. Sharri? Tego cholernego tchórza było stać na coś takiego?! Dziewczyna podniosła się i skoczyła w tył. Po chwili Shen poczuła, że ktoś szarpie za sznur, a ona sama sunie w tył, ciągnięta przez co najmniej kilka par silnych rąk. W ostatniej chwili chwyciła swój karabin, żeby nie został na polu bitwy.

Kątem oka widziała, jak potwory podchodzą coraz bliżej. Kilka strzał świsnęło nad nią, ale z całą pewnością nie ona była ich adresatem. Ból w udzie przechodził wszelkie granice. Kiedy koleżanki wciągnęły Shen do w miarę bezpiecznej jeszcze przez chwilę rozpadliny, o mało nie zemdlała.

Nuk nachyliła się nad nią, zerkając na ranę.

– Teraz albo nigdy!

Chwyciła bełt z lotkami i szarpnęła z całej siły. Przez moment Shen zobaczyła słońce tuż przed twarzą, ból zaatakował z siłą wulkanu, zaczęła wyć, ścichła, poczuła słabość i zwymiotowała. Sharri zdążyła przekręcić jej głowę.

– Gotowa! – Nuk ręką odgarniała błoto i mokre od krwi liście z rany. Sprawnie wiązała chustę na nodze Shen, robiąc z niej opatrunek uciskowy. – Pieprzone błoto!

– Są tutaj! – ryknęła Nanti. Gorączkowo nakładała bagnet na lufę karabinu. Dwie dziewczyny chciały zrobić to samo, ale na stojąco, bo podniosły się z ziemi. Albo też chciały zakończyć swoje udręki na tym świecie. Obie dostały strzałami, i to z bliska, dobrze celowanymi. Obie w brzuch. Najwyraźniej przeciwnik chciał jednak dostać je żywe. Sznurówki przywiązane do palców u nóg nie przydały się.

Nuk też nałożyła bagnet. Shen, płacząc z bólu, przypomniała sobie, że jej karabin jest ciągle nabity. Niewiele widziała w ciemnościach, nieliczne szczapy ze smołą dogasały właśnie. Koniec, powtarzała w myślach z jakąś ślepą, przepełnioną bólem rezygnacją. Koniec.

Nagle rozległ się jakiś syk, coś za ich plecami poszybowało w górę, a moment później usłyszały cichy huk i znienacka zajaśniało na niebie, zalewając wszystko wokół nawałą oślepiającego, drgającego światła. Oszołomiona Shen zobaczyła prawie tuż przed sobą, o kilka kroków dosłownie, napastników, którzy z dzirytami w rękach biegli w stronę ich pozycji. Odruchowo odciągnęła kurek, wymierzyła w najbliższego i pociągnęła za spust. Dostał prosto w brzuch. Ale była to jedyna ofiara po stronie atakujących.

Wojownicy wpadli do rozpadliny, masakrując resztki dziewczyn. Kto miał trochę doświadczenia, turlał się na bok. Napastnicy zdawali się zaskoczeni i zdezorientowani kolejnymi kulami ognia wybuchającymi na niebie. Kto choć raz walczył w poważnej bitwie w lesie, wykorzystał to. Kto siedział dotąd w bezpiecznym garnizonie albo tylko na ćwiczeniach, zginął. Nuk klęcząca nad Shen miała pecha. Dostała dzirytem gdzieś w bok, nisko, runęła na ziemię i pewnie zginęłaby właśnie tu i teraz, gdyby nie grzmot, który rozległ się nieopodal. Niewielkie drzewo kilkanaście kroków od nich uniosło się nagle w rozpryskach ziemi i upadło, siejąc odłamkami gałęzi po wszystkim wokół.

– Co to jest?! – pisnęła Sharri, usiłując wcisnąć się już nie za plecy, ale pod plecy Shen.

Ktoś zaczął strzelać nad ich głowami z taką intensywnością, że podniesienie z ziemi choć głowy wydawało się niepodobieństwem. Shen, rozpłaszczona na ziemi jak przydeptana żaba, postanowiła wykorzystać nagłą panikę wśród potworów. Podpełzła do Nuk. Zerwała z niej spódniczkę z ludzkich warkoczy i rozcięła nożem wojskową tunikę. O Bogowie! Dziryt strzaskał dosłownie prawą nogę dziewczyny, tuż pod stawem biodrowym. Kiedy własną chustą osuszyła krew i wytarła błoto, mimo mroku zobaczyła chyba ze trzy złamania kości. Nuk nie miała szans. Może... Może gdyby jakiś medyk natychmiast uciął jej nogę...? Shen rozejrzała się zrozpaczona.

– Pomocy! – krzyknęła. – No niech mi ktoś pomoże!

Nanti, przyczajona nieopodal pod opadającymi na ziemię gałęziami, dawała znaki, żeby podpełznąć do niej. Sharri zakrywała twarz obiema rękami i popiskiwała niczym chory kot. Reszta dziewczyn wokół albo nie żyła, albo zwijała się z bólu od ran.

– Pomocy...

Zza drzew od strony przeciwnej niż rzeka pojawiły się przerażające smugi światła. Shen usłyszała huk, rumor miażdżonego drewna, jakiś upiorny warkot. Powracający wielokrotnym echem odgłos niemożliwych do oddania z powodu niesamowitej regularności strzałów dosłownie przytłaczał. Dym i dziwny zapach dławiły oddech, ziemia zdawała się trząść.

A potem Shen zobaczyła pełzające w błocie ogromne monstra ze ślepiami jak snopy światła.

Tatarski oficer o imieniu Osman, mówiąc, że da Tomaszewskiemu dwa plutony, oczywiście miał na myśli dla porucznika wyłącznie rolę obserwatora. Nie będzie przecież marynarka wojenna wkładać swoich brudnych paluchów w zawiłe częstokroć i wymagające sporego wyczucia sprawy zwiadu. A także dużej wprawy. Dowódcy (ci prawdziwi) obu plutonów nawet nie myśleli o jakiejkolwiek współpracy. Obaj parli naprzód ze swoimi siłami, niezależnie od siebie, na zasadzie: „Zobaczymy, co się stanie – najlepsze jest przecież rozpoznanie bojem". No tak... Włast ze swoim czołgiem inteligentnie trzymał się mniej więcej pośrodku konkurujących sił. Na szczęście łączność radiowa działała bez zarzutu, można więc było zorientować się przynajmniej mniej więcej, gdzie jadą.

Ryk silnika zagłuszał wszystkie inne dźwięki, a włazy zostały pozamykane, dlatego też również przez radio dowiedzieli się, że strzały naprawdę są słyszalne, teraz już wyraźnie. No i... prawie na pewno nie była to broń stosowana we współczesnej armii.

– Kto to może być? – Tomaszewski zerknął na Kai. – Dzikusy nie mają przecież broni palnej.

Przytaknęła.

– Cholera wie kto. Teoretycznie każde z państw, które roszczą sobie pretensje do tych terenów. Ale wystarczające siły na wkroczenie do lasu ma chyba tylko imperialna armia.

– Jak na nas zareagują?

Kai uśmiechnęła się.

– Jak na wkroczenie Bogów? Cyrk objazdowy? – Wzruszyła ramionami. – Nie wiem.

– Chodzi mi o to...

Przerwała mu:

– Słuchaj. To chyba jasne, że wróg naszego wroga jest jeśli nie przyjacielem, to chociaż naturalnym sojusznikiem. Ale o co tu chodzi i jak zareagują, nie mam najmniejszego pojęcia.

– Rozumiem. – Tomaszewski zwrócił się do Własta: – Jest tu jakiś głośnik czy trzeba wystawiać głowę przez właz?

– Jest. – Chorąży podał mu mikrofon. – Z tego wozu można dowodzić piechotą, więc jest i głośnik, i nawet telefon zewnętrzny, z tyłu, na burcie, żeby się zające w huku bitwy mogły z nami porozumieć.

– Dobra...

Nie dokończył. Któryś z wozów rozpoznania wystrzelił flarę i wszyscy dopadli szczelin oraz peryskopów, licząc na to, że w magnezowym blasku zobaczą coś więcej niż w świetle reflektorów. Teraz już, gdy się wytężyło słuch, można było wyłowić huk karabinowych wystrzałów. Nie przypominały tych współczesnych. Czołgiem coś zatrzęsło.

– Widzę! Widzę! – rozległ się w radiu czyjś głos.

Wystrzelono kilka innych flar.

– Nie mogę rozpoznać pola walki. Proszę o pozwolenie otwarcia ognia bez rozpoznania.

– Do kogo on chce strzelać? – zdziwił się Tomaszewski.

– Do wszystkiego, co się rusza – roześmiał się Włast. – Ale może lepiej, bo tu nie ma skupisk regularnych oddziałów. – Oderwał oczy od panoramicznego peryskopu. – Przynajmniej takich nie widzę.

Z boku dobiegł ich łoskot karabinu maszynowego. Dosłownie po sekundzie dołączyły inne.

– Czy oni coś widzą?!

– Wątpię!

Kolejne race szybowały do góry. Do terkotu kaemów doszedł huk działek.

– Ja nic nie widzę. – Włast nie odrywał oczu od okularów. – A oni... Nie sądzę – powtórzył.

Shen nie mogła uwierzyć własnym oczom. Monstra! Monstra o świecących oczach lazły ku nim powoli. Ktoś strzelał z taką intensywnością ognia, jakiej wcześniej nie potrafiłaby sobie nawet wyobrazić. To coś zbliżało się powoli, ziejąc ogniem, śmiercią i zgrozą – mieszało jej się w głowie.

Najbliższe straszne coś sunęło tuż obok, o kilkanaście kroków. Zobaczyła obracające się dziwne, ubłocone, ogromne koła. Usiłowała opanować paraliżujący strach. Widziała teraz już wyraźnie. To jakiś pojazd! Wóz, ale bez koni. Ktoś ewidentnie strzelał ze środka – widziała błyski pojedynczych wystrzałów i ziejący ogień od góry.

Jakby ktoś strzelał raz za razem z jednego karabinu tak szybko, że palec pewnie ledwie nadążał naciskać spust. Jak to możliwe? Nieważne! Potwory uciekały. To ważne!

Monstrum zatrzymało się niedaleko. W drgającym, opadającym z nieba świetle widziała wyraźnie, jak otwierają się drzwi i ludzkie – ewidentnie ludzkie! – postaci wypadają na zewnątrz. To naprawdę ludzie. Mieli na sobie przedziwne mundury w jakieś ciapki, które sprawiały, że na tle lasu trudno było ich zauważyć. Trzymali karabiny, które strzelały po kilka razy bez ładowania. Widziała wyraźnie. Wystarczyło pomajstrować przy dziwnym zamku. I...

Coś nią wstrząsnęło. Zobaczyła, jak ktoś wysunął się do połowy z otworu na górze pojazdu i chwycił rękami karabin dłuższy niż stojący na baczność człowiek. Kiedy zaczął strzelać, huk dosłownie rozdzierał uszy, czuło się fizyczny ból pękającej czaszki. Dwóch innych żołnierzy prowadziło ogień z mniejszych karabinów. Żadnego z nich nie musieli ładować. Shen mimo bólu przestrzelonego uda myślała intensywnie. Co jest w tym znajomego? Aż nią wstrząsnęło, kiedy to słowo pojawiło się w jej umyśle. Co w tym znajomego? Bum-bum-bum-bum i trrrrrrrr? Żołnierze, którzy wyszli z pojazdu, zaczęli się szybko czołgać w kierunku zarośli będących celem cudownych karabinów.

Bogowie! Przecież znała tę taktykę! To był ogień opresyjny, a ci, którzy się czołgają, zaraz zaczną rzucać granaty. Znała tę taktykę! We śnie nauczył tego Shen chłopak z tobołkiem, sama usiłowała ją stosować nawet z jakimś tam skutkiem, choć, teraz zrozumiała, nigdy nie dysponowała odpowiednią do tego bronią. Ogień

opresyjny. Żołnierze z przodu rzucili granaty. Kiedy rozległ się huk wybuchów, ci przy karabinach przerwali ogień. Ci na szpicy skoczyli w zarośla, w miejsca, gdzie wybuchły granaty...

Jakim cudem mogła poznać tę taktykę we śnie? Nie mogła się otrząsnąć. Co to było? Czyj zamysł teraz się realizował? Rozejrzała się wokół. Sharri, ciągle szczelnie zakrywająca twarz dłońmi, Nanti, usiłująca zniknąć pod gałęziami, kilka rannych dziewczyn i Nuk, tuż obok, jęcząca przez zaciśnięte zęby.

Popatrzyła na obcych żołnierzy w przedziwnych maskujących mundurach. Coś zrozumiała. Ich pojazdy nie były monstrami, a oni sami potworami. Teraz już wiedziała. Wyciągnęła do góry rękę.

– Pomocy! Tu jestem, pomocy!

– Zaczęło się! – Włast na chwilę oderwał głowę od peryskopu. – I to na dobre.

– Już nie strzelają do cieni?

– Nie. Masakrują jakichś ludzi. Już coś widać.

Kai dopadła do najbliższej szczeliny. Widziała, jak pojazdy Tatarów zatrzymują się, wypuszczając żołnierzy. Strzelanina na ślepo naprawdę zamieniała się w bitwę, w której można już było uderzyć na konkretnego przeciwnika. Żeby uzyskać lepszą widoczność, Tatarzy strzelali z flar nie do góry, ale po krzakach, gdzie leżały potem, dość długo oślepiając przeciwnika. Raziły każde oczy, ale jeśli ktoś miał wzrok tak czuły, że widział po ciemku, to łatwo sobie wyobrazić, że w takiej nawale ostrego punktowego światła momentalnie tracił możliwość zobaczenia czegokolwiek.

– To nasi! – wrzasnęła nagle. – To nasi! Widzę mundury!

– Gdzie? – Tomaszewski dopadł swojego peryskopu. – Niech pan rozkaże przez radio, żeby nie strzelać do żołnierzy w mundurach – krzyknął do Własta. – Szlag! Żeby ich nie rozjechali gąsienicami.

– Spanikują. – Kai nie miała chyba dobrego zdania o morale własnej armii. – Może krzyknę, żeby się gdzieś kierowali?

– Jasne. Niech idą do transporterów. Tych wielkich, na gąsienicach.

– Bogowie! Jak mam to powiedzieć?

Tomaszewski przygryzł wargi. Jak najprościej. Klepnął chorążego w ramię.

– Niech pan rozkaże, żeby perszerony się zatrzymały. Niech kierowcy rzucą granaty z czerwonym dymem. Niech przyjmą rannych. – Przeniósł wzrok na Kai. – A ty spróbuj ich uspokoić. Mów jak najprościej.

Kai podniosła mikrofon niepewną ręką.

– Żołnierze imperialnej armii, jesteśmy sojusznikami! Nie musicie obawiać się wojsk Rzeczypospolitej. Jesteśmy sojusznikami!

– Prościej!

– Żołnierze imperialnej armii, nie bójcie się nas! Idźcie w kierunku czerwonego dymu. Idźcie w kierunku czerwonego dymu. Kierujcie się w stronę czerwonego dymu.

Włast, widząc już lepiej, jak przedstawia się sytuacja na zewnątrz, zrozumiał, że największym problemem teraz będzie ogromna liczba rannych. Porozumiał się przez radio z dowódcami wielkich perszeronów na gąsienicach i napisał kilka słów na karteczce, którą podał Kai. Dziewczyna zrozumiała w lot.

– Żołnierze, idźcie w kierunku czerwonego dymu. Rannych połóżcie we wnętrzach ogromnych wozów. Sami wspinajcie się na dachy! Żołnierze, jesteśmy waszymi sojusznikami. Zaopiekujemy się waszymi rannymi we wnętrzach wielkich wozów. Sprawni żołnierze mają włazić na dachy!

Na zewnątrz przez huk wystrzałów przebiła się jakaś wrzawa. Tatarzy złapali jeńca. Widząc, co się dzieje, chorąży nie wytrzymał, otworzył właz i krzyknął, żeby go zabrać do sztabu na przesłuchanie. Tatarzy odpowiadali: „Tak jest" i mówili, że oczywiście. Jeniec został natychmiast skrępowany i przywiązany do zderzaka opancerzonego łazika. Kierowca oczywiście nie zamierzał jechać do żadnego sztabu, bo zaraz by znikł kolegom z oczu i nie byłoby ubawu. Jeździł w kółko, ciągnąc dzikusa po ziemi z coraz większą szybkością, a koledzy zabawiali się strzelaniem z pistoletów do ruchomego celu.

Właст wrócił do wnętrza czołgu. Zerknął na Kai, ale zaraz opuścił oczy. Unikał też wzroku Tomaszewskiego, który jako bardziej doświadczony oficer wiedział, że nie należy wdawać się w dyskusję z Tatarami podnieconymi walką.

– Pomocy! – krzyczała Shen, machając rękami. – Tutaj jestem!

Jeden z żołnierzy w maskującym mundurze zwrócił na nią uwagę. Z jego ręki wytrysnął nagle snop światła, rażąc oczy. Żołnierz coś krzyknął. Światło w jego ręce zniknęło równie szybko, jak się pojawiło. Jeszcze jeden niezrozumiały okrzyk i kilku ludzi z wycelowanymi karabinami w dłoniach zaczęło się zbliżać do Shen.

Nanti, najbardziej doświadczona, jeśli chodzi o staż w wojsku, pierwsza zrozumiała, co jest grane. Powoli, unikając gwałtownych ruchów, odłożyła swój karabin i wstała z uniesionymi rękoma. Potem Sharri, choć drżąca, zamroczona strachem, zrobiła to samo. Może i była koszmarnym tchórzem, ale zdecydowanie przeważał u niej rozsądek. Pomogła podnieść się Shen. Żadna inna z rannych dziewczyn nie była w stanie się ruszyć.

– Ale jatka! – Obcy żołnierze zbliżyli się na odległość dwóch kroków. Dziewczyny oczywiście nie mogły zrozumieć, co mówią, ale kontekst był jasny. Pierwszy z obcych opuścił broń. Podszedł do Shen, wspartej na ramieniu Sharri, przyglądając się uważnie. Ona również lustrowała go wzrokiem. Miał dziwne skośne oczy, prawie szparki, przez które ledwie było widać źrenice. Do hełmu niespotykanego kształtu, który dodatkowo obciągnięto maskującym materiałem, doczepiono lisią kitę i pióra jakichś drapieżnych ptaków. Na lewym uchu dostrzegła sporo sinych, wytatuowanych kresek. Domyśliła się, że każda oznaczała zabitego wroga.

Żołnierze obu armii patrzyli na siebie badawczo i w wielkim napięciu. Sharri szeptała coś bezgłośnie. Chyba modliła się, żeby nie padł żaden przypadkowy strzał, żeby nie zaszło żadne niepotrzebne nieporozumienie. Zszargane walką nerwy dawały o sobie znać.

Nagle ten stojący najbliżej, z lisią kitą i piórami na hełmie, dotknął spódniczki z warkoczy zabitych potworów, którą Shen zarzuciła sobie na ramię podczas próby opatrzenia Nuk.

– Prawdziwe włosy. – Dokładnie sprawdzał palcami. Nagle opuścił rękę i klepnął dziewczynę w pupę. – Ta jest fajna! Mogłaby być moją żoną.

Koledzy za jego plecami zaczęli się śmiać. Dziewczyny nie zrozumiały słów, ale intencja była dla nich oczywista. Shen pojęła najszybciej. Z całej siły klepnęła mężczyznę w tyłek.

– Ten mi się podoba. Jakby chciał, dałabym mu dupy!

Tym razem dziewczyny ryknęły śmiechem. Tamci słów nie zrozumieli, ale intencję jak najbardziej. Opuścili broń.

– Sanitariusz! – krzyknął żołnierz. – Sanitariusz! Mamy rannych!

Podbiegła do nich dziewczyna o skośnych oczach, również ubrana w maskujący mundur.

– Kto zarobił?

– Tych tu trzeba opatrzyć. – Żołnierz z kitą na hełmie najwyraźniej nie chciał odejść od Shen. Wskazał ją palcem. – Od tej zacznij.

– Ale tamte bardziej ranne.

– Zacznij od tej, mówię.

Razem położyli Shen na ziemi. Obca dziewczyna zdjęła jej prowizoryczny opatrunek, cmoknęła lekko, widząc ranę.

– Obetniesz mi nogę? – Shen przestraszona wykonała dłonią gest piłowania. – Obetniesz?

– Co? – Tamta podniosła swoje skośne oczy, nie rozumiała ani słowa.

– Czy mi nogę obetniesz? – Powtórzyła gest piłowania. Potem podniosła garść błota i pokazała ranę w udzie. – U nas w wiosce mówią: rana w błocie, zła rana. Utniesz?

– Ach, rozumiem! – Tatarska dziewczyna uśmiechnęła się szeroko. – Boisz się zakażenia. Mam sulfamidy przecież.

Wyjęła kilka małych woreczków, które rozerwała, i posypała rany białym proszkiem. A potem zrobiła coś zupełnie nieprawdopodobnego. Wbiła w nogę igłę i wcisnęła jakiś płyn ze szklanego pojemniczka. Shen patrzyła na ten zabieg ogłupiała. Ale najlepsze stało się dosłownie po chwili. Zupełnie nagle ból zaczął błyskawicznie maleć, przechodząc najpierw w drętwotę, by zaraz zniknąć zupełnie, napełniając całe ciało ulgą tak bezbrzeżną, że aż westchnęła. Sharri musiała podtrzymać Shen głowę.

– Jeszcze zastrzyk przeciwtężcowy. – Obca wbiła jej znowu igłę, ale tym razem Shen już tego nie czuła. – I niczego nie trzeba będzie ucinać. Nogę potnie ci dopiero pan doktor, żeby zobaczyć, co w środku rany widać.

Uśmiechnęła się przyjaźnie. Sprawnie założyła opatrunek, poklepała Shen uspokajająco i nachyliła się nad leżącą najbliżej Nuk.

– Uuu... Tu na razie zabezpieczymy i niech pan doktor decyduje.

Shen z nadzieją patrzyła na sanitariuszkę. A może Nuk uda się uratować życie? Jeśli nogę uciąć odpowiednio szybko, to może jest szansa nawet przy tak strasznym zranieniu?

Dotknęła ramienia tatarskiej dziewczyny i znowu pokazała gest, jakby cięła piłą. Widząc brak zrozumienia, pokazała, jakby przerąbywała kość siekierą. Potem znowu piłą.

– Co ty ciągle z tym cięciem? – Tamta najpierw zmrużyła swoje skośne oczy, a potem palnęła się w czoło. – Ach! Twój ojciec jest drwalem, teraz rozumiem. A mój jest księgowym. Chciał, żebym ja też była, ale to nie dla mnie. – Podniosła wzrok, rozglądając się po okolicy. Tatarzy złapali nowego jeńca i znowu ciągnęli go za samochodem „do sztabu", tyle że przez największe wertepy. – Tu jest fajniej! Tyle rzeczy się dzieje...

Włast ustąpił im miejsca i oboje z Kai mogli do połowy wychylić się z włazów w wieżyczce czołgu. Kierowca jechał bardzo ostrożnie i powoli, mogli się więc dokładnie przyjrzeć wszystkiemu, co stało się widoczne w świetle wznieconych napalmowymi granatami ogni. Była to absolutnie ostatnia chwila, żeby udzielić wsparcia imperialnej armii. Liczba rannych wskazywała, że dosłownie parę minut później nie byłoby już tu czego zbierać. Pancerne transportery na gąsienicach błyskawicznie napełniono potrzebującymi pomocy. Nie dało rady użyć innych pojazdów. Żaden nie nadawał się na sanitarkę. Trudno, perszerony będą musiały wrócić na razie same i przyjechać tu jeszcze raz. Z meldunków przez radio wynikało, że najciężej rannych zdecydowały się przyjąć na pokład okręty, na brzegu brakowało możliwości zapewnienia im opieki. A już na pewno nie w takiej liczbie.

Czołg zatrzymał się w najlepiej oświetlonym miejscu. Na najbliższej grubej gałęzi wisiało czterech dzikusów z ranami na ciele... hm... różnego rodzaju. Kai i Tomaszewski zeskoczyli z czołgu, szukając jakiegoś oficera. Nie musieli szukać długo, napatoczył im się rosły Tatar w randze porucznika. O dziwo, choć mieli takie same stopnie, zasalutował i przedstawił się pierwszy:

– Porucznik Ibrahim Odrowąż-Jackowski. – Uśmiechnął się nawet sympatycznie. – A pan, zgaduję, to Krzysztof Gaz-Tomaszewski?

No tak, sława Wielkiego Tatara zaczęła Tomaszewskiego wyprzedzać. Nie wiedział, jak się zachować.

– Czy mamy jakiegoś jeńca? – Zerknął na wisielców.

– Tak. – Porucznik zwiadu zupełnie nie stropił się znaczącym spojrzeniem. – Oni nieśli jedną taką staruchę od dzikusów. Przywiązaną do kija jak dzik po polowaniu. Nie zabiliśmy starej, bo pewnie jakaś cenna jest. Ale, niestety, nieprzytomna.

– Siwecki ją obudzi. – Tomaszewski machnął ręką. – Czy napotkaliście jakichś oficerów obcej armii?

Tym razem Tatar wyraźnie się stropił.

– A jak ich rozpoznać?

– Mniejsza z tym. Kai ich rozpozna. Jeśli pan pozwoli, pokręcimy się trochę.

Kai zadziwiła ich obu.

– Nie ma takiej potrzeby. Przy ich dowódcy jest czarownica. Już mnie wyczuła. – Odchrząknęła. – A ja oczywiście wyczułam ją – musiała dodać, żeby się pochwalić.

– I co? – zainteresował się Tomaszewski. – I jak ją odnaleźć?

– Już tu idą.

Dwie kobiety rzeczywiście wyróżniały się mundurami. Szły powoli, ostrożnie, jak wśród obcych. Nie trzymały uniesionych rąk, ale dłonie tkwiły w pozycji „daleko od ciała", żeby przypadkiem nie sprowokować żadnej niepotrzebnej reakcji. Zmierzały ku konkretnemu celowi. Po pierwsze, w stronę Kai – czarownica korpusu łatwo ją wyczuła, po drugie, w stronę Tomaszewskiego. Wśród żołnierzy w hełmach i maskujących strojach jego nieskazitelnie czarny mundur z idealnie białą czapką wyglądał tak zjawiskowo, że właściciel mimo młodego wieku musiał być chyba generałem.

Kobiety zatrzymały się przed nimi, nie bardzo wiedząc, co powiedzieć. Pierwsza zdecydowała się czarownica Dairin, zwracając się do Kai:

– Czy możesz przetłumaczyć nasze słowa?

Kai skinęła głową, a potem dodała z uśmiechem:

– On rozumie nasz język.

Major Hernike przygryzła wargi. Zasalutowała jednak dziarsko i przedstawiła obie, zwracając się do Tomaszewskiego per „panie oficerze", bo nie znała rangi. Tomaszewski odpowiedział sprężystym salutem, przedstawił siebie i towarzyszące im osoby. W całym swoim zagubieniu po spotkaniu wojsk z innego świata Hernike przez moment poczuła coś na kształt ulgi. Rytuały wojskowe i formy towarzyskie były im znane! Nie dość tego, okazały się prawie takie same. To pozwalało rodzić się nieśmiałej jeszcze nadziei.

– Panie oficerze, gdzie moi żołnierze mają złożyć broń? – pytanie miało raczej charakter retoryczny, ponieważ niezmiernie mało żołnierzy imperialnej armii w ogóle trzymało się na nogach.

– Ależ to absolutnie nie jest konieczne, pani major. – Tomaszewski ukłonił się lekko. – Z mapy wynika, że to raczej my jesteśmy na waszym terytorium, i to my prosimy o gościnę.

– Jest pan bardzo uprzejmy, szczególnie w zaistniałej sytuacji. – Hernike oddała ukłon. Wyraźnie wyczuwalne napięcie nie opuszczało jej jednak. – Chciałam podziękować panu i pańskim żołnierzom za pomoc w opresji, która nas spotkała.

– Wróg naszego wroga jest naszym przyjacielem – odparł sentencjonalnie.

Zapadła męcząca cisza. Po obu stronach na usta cisnęły się setki pytań, a status chwilowego „sojuszu" nie był nikomu znany. Nikt nie wiedział, co robić dalej. Doraźna pomoc doraźną pomocą, szczególnie jeśli wynikła z przypadku, ale decyzje polityczne muszą zapaść gdzieś wyżej. I niekoniecznie teraz.

Kai, widząc konfuzję imperialnych oficerów, postanowiła się włączyć.

– Oni są bardzo przyjaźni – powiedziała. – I bardzo kulturalni.

– Mhm... – Hernike podniosła wzrok, zerkając na cztery nagie, okaleczone ciała zwisające z gałęzi.

– A jak ty się znalazłaś wśród obcych wojsk? – spytała czarownica Dairin.

– Przez przypadek. Płynęłam z wyprawą wotywną w stronę Gór Bogów. A oni wynurzyli się na takim okręcie, który pływa pod wodą, zabili wszystkich członków mojej załogi i zatopili statek. No to siłą rzeczy... dalej musiałam płynąć już z nimi.

– Mhm... – Hernike nie miała pojęcia, co teraz powiedzieć w kontekście słów „kulturalni i przyjaźni". Tym bardziej że Tatarzy wokół stwierdzili nagle, iż nie wszyscy wyłapani w lesie jeńcy są mężczyznami. Fakt posiadania kilku dzikich kobiet wojowniczek napełnił ich wielką uciechą i skłonił do zabawy. Hernike odwróciła wzrok.

– Pani major! – Tomaszewski zrozumiał, że musi przejąć pałeczkę i nie dopuścić, żeby Kai zaczęła opowiadać o ataku gazowym w porcie czy lotniczych ekscesach z napalmem. – Myślę, że nasz naczelny dowódca, admirał Ossendowski, przyjmie panie i wspólnie ustalicie dalsze postępowanie. Na razie chcielibyśmy udzielić pani ludziom pomocy lekarskiej, a reszcie zapewnić jakieś bezpieczne schronienie.

– Dziękuję, panie poruczniku.

– Dam paniom łazik z kierowcą do dyspozycji. Jeśli panie zechcą zostać ze swoimi ludźmi, żeby dopilnować wszystkiego, on będzie czekał, a potem zabierze panie do tymczasowych kwater. Myślę, że obecność Kai jako tłumacza też okaże się pomocna.

Hernike skłoniła głowę z dużą dozą szacunku. Potrafiła docenić fakt, że chciał je zostawić sam na sam z ich rodaczką, żeby mogły się wzajemnie swobodnie powypytywać o wszystko. I po raz pierwszy, mimo wszystkiego, co działo się wokół, wyobraziła sobie przybyszów z dalekich krain jako ludzi na pewnym poziomie, a nie tylko straszliwych najeźdźców dysponujących okropną bronią. Może i da się z nimi dogadać?

Obcy przenosili rannych żołnierzy Arkach w stronę wielkich metalowych wozów. Nuk zabrali jako jedną z pierwszych. Po wstrzyknięciu jakiegoś płynu dziewczyna zemdlała albo zasnęła kamiennym snem. W każdym razie nie zdążyły się pożegnać przed... No właśnie, przed czym? Shen bała się wymówić czy choćby pomyśleć to słowo. No ale przecież szanse, że Nuk przeżyje, były bliskie zeru. Strasznie chciało jej się płakać.

Jej nie zabrali na nosze. Kazali kuśtykać, opierając się o ramię Sharri z jednej strony i lufę własnego karabinu z drugiej. Nanti szła z tyłu, niosąc ich plecaki. Jakaś dziewczyna w maskującym stroju zlitowała się nad nimi.

– Jesteś lekko ranna – powiedziała ze współczuciem. – Musisz jechać na dachu transportera.

Oczywiście Shen nie zrozumiała niczego, więc tamta zaczęła tłumaczyć za pomocą gestów.

– Ty! Na górę! – pokazywała. – Lekko ranna, na górę. Zaraz ci pomogę.

Sama wspięła się zwinnie na dach i wyciągnęła ręce. – No już, co tak stoicie? – krzyknęła na Sharri i Nanti. – Podawać mi koleżankę!

Jakoś zrozumiały. Z pewnym trudem udało im się umieścić Shen na dachu. A ona czuła tylko dziwny bezwład. Nic jej nie bolało, ranna noga wydawała się jak ciepła kłoda przymocowana do ciała. Kurde, czy jak będą ucinać, to nie będzie boleć? W przeciwieństwie do Nuk w jej przypadku może się to udać. Rana nie była rozległa.

Obca dziewczyna wzięła od dziewczyn na dole ogromny plecak i karabin Shen. Położyła je obok. Wyraźnie rozumiała, co znaczą dla żołnierza jego klamoty i z czym się może łączyć ich utrata. Pomiędzy nimi w każdym razie pojawił się cień porozumienia.

– A wy gdzie? – krzyczała obca dziewczyna, jednak z uśmiechem na ustach, widząc, że obie koleżanki też chcą wspiąć się na dach. – Zdrowe jesteście. Nie pchać się tu, bo nie ma miejsca, tylko na piechotę zapierdalać. Wasz punkt koncentracji jest tam! – Machała w stronę ognisk na największej polanie. – Tam się macie gromadzić!

Gesty były jasne. Zrozumiały. I znowu rozstały się właściwie bez pożegnania. Nie było jak powiedzieć niczego osobistego. Shen została całkiem sama w obcym otoczeniu. Na szczęście dziewczyna w maskującym mundurze musiała coś wyczuć. Albo przynajmniej zrozumieć jej samotność i zagubienie. Przysiadła obok.

– Chcesz papierosa? – Wyciągnęła w kierunku Shen jakąś papierową tutkę. A kiedy ta potrząsnęła przecząco głową, sama włożyła ją sobie do ust i przypaliła od ognia, który pojawił się w jej dłoni. Nie, nie, to nie cud, tylko zapalniczka. Shen słyszała o takich urządzeniach, ale podobno były bardzo rzadkie i strasznie kosztowne, a na córkę księcia ta obok wcale nie wyglądała. Okazała się jednak bardzo sympatyczna.

– Co? Pietra dostałaś? – Zaciągnęła się głęboko dymem, ale zamiast się rozkaszleć, wypuściła go swobodnie przez nos. – Nie bój się, nic ci nie będzie. Nikt cię tu nie zgwałci, bo powiedzieli nam, że jesteście sojusznikami.

Shen nie zrozumiała nic poza uspokajającym tonem głosu. Tamta dotknęła spódniczki z włosów zrobionej przez Nuk, która ciągle zwisała z ramienia.

– Łupy wojenne? Kupię od ciebie taką pamiątkę. – Wyjęła ze swojego malutkiego, zgrabnego plecaczka niewielką paczkę. – To czekolada. Dwie tabliczki. Zamienimy się?

Shen patrzyła nierozumiejącym wzrokiem.

– Ach, możesz tego nie znać.

Dziewczyna rozpakowała jedną z tabliczek i dała do powąchania. Zapach był cudowny, tajemniczy, ale cudowny. Obca zmusiła Shen do spróbowania, ośmielając ją najpierw poprzez to, że sama wzięła kawałek do ust.

– No i widzisz? – Uśmiechnęła się, widząc nową koleżankę żującą nagle w pośpiechu. – Jedna taka tabliczka i miną te twoje strapienia. To pomaga każdej kobiecie.

– Dobre!

Dalej nie rozumiały swoich słów, ale nić porozumienia już działała.

– Nie jestem Żydówką, ale na handlu się znam – tłumaczyła obca. – Ja ci dam to, a ty mi dasz to. Rozumiesz?

Handel, szczególnie wymienny, był wszędzie taki sam. Czego tu nie rozumieć? Shen z ulgą pozbyła się pamiątki wojennej za ogromną porcję cudownego leku.

– No, muszę już spadać. – Dziewczyna poklepała ją po ramieniu. – Trzymaj się.

Zgrabnie zeskoczyła na ziemię. Musiała zrobić miejsce dla nowych lekko rannych, których pakowano na dach metalowego wozu. Shen patrzyła za nią dłuższą chwilę. Gibka, zgrabna, pewna siebie – różniła się od zwykłych żołnierzy imperialnej armii. Czym? Jej sprzęt, mały, poręczny plecak i mundur sto razy lepiej przystosowany do walki w lesie... Nie. Ona sama wydawała się inna. Pewność siebie, tak, to był klucz. Ale pewność dziwna. Nie największego zakapiora w koszarach, tylko kogoś pewnego... Shen nie potrafiła tego wyrazić słowami. Kogoś pewnego swojej pozycji? Nie. I nagle wpadła na właściwe sformułowanie. Tamta była pewna swoich praw! Nie była popychadłem, nie była „nikim". Pewnie w jej wojsku też różne rzeczy się działy, ale tamta miała zupełnie inną postawę! I to tak bardzo uderzyło Shen.

Nie miała czasu na rozmyślania. Na dach pakowano kolejnych rannych. Tuż obok położyła się dziewczyna z, jak sama mówiła, prawie obciętą ręką. Cholera wie dlaczego uznano to za lekką ranę. W każdym razie, podobnie jak Shen, nie czuła żadnego bólu po wstrzyknięciu lekarstwa. Była za to półprzytomna. Jęczała tylko, że nie ma plecaka i karabinu, a za to ją rozstrzelają. Shen uznała, że to bez sensu pocieszać ją, że jednorękich nie rozstrzeliwują, uznając, że strata kończyny jest jednocześnie dostateczną karą, jak i usprawiedliwieniem żołnierskiego postępowania.

Ich pojazd ryknął nagle tak głośno, że te na dachu o mało nie pospadały, albo przynajmniej rozwrzeszczały się ze strachu. Potem ruszył, trzęsąc niemiłosiernie. Shen leżała na środku, oczywiście trzymała się metalowych klamer i wystających części, ale bała się, bo co chwila traciła przytomność. Może to złe słowo. Raczej odpływała do krainy wiecznego odprężenia. Ledwie kontaktowała, kiedy znoszono ją z dachu w jakiejś bazie oświetlonej zimnym światłem bez ognia. Kurczowo trzymała swój plecak, żeby nikt nie wydarł. Na tyle tylko było ją stać.

Ocknęła się dopiero na stole operacyjnym. Świt już minął, słońce stało wysoko, wywnioskowała po cieniach na płachcie namiotu. Jakiś czarownik z zasłoniętą szczelnie twarzą, głową i resztą ciała włożył jej brutalnie jakiś pręt do rany na nodze. Niczego nie czuła. Domyślała się z tonu uwag pomocników wokół, że lekceważą jej ranę. Dla nich nie wydawała się groźna w żaden sposób. Nawet nie chcieli jej uciąć nogi. W każdym razie nie czynili w tym kierunku żadnych przygotowań. Chyba poczuła ulgę. Jednak miała ochotę wymiotować. Ktoś musiał to zauważyć, bo jeden z pomocników wlał Shen do ust kilka kropel śmierdzącego płynu. Język skołowaciał jej zupełnie. Nie miała żadnych pragnień i odczuć.

Następny powrót do świadomości miał miejsce już w innym namiocie. Leżała na wygodnym sienniku. Plecak i karabin były w zasięgu wzroku. Sprawdziła ręką. Jej noga nie została obcięta. Dopiero teraz zasnęła z poczuciem ulgi.

Rozdział 12

Komandor Rosenblum podczas porannej promocji nie ukrywał zadowolenia. Mianowanie Tomaszewskiego na komandora podporucznika wyraźnie wzmacniało siły wywiadu marynarki w korpusie oficerskim. Zadowolenie to miało bardzo konkretne podstawy – od chwili kiedy admiralski kord dotknął naramienników porucznika, wywiad zdobył nowy głos na radzie oficerskiej, a to dawało możliwość przeprowadzania różnych akcji podczas głosowania.

Pierwsza na szyję rzuciła się Tomaszewskiemu Kai. Później Siwecki salutował przesadnie oficjalnie, a potem już Rosenblum zabrał ich z części nieoficjalnej, która i tak została skrócona do jednego jedynego toastu. Czas gonił coraz bardziej i należało się spieszyć, żeby zapanować nad biegiem wypadków. Na szczęście pracownicy wywiadu zdążyli zagospodarować parę pomieszczeń w jednym z portowych budynków, wijąc sobie ciepłe gniazdko.

– Kawy? Mogę zaproponować panom koniak, a pani wino?

– Ja też poproszę koniak – naburmuszyła się Kai.

– Tak, oczywiście – roześmiał się Rosenblum. – Pani wyczyny podczas napaści na port są nam dobrze znane...

Musiał uderzyć przypadkiem w jakąś czułą strunę. Jako doświadczony gość z kontrwywiadu natychmiast to zauważył i zmienił treść swojej wypowiedzi, chcąc wyciągnąć z Kai coś więcej.

– Pani lubi moc, siłę... – Przyglądał się dziewczynie badawczo. – Lubi pani silnych mężczyzn, prawda? – Przeniósł wzrok na Tomaszewskiego, który w swoim galowym mundurze, z kordem i przy orderach wyglądał jak uosobienie władzy.

Kai nie dała się sprowokować.

– Chciałabym mieć jakiś wojskowy stopień. – Uśmiechnęła się.

– A w jakiej armii? – spytał z ciekawości Siwecki.

To pytanie ją otrzeźwiło. Właśnie. W jakiej? Przypomniała sobie chwilę, kiedy zapanowała nad obcą czarownicą, kiedy wyeliminowała ją fizycznie, przyciskając spust peemu. Poczuła dziwną miękkość w okolicach podbrzusza. Moc. Naprawdę fascynowała ją moc sama w sobie? Pistolet maszynowy taką dawał. No i... przypomniała sobie, kiedy tak naprawdę po raz pierwszy zafascynował ją Krzysiek. Kiedy... Kiedy wydawał rozkazy swoim ludziom. Moc... Cholerny Siwecki ze swoim celnym pytaniem. Z której armii chciałaby czerpać swą moc? Wojsko polskie dawało nieporównanie większe możliwości. No ale przecież była stąd...

Rosenblum obserwował zmiany wyrazu twarzy Kai z dużym zainteresowaniem. Opanował się, dopiero gdy poczuł na sobie karcący wzrok Tomaszewskiego.

– Zatrzymałem się na pani, ponieważ wiem, że komandor Tomaszewski sprawił, iż została pani sam na sam z dowództwem korpusu ekspedycyjnego. To znaczy z tym, co z niego zostało.

Kai, zadowolona, że znowu uwaga skupia się na niej, skinęła głową.

– Konkretnie dowództwa korpusu ani nawet garnizonu twierdzy już tam nie było. Dzięki nowej taktyce potworów... – zająknęła się i poprawiła, przechodząc na polską nomenklaturę: – Dzięki nowej taktyce dzikusów zabito przytłaczającą większość oficerów. Resztkami połączonych sił korpusu i garnizonu dowodzi major Hernike z sił specjalnych, mając do dyspozycji kapitana czarownicę Dairin i kilku mniej lub bardziej rannych poruczników.

– Czy jest możliwość porozmawiania z nimi, nie wiem, jak to ująć, dowiedzenia się, co robił korpus tej wielkości, ganiając po lesie i ponosząc tak wielkie straty?

– Wątpię. Ale nie w to, czy można porozmawiać. Nawet nie w to, czy coś powiedzą. – Kai uśmiechnęła się perfidnie. – Myślę po prostu, że one same nie mają zielonego pojęcia o celu misji.

– To niemożliwe! – wyrwało się Tomaszewskiemu.

– Dlaczego? – Siwecki wzruszył ramionami. – Jesteśmy oficerami, a czy wiemy coś o celu naszej misji?

– No... coś tam wiemy... – Tomaszewski nagle zdał sobie sprawę, że o większości celów może mieć pojęcie wyłącznie dzięki wujkowi. Zerknął na Rosenbluma.

– Nie przesadzajmy – odparł ten natychmiast. – Wiemy, czego chcemy, nie ganiamy po morzach na oślep.

Kai pociągnęła wielki łyk koniaku. Już nauczyła się nie zakrztuszać. Wetknęła papierosa do długiej lufki i zapaliła. Z opanowaniem kaszlu szło jej trochę gorzej, więc dla pewności nie zaciągała się.

– Rozmowa z oficerami ma niewiele sensu – powiedziała. – Już raczej przesłuchałabym dziewczyny z oddziałów liniowych.

– Dlaczego? – żywo zainteresował się Rosenblum.

– Otóż kilka z nich po jatce kończącej właściwie istnienie korpusu, uciekając, przypadkiem znalazło się w świątyni potwo... tfu, dzikusów znaczy.

– Znalazły coś ciekawego?

– Coś tam sobie zrabowały, jakieś wota i takie tam. Tak przynajmniej twierdzi Dairin. Ale jest coś najciekawszego. Przyniosły stamtąd pogrążoną w transie lub letargu czarownicę dzikusów. Podobno jedną z najważniejszych.

– Jak to przyniosły?

– Po prostu. Przywiązały nieprzytomną do kija, niczym dzika po polowaniu, i przyniosły.

– Niesamowite.

– Właśnie. Potem przejęła ją major Hernike i jej ludzie. Cóż tak cennego jest w tej kobiecie, że narażając życie, niesiono ją po bezdrożach, ochraniano w ogniu bitwy, poświęcano ludzi, żeby tylko przenieść do... – zawiesiła głos.

– Do? – Rosenblum nie mógł powstrzymać ciekawości.

– Niestety, nie wiem. Ale warto chyba przesłuchać te dziewczyny.

– A nie lepiej, żeby pani wślizgnęła się w ich szeregi i...

– Nie, nie lepiej – przerwała oficerowi kontrwywiadu. – Nie wiem, jak u was, ale u nas prawie każdy rozpozna czarownicę. Nigdzie niepostrzeżenie się nie wślizgnę.

– Może Krzyśka przebierzemy w ich mundur? – Siwecki dał dowód, że dobrze się bawi, a alkohol szybko idzie mu do głowy. – Mógłby udawać taką bardzo rosłą dziewczynę, co?

Tomaszewski szturchnął kolegę łokciem.

– No, słusznie... – Rosenblum opuścił głowę. – Chyba wyczerpaliśmy wszystkie możliwości, jeśli chodzi o ludzi, którzy mówią płynnie w ich języku.

– No to jeszcze panów dobiję. – Kai wydmuchnęła kłęby dymu, usiłując nie mrużyć podrażnionych nim oczu, do których napływały łzy. – Kiedy rozmawialiśmy z Krzyśkiem o pani major Hernike i kapitan Dairin, słyszała nas pani inżynier Wyszyńska. I dziwna sprawa...

– Tak?

– Dopadła mnie potem i wnikliwie wypytywała o przebieg rozmowy z tamtymi oficerami.

– Inżynier Wyszyńska?

– Tak jest.

Rosenblum potarł brodę w zamyśleniu. Długo siedzieli w ciszy.

– No nic, niczego nie wymyślimy. – Podniósł butelkę koniaku, żeby dolać wszystkim. – Musimy dotrzeć do tych żołnierzy.

Shen ocknęła się, kiedy na oczy padł strumień światła. Nie, to nie promienie słońca, zrozumiała po chwili. Ktoś palcami rozchylał jej powieki i świecił jakąś malutką pochodnią, żeby coś sprawdzić.

– W porządku. Co mamy dalej?

Człowiek ubrany w cieniutki biały płaszcz podszedł do następnego łóżka. Shen nie rozumiała, co mówi, ale, o dziwo, zrozumiała, co miała do powiedzenia towarzysząca lekarzowi podobnie odziana kobieta. Tamta po prostu czytała z kartonika, na którym ktoś napisał podstawowe zwroty w języku Shen.

– Weź to do ust. Nie gryź. Nie ssij!

Włożyła Shen do ust podłużny szklany przedmiot. Dziewczyna zaczęła obracać go językiem. Nie smakował ani słodko, ani gorzko, ani słono. W ogóle nie miał smaku.

– Nie ssij! – powtórzyła tamta i dodała, na szczęście po polsku, więc żadna z chorych nie zrozumiała: – No co za baby?! Podasz jednej z drugą termometr, a one zaczynają natychmiast ssać. Jak cielęta albo ladacznice!

Oględziny rannych nie trwały długo. Po pewnym czasie kobieta pojawiła się znowu i wyjęła rurkę. Zapisała coś na tabliczce przymocowanej do łóżka i znowu zerknęła na swój kartonik.

– Nie jest z tobą źle – przeczytała na głos. – Z tobą jest dobrze.

– Nie utniecie mi nogi?

Tamta długo szukała na kartoniku odpowiedniego zdania.

– Nie pytaj o nic. Niczego nie zrozumiem.

– To co mi chcesz powiedzieć?

– Pokazuj głową: TAK lub NIE. Zrozumiałaś?

– Tak, to znaczy... tak! – Shen zaczęła energicznie przytakiwać.

– Czy chcesz pić?

Przytaknęła ponownie. Dostała butelkę z wodą, którą tamta postawiła na małej półeczce przy łóżku.

– Czy chcesz jeść?

Zaprzeczyła.

– Z tobą jest dobrze – powtórzyła kobieta w białym płaszczu. – Ciągnij za ten sznurek, jak będziesz coś chcieć. Ale tylko rzeczy ważne: boli, pić, do latryny. Zrozumiałaś?

Shen potwierdziła ruchem głowy. Pewnie, że ktoś przyjdzie tylko dla rzeczy ważnych. Zresztą... jeśliby poprosiła o to, żeby mamusia ją przytuliła, to pewnie nie zrozumieją.

– Masz tu na ból. – Pielęgniarka wcisnęła Shen do ust małą i śmierdzącą kulkę. Kazała łyknąć i popić. – Leż spokojnie. Nie krzycz. Nie usiłuj wyjść.

Przepisowo chyba, bo zupełnie beznamiętnie poklepała leżącą po ramieniu i odeszła do innych obowiązków. Dopiero teraz Shen mogła się przytomniej rozejrzeć. W namiocie stało dwanaście łóżek. Przedziwnych – z całą pewnością były składane, ale nie zbudowano ich z drewna. Miały miękkie materace. Dwanaście dziewczyn leżało rzędem w różnym stanie przytomności i sprawności fizycznej. Widząc, że Shen rusza się energicznie, sąsiadka odwróciła głowę.

– Cześć. Już wśród żywych?

– Cześć. No chyba jakby wśród żywych.

– Zdziwiona?

– Wiesz... myślałam, że mi nogę utną na dzień dobry. Rana w błocie, na wylot, kurna, jedyna szansa ciąć. A tu jakiś cud.

Tamta zaczęła się śmiać. Miała sympatyczną twarz. Młoda, ot, jakiś świeży rekrut, który przeżył kampanię psim swędem po prostu.

– Tu jest w ogóle namiot cudów, koleżanko. Namiot cudów.

– A ty gdzie dostałaś?

– W bok. O tu. Dziryt się złamał i ostrze zostało wewnątrz. No to zmówiłam modlitwę, prosiłam o kapłankę, a oni nie słuchali, tylko zanieśli do jakiegoś namiotu.

– Też tam byłam chyba.

– No i zasnęłam. A obudziłam się już tutaj. I pomyślałam, że w krainie wiecznej szczęśliwości na pewno nie jestem, bo widziałam, jak podchodzi do mnie ta stara cholernica z kartonikiem w ręce.

– I co?

– I usłyszałam: „Nie jest z tobą źle. Z tobą jest dobrze".

Długo patrzyły sobie w oczy bez słowa. A potem obie, jak na komendę, ryknęły śmiechem. Obie też natychmiast złapały się za swoje rany.

Pomysł, żeby zorganizować uroczyste spotkanie admirała z ocalonymi oficerami imperialnej armii, na szczęście zarzucono. Specjalne traktowanie miało być pokazem siły – oficerowie płynęliby na lotniskowiec, gdzie miała odbyć się audiencja, nad nimi przelatywałyby bombowce w locie koszącym. W momencie okrętowania stojący najbliżej krążownik odpaliłby salwę z najcięższych dział, oczywiście ku czci cesarzowej Arkach. A po skończonej uroczystości oficerów zawieziono by na ląd wiatrakowcem. Szczęściem plan zarzucono, ponieważ istniała obawa, czy goście nie umrą ze strachu przed końcem ceremonii.

Uroczystość była więc bardzo skromna, kameralna, zorganizowano ją na brzegu, wewnątrz jednego ze specjalnie przygotowanych w tym celu budynków. Ossendowski przyjął kobiety z imperialnej armii w roboczym mundurze, nie chcąc ich krępować galowym, podczas kiedy one musiały mieć na sobie siłą rzeczy pospiesznie odczyszczone polowe. Admirał zachowywał się uroczo. Przedstawił, prawie że prywatnie, swoich oficerów, Hernike zrewanżowała się tym samym. Potem wygłosił krótkie przemówienie o przyjaźni między narodami, o sojuszach i woli współpracy ludzi kulturalnych. Znowu półprywatnie – decydować o przyjaźni czy sojuszach nie mógł, żadnych pełnomocnictw oczywiście nie miał. W każdym razie doprowadził do tego, że pomiędzy oficerami różnych armii zaczęły się nawiązywać autentyczne sympatie i przyjaźnie. Tomaszewski, który wraz z Kai dwoił się i troił w roli tłumacza, musiał przyznać, że stary cap, jak go nazywano w marynarce, okazał wielki talent polityczny i dyplomatyczny. Podczas jednego spotkania doprowadził do tego, że żołnierze Arkach przestali uważać Rzeczpospolitą za potwora dysponującego upiorną armią, którą rzuca tam, gdzie jej się podoba, jedynie po to, żeby zostawić po sobie puste niebo i gołą ziemię. Pokazał, że po drugiej stronie czołgów i armat są ludzie kulturalni, skłonni do negocjacji, pragmatyczni, pragnący przede wszystkim rozmawiać. I choćby tylko za to, za pokazanie, że za straszną bronią stoją zwykli ludzie, Tomaszewski dałby Ossendowskiemu order. Dopiero teraz zrozumiał też, dlaczego właśnie starego safandułę postawiono na czele ekspedycyjnej floty podczas tej misji. Cóż, ktoś musiał wygrać najbliższe wybory prezydenckie. A Tomaszewski już wiedział, kto to będzie.

Kai dostała dodatkowe zadanie. Żołnierze imperialnej armii, te, które nie były ranne ani chore, zaczynały stanowić problem. Nie za bardzo wiedziano, co z nimi zrobić. Zasadniczo nie wzięto ich do niewoli, więc były wolne. No ale sojusznikami przecież oficjalnie nie zostały. Więc co? Mogą chodzić, gdzie chcą? Na pewno nie w nocy, lecz to łatwo przeprowadzić regulaminowo. A w dzień? Nie przewidziano dla nich żadnych zajęć, nie było pomysłu, jak je wykorzystać. No co? Karmić, pozwolić się wysypiać i nie dawać nic do roboty? Każdy, kto miał doświadczenie z wojny, doskonale wiedział, że takie rozwiązanie w przypadku żołnierzy wycofanych bezpośrednio z linii frontu sprawi, że zaraz zaczną do siebie strzelać z nudów albo z nerwów. I oby tylko do siebie. A z drugiej strony skoszarować ściśle, wprowadzić dyscyplinę, musztrę i codzienne ćwiczenia? Po pierwsze, według jakich regulaminów? Po drugie, jak to zrealizować? Skąd na przykład wziąć dymny proch do ich karabinów, jeśli miałyby nimi ćwiczyć. No to może zabrać im broń, wsadzić za druty i wprowadzić porządek więzienny? Ale byłoby to pokazanie wprost, jaki jest ich status i że nowy suweren może z żołnierzami Arkach zrobić, co zechce. Bardzo niepolityczne postępowanie.

Ktoś wreszcie wpadł na dość rozsądne rozwiązanie. Niech budują baraki dla siebie. Mżysta pogoda nie sprzyjała mieszkaniu w namiotach, w budynkach portowych nie było już miejsca, a poza tym nikt nie chciał pełnej integracji. Niech więc budują dla siebie prawdziwe koszary, sale rehabilitacji dla rannych, prawdziwy szpital, stołówki, kuchnie i wszystko to, co w garnizonie jest potrzebne. Praca ciężka, ale absolutnie niehańbiąca w żadnej mierze ani uwłaczająca komukolwiek. Dla siebie, na własny rachunek, a dyscypliny pilnują nie obcy podoficerowie, lecz majstrowie. Różnica niby tylko psychologiczna, ale istotna. A poza tym prace ciesielskie wymagały częstych wizyt w porcie, zatem sprzyjały powolnej asymilacji.

Kai miała jednak podwójne zadanie. Żołnierze zaczynały pojawiać się w porcie, oglądać zgromadzone tu cuda i z wielką nieśmiałością na razie poznawać pierwszych przedstawicieli obcej armii. A pilne zadanie, które wynikło z rozmowy w kwaterze Rosenbluma, brzmiało: dowiedzieć się, które z żołnierzy imperialnej armii brały udział w rajdzie na świątynię dzikusów.

Kai nie chciała podchodzić do poszczególnych grupek nieśmiało obserwujących to, co dzieje się wokół, i pytać wprost. Oferowała zatem swoje usługi jako tłumacz. Funkcja bardzo potrzebna w zaistniałych okolicznościach. Trochę przestraszone nową sytuacją dziewczyny garnęły się do niej, gdy tylko stwierdziły, że rozumie ich język.

– Pani Kai, a jak to jeździ? – Młoda piechociarka, nieodstępująca równie przestraszonej koleżanki, wskazywała palcem wózek transportowy. Najwyraźniej nie mogła zrozumieć, gdzie w tak małym pojeździe mieści się koń, który wprawia go w ruch. I czemu to wszystko tak warczy.

– Panie sierżancie – wrzasnęła Kai do kierowcy – Mógłby pan podwieźć te dwie do basenu portowego i pokazać im, jak działa wózek?

– No zasadniczo czemu nie... Ale ja po ichniemu nie rozumiem.

– No, panie sierżancie... – Kai przekręciła głowę na bok. – Przecież pan jest mężczyzną, a one to dwie młode dupy. Przecież im pan wytłumaczy, nawet nie znając ich języka.

Teraz zrozumiał i roześmiał się od razu.

– Ależ oczywiście. No chodźcie tu, panienki, chodźcie. Wszystko wam pokażę.

Kai ruszyła dalej. Podeszła do grupki dziewczyn przyglądających się, jak żołnierze Rzeczypospolitej czyszczą broń.

– No co, panowie? – Kai postukała się w czoło. – Pozwolicie im tak stać i patrzeć? Pokażcie, jak to się robi.

Kilku szeregowych podskoczyło bliżej.

– Chcą zobaczyć?

– No pewnie. Tylko je zagadajcie.

– A po jakiemu?

– Oj, no nie mnóż trudności. – Inny żołnierz szturchnął kolegę. Pozostali zaczęli się śmiać. – Patrzcie! – Podniósł karabin wyżej. – Tu mam łódkę z pięcioma nabojami. Otwieram zamek, przytykam łódkę do występu na osadzie i jednym palcem wpycham naboje. Raz i już, nie? Łódkę wyrzucam, zamykam zamek i karabin jest gotowy do strzału.

– I można to zrobić, leżąc? – gestami zapytała sierżant piechoty, nie mogąc uwierzyć w to, co widzi.

– No pewnie, tylko leżąc. Po co się wystawiać na strzał podczas ładowania? Ale nie to jest najlepsze. Patrz!

Żołnierz podszedł do wiadra ustawionego pod pompą i zanurzył następną łódkę z nabojami w wodzie.

– Patrz, mogę to wsadzić do karabinu, a on dalej będzie strzelał!

– Bogowie... – Sierżant tylko kręciła głową. – Przeciwko takim karabinom nikt nie stanie w polu. Nikt nie wytrzyma walki z tą armią.

Kai znowu zwróciła się do żołnierzy.

– No, panowie, chyba pokażecie koleżankom z innej armii, jak to cudownie strzela?

– Możemy, tylko trzeba by pójść do lasu.

– A co was wstrzymuje?

Znowu się roześmiali. Zaczęli, już bez tłumacza, na migi, dogadywać się z dziewczynami. Kai domyślała się, że z lasu być może i dobiegnie ich odgłos jakichś strzałów, ale miała wrażenie, że karabin, choć ciekawy niewątpliwie, zaraz ustąpi innym metodom integracji. Wyposzczeni żołnierze i kobiety tak długo bez towarzystwa na pewno ulegną przyjemniejszym stronom szukania porozumienia. Uwolniona od obowiązku tłumaczenia zwróciła się do sierżant:

– Słyszałam o waszych dokonaniach. Jestem naprawdę pod wrażeniem.

– O dokonaniach? – sierżant nie wiedziała, do kogo mówi, i ostrożnie ważyła słowa. Dla niej to było jednak rozpieprzenie korpusu, a nie dokonanie.

– Myślałam o przejściu prawie całego lasu.

– Gdyby nie ta armia z cudowną bronią, kończyliby nas właśnie opiekać na ogniskach.

– Dzikusy... to znaczy potwory są kanibalami?

Sierżant wzruszyła ramionami.

– Nie wiem, ale słyszałam o strasznych torturach, jakim poddają naszych jeńców. Dziewczyny z oddziału, który dotarł do ich świątyni, to dopiero opowiadały, co widziały! Podobno te potwory rozcinają brzuch i każą człowiekowi biegać, aż się flaki wyciągną.

– Poważnie?

– Tak. Albo sadzają kogoś tak, że rośliny w niego wrastają, wżerają się we flaki i w ogóle makabra...

Sierżant sama ułatwiała robotę Kai. Czarownica słuchała niby to przerażona i zafascynowana, choć tortury niezbyt ją obchodziły. Tak naprawdę czekała tylko na możliwość zadania pytania, kiedy tamta się wygada.

– I co? A ja mogłabym porozmawiać z dziewczynami, które były w świątyni? To fascynujące, co mówisz.

– Pewnie, czemu nie. Z tego, co wiem, przeżyły dwie z tego oddziału. No ale może są jeszcze jakieś wśród rannych.

– A jak je znaleźć?

– Jedną znam, jest sierżantem piechoty i ma na imię Nanti. Druga to jakiś szeregowy. A chyba są teraz w porcie. Plotka poszła, że ci obcy żołnierze to mają okręty z żelaza! Kupa dziewczyn poleciała sprawdzić, czy to prawda, czy jaja jakieś.

Kai zaczęła się śmiać.

– Mają, mają... – Pogrzebała w kieszeni i wyjęła kilka monet. Podała je pani sierżant. – Wychyl sobie głębszego, albo nawet kilka. Bardzo mi pomogłaś.

Sierżant zdziwiona patrzyła na monety. Nie mogła zrozumieć, że obcy potrafili nawet tak zwykłą rzecz wykonać z takim pietyzmem i dbałością o szczegóły. Długo przyglądała się misternym wizerunkom.

– Patrz. – Kai wskazała jej kierunek. – Tam zaraz jest bar.

– Wpuszczą mnie?

– A czemu mają nie wpuścić? Zresztą... to sami mężczyźni, a ty jesteś kobietą. Wpuszczą. Jeszcze w rękę pocałują.

Sierżant uśmiechnęła się porozumiewawczo.

– A co mam gadać?

– Nic. Widziałam, jak oni to robią. Wchodzą i stukają monetą w szynkwas. Od razu dostają szklaneczkę.

– Aha. Dzięki!

– Idź i nic się nie bój. I pamiętaj: to tylko mężczyźni!

Uśmiechnęły się do siebie jeszcze raz. Potem Kai zawróciła i ruszyła do portu. Dotąd wszystko wypadło naturalnie, samo z siebie. Nikt nie powinien zameldować siłom specjalnym, że ktoś o coś dopytuje. Teraz jednak zastanawiała się, jaki powód wymyślić do szczegółowej rozmowy. Los jednak i w tym przypadku wybawił Kai z kłopotu. Zobaczyła kilka grupek żołnierzy Arkach na nabrzeżu, złożyła dłonie przy ustach i krzyknęła: „Nanti!", a wtedy dwie dziewczyny poderwały się i zaczęły biec w jej kierunku. Dziwne.

– To pani jest tą czarownicą? – spytała starsza z nich, lekko zdyszana.

Kai usiłowała nie dać po sobie poznać, że czegoś nie rozumie.

– Jestem czarownicą – powiedziała ostrożnie.

– To pani dała Shen ten amulet, wtedy w porcie? To pani, prawda?

Kai trzymała nerwy na wodzy. O co im chodzi? Gwałtownie przeszukiwała własną pamięć. Tyle nieprawdopodobnych rzeczy zdarzyło się ostatnio. Kurde blade... Ach! Kai mało nie eksplodowała. Amulet! Jedyny, który zrobiła i oddała. Ten, który zaznaczał po sobie ślad bólem. Przypomniała sobie samotną, zagubioną wśród wojska dziewczynę, rekruta z jakimś wiadrem czy koszem. Wyglądała na taką sierotę życiową, że... no faktycznie. Zlitowała się wtedy i dała dziewczynie amulet.

– Jak ona miała na imię?

– Shen.

– No oczywiście, że pamiętam.

– A nie wiem, czy pani wie, że ten amulet ocalił resztki korpusu.

Kai otworzyła usta, żeby coś powiedzieć, i tak już została. Amulet ratujący korpus imperialnej armii? W takie bajki nie uwierzą nawet dzieci w najbardziej zapadłej wiosce. Co za bzdury okropne.

– Bo ten amulet wskazywał miejsce, gdzie pani jest. I czarownica Dairin nagle odkryła, że pani jest tu, na brzegu. I w rozpaczy dowódca skierowała resztki wojsk właśnie na wybrzeże.

Co za brednie? W życiu nie słyszała o czymś podobnym. Co tu jest grane? Dairin mogła pleść takie bzdury? Wyglądała na rozsądną czarownicę. Kai przysłuchiwała się opowieści żołnierzy, pod koniec wątpiąc już nawet w samą siebie. To, co one opowiadały, to stek idiotyzmów. Amulet nie jest w stanie sprawić czegoś takiego. Nie ten zasięg, nie ta moc, zupełnie nie ta siła. No rzeczywiście, sam w sobie był dziwny. Ale te opowieści mogły mieć w sobie tyle prawdy, co pieśń o gołębiu, który porwał owcę ze stada i poleciał ku niebiosom. Ale... jeśli choć część jest prawdą, to dlaczego Dairin podczas rozmowy o tym nie wspomniała? Co jest grane?

No trudno. Trzeba będzie wyjaśnić i tę tajemnicę. Na razie jednak spytała:

– Gdzie jest Shen?

– Żyje, ale jest wśród rannych. Nie wpuszczają nas tam na razie.

Kai spojrzała na weteranki. Młodsza, która przedstawiła się jako Sharri, była chyba w jej wieku. Żadna z nich jednak nie wyglądała na konfabulantkę. O co więc tu chodzi?

– To co? Chodźmy w takim razie czegoś się napić.

Dziewczynom ta propozycja bardzo się spodobała.

Tomaszewski źle się czuł w nowym mundurze, ale Kai była nieugięta. Plan był jej, jej wykonanie, on miał tylko olśnić panią kapral i samym swoim wyglądem zmącić dziewczynie myśli. Nie chciał się kłócić z Kai ani twierdzić, że do olśniewania to jest raczej ostatni w kolejce. Coś było bowiem na rzeczy. Już zmierzając do tymczasowego szpitala, zwrócił uwagę, że żołnierze po drodze salutują mu bardziej dziarsko i sprężyście niż w czasach, kiedy był zwykłym porucznikiem.

Na miejscu mieli kłopot, żeby się zorientować, co gdzie jest, tak wielkie okazało się szpitalne namiotowisko. Sprawiało przygnębiające wrażenie, ze względów bezpieczeństwa otoczono je ogrodzeniem z drutu kolczastego i strażniczymi wieżyczkami. Koszmar – nikt tak naprawdę nie wierzył w rychłą możliwość ponownego ataku ze strony dzikusów. Lecz łatwo domyślić się przesłanek, którymi kierował się dowódca: a gdyby atak jednak nastąpił i dzikusy wyrżnęłyby bezbronnych rannych, jak odpowiedziałby na zarzut totalnej niekompetencji? „Nie było nawet zasieków".

Pomysł z założeniem nowego munduru okazał się wcale nie taki zły. Na spotkanie przybiegł nawet zastępca głównego lekarza, który rozpływając się w uśmiechach, zaprosił na kawę. Był pragmatyczny i nie mnożył trudności. Szybko kazał przynieść kartę pacjentki.

– O, nie widzę żadnego problemu. Ranna może już powoli zacząć wstawać.

– Wyzdrowieje szybko? – spytała Kai.

Lekarz spojrzał na nią z uśmiechem. Najwyraźniej mu się spodobała – młoda, ładna, zadziorna, ubrana w zlepek mundurów różnych formacji, trochę w typie chłopczycy.

– Wszystko wskazuje na to, że tak. Nie ma żadnych symptomów, żeby wdało się zakażenie. Na szczęście sulfamidy zastosowano w odpowiedniej chwili. No a potem, na stole operacyjnym, rana została gruntownie oczyszczona.

– Więc wszystko będzie dobrze?

Lekarz rozłożył ręce.

– Powtórzę: wszystko wskazuje na to, że będzie dobrze. Poza tym trzeba mieć jeszcze jedno na uwadze. Ci tutaj nie są pokoleniem wychowanym na witaminach, w warunkach higieny powszechnej ani pod opieką lekarzy, szczepień i okresowych prześwietleń.

– A to jakaś różnica?

– Tutaj, jeśli ktoś jest słaby, umiera w trakcie porodu albo tuż po. Pierwsze dziesięć lat życia to naturalna selekcja. Kto słaby, ten do piachu. A ci, którzy przeżyją, to mistrzowie przetrwania, najsilniejsze egzemplarze, na których goi się wszystko jak na przysłowiowym psie.

Kai wzruszyła ramionami. To znaczy, że ona jest z tych lepszych? Którzy przetrwali? Nie czuła się jakoś szczególnie silna. A w zapasach z takim Tomaszewskim, wyższym od niej o półtorej głowy, nie miałaby żadnych szans. No ale medykom należy wierzyć.

– Czy moglibyśmy z nią porozmawiać w jakimś choć w miarę dyskretnym miejscu?

– Oczywiście, mogę ją tu przywieźć niby na badania. Mogę też wystawić fotele na trawę, jeśli nie będą państwu przeszkadzać chodzące dookoła pielęgniarki. Zresztą... – Zamyślił się. – Obok jest właśnie punkt pielęgniarski. Tam każę przyprowadzić chorą, a personel na chwilę wyproszę.

– Będziemy bardzo wdzięczni – mruknął Tomaszewski. Kai nie do końca wiedziała za co: za przyprowadzenie chorej czy wyrzucenie pielęgniarek.

Punkt pielęgniarski był jakby częściowym namiotem, wykonanym w pewnym sensie nie do końca. Miał dach, podłogę, ale tylko dwie ściany. Kiedy przyszli, Shen już czekała w dość wygodnym, teraz szeroko rozłożonym fotelu dla chorych. Kai w ogóle jej nie rozpoznała. Natomiast ona czarownicę – natychmiast. Biedna chciała się zerwać na równe nogi. Oboje z Tomaszewskim zdołali temu zapobiec w ostatniej chwili.

– Pani, ja...

– Proszę, nie mów do mnie „pani". Mam na imię Kai.

– Wiem. Pamiętam.

Uścisnęły się, może nie tak, jak by chciały, wypadło to trochę sztucznie z powodu ustawienia fotela. Tomaszewski, a konkretnie, jego mundur, zgodnie z planem zrobił olśniewające wrażenie. Shen nie wiedziała, jak się zachować. Tomaszewski, przystawiając dwa krzesła, domyślił się wreszcie, o co chodziło Kai. Nie o wrażenie jako takie, tylko żeby tamta widziała, że ktoś taki jak on traktuje młodą czarownicę na równi sobie i podaje krzesło. Sprytne. Ta mała cholera, na pierwszy rzut oka zahukany i przerażony rozbitek, naprawdę okazała się bystrą, inteligentną osobą, która, zdaje się, coraz lepiej orientowała się w nowym dla niej świecie. Ciekawe.

Zaczęły się dziewczyńskie opowieści o tym, co i jak się z nimi działo. Tomaszewski, udając zgodnie z planem, że nie rozumie ich języka, przyglądał się z boku. Zwrócił uwagę na kilka rzeczy. Kai nie rozpoznawała Shen. Nie dość, że dawne spotkanie nie zapadło jej w pamięć, było jakimś maleńkim epizodem w podróży, to kojarzyła Shen jako jakieś zagubione, szare kurczątko, wymagające pomocy przy wycieraniu nosa. Teraz zaś kapral była frontowym żołnierzem, weteranem, najwyraźniej wiedziała, o co w życiu chodzi. Wyglądała na kogoś, kto radzi sobie w każdej sytuacji, nie załamuje rąk. No i... dało się zauważyć w jej oczach przedziwną... hm... przyjaźń, uczucie, sentyment do Kai. Ciekawe. Oczywiście opowiadała o amulecie, o tym, jak uratowały ją czary, ale Tomaszewski został uprzedzony, żeby nie zwracać uwagi na te bzdury. Zastanowiło go jednak coś innego.

W oczach dziewczyny skrzyła się żywa inteligencja. Inteligencja i zmysł obserwacji, które mogły ją zaprowadzić daleko stąd...

Kai w opowieściach o sobie zastosowała prosty trik. Mówiła: „I wtedy zadecydowałam, że popłynę z Cichymi Braćmi", „Uznałam, że rozsądniej będzie" i tak dalej. To nie wydarzenia nią niosły. I choć w swojej historii zasadniczo nie mijała się z prawdą, to sprawiała wrażenie, że prawie wszystko było podporządkowane jej woli. Zabieg prosty, acz skuteczny. Shen przekonywała się, że Kai jest cwaniarą i bez mała władczynią ludzkich umysłów. Czarownica rozgrywała to, łącznie z osobą Tomaszewskiego, bardzo sprytnie.

Cała rozmowa przypominała spotkanie weteranów po latach: pierdu, pierdu, ble, ble, puff! Kai ewidentnie usypiała rozmówczynię i jej czujność.

– A powiedz, czy to prawda, że zdobyłaś najważniejszą świątynię potworów? Wszyscy o tym mówią z zachwytem.

– Bez przesady z tym zdobywaniem. Uciekałyśmy tak szybko z pola bitwy, że nie wybierałyśmy drogi... – I Shen zaczęła opowiadać, jak z koleżankami ukryły się pod stromizną na brzegu rzeki. A potem podała kilka szczegółów ucieczki.

– No ale atak...

– Jaki atak? Byłyśmy zamroczone głodem. Polazłybyśmy wszędzie, gdzie znalazłybyśmy coś do jedzenia.

– Nikt nie bronił świątyni? Nikogo tam nie było?

– Kilku starych posługaczy i kapłani w transie.

– I co się z nimi stało?

– No wiesz... – Shen odwróciła głowę. – Szukałyśmy żarcia. Jeśli ktoś stawiał opór...

– Starcy w transie stawiali opór?

Tomaszewski siedział z niewinną miną, nadal udając, że niczego nie rozumie. Czuł jednak, jak jego mięśnie stają się coraz bardziej napięte. Kai z wielkim talentem zbliżała się do jakiejś tajemnicy.

– Udało się zdobyć jedzenie?

– Tak. Nareszcie się najadłyśmy, no i zaczęły się... problemy z brzuchami.

Kai uśmiechnęła się promiennie.

– Nie popiłyście zdobycznej wódki?

– Oni nie piją alkoholu. Przeszukałyśmy... – zająknęła się Shen. – Trochę poszperałyśmy dookoła – wybrnęła gładko. – Nie było.

– A w ogóle było coś ciekawego w tej świątyni?

Shen wzruszyła ramionami.

– Świątynia jak świątynia. Wszędzie mieli przygotowane sągi drewna na uroczystość po walce. Odchodząc, spaliłyśmy wszystko.

Tomaszewski pilnował się, żeby nie zmienić wyrazu twarzy. Kai przyłapała tamtą na kłamstwie tak łatwo jak przedszkolaka. Udała, że nie zauważyła, iż wcześniej Shen zasadniczo przyznała się do dezercji z pola bitwy, a potem do masakry bezbronnych ludzi w świątyni.

– Legendy krążą o jakichś wotach, które... – Kai zawiesiła głos, nie chcąc użyć słów takich, jak „ukraść" ani „zrabować". – Jakie wpadły wam w ręce.

– Przesada. Może któraś i podniosła z ziemi parę drobiazgów...

– A ty? – Kai strzeliła w sam środek tarczy. Plecak Shen został w jej namiocie, łatwo sprawdzić, gdyby próbowała kłamać. Lepszym rozwiązaniem było nie doprowadzać do takiej akcji.

– Parę drobiazgów. Nie ma o czym mówić.

Kai uśmiechnęła się ciepło.

– Właściwie to przyszliśmy głównie z tego powodu. Pan komandor jest kolekcjonerem wotów i chętnie zobaczyłby...

Tomaszewski sporo wysiłku wkładał w opanowanie mięśni twarzy, udając, że nie rozumie ani słowa. Drgnął więc, gdy Kai zwróciła się do niego po polsku:

– Każ mi przynieść jakiś napój, który wymaga przygotowania.

– Droga Kai, czy byłabyś taka uprzejma i zrobiła nam herbatę? – powiedział również po polsku. – Ziąb tej mżawki przenika do kości.

– Ależ oczywiście, zaraz przyniosę. – Odwróciła głowę do Shen i rzuciła niby niefrasobliwie: – Pan komandor napiłby się herbaty. Napijesz się z nami? Radzę spróbować. – Podniosła się z krzesła. Mrugnęła do kaprala na odchodnym. – Wiem, wiem, nie pogadacie sobie, ale zaraz wrócę.

Kiedy odeszła, Tomaszewski uśmiechnął się do Shen, ta nieśmiało odwzajemniła uśmiech i rzeczywiście, to był już koniec dyskusji. Wyjął z kieszeni notes i pióro, zaczął udawać, że zapisuje coś ważnego. Kiedy tylko odwrócił wzrok, Shen gestami przywołała jedną z licznych rannych kuśtykających z namiotu do namiotu. Taaak... leki Cichych Braci zza gór działały szybko i skutecznie, w dodatku tu materiał ludzki był zdrowy, po selekcji naturalnej. A łażenie z kąta w kąt? Przecież to kobiety. Nie mogły wysiedzieć na miejscu bez plotkowania. Momentalnie zameldowała się jakaś żołnierz.

– Słuchaj, pójdziesz do mojego namiotu. – Shen, zerkając na zajętego pisaniem Tomaszewskiego, pokazała tamtej kierunek. – Moje łóżko jest drugie od wejścia. Tuż obok leży plecak sił specjalnych. Rozumiesz?

– Tak.

– Wyjmij z plecaka dużą skórzaną teczkę i schowaj pod mój materac. W plecaku nie grzeb pod żadnym pozorem. I tak się dowiem od koleżanek z łóżek obok.

– Tak jest!

– Idź, ale powoli, żeby nikt nie pomyślał, że się spieszysz. Rozumiesz?

– Tak, rozumiem.

– No to idź, wykonaj rozkaz i nie melduj. No już.

Dziewczyna odeszła bez słowa, a Shen sprawdziła, czy komandor zorientował się w czymkolwiek. Tomaszewski z napiętym wyrazem twarzy dzielił właśnie pracowicie liczbę okrętów na redzie przez liczbę dział na największym krążowniku pomnożoną przez liczbę zbiorników balastowych jego okrętu podwodnego. Zapisał pół kartki w notesie, lecz wychodziły mu same ułamki.

Kai wróciła rozpromieniona z tacą, na której stały trzy szklanki z herbatą i srebrna cukiernica. Ciekawe, gdzie taką znalazła?

– I jak tam? – spytała po polsku, stawiając szklanki na stole obok.

– Bingo – odparł z promiennym uśmiechem.

– Koniecznie musisz spróbować tego wywaru – Kai przeszła na język zrozumiały dla Shen. – Tak z ciekawości, bo oni piją to bez ustanku. Mnie to zupełnie nie smakuje, ale jak posłodzisz, o, tym tutaj białym, to da się nawet przełknąć. Tacy oni durni, ci zza gór. Ale za tym napojem przepadają.

Shen powąchała ostrożnie.

– Jakby garbnik?

– Coś w tym stylu. – Kai zajęła miejsce na krześle. – No to możemy wrócić do tematu.

Skoro już tak prostym trikiem odkryli, co Shen ma do ukrycia, to dla zachowania pozorów należało obejrzeć te nieważne i nieistotne dla całej sprawy wota. Istotna będzie zawartość teczki. Dlaczego kapral lawirowała tak zawzięcie, że pominęła nawet kapłankę w trasie zabraną ze świątyni na kiju? Co to miało być? Jakaś nieprzytomna kobieta leżała sobie nieruchomo, więc ją sobie wzięły na pamiątkę? Przenosząc z narażeniem życia przez wszystkie bitwy i potyczki? Zastanawiające, co się za tym kryło.

– Jakieś ciekawe te wota? – ponowiła indagację Kai. – Pan komandor naprawdę chętnie kupi coś, co jest bardzo rzadkie. I zaoferuje naprawdę godziwą zapłatę.

Shen nie podnieciła się raczej perspektywą zarobku.

– Są w moim plecaku. Gdyby go ktoś przyniósł, chętnie wam pokażę.

Kai zawołała pielęgniarkę. Przez chwilę tłumaczyła jej, co mówi kapral, potem z uśmiechem poprosiła, żeby plecaka pod żadnym pozorem nie otwierać. Niby Shen nie rozumiała po polsku, lecz gesty i intonacja powinny ją przekonać, że jej rozmówcy należą do ludzi kulturalnych. Ha, ha. Tomaszewski westchnął i dyskretnie zerknął na zegarek. Wolałby szybko wrócić i zastanowić się, może nawet z Rosenblumem, jak po cichu, bez wiedzy właścicielki przejąć tajemniczą teczkę. Jeśli w środku są jakieś pisma albo dokumenty, trzeba je sfotografować. Zastanawiał się, czy gdzieś na terenie bazy znajdzie się fachowiec, który to szybko zrobi. Czas był bardzo istotny, Tomaszewski nie chciał, żeby Shen albo ktokolwiek zauważył zniknięcie teczki, a jeśli trzeba będzie przewieźć ją do laboratorium na okręcie, to całej nocy może nie wystarczyć.

Plecak znalazł się w rękach Shen w ciągu minuty.

– Te wota was rozczarują – powiedziała. – A może nie?

Tomaszewski myślał o czymś innym, Kai patrzyła bardziej uważnie.

– O, jakie śmieszne rurki... – Nagle zmienił się wyraz jej twarzy. – Z pokrętłami? – Przeniosła wzrok na Tomaszewskiego. – Takie jak u was. Na tym okręcie, co pływa pod wodą.

– Spytaj ją, skąd to ma? – Wyciągnął rękę i wziął od czarownicy fragment instalacji hydraulicznej.

Shen upierała się, że ze świątyni.

– No przecież to nasze.

Kai, ciągle zachowując pozory, tłumaczyła szybko.

– Ona twierdzi, że ze świątyni.

– Taaak? A tu jest napis: „Zakłady Mechaniki Precyzyjnej. Poznań"? Czy ona twierdzi, że dzikusy od lat zamawiają sobie baterie do wanny w najdroższych zakładach w kraju? – Tomaszewski zamarł nagle. – Zaraz... – Przygryzł wargi. – No moment...

– Co? – zapytała Kai.

– Te zakłady rzeczywiście należą do najbardziej kosztownych w kraju. Marynarka wojenna nie składa tam zamówień.

– Może lotnictwo? Armia?

– No skąd? Siły zbrojne muszą zamawiać masówkę, a to jeden z najlepszych zakładów, wykonujący indywidualne zamówienia. Nawet pojedyncze egzemplarze. Nie stać nas na takie cuda.

– A co to jest?

Tomaszewski zerknął na znamiona wybite przy chromowanym zaworze.

– No tak. To część instalacji gazowej. – Wyjął z kieszeni spodni paczkę papierosów, zapalił jednego. – A do instalacji gazowych wystarczą zwykłe rury. Nie chromowane i nie z pokrętłami z półszlachetnych stopów. To coś to fanaberia...

Shen wyjęła z plecaka drugie wotum. Tomaszewski bez słowa wziął do ręki lunetę. Rozłożył ją, skierował w stronę lasu i wyregulował. Westchnął ciężko.

– Majstersztyk dawnej solidnej mechaniki optycznej. Luneta z dalmierzem. Dalmierze z reguły stosuje się w sprzęcie dwuokularowym, a tu... Mistrzostwo.

– To nie pochodzi z waszych okrętów, prawda? – domyśliła się Kai.

– Nie. Bo na żadnym z okrętów nie ma muzeum techniki.

– Ale w ogóle to od was? Wasi mistrzowie to wykonali?

– Tak. To dowód, że choć jeden lot stratosferyczny się udał. I pan książę Osiatyński wylądował swoim balonem gdzieś tutaj.

W kilku słowach wyjaśnił Kai ideę straceńczych lotów nad Górami Pierścienia i pierwsze próby dotarcia na drugą półkulę przez stratosferę.

– No i widzisz. Wszyscy się śmiali z dziwactw księcia, porównywali wielką kabinę jego stratostatu do kapiącego przepychem pałacu wschodnich władców, a nie aparatu wysokościowego. A tu nagle... zdobyliśmy dowód, że książę Osiatyński wylądował gdzieś tutaj. On, jego medium, służący i biały rumak zamknięty na czas podróży w ciśnieniowej stajni. Ot, i proszę!

Shen nie rozumiała ani słowa z wymiany zdań pomiędzy komandorem i czarownicą, ale uspokoiła się wyraźnie. Ich naprawdę interesowały te idiotyczne wota, a nie tajna misja. Oboje wyglądali na bardzo usatysfakcjonowanych.

– Ciekawe, co się z nim stało? – powiedziała Kai.

– Hm, musimy przeprowadzić jeszcze wiele rozmów z naszą panią kapral. A może uda się zorganizować wyprawę do tej świątyni?

Kai posłodziła sobie herbatę, pokazała Shen, jak to zrobić, obiecała góry cudów, które dziewczyna dostanie w zamian za wota, ponieważ panu komandorowi bardzo się spodobały. W to akurat kapral nie wątpiła. Sama widziała.

Kai upiła łyk i umilkła nagle.

– Wiesz – powiedziała po chwili po polsku. – Wpadł mi do głowy jeden pomysł.

– Tak?

– Skoro pani inżynier Wyszyńska tak się interesuje szczegółami mojej rozmowy z oficerami armii Arkach, to...

– Co zamierzasz?

– Pokażmy jej te wota znienacka. I tak, żeby zobaczyć, jak zareaguje i co zrobi potem.

– No to obserwujmy z ukrycia.
– Nie, ja jej pokażę, a ty obserwuj z ukrycia.
– Bardzo sprytne – szepnął. – Bardzo sprytne.
Jego samego bardziej jednak nurtowała sprawa tajemniczej teczki i sposobu jej „pożyczenia", tak żeby nie wzbudzić niczyich podejrzeń.

Żaden z okrętów nie mógł wpłynąć do portu. Za płytko, brakowało nabrzeży, osprzętu i wyszkolonych dokerów. A odpowiednio wyposażone szpitale były tylko na wielkich jednostkach. Dlatego też codziennie dość spory kuter wykonywał regularne rejsy, przywożąc zoperowanych rannych, którzy nadawali się już do przewiezienia na ląd i dalszej rekonwalescencji w namiotowym ośrodku. Zawsze przy tej okazji na nabrzeżu zbierał się tłumek żołnierzy imperialnej armii, z ciekawością obserwujących postaci schodzące, a częściej znoszone po trapie. A może któraś z koleżanek, którą się straciło z oczu podczas bitwy, też przeżyła? Może ktoś, kogo lubiło się szczególnie i było z nim blisko, znowu pojawi się wśród żywych? Mówiąc krótko: a może nastąpi cud?

Żadnej informacji na temat rannych nie podawano. Dowództwo marynarki znało jedynie ich liczbę i dyslokację. Przekazywania na ląd imion ozdrowieńców nie praktykowano. Po pierwsze, nikt na okrętach nie znał miejscowego języka, po drugie, mieszkańcy imperium posługiwali się tylko imionami, nazwisk nie nosili. W związku z tym nie przekazywano na ląd informacji typu: „Aine udało się uratować", ponieważ imiona często się powtarzały i taka wiadomość stanowiła raczej dezinformację.

Na samych okrętach jedynym środkiem porozumiewania się z rannymi pozostawały tablice przygotowane przez Tomaszewskiego. Zawierały najprostsze polecenia i pytania, na które można było odpowiedzieć kiwnięciem głową.

Szersze informacje przesyłano okólnikiem już przetłumaczone. Zawierały dane na temat ostatniej bitwy, przemówienia admirała Ossendowskiego, zapewnienia, że rozbitkowie imperium są traktowani jak sojusznicy. Ale nieznający miejscowego języka marynarze często odczytywali okólniki po prostu fonetycznie i schodzący na ląd żołnierze nierzadko nie mieli zielonego pojęcia na temat sytuacji, w jakiej się znajdują.

Nanti pomogła Shen dostać się bliżej. Kapral kuśtykała już o lasce, i to całkiem sprawnie, czym budziła podziw lekarzy. „Goi się jak na psie" – mówili, a ona na szczęście nie rozumiała.

– I co? Wypuszczają już? – Sharri nie była na tyle bezczelna, żeby przepchnąć się wraz z Shen, i musiała teraz pokrzykiwać z tyłu.

– Przejście! Przejście! – wołali noszowi na trapie. Już nauczyli się tego słowa w języku Arkach. – No przejście, głupie krówska! – to na szczęście wywrzaskiwali tylko po polsku.

Tłumek rozstępował się niechętnie, przepuszczając chorych. Słychać było okrzyki radości, ktoś do kogoś machał, ktoś wołał, wartownicy nie pozwalali dotykać pacjentów. Gwar jednak rósł, bo wszyscy chcieli przekazać jak najwięcej wiadomości, i to natychmiast. Do obłożnie chorych w namiotowym szpitalu odwiedzających nie wpuszczano pod żadnym pozorem.

Shen nie brała w tym udziału; walcząc o utrzymanie równowagi, z trudem opierała się na lasce. Sharri odciągnęła ją do tyłu, i to, jak się okazało, w najgorszym momencie. Kiedy się odwróciła, rząd noszy skończył się właśnie. Z trapu zaczęli schodzić ci, którzy mogli poruszać się sami. Z rzadka tylko pomagali im marynarze. I właśnie wtedy zauważyła...

– Nuk! Nuk!!!

Bogowie! Jej siostra żyła! Shen runęła do przodu, o mało nie przewracając Sharri. Jedynie przytomności Nanti zawdzięczała, że dotarła do pierwszego szeregu oczekujących.

– Nuk!

Sierżant szła powoli, opierając się na dwóch kulach. Szła! Zdruzgotaną nogę zastąpiono czymś białym i nieforemnym, ale szła sama!

– Nuk!

Dziewczyna, usłyszawszy swoje imię, rozglądała się poprzez zbity tłum. Nagle dostrzegła.

– Shen! Shen!

Na szczęście nie przewróciły się, kiedy wpadły na siebie. Sharri i Nanti podtrzymały obie. Lecz one, zajęte sobą, nie zwracały już na nic uwagi.

– Shen, siostrzyczko głupia, wiedziałam, że przeżyjesz.

– Nuk. Nuk... a ja się martwiłam!

Szeptały sobie do uszu różne czułości, aż tłum zaczął rzednąć. Kiedy zostały same, sierżant piechoty i szeregowy musiały przejąć dowodzenie.

– Chodźcie! – zakomenderowała Nanti. – Ty trzymaj ją – przekazała Sharri opiekę nad Nuk. – Ja się zajmę kapral.

– Co to jest to białe, co masz w miejsce nogi?

Nuk uśmiechnęła się zadowolona.

– Tam są palce, na dole, patrz. – Poruszyła nimi lekko. – Nie obcięli mi nogi.

– Ach, to tylko taka skorupa?

– Zdejmą za ileś dni. Tak obiecywali...

– Jakim cudem nie obcięli ci nogi? Co ci zrobili?

– He, he, powbijali gwoździe normalnie! No mówię ci! Powbijali mi do kości zwykłe gwoździe!

Koleżanki nie mogły zrozumieć.

– I co, nie boli cię? Nie rdzewieją?

– Pokazywali mi na takim rysunku. Na czarnym tle widziałam moje kości, całe białe, a w środku gwoździe. No naprawdę. Zupełnie wam nie kłamię.

– I nie boli?

– Nie. – Nuk wzruszyła ramionami. – Jakoś tak zrobili, że nie. Chodzę sobie i nic nie czuję.

Nie mogły się nadziwić. Śmiały się. Gwoździe w nodze! Kto to słyszał? A śruba to chyba w dupie!

– Jak chcecie usłyszeć o większym cudzie, to... Idri żyje. Widziałam ją.

– Co?!

– No przecież mówię.

– Dobra, siadamy tu! – Nanti, która traciła siły, podtrzymując koleżanki, wskazała jakąś rampę pod najbliższym budynkiem. – Odpoczynek!

Zgodziły się chętnie. Wszystkie czuły zmęczenie.

– Naprawdę ktoś naprawił brzuch Idri?

– No.

Siedziały, kręcąc głowami. Z każdą upływającą chwilą umacniało się w dziewczynach przekonanie, że ludzie zza gór to nie poddani jakiegoś niezwykle odległego królestwa. Nie są tacy jak one, tyle że urodzeni na niewyobrażalnie odległych lądach. Są inni. Diametralnie różni, niemożliwi do zrozumienia i tylko z pozoru wyglądający tak samo. Cuda, które mieli na zawołanie, to jedno. Nieprawdopodobna pewność siebie i swoich racji wyczuwalna w każdym zachowaniu to drugie. To był inny naród, to była inna rasa... nie! Złe określenia! To był dramatycznie inny sposób myślenia!

– A jak tu jest? – zainteresowała się Nuk. – Nie macie broni. Jesteśmy jeńcami?

– Nie. Ci tu – Shen wskazała wartownika spacerującego po nabrzeżu – łaskawie określili nas mianem sojuszników. I nawet tak się zachowują.

– Broń jest – wtrąciła Nanti. – Ale co nam po broni, skoro prochu mało. Ledwie na kilka wystrzałów.

– A przeciwko temu, co oni mają... – dodała Sharri.

– Nie wygląda na to, żeby chcieli nam zrobić krzywdę – mruknęła Shen.

– Ta... – Nuk kiwnęła głową. – Jak źdźbło trawy dostanie się w tryby koła młyna wodnego, to zostaje zmiażdżone też bez złej woli ze strony koła. Zostaje zmiażdżone ot, tak sobie, bez wypowiadania wojny, ani nawet bez złych intencji.

– To prawda. Jednak mam wrażenie, że oni nie przyjechali tu miażdżyć czegokolwiek, ich interesuje coś znacznie ważniejszego.

– Co?

Shen wzruszyła ramionami.

– Nie mam pojęcia, ale coś ważniejszego... A właśnie! – Nachyliła się do ucha Nuk, niby to chcąc pieszczotliwie ugryźć jego czubek. – Siostro, pomóż. Mam do wypełnienia tajną misję, a bez ciebie utknę tu na zawsze.

Nuk uśmiechnęła się dyskretnie. Jedna o kulach, druga o lasce. Stanowiły wręcz synonim oddziału szybkiego reagowania. Ale wiedziały, że nie o szybkość tu chodzi.

Rosenblum miał doskonały humor. Po raz pierwszy od czasu, kiedy przybili do tego wybrzeża, przestało mżyć i zza chmur wyszło jaskrawe słońce. Komandor był potwornym meteopatą. I abstrahując od fizycznych dolegliwości spowodowanych skokami ciśnienia, cierpiał jeszcze psychicznie. Mroczne, ciemnawe dni powodowały u niego depresję, niechęć do pracy i napady melancholii. Dopiero dziś odżył tak naprawdę. Wprost tryskał humorem.

– To mówi pan, że pokażemy im te niby wota, sami pozostając w ukryciu niczym superagenci z komiksów, a po wyrazie ich twarzy wywnioskujemy, dla kogo szpiegują? Bardzo dobry pomysł! Wręcz doskonały!

– Niech pan się nie śmieje. – Tomaszewski sam jednak nie mógł utrzymać powagi.

– Nie, nie, ja traktuję sprawę poważnie. Przecież wyraz twarzy od razu ich zdradzi. – Rosenblum miał spory talent aktorski i teraz zaczął się popisywać: – Przyłapany agent rosyjski na przykład wygląda tak... – Jego mina wyrażała strach i panikę. – Złapany agent brytyjski natomiast tak... – Twarz Rosenbluma przybrała wyraz zniesmaczenia i pogardy. – Natomiast niemiecki...

– Panie komandorze – przerwała mu Kai –proszę.

– Ależ oczywiście. Niestety, nie mam pomieszczenia z półprzezroczystym lustrem. Dla spełnienia życzenia damy zrobię jednak wszystko, co będę mógł.

Rosenblum rzeczywiście chciał im pomóc – głównie z uprzejmości i dla dowcipu. Wiedział oczywiście o dziwnym zainteresowaniu Wyszyńskiej wydarzeniami w lesie, relacjami oficerów imperialnej armii i wszystkim, co dotyczyło akcji korpusu ekspedycyjnego, ale nie uważał, że śmieszna prowokacja z zaskoczeniem może coś dać.

Zaprowadził ich do pustego o tej porze pokoju operacyjnego na parterze. Otworzył i szczelnie zasłonił jedno z okien.

– Jak mówiłem, nie mam lustra weneckiego. – Cmoknął z niesmakiem. – No wstyd, że nie mam podstawowego wyposażenia, które ma przecież każdy, nawet najbardziej nędzny superagent w każdym komiksie.

Tomaszewski nic nie powiedział. Postanowił przeczekać dobry humor komandora.

– Ale możemy zrobić to tak. Wykorzystajmy dzisiejsze słońce. My ukryjemy się za tą firaną. W ciemnym pokoju nie będziemy widoczni dla nikogo z zewnątrz, a sami zobaczymy, jak zareagują i jakie miny zrobią, i w zależności od tego oskarżymy natychmiast o szpiegostwo na rzecz Anglii, Rosji albo Niemiec. Chyba że jeszcze jakiś wywiad wchodzi w grę?

– A ja co mam robić? – spytała Kai, również nie dając się sprowokować Rosenblumowi.

– Pani niech przejmie agentów na zewnątrz, pod jakimkolwiek pozorem. Jeśli słusznie podejrzewamy Wyszyńską o nadmierne zainteresowanie sprawami korpusu, to na pewno będzie chciała zobaczyć wota natychmiast.

– Dobrze. – Kai przewiesiła sobie przez ramię torbę i ruszyła do drzwi.

Rosenblum podniósł słuchawkę telefonu.

– Poproś do mnie inżyniera Węgrzyna i inżynier Wyszyńską. Do operacyjnego. Powiedz, że mam już wywołane najnowsze zdjęcia fotogrametryczne. Jeśli są zainteresowani, to zapraszam.

– Robimy fotogrametrię obszarów lasu? – zainteresował się Tomaszewski.

– Owszem. O... I znowu kamyczek do pańskiego ogródka.

– Tak?

– Państwo inżynierostwo są żywo zainteresowani tymi zdjęciami.

– Hm...

Tomaszewski miał ochotę na papierosa, lecz w sytuacji, kiedy mieli czekać w ukryciu, nie było to dobrym pomysłem. Na szczęście oczekiwanie nie trwało długo. Zdjęcia fotogrametryczne okazały się dobrą przynętą.

– Cześć – usłyszeli głos Wyszyńskiej, a po chwili zobaczyli ją samą. Węgrzyn musiał się trzymać trochę z tyłu. Nie widzieli go w obrębie okna.

– Cześć. – Niby to przypadkiem spotkana Kai przerzuciła torbę z ramienia na przód. – Chcecie coś zobaczyć?

– Ale co?

– Nie uwierzycie...

Kiedy Wyszyńska podeszła do dziewczyny, zobaczyli nareszcie Węgrzyna. W umysłach Tomaszewskiego i Rosenbluma pojawiła się ta sama myśl: „Ale przewidujący sukinsyn! Miał ze sobą w bagażach nawet letni garnitur!". Z zazdrością patrzyli na jedynego ubranego idealnie, jak na tę pogodę, mężczyznę. Sami tkwili w grubych mundurach – idealnych na zimną mżawkę dotąd, beznadziejnie gorących w tej chwili.

– Wiecie o rajdzie kilku żołnierzy do świątyni dzikusów?

– Tak.

– A wiecie, co one tam znalazły?

Kai świetnie podtrzymywała napięcie.

– No nie trzymaj nas w niepewności.

– Miej litość – dodał Węgrzyn, bardziej jednak rozbawiony niż zaciekawiony.

– Znalazły i zrabowały wota świątynne. A te wota okazały się tym! – Z triumfalną miną wyciągnęła z torby fragment instalacji gazowej i lunetę z dalmierzem. Ani Węgrzyn, ani Wyszyńska nie powiedzieli ani słowa. Oboje bardzo długo stali nieruchomo w milczeniu. Potem kobieta odwróciła się, zrobiła krok w stronę ich okna, lecz na szczęście zatrzymała się zaraz. Przyłożyła dłonie do twarzy, jakby chciała ją zakryć, ale nie, otarła ją tylko.

– No ładnie – szepnęła. – Pudło!

Węgrzyn wziął do ręki fragment instalacji.

– Zakłady Mechaniki Precyzyjnej. Poznań – przeczytał. – Osiatyński.

– A kto inny mógłby być?

– Jasny szlag! No to żegnaj, pomniku cesarzowej Achai!

– W tym miejscu na pewno – mruknęła Wyszyńska.

Kai włączyła się niepotrzebnie.

– Jeśli interesuje was pomnik cesarzowej Achai, to wiem, gdzie jest – powiedziała. Nie mogąc się doczekać jakiejkolwiek reakcji, dodała: – Jest w mojej szkole czarów. Sama widziałam, i to wiele razy.

Węgrzyn zrobił krok i objął dziewczynę ramieniem.

– I na pewno jest wielki, wspaniały oraz piękny. Nadnaturalnej wielkości. – Uśmiechnął się.

– Owszem. No, może niezbyt piękny, ale wielki jak cholera.

Inżynier tylko pokiwał głową.

– Właśnie. A ten prawdziwy ma wysokość człowieka.

– Zamknij się! – rzuciła niegrzecznie Wyszyńska. Z trudem panowała nad nerwami.

– A skąd wiecie o księciu Osiatyńskim? – spytała Kai.

– Wiesz... – Węgrzyn wzruszył ramionami. – Każdy inteligentny człowiek, który ma w planach choćby zbliżenie się do Gór Pierścienia w ramach wycieczki, przeczytał wszystkie książki o tych górach. W tym te o próbach lotów stratosferycznych nad nimi. Każdy czytał o dzielnym księciu, jego wiernych służących i wspaniałym rumaku zamkniętym w hermetycznej stajni. Każdy!

Tomaszewski przełknął ślinę. Po pierwsze, Węgrzyn kłamał. Inżynier przecież nie mógł planować wizyty w pobliżu Gór Pierścienia. Przepłynął na drugą stronę wyłącznie z powodu awarii krokomierza. Przypadkiem. Po drugie, wymieniając skład załogi włącznie z koniem, zapomniał o medium.

– Dobra... – Wyszyńska westchnęła ciężko. – Wracam do siebie.

– A zdjęcia?

– Cała ta fotogrametria nie jest już do niczego potrzebna.

– No ale... pójdę, coś pogadam.

– Dobrze. Ja wracam.

Pani inżynier zawróciła na pięcie i ruszyła z powrotem, nie obdarzając dziewczyny nawet spojrzeniem. Węgrzyn, chcąc zatrzeć niedobre wrażenie, zaczął opowiadać Kai o lotach stratosferycznych. Tomaszewski na migi dał znać Rosenblumowi, że się wycofuje. Nie chciał, żeby spotkał go tu inżynier. Wyślizgując się z pokoju, zauważył minę komandora, który teraz pluł sobie w brodę, że zlekceważył tę akcję, a na pewno żałował, że nie ma podsłuchu w kwaterach inżynierów.

W głowie Tomaszewskiego huczało. Co to miało znaczyć? O locie Osiatyńskiego wiedzieli wszyscy. Każdy mógł wejść do księgarni i kupić sobie książki, każdy mógł zostać pasjonatem tej historii. Nie każdy na wieść, że w świątyni po drugiej stronie gór odnaleziono szczątki jego aerostatu, zareagowałby tak dziwnie. Dlaczego zamiast: „Hurra, a jednak mu się udało!" albo: „Ale fajne pamiątki" padło określenie „pudło". Pudło? Czyli niecelny strzał? I dlaczego na widok szczątków wyposażenia Osiatyńskiego zdjęcia fotogrametryczne straciły znaczenie? Do czego służą? Do kreślenia niezwykle dokładnych map, oczywiście. Więc mapy nie są już potrzebne? Do czego zatem były potrzebne wcześniej? Dopiero teraz zaczął łączyć te dziwne loty Wyszyńskiej z eksperymentalnym urządzeniem do wykrywania ciepła. Od razu po wylądowaniu w obcym miejscu będziemy wykrywać jakieś ciepło, tak? No, urządzenie co prawda przydało się w pacyfikacji dzikusów, ale było to zastosowanie uboczne, nieprzewidziane przez producenta.

Od początku zainteresowanie Wyszyńskiej tą krainą było zastanawiające. A teraz, po zobaczeniu fragmentów wyposażenia, pani inżynier nagle stwierdza, że nie znajdą tutaj jakiegoś pomnika. I to jakiegoś szczególnego, naturalnej wielkości. Jak powiązać jedno z drugim? Gdyby dosłownie, to ktoś... ktoś miał jakiś kontakt z Osiatyńskim już po wylądowaniu tutaj. Kto? Uśmiechnął się w duchu. Medium! Aż się prosi. Ale nie. Nie był spirytystą.

Nie tu. Tu go nie będzie, powtarzał w myślach. Czyżby Osiatyński sam stwierdził, że tutaj nie znajdzie pomnika? I rzekome wota to wcale nie dary dla świątyni, lecz po prostu pamiątki po nim? Jasny szlag! W jaki sposób Osiatyński przekazał tę wiadomość?!

Tomaszewski czuł, że jakiś wewnętrzny ogień pali go coraz bardziej. Czuł też, że dzisiaj nie znajdzie rozwiązania.

Dairin chciała wykorzystać każdy promień zachodzącego słońca. Znalazła odpowiednie miejsce na szczycie piaszczystego klifu. Przypominało tron i pozwalało ułożyć się wygodnie. Tylko słońce, żadnego wiatru. Czarownica miała dość deszczu po tylu koszmarnych dniach w lesie. Kai przykucnęła obok.

– Widzisz, dobrze, że dałaś się tu zaciągnąć. Chciałabym porozmawiać o kilku ważnych rzeczach.

– Wal śmiało.

Dairin uniosła lekko głowę.

– Zhardziałaś. – Uśmiechnęła się zupełnie bez kpiny czy nagany. – Na pewno nie taka opuszczałaś swoją szkołę.

– Wiesz, jak życie dokopie, to i dupa twardnieje.

Czarownica zaczęła się już śmiać na głos.

– Powiem ci coś. Na razie dostałaś kopniaka, ale nie nogą w wojskowym buciorze. Na razie noga była obwiązana trzema puchowymi poduszkami.

– Jesteś pewna? A potrafiłabyś zabić czarownicę potworów?

Dairin oparła głowę na darni i przymknęła oczy.

– Wierzę ci, byłam na jej grobie. Wiem, że jej moc mogłaby zmieść cię w czasie krótszym niż oddech. A jednak ją pokonałaś. – Zamilkła na chwilę. – Nie mogę sobie tego wyobrazić. Chmura gazu, który zabija wszystko dokoła. Ona, żywa wbrew wszelkim prawom natury, i ty w przedziwnym kombinezonie...

– Zaiste romantyczna noc. Gaz, pistolet maszynowy i ona. Żyć nie umierać.

– Nie śmieję się – odparła Dairin poważnie. – No i... żyjesz.

– Taa... – przytaknęła Kai. – Szybciej strzelam.

Dairin otworzyła oczy i spojrzała na koleżankę spod nastroszonej grzywki.

– Widziałam to coś. Mówię o pistolecie maszynowym. Nawet zapytałam, czy dadzą postrzelać. Oczywiście wiesz, oficer obcej armii, a w dodatku kobieta... O mało na rękach mnie nie zanieśli na strzelnicę. I powiem ci, to coś robi wrażenie.

Kai uśmiechnęła się kpiąco.

– Mówisz?

– Czytałam opowieści o życiu Achai i tam jest taka scena, też w lesie, wśród potworów. Achaja po raz pierwszy dostała do rąk karabin. I z całą mocą poczuła, że nadchodzi nowa epoka. Że to metalowe bydlę całkowicie zmieni jej świat. I tak się stało.

– W rzeczy samej.

– Posłuchaj i nie śmiej się. Gdy trzymałam to coś, poczułam się identycznie. To metalowe bydlę też zmieni nasz świat. Nie do poznania. A przede wszystkim zmieni ciebie.

Kai po raz pierwszy spojrzała na Dairin z zainteresowaniem.

– O czym mówisz?

– O twoim życiu. Właśnie stajesz się kobietą. Nie fizycznie, tylko w całym tego słowa znaczeniu. Rodzą się w tobie różne instynkty, których często nie umiesz nawet nazwać. Już nie jesteś uczennicą wypuszczoną ze szkoły. Dopadły cię pierwsze fascynacje...

– O? To może powiesz mi jakie?

– Fascynuje cię MOC. Moc sama w sobie. Fascynuje i pociąga. – Dairin potarła czubek nosa. – A do tego ten czas, który spędziłaś wśród Cichych Braci, sprawił, że przeważył w tobie pragmatyzm. Nie honor, nie miłość, nie obyczaj. Nic z tych rzeczy, z których inne z nas zazwyczaj czerpią swoje siły. Ciebie opętał pragmatyzm. I tylko dlatego udało ci się zabić tysiąckroć silniejszą od ciebie czarownicę. Oparłaś się na... technologii – czarownica użyła słowa, które usłyszała z ust obcych żołnierzy.

– Żyję.

– Właśnie. Twój instynkt czarownicy ciągnie cię w stronę mocy. Jednocześnie twoje kobiece instynkty ciągną cię w stronę obcych.

– To źle?

Dairin cmoknęła głośno.

– Samo w sobie to nie jest złe. Ale pamiętaj, że w końcu będziesz musiała się opowiedzieć po którejś ze stron. Kto będzie dla ciebie stanowić pojęcie „my", a kto „oni".

– W szkole dzień w dzień kazano nam powtarzać: „Czarownik jest po to, żeby utrzymywać istniejący porządek rzeczy!". Jest więc trzecia siła poza „my" i „oni".

– Nie daj się zwieść. Pierwszy przełom w naszej cywilizacji zlikwidował Zakon. Obawiam się, że drugi przełom zlikwiduje nas.

Kai wystawiła twarz do słońca.

– Naszymi rękami? – domyśliła się.

– Słusznie. W likwidacji Zakonu też zasłużył się jeden z naszych. Odtąd nazywają go Wyklętym.

– Meredith? Poznałam go.

Dairin zakrztusiła się swoją śliną. Długo walczyła o odzyskanie oddechu.

– Co? – Musiała się przekręcić na bok i oprzeć na łokciu.

– To, co mówię. – Kai wzruszyła ramionami.

– Masz bogaty życiorys, jak na swój wiek. Czy wiesz, że za rozmowę z Wyklętym będziesz się musiała ukorzyć przed mistrzem szkoły?

Kai uśmiechnęła się szeroko. Patrzyła tamtej prosto w oczy.

– Albo on przede mną!

Dairin nie wytrzymała jej spojrzenia. Opuściła wzrok.

– Moc cię pożera. A pamiętasz przecież, bo i to kazano ci powtarzać codziennie: moc bywa złudzeniem.

– Ot, powiedziała, co wiedziała.

Kai wyrwała garść piaskowej trawy i rzuciła w Dairin. Koleżanka nie pozostała dłużna. Po chwili zaczęły się szturchać, a za moment zwarły w walce, która skończyła się, dopiero gdy splecione w uścisku stoczyły się na sam dół, na plażę. Wstawały powoli, śmiejąc się cały czas.

– Znalazła się taka jedna od udzielania rad – pokpiwała Kai. – Taka, co niby zna życie. W wojsku jest. Ale pewnie sracza nigdy nie czyściła. Od razu zrobili porucznikiem, a jak pupcię podtarła generałowi, to za chwilę kapitanem. I taka będzie mi rad udzielać, sama siksa jedna!

– A ty, kurde, z obcymi do łóżka wskakujesz i...

Dairin nagle zauważyła, że trafiła w czułą strunę.

– Ożeż! – Podbiegła bliżej. – Kochasz się w którymś! W którym? Niech zgadnę. Aaa... W tym takim młodym, wysokim jak zamkowa wieża, co ma mundur czarny jak smoła, elegancki jak król, a uśmiech ma jak...

– Przestań.

– Trafiłam.

Jakiś czas patrzyły jedna na drugą niepewnie, a potem przytuliły się do siebie. Dopiero po dłuższej chwili usiadły na brzegu morza, zaplatając nogi.

– Powiedz mi jedną rzecz. Słyszałam jakieś bzdury o moim talizmanie, że podobno wskazywał miejsce, gdzie jestem, na jakieś niesamowite odległości, coś starał się przekazać... Przecież to niemożliwe.

– Niemożliwe. Jednak widziałam na własne oczy.

– A jesteś w stanie to wytłumaczyć?

Dairin wzruszyła ramionami.

– Tam... tam w lesie coś jest. Coś na tyle dziwnego, że cesarstwo postanowiło wysłać armię. Nie uważasz, że musiało mieć bardzo konkretny powód, żeby poświęcić cały korpus?

– Hm... – Kai nie miała pojęcia, co powiedzieć.

– Popatrz na jedną rzecz. Cesarstwo jest może i chwiejącym się na nogach, może zbyt starym, szarpanym przez wszystkich wokół, ale jednak hegemonem na świecie. I ten hegemon w bardzo trudnej dla siebie sytuacji poświęca cały korpus, żeby coś zdobyć albo czegoś się dowiedzieć.

– No i skończyło się fiaskiem.

– Tego nie wiesz – zaskoczyła ją Dairin. – Zwróć uwagę na coś jeszcze bardziej dziwnego. Otóż w czasie, kiedy siły imperium wychodzą na swój obszar operacyjny, na scenie pojawia się inny hegemon. Nie z tego świata. I co? I dziwnym przypadkiem ta niezrównana potęga zmierza dokładnie w to samo miejsce!

– To naprawdę przypadek.

– Tego nie wiesz – powtórzyła Dairin. – Popatrz na fakty. Cesarstwo zwraca uwagę na las, wysyła znaczne siły dla zaspokojenia swoich interesów. Mocarz z innego świata zwraca uwagę na las, wysyła tam znaczne siły dla zaspokojenia swoich interesów. Oba zdarzenia mają miejsce dokładnie w tym samym czasie. To są fakty. Reszta to polityka, czyli sztuka puszczania dymu w ludzkie oczy.

Kai siedziała oszołomiona, nie mogąc poradzić sobie z własnymi myślami.

– Coś mi się zdaje, że to wielki stół gry, gdzie karty podmienia dwóch wielkich szulerów – ciągnęła wojskowa czarownica. – Lecz mam nieodparte wrażenie, że szachruje jeszcze ktoś trzeci.

– Kto?

– Zbyt wiele dziwnych rzeczy dzieje się dokoła. Myślę, że zbyt wielkiej tajemnicy dotknęliśmy.

Żołnierze obu armii wykazywali zdolności, których nikt wcześniej by się po nich nie spodziewał. Zaczęli garnąć się do nauki języków obcych. Przyjaźnie wiązały się szybko, no ale mimo różnicy płci, która niewątpliwie pomagała w porozumieniu, pozostała jeszcze bariera językowa, która ewidentnie przeszkadzała. Nie wszystko da się wyrazić gestami. Nauka szła więc pełną parą po obu stronach. Wytworzył się nawet rodzaj żargonu, gwary czy slangu, zawierającego podstawowe zwroty i wyrażenia w obu językach. I choć kaleczył okrutnie obie mowy, to jednak przyjmował się coraz szerzej i stanowił pewną podstawę, na której można było się oprzeć.

– Hej, Sharri, wino? Ty?

– Ja, wino. Fajnie.

Dziewczyna uśmiechała się do rosłego marynarza, wyróżniającego się z całej grupy dzięki plecakowi, w którym coś pobrzękiwało. W ogóle dziewczyny zazdrościły kolegom z tej drugiej armii właściwie każdej rzeczy. Oni mieli wszystko, dosłownie wszystko. Różne alkohole, słodycze, kolorowe chusty, a jak chciano wybrać się na wycieczkę gdzieś do lasu, tylko we dwoje, mieli niezrównanej jakości koce i pledy, a nawet środki przeciwko muszkom i komarom, żeby gołego tyłka nic nie gryzło.

– No to, Sharri, razem? – Marynarz pokazał uścisk dłoni.

– Razem. – Wskazała dłonią całą grupkę chichoczących żołnierzy. – Razem. Wszyscy? – nie była pewna tego słowa.

Shen, która coraz lepiej radziła sobie z laską, a także zdecydowanie dobrze z obcym językiem, zakomenderowała:

– Chodźcie. Razem chodźcie. Las.

Ruszyli łagodnym stokiem w górę, gdzie drzewa rosły coraz gęściej.

– Tam. – Jeden z żołnierzy w maskującym stroju wskazywał kierunek. – Tam?

– Nie, tam. – Shen pokazała przeciwną stronę. Wydawało jej się, że tam jest polana i będzie więcej słońca.

– Tam nie – usłyszała w odpowiedzi.

– Tam.

– Tam nie.

– Tam nie wolno?

– Wolno. Ale tam nie.

– Dlaczego?

Żołnierz nie wiedział, jak odpowiedzieć. Wtrąciła się Nanti:

– No, decydujcie się szybciej. Mam ochotę na popijawę i zabawę.

Natychmiast poparły ją dwie piechociarki, które już miały przygruchanych kawalerów. Też chciały się zabawić przy winie, a potem zanurzyć cicho w las na zabawę innego rodzaju. Nikt zresztą nie krył zamiarów. Towarzyszący dziewczynom żołnierze i marynarze mieli w większości plecaki ze zrolowanymi na górze kocami.

– Tam? – Shen jednak coś niepokoiło.

– Tam nie. – Żołnierz ewidentnie unikał jej wzroku.

– No to, jeśli wolno, chodźmy tylko zobaczyć.

Kiedy ruszyła w lewo, pod górę, wszystkim mężczyznom zrzedły miny.

– Może lepiej nie...?

Teraz jednak nic już nie mogło zatrzymać Shen. Reszta grupy chcąc nie chcąc podążyła za nią. Ponieważ jednak szła o lasce, szybko ją dogonili. Na szczyt wzgórza dotarli już razem.

Widok istotnie zapierał dech w piersiach. Szczególnie dziewczynom, które widziały coś takiego pierwszy raz w życiu. Na wielkiej polanie ciągnęły się idealnie równe rzędy kopczyków ozdobionych blaszkami. Były tak precyzyjnie usypane, że w każdą ze stron można by przyłożyć linijkę i zobaczyć wręcz przykład doskonałości.

– Bogowie... – szepnęła któraś z tyłu. – Co to jest?

– Cmentarz – odparł żołnierz w maskującym mundurze.

– Wasz?

– Nie. – Spuścił wzrok. – Wasz.

– Co? – Shen potrząsała głową w szoku. – Skąd...?

Jeden z marynarzy zaczął tłumaczyć.

– W lesie bitwa, trupy, rozumiesz? Trupy leżeć. Zwierzęta, am-am. – Pokazywał prawą dłonią jakby paszczę, która rozrywa jego lewe ramię. – Zwierzęta, w lesie, am-am. Rozumiesz?

– Rozumiem.

– No to Tatarzy na ciężarówki zabitych i tutaj. Koparka groby zrobiła, dlatego tak równo. No i leżą.

Dziewczyny były pod wrażeniem takiego szacunku okazywanego zmarłym. Szczególnie obcym. Widok cmentarza spowodował kolejny przełom w ich świadomości i kolejną zmianę wyobrażeń o obcych zza gór. Nigdy nie widziały czegoś takiego. Od zawsze trupy leżały na polach bitew, a te miejsca miejscowi nazywali potem „psimi polami" od zwierząt pożerających zabitych. Ale też te ciągnące się w nieskończoność rzędy, idealnie równe, jak tylko maszyna zrobić potrafi, pokazywały rozmiar szaleństwa, w jakim musiał uczestniczyć korpus. Totalnego szaleństwa. Zatracenia.

Jakiejś dziewczynie przyszła nagle do głowy myśl.

– A potwory też mają takie groby?

– E tam... – Marynarz uśmiechnął się odruchowo. – Ich to spychacz do wspólnej mogiły za jednym razem srrruuu! i już... – Zreflektował się nagle, że takie słowa są niezbyt na miejscu. – No ale... tak. Tak. Oni też mają swój grób i zwierzęta ich nie tkną.

Ciężko było przerwać zapadłą ciszę. Potem Nanti nachyliła się nad najbliższym grobem i dotknęła blaszanego znaku.

– A to? Co to jest?

– Enzetka.

– Co?

– „Nieznany żołnierz". Taka blaszka, którą się rzuca na świeży grób na pierwszej linii. Żeby ci, którzy przyjdą potem, nie rozjechali mogiły kołami ciężarówek ani gąsienicami. Gdy przyjdą siły tyłowe, zrobią ekshumację, identyfikację i pochowają w lepszym miejscu.

Odruchowo powiedział to wyłącznie po polsku, więc niewiele zrozumiały. Może sens dotarł. Nanti podniosła się ciężko.

– Chodźcie – szepnęła. – Nic tu nie wystoimy.

– Szaleństwo – powtarzała Sharri. – Szaleństwo.

– Chodźmy.

– Trzeba by tu umieścić jakąś tablicę – rzuciła jedna z dziewczyn. – Może napisać: „Bogowie tak chcieli"?

– Ty się odpierd... – zaczęła Sharri, ale czujna Shen złapała koleżankę i przyciągnęła do siebie.

– Ciii... Wszystkie wiemy, za jakie poglądy wyrzucili cię ze szkoły dla kapłanek. Ciii...

– A ty co? Tam właśnie – Sharri wskazała palcem na cmentarz – jest koniec polityki. Ktoś kiedyś napisał, że wojna jest jej przedłużeniem. Konsekwencją i zakończeniem. No to widzisz, jak wygląda ten koniec. To szaleństwo!

Shen zerknęła we wskazanym kierunku. Słońce rzeźbiło cieniami niewiarygodne figury wśród tych równych brył. Cały krajobraz zdawał się geometryzować i układać w jeden szablon.

– Chodźmy.

Pociągnęła Sharri z powrotem w dół zbocza. Niedoszła kapłanka nie mogła sobie jednak darować. Mijając zwolenniczkę umieszczenia na cmentarzu tablicy, powiedziała:

– Napisz: „Każdy Bóg to kryminalista"!

W nocy musiał padać deszcz, bowiem rankiem nad portem dało się dostrzec ogromną tęczę. Słońce szybko pięło się po nieboskłonie, zwiastując dobrą pogodę, Rosenblum jednak był w ponurym nastroju.

– Nie uwierzy pan – powiedział, witając Tomaszewskiego. – Stało się coś, czego nie przewidziałem.

– Mam nadzieję, że nic złego. Tęcza z reguły zwiastuje koniec kłopotów.

– Zwiastuje początek nowej drogi – poprawiła go Kai. – Przynajmniej u nas.

Rosenblum nie był jednak w nastroju do żartów.

– Niedługo ogłoszą nowe rozkazy dowództwa. Ten port przestanie pełnić rolę bazy o pierwszorzędnym znaczeniu. Będzie placówką pomocniczą.

– A co będzie główną?

– Jeszcze nie wiadomo. Ale ta nagła zmiana planów... Nie wydaje się panu dziwna?

– Jestem przyzwyczajony do kaprysów dowództwa i jego nieprzewidywalności – zaczął Tomaszewski, lecz nagle zdał sobie sprawę z koincydencji. Wczoraj Wyszyńska powiedziała „pudło". W jakiejś kwestii nie trafili do tarczy za pierwszym razem. I co? Następnego dnia już zmiana decyzji co do lokalizacji głównej bazy? Niebywałe.

– Czy inżynierowie mają dostęp do systemu łączności ze sztabem na drugiej półkuli?

Rosenblum skrzywił wargi, akceptując w ten sposób tok myślenia rozmówcy.

– Tak. I oczywiście jak wszyscy szyfrują swoje meldunki.

– Ale nie szyfrem ogólnowojskowym, domyślam się?

– I słusznie się pan domyśla. Mają szyfr swojej stoczni.

– Dostępny dla nas?

– Trudna sprawa.

Tomaszewski skinął głową ze zrozumieniem. No tak, wszystko jasne. Szyfr stoczni na pewno udałoby się dostać w ten czy inny sposób, lecz rozkaz w tej sprawie należałoby wysłać tą samą drogą łączności. Przez sieć nadajników radiowych na kolejnych odpowiednio umieszczonych okrętach. I gdzie ten rozkaz najpierw trafi? Oczywiście do sztabu głównego, który przecież właśnie wydał rozkaz o zmianie bazy. Koło się zamyka. Jako komórka wywiadu nie mieli więc niezależnej łączności z drugą półkulą.

– A w pozostałych sprawach?

Rosenblum machnął ręką.

– Drobiazg. Dziś w nocy każę uśpić wszystkie baby w namiocie tej Shen. Zabierzemy jej plecak, obfotografujemy wszystko i zwrócimy przed świtem.

– To szpital. Pewnie po nocy wielu rannych nie może spać. Kręcą się jacyś...

– Drobiazg – powtórzył. – Jeśli pan chce, każę uśpić cały szpital, oprócz polskiego personelu, rzecz jasna.

Tomaszewski tylko się uśmiechnął. Rosenblum kontynuował:

– Bardziej mnie jednak martwi, że ona mogła porobić w plecaku jakieś znaki. I rano rozpozna, że ktoś go ruszał.

– A to akurat proszę zostawić na mojej głowie. Mój bosman z „Dragona" to były złodziej, którego wyciągnąłem ze sporych tarapatów. On wyjmie wszystko i włoży z powrotem tak, że nie naruszy żadnych zabezpieczeń.

– A to świetnie.

Rosenblum pierwszy wkroczył na stopnie prowadzące do budynku sztabu. Nie było już żadnego śladu po walkach pamiętnej nocy w porcie. Ale nie szli też do centrali ani do pokoju operacyjnego. W sporym pomieszczeniu na piętrze porucznik Siwecki miał właśnie dzisiaj obudzić z transu porwaną przez patrol imperialnej armii najwyższą kapłankę dzikich. Jako tłumacze przyszli najwcześniej, w pomieszczeniu obok wielkiego łóżka zastali tylko lekarza i pielęgniarkę. Siwecki wskazał im krzesła. Teraz też jako pierwsi mogli sobie wybrać. Tomaszewski zasiadł tuż przy łóżku, Kai obok niego, choć niechętnie. Wolałaby usiąść gdzieś z tyłu. Nie żeby się bała, oczywiście, nie wiedziała tylko, czy stara kobieta w transie jest czarownicą, czy tylko kapłanką. Nie dało się tego rozstrzygnąć wcześniej.

Próba wyprowadzenia jeńca z transu właśnie tutaj okazała się pomysłem Wyszyńskiej. Słusznym zresztą, nawet patrząc bezstronnie, więc popartym przez Rosenbluma. Każdy był ciekaw, co stara może mieć do powiedzenia na temat pewnych tajemnic. Siweckiego, który przeprowadził kilka sekcji ciał zabitych dzikusów i stwierdził obecność pewnych istotnych anatomicznych różnic, interesowało z kolei doświadczenie na żywym człowieku. A jeśliby obcy oficerowie chcieli zabrać jeńca ze sobą (no w końcu kiedyś przecież gdzieś wyjadą), to taka niepowtarzalna okazja mogłaby przejść wszystkim koło nosa. A tutaj? W obecności imperialnych oficerów? Dla dobra pacjenta? Wszystko zostanie przeprowadzone w najlepszym porządku i ku obopólnej korzyści.

Pozostali uczestnicy eksperymentu schodzili się z dużą punktualnością. Najpierw major Hernike ze swoją czarownicą Dairin, która wolała usiąść obok Kai. Potem pułkownik Selim Michałowicz, na szczęście tym razem bez szabli. Wyszyńska i Węgrzyn, o dziwo, w niezłych mimo wszystko humorach. Kilku oficerów ze sztabu raczej dla towarzystwa, bo wywiad, czyli stronę przesłuchującą, reprezentował i tak Rosenblum.

– Panie doktorze... – Pułkownik Michałowicz zerknął na dwóch wartowników, którzy odznaczyli przybyłych na liście i właśnie zamknęli drzwi wejściowe, sami zostając w środku. – Prosimy!

Siwecki podniósł przygotowaną wcześniej strzykawkę.

– Nic widowiskowego. – Uśmiechnął się. – Uprzedzałem.

Wbił igłę w woreczek kroplówki i nacisnął tłok.

– I tyle. – Ukłonił się niczym po występie w cyrku. Kilka osób zaklaskało, ktoś się zaśmiał.

– I to ma zadziałać? – dopytywał się jedynie tatarski pułkownik.

– Mam nadzieję. Zestawu do elektrowstrząsów nie przygotowałem, a żelazkiem jej nie przypalę. Nie umiem prasować. – Siwecki rozłożył ręce.

– Taaa... No to czekamy.

Tomaszewski wciągnął głęboko powietrze. Nagle, zupełnie irracjonalnie, zdał sobie sprawę, że jest tysiące mil morskich od domu. Dopiero teraz dotarło do niego, że długo, cholernie długo nie zobaczy dworku rodziców, małego, zarośniętego liśćmi grążeli stawu. Aleks, stary pies, z którym bawił się, kiedy obaj byli szczeniakami, nie dożyje już jego powrotu. Ciekawe, czy tęsknił.

Popatrzył za okno, na ten dziwny, obcy świat, który powoli stawał się jego światem, przeniósł wzrok na Kai. Dziewczyna z krain, których do nie tak dawna nie było. Kobieta z innego świata, tak jednak bliska. Chciał kogoś, kto wygląda obco? Nie ma sprawy. Popatrzył na Wyszyńską. Ta zaskakująca go zawsze kobieta przyszła na badanie jeńca w butach na wysokich obcasach, w krótkiej spódniczce, eleganckiej bluzce i w pełnym makijażu. Niczym na spotkanie w ambasadzie. Miała nawet elegancką torebkę, którą teraz trzymała na kolanach. Tomaszewski nie mógł zdecydować, która z nich pociąga go bardziej.

Stara dzikuska na łóżku poruszyła się. Usłyszeli coś jakby jęk albo stłumione westchnienie. Jej powieki zaczęły drżeć.

– No! A jednak! – Selim Michałowicz uderzył dłonią w kolano. – Coś te łapiduchy jednak potrafią!

Rozejrzał się wokół w oczekiwaniu na aplauz, lecz w pomieszczeniu panowała cisza. Jedynie Dairin nachyliła się do przodu, by zerknąć na Kai. Tomaszewski przysiągłby, że było to spojrzenie ostrzegawcze. Nie zdążył jednak niczego przedsięwziąć. Starucha nagle usiadła na łóżku i otworzyła oczy.

Ktoś odruchowo szarpnął się z krzesłem do tyłu. Dairin wstała, pociągając za sobą Kai. Hernike uniosła się również, a po chwili wszyscy zaczęli się podnosić. Tomaszewski pierwszy zrobił krok do przodu, ale Kai chwyciła go za rękę i przytrzymała.

Stara kobieta nagle wstała z łóżka. Błyskawicznie! Jakby jej mięśnie były młode i sprawne, trenowane przez cały czas, a nie zdrętwiałe od wielodniowego, jeśli nie wielotygodniowego bezruchu. Zrobiło to takie wrażenie na obecnych, że nikt się nie ruszył. Jedynie Siwecki zachował resztki refleksu. Podszedł i okrył pacjentkę kocem. Kobieta zdawała się nie widzieć nikogo wokół. Po chwili jednak zamknęła oczy. Korzystając z jej bezruchu, wartownicy przysunęli się bliżej.

Tomaszewski poczuł, że ma suche gardło. Irracjonalnie jednak bał się przełknąć ślinę. W pomieszczeniu zapadła taka cisza, że musiałby to usłyszeć każdy ze stojących przy nim. Kai nerwowo roztarła sobie wargi. Po sekundzie identyczny gest wykonała Dairin. Jakby się do czegoś przygotowywały.

Stara kobieta zaskoczyła je jednak. Otworzyła oczy i teraz nikt nie miał wątpliwości, że widzi. I to bardzo dobrze. Jej wzrok zatrzymał się na Siweckim. Stara nie zmieniła wyrazu twarzy. Popatrzyła na Rosenbluma, Tomaszewskiego i Michałowicza, lecz tak jakby ich nie było. Jakby byli przedmiotami. Dłużej zatrzymała się na Kai. Dziewczyna wstrzymała oddech. Ale starucha nie zamierzała atakować. Po dłuższej obserwacji powoli podniosła rękę i wymierzyła dziewczynie policzek. Lekko, acz z całą pewnością karcąco. Zerknęła na Dairin – z wyraźną pogardą. Wyglądała na kogoś pogodzonego ze swoim losem. Kogoś obojętnego do granic możliwości, kto spodziewa się śmierci i chciałby tylko sennymi gestami wyrazić ostatnie życzenie. Potem jednak stara przeniosła wzrok na Węgrzyna.

Nikt później nie potrafił powiedzieć, co się stało. Wersje były różne i niezbyt zgodne ze sobą. Tomaszewski zapamiętał to tak:

Inżynier otworzył usta, chcąc coś powiedzieć. Stara, nie wydając żadnego dźwięku – z twarzą jednak wykrzywioną czymś... czymś... pomiędzy strachem, nienawiścią, zgrozą? Cholera wie... – rzuciła się na mężczyznę tak szybko, że nikt nie zdążył zareagować. Nikt nie zdążył nawet nabrać powietrza do krzyku. Skoczyła na Węgrzyna i zębami rozszarpała mu gardło.

Jakiś oficer, odsuwając nogę ochlapaną krwią, cofnął się i wpadł na drugiego. Jeden z wartowników skoczył do przodu, potknął się i przewrócił na pułkownika, macającego odruchowo głownię nieistniejącej szabli. Drugi, jak i cała reszta, nawet nie drgnął.

Stara podniosła się znad ciała Węgrzyna. Wyszyńska otworzyła swoją torebkę. Starucha spojrzała na nią i sprężyła się do skoku. Wyszyńska wyjęła z torebki mały pistolet, przeładowała i podniosła do oczu w chwili, kiedy stara leciała już w jej stronę.

Maleńki pistolet okazał się pistoletem maszynowym. Tomaszewski nie wiedział nawet, że gdzieś takie produkują. W niewielkim magazynku miał najwyżej kilka nabojów. Jedna krótka seria.

Jedna krótka seria... Tyle że prawie z przyłożenia. I pociskami typu dum-dum, bo starą dosłownie wypatroszyło.

Ludzie obecni w pomieszczeniu na długą chwilę stracili słuch i nigdy już nie uda się ustalić, co kto krzyczał

czy mówił. Nikt też oprócz Tomaszewskiego nie patrzył na strzelca. Większość skupiła wzrok na drgającym, tryskającym krwią ciele Węgrzyna. Część na rozerwanym prawie wewnętrznymi eksplozjami trupie staruchy. Co to było? Nie dum-dum, tylko pociski z ekrazytem? Efekt, jakby strzelano z małej armaty. Ale i u inżyniera sprawa została zakończona definitywnie. Siwecki nie miał najmniejszej szansy na udzielenie skutecznej pomocy.

Jedynie Tomaszewski patrzył na Wyszyńską. Jedynie on widział, co zrobiła ta przedziwna kobieta, kiedy skończyły jej się naboje. Najpierw spojrzała na Węgrzyna – stwierdziła, że jej kolega nie przeżyje. Później popatrzyła na staruchę – stwierdziła, że zagrożenia już nie ma. A potem...

Tomaszewski przysiągłby, że widział wyraźnie. Potem Wyszyńska podniosła do ust swój pistolet, dmuchnęła w lufę i uśmiechnęła się lekko.

Koniec tomu pierwszego

Książki Andrzeja Ziemiańskiego
wydane nakładem naszego wydawnictwa

1. Achaja – tom 1
2. Achaja – tom 2
3. Achaja – tom 3
4. Zapach szkła
5. Toy Wars
6. Breslau forever
7. Pomnik cesarzowej Achai – tom 1

Achaja
Tom I
Ziemiański
Achaja
Tom II
Ziemiański
Achaja
Tom III
Ziemiański

Ziemiański
Andrzej
Andrzej
BRE SLAU
FOR EVER
ANDRZEJ
ZIEMIAŃSKI

Brian D'Amato

Królestwo Słońca – ks.1 cz.1

PRZEPOWIEDZIANA NAM ZAGŁADA JEST NIEUCHRONNA. PRZYPADEK KRZYŻUJE PLANY MISJI OCALENIA. CZY MOŻNA JESZCZE ZMIENIĆ NIEUBŁAGANY WYNIK GRY OFIARNEJ?

Stany Zjednoczone stają się celem ataku, przy którym zamach z 11 września to drobny incydent. Naukowcy odkrywają, że zostało to dokładnie przepowiedziane w tajemniczym Kodeksie Majów. Najważniejszy... i ostatni zapis dotyczy daty 21 grudnia 2012 r. Potem nie ma już nic.

CZY NADCHODZI NASZ KONIEC?

ISBN 978-83-7574-608-2

Paweł Kornew

Czarne sny – cz. 1

PRZEZNACZENIE TO DZIWKA – NIE OCZEKUJ, ŻE SIĘ W TOBIE ZAKOCHA...

Jedyna droga ucieczki wiedzie tam, skąd wszyscy chcieliby uciec. Wprost w paszczę Przygranicza, gdzie miłosierdzie zdechło pod śniegiem, a przyjaźń mierzy się wielkością długu do spłacenia.

TAM GDZIE GROZA I MRÓZ ŚCINAJĄ KREW NA WYŚCIGI

Przygranicze. Skuty lodem, oderwany skrawek naszego świata. Ziemia jeszcze niczyja i przyczółek walki o losy ludzkości. Ale w Przygraniczu nikt nie myśli o przyszłości innej niż swoja. Liczy się tylko to, jak bardzo chcesz żyć.

ISBN 978-83-7574-634-1

Marcin Mortka

Druga Burza

BUNTOWNIK MADS VOORTEN I JEGO STRACEŃCY PO RAZ KOLEJNY RUSZAJĄ DO WALKI. STAWKĄ JEST WOLNOŚĆ LUB... ŚMIERĆ W BOJU.

Przeciwko nim zastępy zbrojnych, złowroga magia, smoczy pomiot, a przede wszystkim zwykłe ludzkie cwaniactwo. Bo nie ma takiej wojny, na której ktoś nie chciałby zrobić interesu.

Burza ma jednak sprzymierzeńców – elfy i krasnoludy, które podobno wyginęły dawno temu, smocze szczenię, które zdradziło braci oraz Strażniczkę.

Burza ma też swoje Ostrze – Madsa. Świetnego wojownika, błyskotliwego dowódcę, szaleńca i desperata.

Burzy nic nie zatrzyma!

ISBN 978-83-7574-678-5

WYDANIE I

ISBN 978-83-7574-675-4

PROJEKT I ADIUSTACJA AUTORSKA WYDANIA Eryk Górski, Robert Łakuta

PROJEKT ORAZ GRAFIKA NA OKŁADCE Piotr Cieśliński

ILUSTRACJE Dominik Broniek

REDAKCJA Karolina Kacprzak

KOREKTA Magdalena Grela-Tokarczyk, Magdalena Byrska

SKŁAD ORAZ OPRACOWANIE OKŁADKI Dariusz Nowakowski

WYDAWCA

Fabryka Słów sp. z o.o.
20-834 Lublin, ul. Irysowa 25a
tel.: 81 524 08 88, faks: 81 524 08 91
www.fabrykaslow.com.pl
e-mail: biuro@fabrykaslow.com.pl

DRUK I OPRAWA OPOLGRAF S.A. www.opolgraf.com.pl